Doze Césares

Mary Beard

Doze Césares

Imagens de poder do mundo antigo ao moderno

tradução
Stephanie Fernandes

todavia

OS DOZE CÉSARES

DINASTIA JÚLIO-CLAUDIANA

Júlio César	**Augusto**	**Tibério**	**Calígula**	**Cláudio**	**Nero**
"Ditador" de 48 a 44 a.C.	Governou de 31 a.C. a 14 d.C.	Governou de 14 a 37 d.C.	Governou de 37 a 41 d.C.	Governou de 41 a 54 d.C.	Governou de 54 a 68 d.C.
Assassinado	Boatos de envenenamento pela esposa Lívia (antes chamado Otaviano)	Boatos de assassinato	Assassinado (oficialmente chamado Caio)	Boatos de envenenamento pela esposa Agripina	Suicídio forçado

GUERRA CIVIL			DINASTIA FLAVIANA		
			(DO NOME DE FAMÍLIA "FLÁVIO")		

Galba	Otão	Vitélio	Vespasiano	Tito	Domiciano
Governou de junho de 68 a janeiro de 69 d.C.	Governou de janeiro a abril de 69 d.C.	Governou de abril a dezembro de 69 d.C.	Governou de dezembro de 69 a 79 d.C.	Governou de 79 a 81 d.C.	Governou de 81 a 96 d.C.
Assassinado	Suicídio forçado	Linchado	Morte natural	Boatos de envenenamento pelo irmão, Domiciano	Assassinado

Agradeço a American Academy em Roma,
de onde guardo boas memórias

Prefácio

Ainda vivemos cercados de imperadores romanos. Já faz quase 2 mil anos que a antiga cidade de Roma deixou de ser a capital de um império, mas mesmo agora — pelo menos no Ocidente — quase todo mundo reconhece o nome, e às vezes até a fisionomia, de Júlio César ou Nero. Seus rostos não só nos encaram em museus e galerias de arte como figuram em filmes, propagandas e charges de jornais. Com muito pouco (bastam uma coroa de louros, uma toga, uma lira e umas labaredas ao fundo), um satirista transforma um político moderno em "Nero tocando lira enquanto as chamas consomem Roma", e quase todo mundo entende. Ao longo dos últimos quinhentos anos, esses imperadores, bem como suas esposas e mães, filhos e filhas, foram recriados inúmeras vezes em pinturas e peças de tapeçaria, prataria e cerâmica, mármore e bronze. Meu palpite é que, antes da "era da reprodução mecânica", havia na arte ocidental mais imagens de imperadores romanos do que quaisquer outras figuras humanas, exceto por Jesus, a Virgem Maria e um punhado de santos. Com o passar dos séculos, Calígula e Cláudio ainda dão o que falar, muito mais do que Carlos Magno, Carlos V ou Henrique VIII. A influência deles vai muito além da biblioteca ou do auditório de palestras.

Convivi mais com esses antigos governantes do que a maioria das pessoas. Há quarenta anos eles fazem parte do meu *trabalho*. Vivo de estudar suas palavras, de decisões judiciais a piadas. Analiso a base de poder, esmiuço as regras de sucessão (ou a falta delas) e volta e meia abomino a supremacia deles. Examino seus rostos em camafeus e moedas. E ensino alunos a curtir e a examinar com atenção o que escritores romanos escolheram dizer sobre eles. As sórdidas histórias sobre as extravagâncias do imperador Tibério em sua piscina na ilha de Capri, os boatos sobre o desejo de Nero pela mãe ou sobre o que Domiciano fazia com moscas (ele as torturava com a ponta de sua pena) permeiam desde sempre o imaginário moderno, e sem dúvida nos dizem muito sobre os medos e as fantasias da Roma Antiga. Mas, como costumo reiterar a quem leva essas histórias muito a sério, elas não são necessariamente "verdadeiras", no sentido mais comum do termo. Por profissão, sou classicista, historiadora, professora, cética e desmancha-prazeres ocasional.

Neste livro, ainda que fale sobre esses imperadores, trago o foco para as imagens modernas que nos cercam e levanto questionamentos básicos sobre como e por que elas foram produzidas. Por que, desde o Renascimento, artistas retratam tanto essas figuras, e de tantas formas diferentes? E por que clientes optam por adquirir esses retratos, sejam esculturas suntuosas ou placas e gravuras baratas? O que os rostos desses autocratas, mortos há muito tempo, em grande parte mais famosos por suas vilanias do que por seu heroísmo, *significam* para o público moderno?

Os imperadores antigos são personagens importantíssimos dos capítulos a seguir, sobretudo os primeiros "Doze Césares", como hoje são mais conhecidos — de Júlio César (assassinado em 44 a.C.) a Domiciano, o torturador de moscas (assassinado em 96 d.C.), passando por Tibério, Calígula e Nero, entre outros (Quadro 1). Quase todas as obras de arte moderna que abordo dialogam com as representações que os romanos faziam de seus governantes, e com todas essas antigas histórias, por mais exageradas que soem, sobre suas façanhas e transgressões. Contudo, neste livro, os imperadores dividem o palco com uma ampla gama de artistas modernos: alguns, como Mantegna, Ticiano e Alma-Tadema, são bem conhecidos na tradição ocidental; outros advêm de gerações de tecelões, marceneiros, ourives, gravuristas e ceramistas hoje anônimos que criaram algumas das imagens mais marcantes e influentes desses césares. Eles também dividem o palco com uma série de humanistas, antiquários e eruditos do Renascimento e arqueólogos modernos, que se dedicaram a identificar ou reconstruir — correta ou equivocadamente — essas antigas faces do poder, e com uma gama ainda maior de pessoas, de faxineiros a cortesãos, que se impressionaram, se entediaram, passaram raiva ou ficaram perplexos com o que viram. Em outras palavras, não estou interessada só nos imperadores em si ou nos artistas que os recriaram, mas também em gente como a gente, que *contempla*.

O livro, espero, guarda algumas surpresas e traz à tona casos inesperados de história da arte "extrema". Encontraremos imperadores nos lugares mais inusitados, de chocolates a papéis de parede do século XVI e figuras espalhafatosas de cera do século XVIII. Decifraremos estátuas cujas datas de produção são contestadas até hoje, a ponto de ninguém chegar a um acordo sobre serem elas romanas, pastiches modernos, falsificações, réplicas ou tributos criativos do Renascimento à tradição imperial. Refletiremos sobre o que leva essas imagens a ser identificadas e reidentificadas das formas mais imaginativas possíveis, ou persistentemente confundidas, há séculos: um imperador tomado por outro, mães e filhas trocadas, mulheres da história de Roma (erroneamente) lidas como homens, ou vice-versa. E reconstruiremos, a partir das cópias remanescentes e vagos fragmentos, uma série perdida de rostos imperiais romanos do século XVI, que praticamente caíram no esquecimento, mas que já foram tão conhecidos que definiram o modo como pessoas por toda a Europa costumavam imaginar os césares. Meu objetivo é mostrar por que as imagens desses imperadores romanos — por mais autocratas e tiranos que possam ter sido — ainda *importam* para a história da arte e da cultura.

Este livro tem suas origens nas palestras A. W. Mellon de Belas-Artes que ministrei em Washington, durante a primavera de 2011. Desde então colhi novos materiais, fiz novas conexões e explorei alguns dos meus estudos de caso mais a fundo (e em diferentes direções). Mas, assim como a série de palestras, o livro começa — e termina — com um objeto curioso que antigamente ficava a dois passos do auditório da Galeria Nacional de Arte, de onde eu falava: não o retrato de um imperador, mas um grande caixão romano de mármore, ou sarcófago, que — assim muitos acreditavam, e alardeavam — outrora serviu de último local de descanso para um imperador.

I.
O imperador na esplanada

Uma introdução

Um imperador romano e um presidente americano

Por muitos anos, expôs-se um suntuoso sarcófago de mármore na esplanada da cidade de Washington. A peça — e curiosidade — ficava no gramado do Prédio de Artes e Ofícios do Smithsonian Institution (Figura 1.1). Tinha sido descoberta no Líbano, junto com outro sarcófago, nos arredores de Beirute, em 1837, e levada para os Estados Unidos dois anos depois, pelo comodoro Jesse D. Elliott, comandante de um esquadrão da Marinha americana de patrulha no Mediterrâneo. Corria a história de que o sarcófago já tinha abrigado os restos mortais do imperador Alexandre Severo, que reinara entre os anos 222 e 235.[1]

Alexandre não é mais um nome consagrado, apesar de *Alessandro Severo*, ópera de Händel um tanto rebuscada, composta em torno de sua vida, e uma reputação exagerada, em algumas partes dos primórdios da Europa moderna, por ser um governante exemplar, patrono das artes e benfeitor (Carlos I da Inglaterra, em particular, adorava ser comparado com ele). Sírio de nascimento e membro de uma elite romana que, na época, era sem dúvida multiétnica, ele assumiu o trono aos treze anos, após o assassinato do primo Heliogábalo — que superou Calígula e Nero em suas extravagâncias, e cuja pegadinha de sufocar os convidados de um jantar até a morte, sob montanhas de pétalas de rosas, foi brilhantemente ilustrada por Lawrence Alma-Tadema, pintor do século XIX, recriador da Roma Antiga (Figura 6.23). Àquela altura, Alexandre era o imperador romano mais jovem da história, e a maioria dos cerca de vinte antigos retratos remanescentes seus (ou a ele atribuídos) mostra um jovem sonhador, beirando o vulnerável (Figura 1.2). Se ele era mesmo tão exemplar quanto viriam a imaginar em tempos vindouros, é duvidoso. De qualquer forma, escritores antigos o viam como uma figura relativamente confiável, em grande parte graças à influência de sua mãe, Júlia Mameia, o "poder por trás do trono", que, como seria de esperar, tem um papel sombrio na ópera de Händel. No fim, quando estavam juntos em uma campanha militar, mãe e filho foram assassinados por tropas romanas rebeldes. Se a ira dos soldados foi provocada pela prudência econômica (ou mesquinhez) de Alexandre, por sua falta de habilidade em artes marciais ou pela influência de Júlia Mameia, depende do relato em que se acredita.[2]

Tudo isso aconteceu mais de um século depois daqueles primeiros, e mais conhecidos, Doze Césares. Mas Alexandre seguiu o estilo deles, com direito, inclusive, a histórias e alegações sórdidas (o relacionamento próximo demais com a mãe, o perigo oferecido pelos soldados, o vil antecessor e o assassinato brutal). Na verdade, historiadores modernos muitas vezes o veem como o último imperador da tradicional linhagem de governantes romanos que começou com Júlio César; e um impressor e editor do século XVI, usando de uma contagem criativa e omissões estratégicas, deu um jeito de duplicar os doze originais e elaborar um diagrama de sucessão imperial

1.1. Visitantes, no fim dos anos 1960, leem o painel de informações do sarcófago romano em frente ao Prédio de Artes e Ofícios da esplanada em Washington: "Túmulo em que Andrew Jackson se RECUSOU a ser enterrado".

1.2. Busto de Alexandre Severo, da fileira de imperadores romanos na "Sala dos Imperadores", nos Museus Capitolinos, em Roma. A identificação de um imperador em particular quase nunca é certeira, mas o entalhe das pupilas nos olhos desta estátua e o tratamento do cabelo em corte rente são aspectos típicos das esculturas do início do século III, e há uma correspondência plausível entre ela e algumas das imagens de Alexandre em moedas.

que convenientemente posicionou Alexandre em 24º lugar.[3] O período que sucedeu seu assassinato foi muito diferente. Foram décadas de um regime conduzido por uma série de aventureiros militares, muitos deles no comando por um ano ou dois apenas. Alguns mal chegaram a pôr os pés na cidade de Roma, apesar de serem imperadores "romanos". Isso representa uma mudança na essência do poder romano, muito bem simbolizada pela frequente alegação — verdadeira ou não — acerca do sucessor imediato de Alexandre, Maximino Trácio: no trono por três anos, entre 235 e 238, ele entrou para a história como o primeiro imperador romano que não sabia ler nem escrever.[4]

A história do sarcófago serve de rica introdução para algumas das surpresas e reviravoltas, debates, discordâncias e ousadas controvérsias políticas da história mais ampla que pretendo contar sobre as imagens imperiais romanas, tanto modernas quanto antigas. O nome de Alexandre não se encontrava em parte alguma do esquife que ele supostamente ocupara, não havia sequer uma marca de identificação, mas o nome "Júlia Mameia" estava inscrito com clareza na outra peça do par. Para Jesse Elliott, isso tornava quase irresistível a conexão entre os caixões que tinha adquirido e o jovem imperador desafortunado e sua mãe. Como haviam sido assassinados juntos, os dois só podiam ter sido enterrados lado a lado, com a devida pompa imperial, perto da terra natal de Alexandre, atual Líbano. Ou assim ele convenceu a si mesmo.

Acontece que ele estava enganado. Como céticos logo apontaram, ao que tudo indicava o assassinato ocorrera a cerca de 3200 quilômetros de Beirute, na Alemanha, ou talvez até na Grã-Bretanha (conexão geográfica que agradava a corte de Carlos I, ainda que o assassinato não agradasse tanto); e, em todo caso, segundo um escritor antigo, o imperador fora levado de volta a Roma para o enterro.[5] Se isso já não fosse o bastante para descartar a ideia, constava que a "Júlia Mameia" celebrada na inscrição tinha falecido aos trinta anos, sendo assim impossível tomá-la pela mãe de Alexandre — a menos que, como depois observou, com certa acidez, um dos próprios oficiais subalternos de Elliott, ela tivesse "dado à luz o filho quando mal completara três anos, o que seria, para dizer o mínimo, inusitado". A mulher que outrora ocupara o caixão era, supunha-se, uma das muitas outras habitantes do Império Romano com esse nome comum.[6]

Além do mais, nenhuma das pessoas envolvidas nesses debates parece ter se dado conta de que havia pelo menos um candidato rival para o local de sepultamento do casal imperial; ou, se alguém percebeu, ficou de boca fechada. Um rebuscado sarcófago de mármore, mantido a mais de 6 mil quilômetros de distância, nos Museus Capitolinos, em Roma — celebrado em uma gravura de Piranesi, famosa entre turistas entusiastas dos séculos XVIII e XIX —, fora supostamente compartilhado por Alexandre e Júlia Mameia, mostrados juntos, reclinados, em esplendor imperial no tampo (Figura 1.3). Esse sarcófago tinha até uma ligação com o "Vaso de Portland", de vidro azul, que é hoje um dos destaques do British Museum — peça notória pela primorosa decoração em camafeu branco, e também por ter sido atacada por um visitante bêbado em 1845. Se for mesmo verdadeira (ênfase

1.3. Candidato alternativo ao esquife de Alexandre Severo. A gravura de Piranesi, de 1756, que ilustra o sarcófago, nos Museus Capitolinos, em Roma, mostra no tampo a figura dos mortos reclinados, com cenas da história do herói grego Aquiles entalhadas embaixo.

no "se") a história de que de fato o vaso foi redescoberto no século XVI dentro desse sarcófago, então talvez ele seja o receptáculo que originalmente continha as cinzas do imperador (ainda que alojar um vasinho de cinzas dentro de um amplo caixão, claramente projetado para acomodar um corpo intacto, não cremado, soe meio esquisito). Nesse caso, o local de sepultamento nos arredores de Roma se encaixa melhor com alguns dos indícios históricos. Mas, em geral, como admitiram os guias turísticos mais escrupulosos do século XIX, essa identificação também era um misto de autoengano com pura fantasia.[7]

Ainda que infundadas, as associações imperiais dos sarcófagos de Elliott perduraram. Isso se dá em grande parte pela história estranha e ligeiramente macabra desses troféus depois que chegaram nos Estados Unidos. Elliott não queria que virassem peças de museu. Planejava reutilizar o sarcófago de "Júlia Mameia" como o último local de descanso do filantropo

Stephen Girard, da Filadélfia. Contudo, como Girard já estava morto e enterrado fazia bastante tempo, a peça foi encaminhada para a coleção do Girard College, e em 1955 foi emprestada para o Bryn Mawr College, onde está até hoje, no claustro. Após uma tentativa infrutífera de reutilizar o sarcófago de "Alexandre" para guardar os restos mortais de James Smithson (filho ilegítimo de um aristocrata inglês, cientista e doador-fundador do Smithsonian Institution), em 1845, Elliott o deu de presente para o Instituto Nacional, uma grande coleção de patrimônio americano situada no Departamento de Patentes dos Estados Unidos, na "esperança fervorosa" de que logo abrigaria "tudo o que é mortal do patriota e herói Andrew Jackson".

Apesar da saúde debilitada (ele veio a falecer poucos meses depois), a resposta do presidente Jackson à carta de Elliott fazendo essa oferta ganhou fama por sua robustez:

> Não posso consentir que meu corpo mortal seja depositado em um repositório preparado para um imperador ou rei — meus sentimentos e princípios republicanos me proíbem, a simplicidade do nosso sistema de governo me proíbe. Todo monumento erguido para perpetuar a memória dos nossos heróis e estadistas deve ser prova da economia e simplicidade de nossas instituições republicanas, bem como da frugalidade de nossos cidadãos republicanos [...]. Não posso permitir que meus restos mortais sejam os primeiros dos Estados Unidos a serem depositados em um sarcófago feito para um imperador ou um rei.

Jackson se viu em uma posição difícil. As acusações levantadas contra ele, de que se comportava como um "césar", em um estilo de populismo autocrático que poucos sucessores seus copiaram desde então, devem ter contribuído para a intensidade de sua recusa. Ele não iria arriscar um enterro imperial, de modo algum.[8]

Com nenhum uso prático encontrado para o sarcófago, na década de 1850 ele foi retirado de suas acomodações temporárias no Departamento de Patentes e transferido para o Smithsonian, onde permaneceu exposto na área externa, na esplanada, até por fim ser relegado ao depósito da instituição, nos anos 1980. Mas mesmo quando a conexão arqueológica com Alexandre Severo foi totalmente desmentida (na verdade, era um produto típico do Império Romano, do Mediterrâneo Oriental, e poderia ter pertencido a qualquer um que tivesse dinheiro vivo em mãos), a rejeição do sarcófago por parte de Jackson, por ter sido "feito para um imperador ou rei", perdurou como parte da história e mitologia do objeto. Na década de 1960, suas palavras foram incorporadas a um novo painel de informações, instalado do lado do próprio sarcófago, com os dizeres: "Túmulo em que Andrew Jackson se RECUSOU a ser enterrado" (como lê atentamente o casal da Figura 1.1).[9] Em outras palavras, se tornou símbolo da essência pé no chão do republicanismo americano e de sua aversão ao bricabraque vulgar de monarquias ou autocracias. Qualquer que seja a mancha de "cesarismo" que tenha marcado Jackson, é difícil não tomar o lado dele contra a "esperança fervorosa" de Elliott de conseguir um ocupante célebre para seu célebre sarcófago.

De caixões a retratos

Essas histórias de descobertas, identificações equivocadas, esperança, frustração, controvérsia, interpretação e reinterpretação compõem a matéria deste livro. O restante do capítulo vai além de esquifes de mármore, um colecionador ávido e um presidente inflexível. Oferece um primeiro vislumbre da ampla e surpreendente gama de retratos de imperadores que inundavam o antigo mundo romano (em confeitaria e pintura, bem como em mármore e bronze) e das obras e artistas que reimaginaram e recriaram esses imperadores desde o Renascimento. Questiona algumas das crenças comuns a respeito dessas imagens, explorando a linha difusa entre retratos antigos e modernos (o que separa, ou não, um busto de mármore feito 2 mil anos atrás de outro feito há duzentos anos?), e traz um gostinho das *transgressões* políticas e religiosas desses antigos regentes na arte moderna. Também apresenta Caio Suetônio Tranquilo (abreviado como "Suetônio"), o escritor que legou ao mundo moderno a própria categoria dos "Doze Césares" e que marca presença nos capítulos a seguir.

A história do troféu de Elliott já suscita alguns princípios norteadores dos meus estudos como um todo. Em primeiro lugar, é um lembrete importante de como é crucial — por mais óbvio que isso soe — pôr os pingos nos is. Desde a Antiguidade, imagens de imperadores romanos viajam pelo mundo conhecido, perdem-se, são redescobertas e confundidas entre si. Não somos a primeira geração com dificuldades para diferenciar Calígulas e Neros. Bustos de mármore foram reesculpidos, ou minuciosamente ajustados, para transformar um governante em outro, e novos bustos ainda são produzidos, mesmo hoje, em um processo infindável de cópias, adaptações e recriações mais ou menos precisas. E, em mais casos do que convém reconhecer, estudiosos e colecionadores modernos, do Renascimento em diante, reidentificaram de maneira tendenciosa retratos de figurões anônimos como legítimos Césares, e conferiram a caixões quaisquer e vilas romanas comuns uma conexão imperial falaciosa. O sarcófago de "Alexandre" é um exemplo clássico do rastro complicado de inverdades desnecessárias e fantasia que vêm com o nome errado atrelado ao objeto errado.

A história do sarcófago de "Alexandre" é também um lembrete de que não é tarefa simples deixar de lado identificações errôneas e de que o puritanismo arqueológico pode ir longe demais. A identidade equivocada no cerne desse episódio tem uma importância histórica por si só (sem a qual, afinal, *não* haveria história para contar). E é apenas uma das muitas identificações equivocadas — "imperadores", entre aspas — que desempenharam um papel importante ao longo dos séculos, representando para nós a face do poder romano e ajudando o mundo moderno a compreender antigos dinastas e dinastias. O rótulo que Piranesi deu, confiante, ao sarcófago dos Museus Capitolinos lhe proporcionou uma associação com o casal imperial que não foi de todo desbancada pelo fato de que estava simplesmente "errada". Meu palpite é que muitas das imagens importantes e influentes que figuram neste livro têm uma conexão tão próxima com seus personagens históricos quanto a conexão que o Alexandre da vida real tinha com "seu" esquife (ou esquifes). Mas não deixam de ser importantes ou influentes por isso. Este livro fala tanto sobre imperadores quanto sobre "imperadores", entre aspas.

O aspecto mais marcante da história do presidente com o sarcófago, no entanto, é que para Jackson aquele bloco de mármore antigo claramente *significava* algo. Suas ligações imaginárias com um imperador romano denotavam um senso de autocracia e um sistema político em conflito com os valores republicanos que ele próprio dizia abraçar, e causou tanto nervosismo quanto o homem moribundo pôde suportar. É um vigoroso alerta para que, mesmo hoje, não tratemos as representações dos imperadores romanos de forma leviana. Afinal, quase cem anos após a morte de Jackson, Benito Mussolini recrutou os rostos de Júlio César e seu sucessor, o imperador Augusto, para seu projeto fascista, e chegou a restaurar o imponente mausoléu de Augusto, no centro de Roma, como monumento — ainda que indireto — a si próprio. Não era só uma vitrine.

1.4. Papel de parede alemão, *c*. 1555. Dois rostos imperiais, em seus medalhões, são sustentados por criaturas fantásticas em meio a uma folhagem extravagante. O papel (de cerca de trinta centímetros de altura) destinava-se a ser cortado em faixas e afixado em paredes ou móveis para formar uma borda, acrescentando um toque de classe.

Verdade seja dita, a maioria de nós (eu mesma me incluo nessa, confesso) tende a passar pelas fileiras de cabeças de imperadores das prateleiras dos museus sem dar mais do que uma olhadinha (Figura 4.12). Mesmo agora, que a importância de algumas estátuas públicas vem sendo questionada — e às vezes até com violência —, as coleções de Doze Césares que desde o século XV decoram casas e jardins da elite europeia (e que, mais tarde, na contramão de Jackson, passaram a ornar propriedades da elite americana também) não passam, para muitos, de distintivos prontos e convenientes de status, uma ligação fácil com as supostas glórias do passado romano, ou, ainda, um "papel de parede" caro para casas aristocráticas ou ambiciosas. Às vezes, eram justamente isso, sem tirar nem pôr. Lá atrás, em meados do século XVI, já se produziam gravuras em papel com rostos imperiais, prontas para ser recortadas e coladas em móveis ou paredes até então comuns, para lhes conferir um verniz instantâneo de classe e cultura (Figura 1.4); e ainda se compram produtos similares de decoradores requintados, por metro.[10] Mas isso não é tudo.

Ao longo de sua história, as imagens de antigos imperadores — assim como boa parte das imagens de soldados e políticos mais recentes — já levantaram as questões mais desconfortáveis e complexas. Causam polêmica na mesma medida em que servem de símbolo chocho de status. Longe de serem apenas uma conexão inofensiva com o passado clássico, apontam também para questões incômodas de política e autocracia, cultura e moralismo e, claro, conspiração e assassinato. A reação de Andrew Jackson (cujas próprias estátuas, no momento em que escrevo, ameaçam cair por suas conexões com a escravidão, e não pelo cesarismo) fica como um alerta para prestarmos atenção nessas figuras imperiais, por mais que costumem estar envoltas em clichês de poder aparentemente familiares.

Um mundo repleto de césares

A representação dos imperadores romanos manteve antigos artistas e artesãos inspirados, cheios de trabalho e, sem dúvida, vez por outra, fartos ou mesmo enojados por séculos a fio. Era uma produção em grande escala, de milhares e milhares de imagens, para muito além dos bustos de mármore e das esculturas colossais de bronze, de corpo inteiro, para as quais a expressão "retrato imperial" costuma apontar.[11] Vinham em todos os formatos e tamanhos, materiais, estilos e idiomas. Algumas das descobertas arqueológicas mais intrigantes encontradas no mundo romano são fragmentos de singelas fôrmas de confeitaria. À primeira vista, é difícil discernir seu design, mas um olhar atento revela que elas contêm imagens do imperador e sua família. Como parte do equipamento de cozinhas ou confeitarias romanas, devem ter produzido biscoitos e guloseimas que levavam a face do poder imperial diretamente para a boca dos súditos (imperadores que eram bons o bastante para comer).[12] Mas havia também camafeus lindíssimos, figuras baratas de cera ou madeira, pinturas em paredes ou painéis portáteis (bem parecidos com o retrato pintado moderno), sem contar todos aqueles rostos em miniatura, em moedas de ouro, prata e bronze.

Artistas antigos respondiam a diversos mercados e a uma gama enorme de mecenas e consumidores. Enchiam residências imperiais, e túmulos imperiais, com os rostos do poder dinástico. Forneciam imagens do imperador e sua família às autoridades romanas, para que estas as enviassem aos súditos distantes que jamais os veriam em carne e osso. Supriam comunidades locais que queriam erguer estátuas imperiais em seus templos ou praças, para demonstrar sua lealdade a Roma (ao passo que também revelavam a própria subserviência). E atendiam todos os indivíduos comuns que compravam imperadores em miniatura como souvenirs ou enfeites para a casa, colocados sobre as versões antigas de lareiras e mesas de sala de jantar.[13]

Apenas uma ínfima parcela dessas imagens sobrevive até hoje, ainda que, graças à iniciativa de antiquários e arqueólogos, tenham vindo à tona em quantidade muito maior no século XXI do que no XV. Dito isso, os números brutos são impressionantes e tendem a nos surpreender. É uma familiaridade tão capciosa que tendemos a subestimar a possibilidade, vigente já há dois milênios, de olhar no olho vários desses antigos governantes. Aqueles vinte retratos de Alexandre Severo (mais outros vinte de Júlia Mameia) representam apenas uma pequena parcela do todo. No caso do imperador Augusto, que reinou por 45 anos, de 31 a.C. a 14 d.C., à parte moedas e camafeus e várias identificações equivocadas, o número de imagens de mármore ou bronze decerto contemporâneas, ou quase contemporâneas, encontradas de um lado a outro do Império Romano, da Espanha ao Chipre, passa de duzentos, além de cerca de noventa imagens de sua esposa (ainda mais longeva) Lívia (Figuras 2.9, 2.10, 2.11 e 7.3). Um palpite razoável — e não passa de um palpite — toma esses números como 1%, ou menos, do total original, algo talvez entre 25 mil e 50 mil retratos de Augusto ao todo.[14]

Seja essa estimativa certeira ou não, o que temos hoje sem dúvida não é uma amostra representativa do que houve um dia. Dilapidação e destruição não ocorrem de maneira uniforme. Estátuas de metal estão sempre vulneráveis à reutilização; e, por definição, quanto mais efêmero o meio, mais tênue o vestígio arqueológico que deixa para trás. Em sua *Autobiografia*, Augusto menciona "cerca de oitenta" estátuas de prata de si mesmo só na cidade de Roma. Mas as fileiras de bustos de mármore hoje ocupam um lugar desproporcional entre os retratos imperiais por um simples motivo. Quase todas as versões de ouro e prata que outrora existiam, bem como muitas de bronze, mais cedo ou mais tarde acabaram sendo derretidas e recicladas. Viraram novas obras de arte, dinheiro bruto ou, no caso do bronze, peças de maquinaria e munição militar.[15]

Outros materiais, como tinta, desapareceram sem que se fizesse necessária nenhuma intervenção agressiva desse tipo. Retratos pintados, em geral, representam uma das maiores perdas da arte clássica, sobrevivendo apenas em condições raras, como no caso da areia seca do Egito, que preservou aqueles rostos evocativos, e por vezes até espantosamente "modernos", que eternizavam os mortos no invólucro decorativo das múmias romanas.[16] É também do Egito que provém uma imagem memorável do imperador Septímio Severo e sua família. Pintada em torno do ano 200, a imagem poderia muito bem ser interpretada como um caso excepcional, se alguns textos escritos não sugerissem ser ela parte de uma tradição muito mais ampla, ainda que tenha se perdido quase por completo (Figura. 1.5). Um antigo inventário preservado em um fragmento de papiro, por exemplo, parece listar diversas "pequenas pinturas" de imperadores expostas no século III em uma série de templos egípcios; e Frontão, o tutor do imperador Marco Aurélio, certa feita mencionou os retratos "mal pintados", risíveis de tão irreconhecíveis, que ele tinha visto de seu pupilo "nos estabelecimentos dos

1.5. Família de Septímio Severo, primeiro regente romano do continente africano (imperador, 193-211): o próprio Septímio se encontra ao fundo, à direita; sua esposa Júlia Domna, tia-avó de Alexandre Severo, também está ao fundo, à esquerda; o filho mais velho, Caracala, embaixo, à direita; e o filho mais novo, Geta, embaixo, à esquerda. O painel tem uma história conturbada. Medindo hoje em torno de trinta centímetros de diâmetro, foi recortado de uma peça maior. O rosto de Geta, assassinado sob as ordens de Caracala em 211, foi deliberadamente apagado.

1.6. Nero em um pequeno painel do grande vitral leste (8,5 metros de altura), obra do século XII, da catedral de Poitiers, na França. Vestido como um rei medieval, mas rotulado logo abaixo (em uma restauração moderna da tipografia original) como "Nero Imperator", parece estar alheio ao demônio às suas costas. Ele gesticula em direção ao centro do vitral, onde são Pedro é mostrado crucificado sob suas ordens.

prestamistas, em lojas e barracas [...] em todo canto, por toda parte". Ao fazer essa menção, ele não só revelou seu desdém esnobe pela arte popular como também ofereceu um vislumbre fugaz da presença outrora ubíqua de imperadores em pinturas.[17]

As imagens desses regentes que vemos hoje, no entanto, em sua maioria não são "romanas" no sentido cronológico do termo. Foram produzidas séculos após o colapso do Império Romano no Ocidente. Há, inclusive, diversas representações medievais muito curiosas. O imperador Nero com um demoniozinho azul às costas, em um vitral da catedral de Poitiers, por exemplo, é uma vinheta memorável do século XII (Figura 1.6); e, em um processo incrível de reinvenção criativa, em torno do ano 1000 os ourives que fizeram a "Cruz de Lotário" deram um sopro de vida ao camafeu de Augusto, incorporando-o a um engaste novinho em folha e "rimando-o" com um retrato, logo abaixo, do rei carolíngio Lotário (daí o nome moderno), que reinou no século IX (Figura 1.7).[18] Contudo, foi no século XV, primeiro pela Europa e depois no resto do mundo, que imperadores passaram a ser recriados, imitados e reimaginados em números que não ficam aquém da antiga escala de produção, e em uma variedade ainda mais rica.

1.7. Esta preciosa cruz (0,5 metro de altura) ainda é usada em cerimônias na catedral de Aachen. É uma composição intrincada. A base data do século XIV. A cruz propriamente dita foi feita em torno do ano 1000, incorporando um sinete um pouco mais antigo do rei Lotário mais abaixo e, no meio, um camafeu do imperador Augusto, datado do século I.

1.8. Outrora consideradas peças autenticamente antigas, os dois grupos de Doze Césares em Versalhes foram criados no século XVII. À esquerda está o Augusto de uma dessas séries, adquirido pelo rei Luís XIV da coleção do cardeal Mazarin; à direita, um Domiciano ainda mais suntuoso, com um panejamento folheado a ouro, da outra série.

Diversos bustos de mármore decerto são um elemento dessa onda. Escultores e mecenas seguiram o modelo de alguns dos retratos sobreviventes mais conhecidos da Roma imperial, enchendo palácios, vilas, jardins e casas de campo com seus próprios césares de pedra: das figuras suntuosas de pórfiro e obras folheadas a ouro que decoravam os salões nobres de Luís XIV em Versalhes (Figura 1.8) ao contexto mais modesto da galeria do Castelo de Powis, no País de Gales, onde a mostra de bustos de imperadores parece ter vindo às custas de atrativos básicos, como tapetes, camas decentes e vinho ("Eu trocaria os césares por umas comodidades", observou um visitante rabugento em 1793) (Figura 1.9); ou, ainda, a um cenário mais peculiar, no Castelo de Bolsover, no Norte da Inglaterra, no qual um grande chafariz do século XVII ostentava oito solenes imperadores ao redor da borda, a guardar (ou cobiçar) uma Vênus nua e quatro *putti* urinando.[19]

1.9. No começo do século XXI, mais de trezentos anos
após terem sido instalados, os imperadores do Castelo de
Powis foram removidos de seus pedestais por questões
de conservação. Aqui, esses grandes bustos de mármore,
de mais de um metro de altura, durante o transporte.
Há um forte contraste entre os imperadores mostrados
como objetos de arte e sua transformação, por efeito dessas
"macas", em pacientes de hospital quase humanos.

Ao mesmo tempo, pintores forravam as paredes e os tetos de propriedades ricas com retratos imperiais em afrescos e telas — nenhum destes
mais influente, como veremos (capítulo 5), do que o conjunto de onze *Cé-*
sares pintados por Ticiano para Federico Gonzaga, de Mântua, na década
de 1530. E reimaginavam também momentos-chave da história do reino
imperial. Esses momentos não foram extraídos de nenhum repertório visual antigo. Na arte romana remanescente, é raro encontrar um imperador

retratado fora de um cenário-padrão de sacrifício, triunfo, beneficência, cortejo ou caça. As narrativas nas colunas de Trajano e Marco Aurélio, detalhando a participação dos imperadores em campanhas militares, são algumas das raras exceções. Contudo, artistas modernos deram forma visual às histórias de imperadores que encontraram na literatura antiga. Alguns dos clássicos eram: *Augusto ouvindo Virgílio recitar a Eneida*, *O assassinato de Calígula* e o macabro *Nero contemplando o corpo da mãe*, cujo assassinato ele tinha encomendado (Figuras 6.24, 7.12, 7.13, 7.18 e 7.19).

Pelo menos até o século XIX, esses imperadores eram elementos tão importantes do ofício da pintura que tratados técnicos de arte davam instruções acerca da melhor forma de representá-los (junto a figuras bíblicas, santos,

1.10. Pintura de Michael Sweerts, *Menino desenhando diante do busto de um imperador romano* (*c.* 1661), de quase cinquenta centímetros de altura. O imperador romano em questão é Vitélio (Figura 1.24), regente com uma reputação sinistra devido a sua gula, imoralidade e sadismo. Quer o artista que fiquemos incomodados com a inocente criança usando tal monstro para sua prática de desenho?

1.11. Tinteiro de bronze do século XVI, com cópia da figura de Marco Aurélio (imperador, 161-80) que, por séculos, permaneceu erguida na *piazza* do monte Capitolino, em Roma, e hoje se encontra nos Museus Capitolinos. A figura toda mede apenas 23 centímetros de altura, e a tinta era depositada no pequeno recipiente em forma de concha aos pés do cavalo.

deuses pagãos e monarcas posteriores variados), aprendizes aperfeiçoavam sua técnica de desenho copiando moldes de gesso de bustos imperiais famosos (Figura 1.10) e modelos extraídos da vida de césares eram matéria de provas e temas de competições de arte.[20] Em 1847, os artistas novatos de Paris que competiam pela principal bolsa de artes, o "Prix de Rome" (Prêmio de Roma), foram incumbidos de demonstrar seus talentos com uma pintura de *A morte do imperador Vitélio*, torturado e arrastado por um gancho até o rio Tibre. O linchamento pavoroso de um infame ocupante, por curto período, do trono imperial, na guerra civil que sucedeu a queda de Nero, em 68, talvez encontrasse ressonância nas políticas europeias revolucionárias dos anos 1840; mas foi uma escolha controversa, considerada por alguns avaliadores da competição como um modelo ruim para a mente e o talento dos jovens pintores (Figura 6.20).

No entanto, a questão não envolve apenas pintura e escultura. Imperadores firmaram seu lugar em todo canto, em todos os meios, de prata a cera. Foram transformados em tinteiros e castiçais (Figura 1.11). Aparecem em peças de tapeçaria, decorações temporárias de festivais renascentistas e até nos espaldares de um célebre jogo de cadeiras de jantar do século XVI (a pergunta sobre qual convidado se sentaria em Calígula ou Nero devia dar um toque adicional de emoção à organização da mesa) (Figura 1.12).[21] Um conjunto de refinados camafeus dos Doze Césares, que pendia do pescoço de um oficial espanhol da Invencível Armada quando ele afundou com seu navio, a galeaça *Girona*, em 1588 (Figura 1.13), era tão diferente quanto se pode imaginar da extensa linha de bustos imperiais produzidos no século XIX por uma firma italiana de famosos ceramistas (Figura 1.14).[22] Desconfio que nenhum outro governante na história foi apresentado com tamanha pompa.

1.12. Peça de um jogo de cadeiras imperiais feitas para um eleitor da Saxônia, em torno de 1580, cada uma delas com o retrato de um imperador diferente, compondo os Doze Césares. Aqui Calígula se encontra sobre um fundo luxuoso de pedras douradas e semipreciosas.

1.13. Mais de mil pessoas perderam a vida quando a galeaça espanhola *Girona* afundou perto da costa da Irlanda, em 1588. Arqueólogos subaquáticos resgataram o vistoso colar de uma das vítimas mais ricas. É composto por doze retratos imperiais como este, de lápis-lazúli, incrustados em um suporte de ouro e pérola, cada um com mais de quatro centímetros de altura.

Também não é uma questão só de mecenas de elite e suas posses prestigiadas. Césares vêm decorando as casas da classe média, em gravuras produzidas em massa e placas modestas, bem como os palácios da superelite. E são tão satíricos e lúdicos quanto seríssimos. William Hogarth escolheu imperadores romanos para decorar as paredes da taverna em *O progresso do libertino* (é pertinente o fato de, dada a decadência retratada, somente o rosto de Nero ser visível de todo) (Figura 1.15). Séculos antes, um artista espirituoso, ou talvez ressentido, da Verona do século XIV deixou uma caricatura imperial maravilhosa no gesso sob um conjunto de imperadores em retratos pintados que é um dos jogos mais antigos do mundo moderno a sobreviverem até hoje (Figura 1.16).[23]

Essas figuras imperiais também desempenham um papel em uma gama muito maior de debates culturais, ideológicos e religiosos do que costumamos reconhecer. O principal motivo para Nero estampar o vitral em Poitiers é ter sido o imperador que, segundo consta, entre outras perseguições que promoveu, mandou matar são Pedro e são Paulo.

1.14. Imperadores em cores. Tibério (nomeado na base) é um de pelo menos catorze regentes romanos produzidos em cerâmica, em esmaltação de alta temperatura, pela Minghetti, oficina de ceramistas italianos em Bolonha, no fim do século XIX. Essas arrebatadoras peças de decoração, de um metro de altura, hoje estão separadas, espalhadas pelo mundo, do Reino Unido à Austrália.

1.15. Gravura da pintura produzida por William Hogarth em 1730, *Cena na taverna* ou *Orgia*, em *O progresso do libertino* — uma compilação de imagens documentando o declínio de Thomas Rakewell (largado na cadeira à esquerda). Ligeiramente visíveis, no alto da parede, encontram-se retratos dos imperadores romanos: só o depravado Nero, o segundo da direita para a esquerda na parede dos fundos (entre Augusto e Tibério), aparece com o rosto à mostra, como emblema do que está acontecendo abaixo.

1.16. Pequeno desenho de um imperador com seu nariz aquilino característico, encontrado no gesso sob pinturas no Palazzo degli Scaligeri, na Verona dos anos 1360, que incluíam retratos de regentes romanos e suas esposas (Figura 3.7 g). Seja ele obra do artista Altichiero ou de alguém de sua equipe, não se trata de um esboço preparatório, mas uma sátira sobre o tema sério da decoração.

E é nesse papel que ele também figura com destaque nas grandes portas de bronze da Basílica de São Pedro, no Vaticano, feitas pelo escultor, arquiteto e teórico Filarete para a antiga basílica, no século XV — um dos poucos elementos que foram reincorporados à nova.[24] Mas, se era o imperador Nero enquanto Anticristo que recebia, e ainda recebe, os visitantes de um dos lugares mais sagrados da cristandade, também houve esforços construtivos para reconciliar a história de Jesus com a dos imperadores. Um dos temas mais populares das pinturas do início da era moderna — exemplos se encontram à espreita, sem reconhecimento, em quase todas as grandes galerias de arte do Ocidente — é a visão que o imperador Augusto tinha do pequeno Jesus. Em uma fantástica obra de ficção religiosa, Augusto consulta uma profetisa pagã no dia do nascimento de Jesus para indagar se alguém mais poderoso do que ele viria ao mundo e se ele deveria se permitir ser venerado como um deus. A visão milagrosa da Virgem e o Menino no céu sobre Roma lhe trouxe a resposta (Figura 1.17).[25]

Mesmo hoje, imperadores são recriados e revitalizados. Embora a maioria dos exemplos que mencionei até agora seja de antes do século XX, os césares ainda são uma expressão reconhecível na cultura moderna. Coleções pomposas de bustos imperiais continuam sendo feitas, e ainda significam alguma coisa (em *A doce vida*, filme de Federico Fellini, bustos imperiais antigos e modernos são usados repetidas vezes para associar a degradação da Roma contemporânea a seu passado decadente).[26] E imperadores desempenham um papel importante na criação de imagens populares também, até hoje. Charges políticas atuais retratando seu desafortunado alvo com uma coroa de louros e uma lira, contra o fundo de uma cidade em chamas, são só uma parte disso. O poder comercial dos césares ainda funciona, em letreiros de bares ou rótulos de garrafas de cerveja com a palavra "Imperador", e há uma forte e proposital ironia em piadas como fósforos ou cuecas da marca "Nero". Enquanto isso, fabricantes de souvenirs ainda produzem moedas de chocolate estampadas com os rostos dos césares, assim como confeiteiros romanos produziam seus biscoitos imperiais. Imperadores ainda são bons a ponto de serem comestíveis (Figura 1.18 g).

Antigo-e-moderno

Este livro é inevitavelmente bifocal. Ocupa-se, em particular, de recriações modernas dos imperadores romanos, produzidas ao longo, mais ou

1.17. *Aparição da Sibila para César Augusto*, grande pintura de Paris Bordone (de mais de dois metros de largura), de meados do século XVI. No centro de um projeto arquitetônico grandioso, o imperador se ajoelha, com a profetisa ("a Sibila") a seu lado; no céu há uma visão da Virgem Maria e do Menino Jesus. É uma pintura viajada em meio à elite europeia: outrora pertencente ao cardeal Mazarin, foi propriedade de Sir Robert Walpole, em Houghton Hall, na Inglaterra (ver p. 125), antes de ser vendida para Catarina, a Grande, da Rússia.

menos, dos últimos seiscentos anos, mas imagens antigas estão sempre à vista também — simplesmente porque um Júlio César, Augusto ou Nero moderno jamais poderia se dissociar de seu antigo predecessor. Isso se dá por vários motivos.

Para começar, há uma influência inextricável, em ambas as direções, entre o velho e o novo. Talvez isso não seja lá grande surpresa, mas imagens modernas de imperadores quase sempre são produzidas como imitação de (ou em resposta a) antigos protótipos romanos. Isso se aplica, claro, a muitos temas classicizantes da arte. Toda versão moderna de Júpiter ou Vênus, da inocente Náiade ou de um sátiro atrevido, é produto de algum tipo de conversa com a arte da Antiguidade. Mas com esses governantes imperiais a conversa fica especialmente intensa. Convenções modernas acerca da "aparência" de muitos imperadores individuais — do descolado perfil clássico de Augusto à barba desgrenhada de Adriano — derivam de estudos detalhados da arte e da literatura romanas que sobreviveram. Em paralelo, no entanto, essas representações de governantes imperiais influenciam o modo como vemos, e reconhecemos, seus equivalentes antigos. Antes de ver um único retrato antigo de Júlio César, a grande maioria das pessoas, mesmo arqueólogos e historiadores da arte acadêmicos, se depara com seu rosto nos cartuns de *Asterix*, ou em filmes populares de comédia (*Os apuros de Cleópatra* foi minha introdução particular) (Figuras 1.18 h e i). Trezentos anos atrás, provavelmente foram as pinturas dos césares, feitas por Ticiano (ou uma das inúmeras séries de gravuras nelas baseadas), que serviram de referencial popular para a imagem mental de sua fisionomia (capítulo 5). Para o bem ou para o mal, boa parte do público moderno já tem uma ideia formada acerca das figuras imperiais mais famosas, antes mesmo de ver qualquer escultura, camafeu ou moeda romana. Enxergamos o antigo pelas lentes do moderno.[27]

Mas as conexões entre o antigo e o moderno vão ainda mais fundo do que isso, deixando marcas no tema como um todo. Em esculturas de mármore, em particular, às vezes é impossível definir se uma peça foi feita na Roma Antiga ou em qualquer outro momento da história até dois milênios depois. Mais de 250 anos atrás, o erudito J. J. Winckelmann (o primeiro a delinear um esquema cronológico razoavelmente plausível para a arte antiga) reclamou que era dificílimo, sobretudo com "cabeças", "diferenciar o velho e o novo, o autêntico e a restauração". Não há arsenal de sofisticação técnica moderna ou feitiçaria científica que torne isso mais fácil.[28] É por esse motivo que, além dos duzentos e tantos retratos de Augusto que em geral são aceitos como antigos, há pelo menos mais quarenta que continuam a se mover para lá e para cá entre as categorias de "antigo" e "moderno" — fazem parte da minha categoria híbrida e provocadora de "antigo-e-moderno".

Uma famosa estátua do Getty Museum é um exemplo claro disso, desafiando até hoje datações conclusivas, apesar de uma exposição especial e uma conferência de peritos no tema em 2006, dedicada justamente à questão. É um busto do imperador Cômodo (gladiador amador, assassinado em 192, e recentemente retratado como anti-herói no filme *Gladiador*, de Ridley Scott).

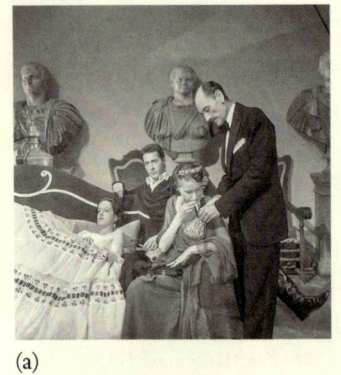
(a)

(b)

(c)

(d)

(e)

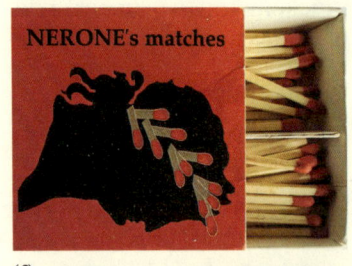
(f)

(g)

(h)

(i)

1.18. (Na página anterior)

(a) O imperador Tito, como aparece no filme *A doce vida* (1960), de Fellini.

(b) Charge de Gordon Brown (primeiro-ministro britânico) como Nero (2009), por Chris Riddell.

(c) Letreiro de um bar em Cambridge (baseado em uma estátua de Nicolas Coustou, encomendada em 1696).

(d) Cerveja Augustus, da Milton Brewery, Cambridge.

(e) Propaganda das cuecas Nero (1951).

(f) Fósforos dos Museus Capitolinos: "Fósforos de Nerone [Nero]".

(g) Rosto de Augusto em uma moeda de chocolate.

(h) Kenneth Williams como Júlio César em *Os apuros de Cleópatra* (1964).

(i) César, da série de histórias em quadrinhos *Asterix*, de R. Goscinny e A. Uderzo.

1.19. O "*Cômodo* do Getty". Quaisquer que sejam as histórias de terror contadas acerca de Cômodo, aqui ele é representado, quase em tamanho real, como um imperador totalmente convencional do fim do século II, trajando vestes militares, com a barba característica de muitos governantes da época (ao contrário de seus antecessores, sem barba). Mas, se é antigo, moderno ou uma combinação dos dois, ainda não se sabe.

Depois de duzentos anos, mais ou menos, em uma coleção aristocrática inglesa, o busto foi comprado pelo Getty em 1992, quando era considerado produto da Itália do século XVI, imitando retratos antigos do imperador. Desde então, o busto já foi reclassificado de diversas formas, tanto como peça do fim do século XVIII quanto como retrato original do século II, ou em algum limbo incerto entre os três casos (Figura 1.19).[29]

Não há quase nenhum critério que encerre a discussão quanto à data. As ferramentas e técnicas dos escultores seguiram praticamente idênticas do século II ao XVIII, e em muitos casos geraram resultados quase idênticos (ainda mais nessa escala relativamente compacta, com menos brechas para sinais que denunciem a data do que uma figura de corpo inteiro). O material também não ajuda, uma vez que o busto é feito do mármore da mesma jazida italiana que vem sendo minerada ao longo de quase todos os períodos da história, desde o século I a.C. Além disso, não há registros de como, quando ou de onde a peça foi trazida para a Inglaterra. As discussões hoje dependem de palpites impressionistas e indícios microscópicos. Vestígios de depósitos minerais nas rachaduras (indicando que talvez ela tenha sido enterrada) e sinais de que pode ter "ressurgido" a certa altura (o mais comum entre peças mais velhas), segundo interpretações atuais, sugerem que provavelmente data do antigo mundo romano. Mas isso não passa de sugestão. Embora o consenso atual tenha empurrado o busto em direção à Antiguidade (no momento em que escrevo, inclusive, ele se encontra na galeria romana do museu), desde que foi adquirido pelo Getty, Cômodo já foi movido pelas suas dependências, exposto ora com obras antigas, ora com obras modernas, de acordo com a visão curatorial prevalecente sobre sua datação, e por vezes até mantido fora de vista, na penumbra do depósito.

Falsificações e forjas — isto é, tentativas claramente fraudulentas de fazer uma peça recém-criada parecer antiga — adicionam uma dimensão extra a esses quebra-cabeças. Nesse sentido, o "Cômodo do Getty", como costuma ser chamado, não é falso. Mesmo supondo que foi produzido no século XVI, inspirado em antecedentes romanos, não há indicação de que alguém, na época, tentou fazê-lo passar por antigo (e, caso tenha, tal esforço foi inútil, uma vez que, desde então, até onde sabemos, a possível datação do século II só entrou em voga recentemente). Mas entre os quarenta e tantos retratos de Augusto cuja qualificação como antigos tem sido questionada, vários muito provavelmente foram vendidos com intenção fraudulenta e de fato pertencem à categoria "moderna". Em geral, pressupõe-se que foram produzidos, em sua maioria, entre os séculos XVI e XIX por operadores espertalhões da Itália, mirando nos bolsos de colecionadores abastados e milordes ingênuos (sobretudo, ainda que não exclusivamente, ingleses), que estavam atrás de retratos antigos para suas casas ancestrais e museus privados. Eram homens que "viam com os ouvidos", ou assim afirmou um famoso restaurador, escultor e comerciante de arte do século XVIII, em seu conselho a compradores em potencial, referindo-se à lamentável susceptibilidade deles à ladainha de vendedores.[30]

Todavia, não é fácil. Falsificação é uma categoria muito mais difícil de definir do que se imagina — como uma famosa série de rostos imperiais em miniatura ilustra bem. Esses rostos figuram em réplicas de moedas e medalhas romanas produzidas no século XVI por Giovanni da Cavino, em Pádua (Figura 1.20). Muitos deles já foram tomados por antiguidades autênticas, mas nesse caso, ao contrário de diversos bustos de mármore, temos certeza de que não são. Essas "moedas paduanas", como costumam ser chamadas, diferem em peso dos protótipos antigos e são feitas de uma liga metálica diferente; têm um acabamento mais delicado; e — caso ainda reste alguma dúvida — parte das ferramentas de cunhagem e perfuração com que foram feitas ainda sobrevive. Mesmo assim, perdura a discórdia quanto às motivações por trás delas. Seria Giovanni da Cavino um falsificador, que agia de má-fé? Ou ele produzia imitações elegantes sem intenção fraudulenta, para quem sabe atrair colecionadores que não tinham cacife para adquirir as moedas originais que desejavam? No fim das contas, tudo depende dos termos em que eram representadas ou vendidas, que talvez fossem diferentes em diferentes ocasiões. Seja ela escultura ou moeda, camafeu ou medalha, uma "réplica" honesta só se torna "falsificação" desonesta se, ou quando, é deliberadamente promovida como algo que não é. O que é uma imitação tosca para uma pessoa pode muito bem ser um fac-símile valioso para outra.[31]

Em outros casos, a distinção entre antigo e moderno fica ainda mais turva, por motivos diferentes. Apesar das rotulações otimistas dos museus, a maioria das esculturas de mármore antigas redescobertas antes do fim do século XIX é, literalmente, híbrida, ou "trabalho em andamento". É certo que elas têm uma origem romana autêntica, mas passaram por ajustes, alterações, limpezas agressivas e restaurações imaginativas, muito tempo depois de sua produção. Não há dúvida de que só uma pequena parte de sua superfície poderia ter sobrevivido aos procedimentos recomendados para "limpar" mármore antigo contidos em um manual para artistas do início do século XIX — envolvendo banhos de ácidos, cinzelamento e polimento.[32] São

1.20. Uma das "moedas paduanas" de bronze de Giovanni da Cavino, datadas do século XVI, de pouco mais de três centímetros de diâmetro. De um lado, vê-se um retrato de Antônia, mãe do imperador Cláudio; do outro, seu filho, o imperador, vestido para um ritual religioso, com seu nome (Ti[berius] Claudius Caesar) e seus títulos imperiais em torno da borda. "S C", abreviação de *"senatus consulto"*, marca a autoridade do senado para cunhar moedas romanas desse tipo.

pouquíssimos os imperadores de mármore, afora descobertas arqueológicas recentes (e mesmo estas não estão imunes), que não passaram por algum desses "ajustes". O *"Cômodo do Getty"* pode muito bem ser um exemplo relativamente brando disso: uma peça do século II, que *re*emergiu e foi *re*polida para ganhar um novo acabamento liso um milênio e meio depois — acrescentando, é claro, mais uma camada às dificuldades de atribuir à obra uma única data.

Outros exemplos incluem austeros bustos romanos antigos, em grande número, que no século XVI e mais tarde foram acoplados a suportes novos e suntuosos, com um drapejamento espalhafatoso, passando uma impressão mais pomposa (segundo a regra básica, quanto mais esplêndido e colorido for um busto entre os retratos romanos, menos provável é que seja de todo antigo). Em alguns casos, foram feitos ajustes até mais imaginativos.

Um controverso busto de mármore de uma mulher jovem, hoje exposto no British Museum, já foi identificado algumas vezes como Antônia, mãe do imperador Cláudio (que também aparece na Figura 1.20). Uma questão é: será ele antigo ou moderno? Talvez ambos. Pois, muito provavelmente, uma reconstrução do século XVIII "tunou" uma escultura original do século I, talhando-a para dar a impressão de pouca roupa e um decote profundo (não como os romanos costumavam retratar damas imperiais, embora tivesse seu apelo para compradores modernos).[33]

Os próprios críticos e restauradores, do século XVI em diante, discutiram o papel da restauração no arremate de esculturas antigas fragmentadas. Quantas adições e melhorias modernas eram legítimas? Até que ponto o restaurador era visto como artista por mérito próprio?[34] Contudo, em alguns retratos, a hibridez se tornou um fim em si mesma. Nos Museus Capitolinos, em Roma, encontra-se (há séculos já, em um salão no primeiro piso do Palazzo dei Conservatori) uma figura de corpo inteiro de mármore, vestido com uma armadura típica do Império Romano, o braço estendido como se estivesse se dirigindo a suas legiões; a cabeça, por sua vez, à moda de um dinasta do século XVI, parece ser de outra época (Figura 1.21). E é mesmo.

1.21. *Tanto* antigo *quanto* moderno. O busto de Alexandre Farnésio, obra do escultor Ippolito Buzzi (falecido em 1634), foi acoplado ao corpo em tamanho real de uma antiga estátua que acreditam ser de Júlio César. Como que para salientar as conexões entre esse líder militar do século XVI e a Antiguidade romana, seu retrato ficava (e ainda está) diante de uma pintura de uma famosa vitória militar dos mitos dos primórdios de Roma.

Essa é uma estátua do líder militar Alexandre Farnésio (*Il Gran Capitano*, como era conhecido, "O Grande Capitão", ou até "O Grande Chefe"), erguida em 1593, ano seguinte a sua morte. O corpo foi moldado a partir de uma antiga estátua romana, que à época diziam ser de Júlio César, e a cabeça foi completamente substituída pelos traços distintos de *Il Gran Capitano*.

Talvez houvesse razões práticas para tanto. Aos nossos olhos hoje, o amálgama parece estranho (e são poucos os visitantes que se detêm para admirá-lo).

Mas ele denotava uma encomenda apressada e barata, como deixam claro os registros de pagamento para o escultor. Mais importante, contudo, era também uma potente forma visual de ostentar uma conexão entre o herói moderno e o passado antigo. A comparação entre Alexandre Farnésio e César já tinha sido feita em uma homenagem fúnebre, em seu velório. Aqui a comparação foi transformada em monumento de mármore.[35]

Havia precedentes romanos antigos para essa prática. César não teria muito que reclamar do tratamento dado a ele por aqueles que queriam (literalmente) "desfigurar" e "reconstruir" seu retrato para honrar algum seguidor seu do século XVI. Séculos antes, seus próprios admiradores tinham feito praticamente a mesma coisa. No fim do século I, em uma famosa estátua de Alexandre, o Grande, instalada no centro de Roma, a cabeça de Júlio César tinha substituído a original, como que para fazer o conquistador romano seguir à risca a tradição de seu antecessor grego, pondo-se no lugar de Alexandre, ao menos do pescoço para cima.[36] Em ambos os casos — de César e *Il Gran Capitano* —, a intenção era que o público mantivesse o velho *e* o novo à vista, simultaneamente: era uma arte antiga-*e*-moderna.

Conexões imperiais: De Napoleão com a mãe à Última Ceia

Há, no entanto, uma tradição ainda mais complicada, sutil e capciosa de introduzir os rostos imperiais da Roma Antiga em retratos modernos e em galerias de arte moderna em geral. Isso às vezes acaba ricocheteando no artista ou modelo em questão. E espectadores modernos talvez deixem passar muitas das ricas camadas de significado se não repararem nisso. Um grande exemplo (famoso até) é o retrato em escultura da mãe de Napoleão, Letícia Bonaparte ("Madame Mère", como costumava ser chamada), feito por Antonio Canova, encomendado pela própria madame em 1804.

Canova não saiu martelando seu cinzel em uma obra de arte antiga, não de forma literal. Mas trabalhou com praticamente a mesma ideia que o escultor que "refez o rosto" de Júlio César para criar "O Grande Chefe", pois se inspirou bastante em uma estátua antiga que hoje se encontra, já há mais de dois séculos, no meio da "Sala dos Imperadores", no Palazzo Nuovo dos Museus Capitolinos, em Roma. Naquele tempo, essa estátua tinha sido identificada com segurança como "Agripina", uma mulher que figurava no centro da família imperial no século I (Figura 1.22).[37] Alguns críticos da época deixaram passar o significado disso; era um caso, julgavam eles, em que a linha tênue entre imitação criativa e cópia descarada estava tênue demais, e acusaram Canova de plágio. Outros viram que ela levantava questões ainda mais importantes: quem exatamente era a "Agripina" retratada na antiga estátua, e então a quem Madame Mère estava sendo associada, e com que mensagem?

Parte do enigma remontava ao fato de que existiram *duas* Agripinas proeminentes na família imperial do século I, estereotipadas de formas bem diferentes. Uma era a virtuosa (quando não enfadonha, de tão intransigente), neta do imperador Augusto e esposa do popular príncipe imperial Germânico. Ela defendeu a memória do marido após seu macabro assassinato, orquestrado, dizia-se, pelo invejoso imperador Tibério. Mais tarde, foi exilada e torturada, até que, em 33 d.C., jejuou, ou passou fome, até morrer. A outra era sua vilanesca filha — Agripina, "a Jovem", como é conhecida, para distingui-la de "a Velha" —, esposa do imperador Cláudio, que, segundo consta, o matou com um prato de cogumelos envenenados em 54 d.C., e mãe, amante incestuosa e por fim vítima de assassinato do imperador Nero. (Mais sobre as duas no capítulo 7.)

As opiniões se dividiam bastante, a depender, em geral, do alinhamento político do crítico em questão: se era a Agripina exemplar ou a vilanesca a retratada pela antiga estátua, e que, portanto, servira de modelo para Madame Mère. Qualquer que fosse a resposta, as implicações eram desoladoras para Napoleão, seu filho. Pois o que ambas as Agripinas, a vilanesca e a virtuosa, tinham em comum eram filhos verdadeiramente monstruosos: o imperador Nero, no caso da Jovem, e o imperador Calígula, no caso da Velha. Não foram poucos os observadores que deram a entender que o alvo de Canova era o próprio Napoleão. Trata-se de um exemplo clássico da indissociabilidade entre antigo e moderno (a ideia não era plagiar, mas fazer um *paralelo* entre Madame Mère e uma modelo romana); e é mais um caso em que tal paralelo gerou polêmicas próprias e teve implicações políticas indesejáveis. Foi o "dilema de Andrew Jackson" elevado à enésima potência.[38]

Em 1818, após a queda de Napoleão, o sexto duque de Devonshire — ávido colecionador de esculturas contemporâneas, admirador fervoroso sobretudo

(a)

(b)

1.22. Canova flertou com o perigo ao modelar o retrato da mãe de Napoleão,
Madame Mère, com base na estátua em tamanho real de "Agripina", hoje
nos Museus Capitolinos, em Roma. Seria ela a "boa Agripina" ou o monstro
homônimo? E o que isso dizia sobre a retratada ou seu filho, se é que dizia
algo? A ironia é que os historiadores da arte modernos estão convictos de
que a figura em Roma não teria como ser um retrato de nenhuma das duas
Agripinas; a julgar por estilo e técnica, deve pertencer a um par de séculos depois
(ver p. 159). Mas, muito graças a Canova, a identidade equivocada perdura.

de Canova, com cacife suficiente para bancar suas paixões — comprou a estátua de Madame Mère em Paris. A retratada não ficou nem um pouco feliz com a venda ("ela reclamou bastante da minha posse da estátua", admitiu o duque, ou assim se gabou). Mas, apesar do mal-estar, a peça se tornou um dos destaques da coleção, instalada no Palácio Chatsworth, no Norte da Inglaterra — onde, como escreveu em seu próprio guia da propriedade, o duque fazia visitas noturnas à estátua "com uma lamparina".[39]

A estátua se encontra em Chatsworth desde então, admirada como a obra-prima de Canova, vivendo uma fama extra graças às conexões com Napoleão (seu pedestal exibe, em letras garrafais, as palavras latinas NAPOLEONIS MATER, "Mãe de Napoleão"). Mas, fosse qual fosse o palpite do duque sobre os antigos precedentes da estátua, para a maioria dos visitantes as conexões com qualquer Agripina que seja já caíram no esquecimento há muito tempo, e com elas boa parte das curiosidades, peculiaridades e *significados* da estátua também se perderam. Uma obra de arte controversa que expunha algumas das incômodas questões de caráter, dinastia e poder imperial acabou ficando com um papel mais insosso, de mero retrato esmerado, lembrancinha napoleônica.

Há muito a ganhar com essas conexões clássicas trazidas *de volta*, tanto nesse quanto em outros casos. Há quem diga, com razão, que boa parte da arte produzida antes do fim do século XIX, ao menos no Ocidente — não quero impingir essa preocupação ao resto do mundo —, com certeza é opaca para aqueles que não possuem um conhecimento razoável da Bíblia e dos mitos clássicos contados em *Metamorfoses*, de Ovídio (poema romano em diversos volumes, que, por séculos, foi quase tão prestigiado quanto a Bíblia nos estúdios de arte).[40]

Poderíamos dizer praticamente o mesmo sobre o conhecimento dos imperadores romanos mais proeminentes, seus vícios e virtudes, sua política de poder e as anedotas outrora famosas sobre eles, que faziam parte da seara cultural de artistas, mecenas e espectadores do passado.

Sem exageros, claro. Sempre houve muita gente que não conhecia ou pouco se importava com o antigo mundo clássico, ou não tinha tempo, inclinação, recursos ou capital cultural para se envolver com esses regentes antigos e suas histórias, para além de curiosidades sobre Ovídio. Ainda que os clássicos nunca tenham *realmente* sido privilégio exclusivo de homens ricos e brancos, como costumam alegar (a tradição britânica de clássicos da classe trabalhadora, por exemplo, é muito rica),[41] o patrimônio clássico nunca é, ou foi, imprescindível. No entanto, é evidente que boa parte da arte europeia dialoga conosco de formas mais interessantes, complexas e surpreendentes quando *de fato* levamos em conta seu patrimônio, imperadores inclusos.

E, assim como no caso do sarcófago de Alexandre Severo, isso envolve questões práticas de identificação e interpretação. Como veremos, existem casos bem insólitos de identidades equivocadas a ser reveladas, e (como as cerâmicas espalhafatosas que comentei por alto) *conjuntos* outrora soberbos de figuras imperiais, hoje espalhadas pelo mundo, sem reconhecimento, a ser localizadas e reagrupadas. Existem peças de tapeçaria e gravuras com inscrições em latim que foram distorcidas, mal compreendidas, ou que passaram tanto tempo sem ser lidas que chega a ser vergonhoso. Encontraremos formas ainda mais inesperadas pelas quais a história dos imperadores romanos acrescenta significado a obras de arte — inclusive algumas que, como o retrato de Madame Mère, à primeira vista parecem ter muito pouco, ou mesmo nada, a ver com a história imperial romana.

Outro caso marcante é a controversa pintura da *Última Ceia* feita por Paolo Veronese para uma ordem religiosa de Veneza, em 1573, estrategicamente renomeada como *Banquete na casa de Levi*, depois que a Inquisição se opôs à inclusão de alguns elementos — bobos da corte, beberrões e germânicos — que eram, para dizer o mínimo, muito heterodoxos para uma *Última Ceia* católica (Figura 1.23). No primeiro plano da tela, Veronese deu um destaque e tanto a um mordomo corpulento, ou, como o próprio pintor se referiu a ele, *un scalco* (um trinchador). Vestido com uma túnica listrada, em cores vivas, o homem parece estar atônito, com o olhar fixo em Jesus.[42] Não deve ser mera coincidência o fato de os traços do rosto do trinchador seguirem os de um antigo retrato romano, à época exposto em Veneza, que todos acreditavam ser do imperador Vitélio, cujo assassinato viria a ser, 250 anos depois, o tema estipulado para os jovens artistas franceses que competiam pelo Prix de Rome.

Conhecido como o "*Vitélio* de Grimani" (em memória do cardeal Domenico Grimani, que o legou a cidade ao morrer, em 1523), ele era muito popular entre artistas e projetistas, replicado centenas de vezes (Figura 1.24). É um molde de gesso dessa mesma escultura que o menino da Figura 1.10 está desenhando com atenção, e parece também ser a base de uma das figuras menores no fundo da *Última Ceia* de Veronese.[43] Mas aqueles que sabiam algo da reputação desse figurante da história imperial decerto não deixaram escapar a ironia significativa da obra, além do modelo artístico conveniente. Pois, na pintura, uma figura muito parecida com Vitélio, tido como um dos governantes mais imorais e cruéis da história de Roma, ainda que tenha ficado no

1.23. Esta grande pintura, de mais de treze metros de extensão, foi feita para o refeitório de um mosteiro veneziano. Embora Jesus esteja no centro da mesa, a figura que salta aos olhos no primeiro plano é o "trinchador" de Veronese, um sósia do imperador Vitélio. O próprio Vitélio também se faz presente, atrás do homem de verde, sentado próximo à coluna no topo da escadaria à esquerda.

trono por poucos meses, aparece arrebatado pela visão de Jesus. Mais do que isso, um imperador cuja gula, diziam, era páreo para a de qualquer comilão famoso da história romana (até outro dia, a palavra "viteliano" era sinônimo de "esbanjador gastronômico"), foi convertido em trinchador, ou mordomo. Em outras palavras, o jogo virou, de consumidor para servidor.

Aqueles que eram mais informados sobre a família de Vitélio talvez tenham notado uma ressonância mais profunda com a história cristã. Pois não foi ninguém mais, ninguém menos do que o pai desse Vitélio — Lúcio Vitélio — que, enquanto governante romano da Síria, se tornou arqui-inimigo de Pôncio Pilatos, rebaixando-o de seu posto na Judeia em 36 d.C., poucos anos após os eventos representados na pintura.[44] É como se essa semelhança imperial anacrônica (o imperador ainda era adolescente na época da Última Ceia) tivesse sido incorporada na cena bíblica para agir como um comentário interno, sarcástico, sobre a própria obra de Veronese, apontando ainda para questões mais profundas em seus personagens e narrativa. É uma pena deixar isso tudo passar.

Suetônio e seus Doze Césares

Veronese e seus contemporâneos conheciam Vitélio, direta ou indiretamente, por meio da antiga *Vida*, biografia dele escrita no século II por Caio Suetônio Tranquilo. Era nessa obra que se encontravam muitos de seus sórdidos causos de gulodice e imoralidade (uma queda por línguas de flamingo e miolos de faisão, por exemplo, bem como assistir a execuções). Suetônio tinha conhecido a corte imperial por dentro, ao servir de bibliotecário e secretário-geral de Adriano, antes de cair em desgraça por causa de um escândalo que diziam envolver a esposa do imperador, Sabina. A *Vida* de Vitélio era apenas uma da série de biografias dos primeiros Doze Césares, em que o biógrafo delineara a história do primeiro século e meio do regime de um homem só em Roma: começando com a "ditadura" e o posterior assassinato de Júlio César em 44 a.C., depois as *Vidas* dos cinco imperadores da primeira dinastia imperial (Augusto, Tibério, Calígula, Cláudio e Nero), seguidas pelas dos três breves candidatos ao poder em um ano de guerra civil, em 69 d.C. (Galba e Otão, bem como Vitélio), e terminando com os três imperadores da segunda dinastia imperial, de Vespasiano e seus filhos, Tito e Domiciano.[45]

Essas *Vidas* dos imperadores figuraram entre os livros de história mais populares do Renascimento europeu. Os primeiros humanistas possuíam várias cópias manuscritas deles (Petrarca tinha pelo menos três). A primeira edição impressa em latim surgiu em 1470, já havia mais treze em 1500 e logo choveram traduções. Segundo um cálculo aproximado, cerca de 150 mil cópias, em latim ou traduzidas, foram impressas de um lado a outro do continente entre 1470 e 1700.[46] A influência dessa série de biografias na arte e na cultura foi imensa, e graças à sua popularidade ela conferiu aos Doze Césares seu lugar canônico na história posterior e lançou a moda de recriações deles em fileiras canônicas de bustos e pinturas modernas. Escultores romanos antigos tinham criado com frequência *grupos* de retratos (governantes apresentados ao lado de seus sucessores pretendidos, ou de seus antecessores legitimadores, ou conjuntos de filósofos famosos), mas, até onde sabemos, nunca haviam produzido "séries" cronológicas de seus imperadores, de um a doze.[47] Esse foi o tributo do Renascimento a Suetônio. E era em *Vidas* que se encontravam descrições físicas detalhadas de cada governante, bem como muitas das anedotas sobre eles que serviram de inspiração para artistas ao longo dos séculos: Cláudio flagrado encolhido atrás de uma cortina após o assassinato de Calígula, Nero "tocando lira enquanto as chamas consomem Roma", o suicídio heroico de Otão, entre várias outras. Historiadores modernos céticos

1.24. Apesar da pouca fama de uns tempos para cá, esse rosto notavelmente papudo, de 0,5 metro de altura — identificado, em sua redescoberta, como um retrato autêntico do imperador Vitélio —, foi uma das imagens antigas mais reproduzidas entre os séculos XVI e XIX. Agora rebaixado a (mais um) "romano desconhecido", pode ser encontrado em quase toda grande galeria no Ocidente, à espreita, disfarçado, em pinturas, ilustrações e esculturas (ver pp. 247-55).

talvez vejam essas histórias como fofoca de corredor dos palácios, ou até pura fantasia, mas graças a Suetônio e seus leitores, elas se tornaram parte inextricável da visão que temos de imperadores romanos.

Alguns imperadores posteriores e suas famílias também capturaram a imaginação popular e artística. Foram feitas muitas recriações do filósofo e imperador Marco Aurélio (cujas *Meditações*, em boa parte clichês, provavelmente escritas nos anos 170, compõem um improvável best-seller de autoajuda do século XXI),[48] de sua esposa, Faustina,[49] e de seu filho Cômodo, o gladiador amador, bem como de Heliogábalo, cujos hábitos grotescos à mesa quase se equiparavam aos de Vitélio; até Alexandre Severo e Júlia Mameia de vez em quando ainda partilham dos holofotes.[50] Além da mencionada obra de Suetônio, há ainda farto material em outras fontes sobre a tradição literária da Roma pagã e cristã que volta e meia oferece estímulo para artistas modernos. Isso inclui uma coleção de biografias muito inventivas e mirabolantes de imperadores posteriores, hoje intitulada *História augusta*, que nos legou uma gama de anedotas extravagantes. As histórias das pétalas de rosa mortais de Heliogábalo são só o começo. Se acreditarmos no que diz *História augusta*, o mesmo imperador que se deleitava com refeições pretensiosas, organizadas por cor (tudo azul, tudo preto, ou de alguma outra cor, a depender do humor dele), inventou a almofada de pum (para ser sorrateira e embaraçosamente desinflada nos jantares, sob seus convidados finos, pomposos e, sem dúvida, aflitos).[51]

Daremos uma olhada, de tempos em tempos, em alguns desses personagens. Mas, felizmente, o leitor não precisa memorizar todos os 26 (e não 24) imperadores que reinaram entre Júlio César e Alexandre Severo, que dirá os quarenta e tantos seguintes, que governaram Roma em menos de setenta anos, até o fim do século III. Sabemos pouco a respeito de vários deles, e mesmo o número exato desses imperadores depende de quantos usurpadores e cogovernantes entrarem na conta. São Suetônio e seus Doze que estão no cerne deste livro e no cerne do padrão moderno, visual e cultural, de imperadores romanos.

Perspectivas imperiais

Um olhar clássico sobre a arte moderna abre perspectivas diversas. Como qualquer foco, às vezes pode obscurecer tanto quanto pode iluminar. É praticamente inevitável que haja perdas ao juntar, como estou fazendo, imagens de imperadores romanos, para então refletir sobre elas em obras de diferentes artistas, diferentes meios, diferentes momentos e lugares. Evoluções cronológicas particulares, os diversos aspectos da técnica pictórica e escultural, importantes referências locais e temáticas, e o papel das imagens imperiais na produção de um artista são fatores que, aqui, podem acabar relegados a pano de fundo, tendo sua importância camuflada. Os onze *Césares* pintados por Ticiano, afinal de contas, têm ligações com suas cenas bíblicas e sua *Bacanal*, bem como com imagens de imperadores criadas por outros artistas, antigos e modernos. Contudo, sem dúvida há ganhos também em ousar abraçar essa visão especificamente clássica e focar em imperadores em particular.

Para começar, esse recorte corrige um desequilíbrio enganoso na forma como olhamos para a história da arte antiga no Renascimento europeu e mais tarde. Claro, há muitos estudos especializados sobre boa parte das imagens imperiais que me proponho a explorar, mas são estátuas pontuais que quase sempre ganham fama e lugar de destaque, como *Laocoonte* e *Apolo de Belvedere*, e não essas inúmeras réplicas das faces do poder imperial. Não são só os cansados visitantes de museus ou galerias que tendem a passar pelos bustos dos imperadores sem lhes dar muita atenção. Alguns dos estudos recentes mais influentes sobre a redescoberta e reaproriação moderna da arte clássica mal se debruçaram sobre eles, ainda que ocupem boa parte do cenário visual e tenham estimulado a imaginação de artistas (e o cérebro de eruditos) por séculos a fio.[52] É muito fácil, por exemplo, esquecer que os pés e as mãos, elementos centrais da reflexão visual mais famosa do século XVIII sobre a natureza da relação do artista com o passado, são os pés e as mãos de um imperador romano — resquícios, nos Museus Capitolinos, de uma estátua colossal de Constantino, imperador do século IV (Figura 1.25).[53] Meu objetivo é devolver a esses imperadores, sejam eles rostos ou fragmentos, seu papel na história.

É um papel internacional, bastante itinerante, que não ganha muito quando explorado dentro de fronteiras geográficas ou seguindo tênues linhas políticas. Política pode ser importante, como já vimos. Mas nem todos que se consideravam republicanos partilhavam da implacável hostilidade ética de Andrew Jackson perante os souvenirs materiais do poder imperial; e por mais que autocratas europeus modernos, em particular, tenham explorado a face dos imperadores romanos, não foram os únicos. Por regimes de todo tipo, repúblicas, monarquias e feudos, por zonas de guerra, pilhagens e negociações diplomáticas, imagens imperiais, antigas e modernas, estiveram sempre em movimento. Compradas e vendidas, roubadas, trocadas e presenteadas, foram transportadas pelo continente europeu e além. Um bloco de mármore da Grécia era moldado como um busto imperial em Roma, para, 1500 anos depois, acabar como propina ou presente diplomático, elegantemente *re*moldado em um palácio principesco da Espanha moderna. Um conjunto belíssimo de doze imperadores de prata, do século XVI (que veremos de novo no capítulo 4), provavelmente foi feito nos Países Baixos e vendido para a família Aldobrandini, na Itália. Depois, sabe-se lá como, as peças retornaram ao Norte da Europa, para a Inglaterra e para a França, antes de se dispersarem, no decorrer do século XIX, e ir parar no outro lado do mundo, de Lisboa a Los Angeles.

Sem dúvida, essas obras de arte eram vistas e valorizadas de formas diferentes conforme se movimentavam para lá e para cá (e essa será uma das minhas preocupações aqui), mas decerto não *pertenciam* a lugar algum. Várias das imagens esculpidas não pertencem a um único tempo também. As restaurações, as imitações, o hibridismo e as fronteiras incertas entre moderno e antigo comprometem qualquer tratamento particularmente cronológico. Parte da graça disso é que, como "trabalhos em andamento", essas obras não se permitem ser atreladas a uma data específica. Adotando um dos termos favoritos de alguns historiadores modernos do Renascimento, são *anacrônicas*: resistem e transcendem a cronologia linear.[54]

São muitas para compilar em um só livro, abrangendo mais de 2 mil anos, dos artistas anônimos que produziram os antigos retratos de mármore de Júlio César a Salvador Dalí, Anselm Kiefer e Alison Wilding, da segunda metade do século passado. Inevitavelmente, mesmo algumas das minhas obras e artistas favoritos têm apenas um papel de figurante aqui: Rubens tende a perder para Ticiano, e Josiah Wedgwood, para os mestres de tapeçaria de Flandres. Imagens de óperas, teatro, televisão e cinema também tiveram que ficar em segundo plano. Boa parte dos primeiros filmes foi criada a partir de cenas do mundo romano, incluindo seus regentes característicos, mas isso é outra história.[55] Este livro trata sobretudo de imagens estáticas, concentrando-se em uma seleção dos imperadores (e "imperadores") mais reveladores e surpreendentes produzidos, ou reproduzidos, desde o século XV. O propósito é mostrar quão elucidativo pode ser redescobrir a linguagem visual dos governantes romanos, quão divertido pode ser acompanhar suas viagens por nações e continentes, passando às vezes por uma névoa de incompreensão, e quão intrigante pode ser recriar, com vestígios dispersos, algumas das mais influentes imagens modernas de imperadores

1.25. Entre as imagens mais fortes, e enigmáticas, a evocar a relação entre o artista moderno e o passado clássico está o pequeno desenho a giz de Johann Heinrich Fuseli (de menos de 0,5 metro de altura), *O desespero do artista diante da grandiosidade de ruínas antigas* (1778-80). O artista se desespera por não conseguir estar à altura do exemplo da Antiguidade? Ou porque a arte do mundo antigo está *mesmo* arruinada? A mão e o pé diante dos quais o artista se encontra são de uma antiga e colossal estátua de Constantino (imperador, 306-37).

romanos que já perdemos. Mas mesmo o busto imperial de aparência mais comum, desses mais tímidos, esquecidos em galerias de arte, às vezes tem uma história de vida importante e movimentada.

No meu horizonte estarão sempre as grandes questões de apresentação de monarquias, dinastias e poder político moderno, que às vezes acabam sendo engavetadas — e que uma perspectiva clássica pode aguçar. Nas últimas décadas, foram feitos estudos importantes e perspicazes sobre como a imagem de um rei é construída, sobre o "autorrefinamento" da elite e sobre o uso de rituais — e a invenção da tradição — ao se criar um monarca ou fundamentar a monarquia.[56] Mas a ideia de que o poder moderno deveria se moldar à imagem do poder imperial romano, ou de que imperadores romanos ofereceram um pano de fundo oportuno para a aristocracia europeia séculos depois, muitas vezes parece óbvia, quase banal demais para ser investigada ou destrinchada.

Mostro aqui que ela não é nada óbvia e perguntarei diretamente *para que* servem essas imagens modernas de imperadores. O que significavam para aqueles que as comissionavam, compravam ou contemplavam? Por que tanta gente no Ocidente opta por recriar uma série de imperadores, a maioria dos quais tem uma forte reputação (ainda que pouco confiável) de imoralidade, crueldade, excessos e desgoverno? Somente no caso de um dos Doze de Suetônio (isto é, Vespasiano) não houve boatos de morte por assassinato. Por que, então, eles foram celebrados nos muros dos palácios das dinastias modernas? E por que volta e meia apareciam decorando as câmaras das repúblicas? Em outras palavras, à parte os escrúpulos de Andrew Jackson quanto ao "cesarismo", por que alguém iria *querer* jazer em um caixão de segunda mão, que supostamente já guardou os restos mortais de um imperador romano assassinado?

Antes de mais nada, voltemos 2 mil anos no tempo, às imagens imperiais do mundo antigo que fundamentam muitas das cópias, versões, imitações e transformações posteriores. Jamais entenderemos essas representações modernas se não refletirmos um pouco mais sobre como os imperadores romanos que as inspiraram foram retratados no próprio mundo antigo — com todos os enigmas, debates e controvérsias que isso suscita. Aqui também há algumas questões básicas que muitas vezes são ignoradas, e adotar uma perspectiva moderna talvez lance luz nas imagens antigas propriamente ditas. Como, entre os milhares e milhares de retratos romanos remanescentes, é possível detectar — ou nomear — um imperador? Quando um artista renascentista precisava de um modelo antigo para sua recriação de um governante antigo, para onde ele se voltava? Salvo pelas imagens minúsculas em moedas, quase não há retratos imperiais antigos sobreviventes que venham acompanhados de um nome fidedigno. Então, como os escultores mais tarde sabiam dizer quem era quem?

Nenhuma imagem foi tão controversa, ou didática, quanto as de Júlio César, e nenhuma expôs com tanta clareza a lacuna desconcertante entre um rosto imperial e um nome imperial. Elas figuram nos primórdios da tradição de retratos romanos imperiais e também no cerne da relação moderna com os Doze Césares. Então é por eles que começamos.

2.

Quem é quem nos Doze Césares

"É César!"

Em outubro de 2007, arqueólogos franceses que exploravam o leito do Ródano, em Arles, içaram da água uma cabeça de mármore (Figura 2.1). Dizem que ainda estava pingando quando o diretor da equipe gritou: "*Putain, mais c'est César*" ("Caralho, é César!" provavelmente capta melhor a surpresa do que qualquer outra tradução mais educada). Desde então, a cabeça já apareceu em dezenas de manchetes de jornais e em pelo menos dois documentários para a TV, foi a estrela de uma exposição em Arles e no Louvre e, em 2014, chegou a estampar selos franceses.[1]

Parte desse burburinho vem da notável alegação de que essa cabeça não é um mero retrato de Júlio César, mas um graal no estudo dos retratos romanos: uma imagem de César esculpida *quando ele ainda era vivo*, por um artista que o estudara face a face. No caso, seria o único exemplo indubitável a sobreviver até os dias de hoje (embora outros candidatos tenham sido propostos ao longo dos anos). A suposição é que originalmente ficava em algum lugar proeminente da cidade romana de Arles, revitalizada por César em 46 a.C. como núcleo de seus soldados veteranos; e que, após o assassinato dele em 44 a.C., temendo que suas conexões cesarianas talvez ficassem desconfortáveis (para dizer o mínimo), os locais decidiram se desfazer desse bem potencialmente valioso no rio, onde permaneceu por mais de 2 mil anos.

Arqueólogos e historiadores da arte modernos ainda estão divididos quanto à identidade e à importância da descoberta. Céticos enfatizam o quanto a cabeça do Ródano parece diferir do retrato de César em moedas contemporâneas — e difere também de outros retratos, reconhecidos como póstumos, em geral identificados como tal.

2.1. O "*César* de Arles", retrato em busto içado do rio
Ródano, em 2007, causando controvérsia. Se é mesmo
uma imagem do próprio Júlio César, é discutível, mas os
apoiadores da teoria apontam para as proeminentes linhas
do pescoço, um dos traços característicos de César.

Os apoiadores da identificação, por outro lado, ressaltam os pontos específicos de semelhança entre essa cabeça e alguns aspectos individuais dos retratos em moedas, sobretudo as linhas do pescoço e do proeminente pomo de adão (Figura 2.3). Há ainda quem chegue perto de alegar que *não* se parecer muito com os outros césares em geral poderia na verdade ser a confirmação de que se trata de uma imagem única e autêntica, esculpida com base no César da vida real, e não uma réplica banal — um tipo engenhoso de argumento, em que se "sai ganhando" com as duas possibilidades (parecendo-se ou não com César, é ele), e que não inspira confiança.[2]

Apesar do ceticismo (e me incluo entre os céticos), parece que esse é o rosto de Júlio César escolhido para o século XXI — ganhando lugar como

2.2. O *Grande* (no sentido de tamanho) *camafeu da França*, de cerca de trinta por 25 centímetros, capta uma visão da hierarquia romana: o imperador Augusto, no topo, olha para baixo a partir do céu, na vida após a morte; no centro, o imperador Tibério é o foco da atenção, junto com sua mãe, Lívia; na base, estão agrupados os bárbaros conquistados. Feito em torno de 50 d.C., e à mostra na França desde a Idade Média (daí o título), sem dúvida não é uma cena bíblica, como antes se pensava. Mas quem exatamente são os membros da família imperial ainda é um mistério.

2.3. Esta moeda (um denário de prata), cunhada em 44 a.C., pouco após o assassinato de César, costuma ser considerada a chave para sua aparência, com o pomo de adão saliente, o pescoço enrugado e uma coroa meticulosamente posicionada para encobrir a careca. O nome e o título de César estão na borda da peça: "Caesar Dict[ator] Quart[o]" (ditador pela quarta vez). Atrás da cabeça há um símbolo de um de seus sacerdócios.

o mais recente de uma série de retratos seus que imperam, por um tempo, como favoritos no imaginário popular e acadêmico, antes de serem jogados para escanteio por um candidato rival. Mas, quaisquer que sejam as credenciais da peça, ela levanta grandes questões que conduzem este capítulo. Qual era o propósito, e a política por trás, do retrato no mundo romano? Como seu papel mudou durante o reinado de César e seus sucessores? Como (e com que credibilidade) têm sido identificados os retratos antigos de tais regentes, quando quase nenhum traz o nome ou marca de identificação? Antes de mergulharmos nas recriações modernas desses governantes, precisamos levar em conta como as versões romanas originais deles foram determinadas, do César do Ródano, passando pelas imagens serenas e deiformes do imperador Augusto, a alguns estranhos casos isolados — como o famoso busto do "Vitélio" de Grimani (Figura 1.24), que, como veremos no fim deste capítulo, não só foi um dos modelos favoritos dos artistas modernos como protagonizou diversos debates científicos, do século XVI em diante, sobre a relação entre formato do crânio e personalidade humana.

Pelo jeito, nem sempre somos melhores do que nossos antecessores de centenas de anos atrás em identificar imperadores em retratos antigos. Sim, alguns equívocos de outrora, remontando até a Idade Média, foram derrubados, alguns falsos imperadores foram destronados e figuras que se passavam por donas de diferentes identidades foram descobertas e reidentificadas, de maneira conclusiva, como regentes do mundo romano. A ideia de que a famosa estátua de bronze do imperador Marco Aurélio montado em um cavalo no monte Capitolino, em Roma, representava um cidadão local, forte e humilde que tinha salvado a cidade de um rei invasor já foi há muito descartada como distorção de uma lenda folclórica medieval ou, em linhas mais gerais, como uma reapropriação inventiva do passado antigo (Figura 1.11).[3] E a noção tradicional de que um antigo camafeu romano, particularmente espetacular, retratava a cena bíblica do triunfo de José na corte do faraó foi derrubada por um amigo erudito de Peter Paul Rubens, que, em torno de 1620, apontou corretamente que na verdade se tratava de um grupo da família do imperador Tibério, com direito a Augusto no céu contemplando a cena e alguns bárbaros incivilizados embaixo (Figura 2.2). A velha leitura era um tremendo tributo ao talento cristão de encontrar mensagens religiosas nos lugares mais improváveis e pode ajudar a explicar por que o camafeu foi preservado. Também estava redondamente enganada.[4]

Mas casos assim são raros. Historiadores do século XXI ainda detectam imperadores com praticamente os mesmos métodos que aqueles usados nos séculos XV e XVI, até agora debatemos os prós e os contras de muitos dos mesmos objetos e às vezes somos mais sugestionáveis do que os estudiosos perspicazes do passado. No século XVIII, J. J. Winckelmann relatou que o cardeal Albani, famoso colecionador e connaisseur, duvidava que qualquer cabeça genuína de Júlio César tivesse sobrevivido. O que quer que fosse que ele queria dizer com "genuína", desconfio que Albani teria suas dúvidas quanto ao exemplar do rio Ródano.[5]

Júlio César e suas estátuas

Na história romana, Júlio César se manteve no limite entre a república livre (esse regime com partilha de poder tão adorado por antimonarquistas, dos Pais Fundadores dos Estados Unidos aos revolucionários franceses) e o regime autocrático dos imperadores. Ele marcou o fim de um sistema político e o início de outro. Embora seus erros e acertos sejam discutidos desde então, a história, em linhas gerais, foi simples. Após iniciar uma carreira bastante convencional, vencendo a eleição para uma série habitual de cargos políticos, militares e eclesiásticos, em meados do século I a.C. César se destacava em meio à maioria de seus pares políticos. Tinha sido um conquistador extremamente bem-sucedido, mesmo para os padrões romanos (era tão brutal que alguns de seus compatriotas comentavam aos cochichos seus crimes de guerra). E recebia um apoio enorme das pessoas comuns de Roma, em grande parte graças à quantidade de medidas populares de alta repercussão, como a distribuição de terra e provisões gratuitas de grãos, que tinha lançado ou apoiado. Em 49 a.C., ele já não estava mais disposto a seguir as regras da política convencional, e, em uma guerra civil contra os tradicionalistas (ou "reacionários intransigentes", dependendo do ponto de vista), abriu caminho até seu regime, que foi, com efeito, um regime autocrático. Em poucos anos, tornou-se "ditador vitalício", transformando um velho cargo romano de *dictator*, reservado a situações extraordinárias, em ditadura, no sentido moderno do termo. Seu assassinato foi levado a cabo com o lema "Liberdade", palavra de ordem do antigo regime republicano. Mas se seus assassinos queriam mesmo desfazer a virada autocrática de Roma, fracassaram. Em menos de quinze anos, depois de mais uma guerra civil, o sobrinho-neto de César, Otaviano (que mais tarde viria a usar o nome "Augusto"), se estabeleceu no trono e criou uma forma de autocracia que perduraria pelo resto da era romana.[6]

Ao começar sua série de biografias imperiais com Júlio César, Suetônio o transformou no primeiro imperador de Roma. Poucos historiadores seguiram essa linha nos últimos anos. Ainda que César, inevitavelmente, esteja no meio do caminho, hoje tendemos a vê-lo mais como o último capítulo da República, como um golpe fatal para um sistema político que já vinha cambaleando havia décadas, incapaz de acomodar a ambição, a riqueza e o poder de uma nova geração de líderes (César não era o único a se mover nessa direção). Ser *dictator* estava muito longe de ser imperador (ou *princeps*, que é o latim equivalente mais próximo do termo). Mas a visão alternativa de Suetônio nos alerta sobre as formas como César deixou sua marca no sistema do regime autocrático que viria a sucedê-lo.[7] A mais óbvia delas é que ele concedeu seu nome pessoal a todos os seus sucessores. Todo imperador romano que veio depois adotou o nome "César" — que até então não passava do que poderíamos chamar de um sobrenome comum — como parte do título oficial. E assim se seguiu com os regentes do Sacro Império Romano até o século XIX (fosse como "césar" ou "káiser") ou outros semelhantes, como os "czares". Quando falamos dos Doze *Césares*, é exatamente isso que eles são.

Júlio César também estipulou um padrão para o futuro com um uso totalmente novo de imagens. Foi o primeiro romano a ter seu retrato sistematicamente estampado em moedas. Alguns precedentes para isso já tinham sido estabelecidos pelos reis e rainhas que vieram depois de Alexandre, o Grande, no mundo grego, mas em Roma, havia muito tempo, apenas retratos imaginários de heróis mortos estampavam moedas. Foi César quem firmou a tradição, que perdura em muitos lugares até os dias de hoje, de ter o rosto do regente vivo nas carteiras dos súditos.[8] Também foi o primeiro a usar várias estátuas dele mesmo para fazer desfilar a própria imagem perante o público de Roma e muito além.

A tradição de retratos em Roma vinha muito antes de César, é claro. Hoje costuma ser vista como um gênero artístico distintivamente romano, integrado aos rituais e práticas da aristocracia e da vida pública romanas: imagens de ancestrais eram exibidas nos velórios da elite e faziam parte do mobiliário das casas; estátuas de indivíduos proeminentes, figurões e benfeitores, permaneceram erguidas por séculos nas praças públicas, templos e mercados do mundo romano.[9] Na verdade, pelo menos na tradição ocidental, a convenção agora comum de deixar um busto de mármore representar o corpo todo — "uma cabeça que o escultor corta em vida", como disse Joseph Brodsky em seu estranho poema sobre um busto do imperador Tibério — parece ter sido uma inovação romana. Na Grécia clássica, retratos tinham sido figuras de corpo inteiro, e havia muitos deles em Roma também. Mas foram os romanos que fizeram parecer (quase) natural que uma imagem cortada no pescoço ou na altura dos ombros pudesse representar uma *pessoa*, em vez de uma vítima de assassinato. Nesse sentido, e em outros, nossa ideia de "retrato em busto" vem de Roma.[10]

César foi o primeiro a ir além e engendrar a replicação generalizada de sua imagem, centenas e centenas de vezes. Nunca antes retratos tinham sido usados assim em conjunto para promover a visibilidade, onipresença e poder de uma única pessoa — tanto em termos de quantidade quanto de localização estratégica. Um historiador romano, escrevendo duzentos anos depois, relata um decreto emitido durante a vida de César, estipulando que deveria ser erguida uma estátua sua em todo templo de Roma e em toda cidade do mundo romano; e Suetônio menciona que, em certas ocasiões, sua imagem era carregada em procissões, junto às dos deuses. A cabeça de César colocada sobre os ombros da estátua de Alexandre foi apenas um entre muitos dos usos adulterados de retratos.[11]

Como, ou por quem, todas essas imagens foram produzidas é um mistério. Duvido muito que César tenha pacientemente posado para batalhões de escultores. Talvez nenhum dos retratos tenha sido baseado nele em pessoa, no sentido mais estrito da expressão. E algumas das alegações sobre o imenso número de retratos podem bem ter sido ilusão ou alarmismo, ou talvez refletissem os planos jamais executados no breve período em que ele deteve o poder. De qualquer forma, parece certo que esses retratos, designados a serem "Júlio César", e em geral tomados como tal, se espalharam pelo cenário romano como os de nenhum outro indivíduo antes disso. Pelo menos dezoito pedestais foram descobertos onde hoje são Grécia e Turquia, com inscrições que indicam que originalmente sustentavam, cada um, uma estátua de César, erguidas quando ele ainda era vivo. Existem outras três conhecidas em cidades da Itália; e Arles e as demais cidades da Gália muito provavelmente também tiveram sua cota.[12] A tradição perdurou por séculos após a morte dele. Por todo o Império Romano, houve uma série de iniciativas (às vezes muito tempo depois) para celebrar, com "retratos", o homem que deu o nome à longa sucessão de governantes romanos. Talvez essas imagens de César como herói conquistador e nobre antecessor do regime imperial tenham servido para aplacar o precedente sombrio de seu assassinato, que deve ter assombrado muitos dos governantes que vieram depois.

Não há motivo para algumas dessas estátuas não terem sobrevivido até a presente data — sejam as estátuas esculpidas durante a vida dele (os "Santos Graais"), sejam as numerosas cópias posteriores ou variações do tema, criadas após sua morte. A questão espinhosa é como reconhecer uma dessas estátuas sobreviventes quando a encontrarmos, e quais seriam os indícios de que se destinava a ser um retrato de César, mais do que de qualquer outra pessoa. Tudo depende disso.

Vestígios óbvios que auxiliariam no diagnóstico, com os quais tendemos a contar, hoje estão desaparecidos ou nunca existiram. Para começar, não há etiquetas que ajudem. Nenhuma estátua foi descoberta ainda afixada, ou mesmo adjacente, ao pedestal contendo seu nome (e se um busto tem "Júlio César" escrito na base, é um forte indício de que o busto — ou a inscrição — é moderno). E, ao contrário das imagens de santos cristãos, nenhuma imagem de governante romano jamais foi associada a símbolos que apontam para suas identidades. Não havia nada como as chaves de são Pedro ou a roda de santa Catarina no caso dos césares. E os corpos destes nunca deram pistas sobre quem eram. Se o imperador era magro ou gordo, alto ou baixo, não havia referência a tais traços nas estátuas de corpo inteiro, que são praticamente idênticas umas às outras, vestidas com toga, armadura ou em nudez heroica. Não existem Henriques VIIIs corpulentos ou Ricardos IIIs corcundas. Com regentes romanos, tudo se resume ao semblante.

Do momento em que antiquários e artistas, meio milênio atrás, começaram a identificar sistematicamente retratos romanos ao momento em que a cabeça de mármore foi içada do Ródano, todos os empenhos do mundo moderno para reconhecer o rosto de César se basearam sobretudo em duas evidências-chave. A primeira delas é a descrição íntima e vívida que Suetônio fez da aparência do ditador, com direito às artimanhas deste para disfarçar a calvície e o entusiasmo por depilação:

> Dizem que ele tinha estatura alta, pele clara, membros franzinos, um rosto bem cheio e olhos bem escuros [...]. Era particularmente exigente com a imagem de seu corpo, de modo que não só vivia de cabelo cortado e barba feita como também, segundo alguns críticos, costumava arrancar seus pelos, ao passo que via a própria calvície como uma deformação terrível, pois achava que o expunha a zombarias da oposição. Então costumava pentear o pouco cabelo que tinha do cocuruto para a frente, e, entre todas as honras decretadas a ele pelo senado e pelo povo, não houve nenhuma outra que ele tenha recebido e abraçado de tão bom grado quanto o direito de usar o tempo todo uma coroa de louros.[13]

A segunda é uma série de moedas de prata lançadas no começo de 44 a.C., retratando-o com seu pescoço enrugado, pomo de adão, uma coroa estrategicamente posicionada e seu nome escrito em torno da borda (Figura 2.3). A verdade é que há outras moedas com cabeça — não de César, mas de figuras históricas e mitos romanos — que apresentam marcas distintivas parecidas no pescoço, sem contar as moedas retratando César em que ele está completamente diferente.[14] Mas, deixando essas variantes de lado (como costumam ser deixadas, sem a inconveniência de uma segunda olhada), essa imagem memorável assumiu mais autoridade do que quaisquer outros indícios como base para identificar o legítimo rosto de César.

Verdade seja dita, materiais do tipo nos põem em uma posição melhor para identificar César e seus sucessores do que quaisquer outras figuras da história romana. O rosto de Cícero ou dos Cipiões, ou Virgílio ou Horácio, está irremediavelmente perdido, ao passo que o rosto dos imperadores, não — não de todo. Nenhum poeta romano estampou moedas da forma como escritores britânicos acabam estampando notas, ainda que haja controvérsias.[15] No entanto, não existe nenhuma técnica moderna e sofisticada que seja capaz de identificar com precisão uma imagem de César. Se você quiser proclamar uma escultura de busto em particular como retrato dele, tudo o que precisa fazer é o que sempre foi feito: isto é, tentar fazer o candidato corresponder aos retratos canônicos em moedas e aos detalhes físicos destacados por Suetônio. É um processo subjetivo de "comparação e contraste", que depende tanto da retórica da persuasão (você é capaz de se convencer, tanto quanto os outros, de que está certo?) quanto de critérios objetivos. E é muito mais difícil do que qualquer resumo rápido faz parecer.

Mesmo supondo que Suetônio, que escreveu 150 anos após a morte de César, de fato soubesse como ele era, é praticamente impossível que qualquer imagem remanescente corresponda à descrição feita pelo biógrafo. Isso se dá em parte porque os detalhes que ele destaca — a cor, a textura, mesmo o cabelo ralo — não se convertem facilmente em mármore. (Talvez seja reconfortante saber que homens penteiam o cabelo de lado para esconder a calvície há 2 mil anos, mas como exatamente você acha que um escultor representaria o truque?) E também porque o latim de Suetônio é por vezes ambíguo. A frase que traduzi como "um rosto bem cheio" (*ore paulo pleniore*) poderia muito bem significar também "uma boca desproporcionalmente grande", o que nos faria ir atrás de outro conjunto de feições, completamente diferente.[16] Em todo caso, nenhuma dessas traduções bate com os retratos das moedas, em que César na verdade parece ser bastante magro e tem uma boca de tamanho perfeitamente normal. E essas moedas apresentam seus próprios problemas. Como já viram os antiquários de mais de duzentos anos atrás, o processo de comparação entre uma cabeça bidimensional, de pouco mais de um centímetro de altura, e um retrato em tamanho real, com profundidade, é extremamente capcioso. Winckelmann (pouco antes de relatar o ceticismo geral do cardeal Albani perante os retratos de César) admitiu que não conseguia encontrar nenhuma escultura que julgasse corresponder o bastante às moedas. Mas pelo menos outro conhecedor da época foi além, sugerindo, de certa forma, que não se tratava apenas uma questão de encontrar uma semelhança satisfatória, mas, antes de tudo, de definir o que exatamente *contaria* como semelhança entre esses dois meios tão diferentes.[17]

Então, como isso funciona na prática? Por mais intrigantes que sejam esses dilemas acerca de métodos, eles mal nos preparam para a ferocidade dos debates sobre esculturas rivais de "César", para a hipérbole de alegações feitas a seu favor e para o impacto da discussão para muito além do mundo de colecionadores, artistas e arqueólogos profissionais. (Benito Mussolini é a única "celebridade" infame com algo em jogo nessas controvérsias, e há também conexões bonapartistas inesperadas.) A história, em particular, das duas peças que eram, por sua vez, as candidatas favoritas a representantes do autêntico rosto de César de meados do século XIX a meados do XX ilustra as reviravoltas surpreendentes dos estudos acadêmicos e os argumentos, ora letrados, ora implausíveis, elaborados por diferentes lados. Elas nos ajudam a refletir mais a fundo sobre como o público moderno, ao longo dos séculos, aprendeu a *ver* César.

Prós e contras

Moedas à parte, mais de 150 retratos já foram, em algum momento, apontados seriamente como antigas imagens romanas de Júlio César (o número varia de acordo com quão ao pé da letra você leva a expressão "seriamente"). A maioria é de mármore, mas há alguns candidatos em joias também, e cerâmica.[18] Hoje se encontram em coleções ao redor do mundo ocidental, de Esparta, na Grécia, a Berkeley, na Califórnia, e algumas emergiram em lugares improváveis. A cabeça do Ródano não é o único a ter sido descoberto em um rio. Outro exemplar, cuja casa hoje é um museu nos arredores de Estocolmo, foi misteriosamente içado de três metros de profundidade de lama no leito do rio Hudson, na altura da rua 23, em Nova York, em 1925. Deve ter "caído" de um barco com um carregamento da Europa (as aspas são para transmitir minha perplexidade com as circunstâncias). É muito improvável que seja prova cabal das alegações de que os romanos tinham de fato chegado à América (Figura 2.4 a).[19] Desse todo, é difícil achar uma cabeça cuja identificação ou autenticidade jamais tenham sido questionadas. Um exemplo é uma cabeça de mármore encontrada com dois outros retratos imperiais reconhecíveis, em 2003, em escavações na ilha de Pantelleria, entre a Sicília e a África Setentrional, do que parece ter sido um grupo dinástico posterior, incluindo um "retrato" retroativo de César como seu pai fundador (daí a certeza maior do que a usual sobre quem é, no caso), mas com o tempo talvez encontre seus questionadores também (Figura 2.4 b).[20]

Quase toda peça passa por um escrutínio de vez em quando: ou porque, embora possa ser antiga, com certeza não é César, ou porque, embora quase não haja dúvida de que foi feita para representar César, decerto não é antiga, mas uma réplica moderna, seja ela versão ou falsificação.[21]

As alegações conflitantes podem ser desconcertantes por sua variedade. A cabeça do Hudson, por exemplo, sempre foi tomada por Augusto, ou por seu braço direito, Agripa, ou, alternadamente, por Sula (o famoso déspota assassino do começo do século I a.C.), ou, como é mais comum hoje, por apenas mais um "romano desconhecido". Uma escultura particularmente difícil de definir é o *César verde*, outrora posse estimada de Frederico II da Prússia, hoje situado em Berlim, batizado com base na distinta pedra verde egípcia da qual é feito. O local onde foi encontrado é desconhecido, mas é difícil resistir a suas conexões egípcias. Será essa, como insinuou um escritor recentemente, sem quase nenhuma evidência, a estátua que Cleópatra ergueu em homenagem a César, em Alexandria, após a morte dele? Ou não passa de um retrato de "um dos admiradores de César, do Nilo", imitando o estilo de seu herói? Ou seria, na verdade, uma falsificação do século XVIII, feita para se passar por César desde o princípio? Vai saber! (Figura 2.4 c).[22]

Entre todos esses césares, alguns ganharam mais fama do que outros, e em períodos diferentes. Um dos primeiros favoritos foi o "retrato verdadeiro", que no século XVI ficava no *palazzo* da família Casale, em Roma. Segundo um ótimo guia da época, escrito quando o autor, Ulisse Aldrovandi, de Bolonha, foi detido em Roma pela Inquisição, o proprietário desse busto o manteve guardado à chave, mas o mostrava para visitantes, "com carinho". (*Se* for o mesmo busto de César que ainda está na coleção dos descendentes dos Casale, hoje se reconhece que esse bem estimado não era de fato uma antiguidade, mas tinha apenas cerca de cem anos na época.) (Figura 2.4 d).[23]

Na década de 1930, Mussolini deu destaque a um César de corpo inteiro que ficava no pátio do Palazzo dei Conservatori, no monte Capitolino, em Roma. Muito admirado por viajantes que passavam pela cidade, era um dos únicos dois césares aceitos, incontestavelmente, como "cesarianos" por mais um desses críticos cabeça-dura do fim do século XVIII.

Mais tarde caiu em desgraça pelas suspeitas de sempre, de que talvez fosse um pastiche moderno, do século XVII: nesse caso, sem necessidade (é verdade, foram feitos muitos "retoques" nos braços e nas pernas, mas um rascunho dele, datado de 1550, derruba a ideia de que era uma criação

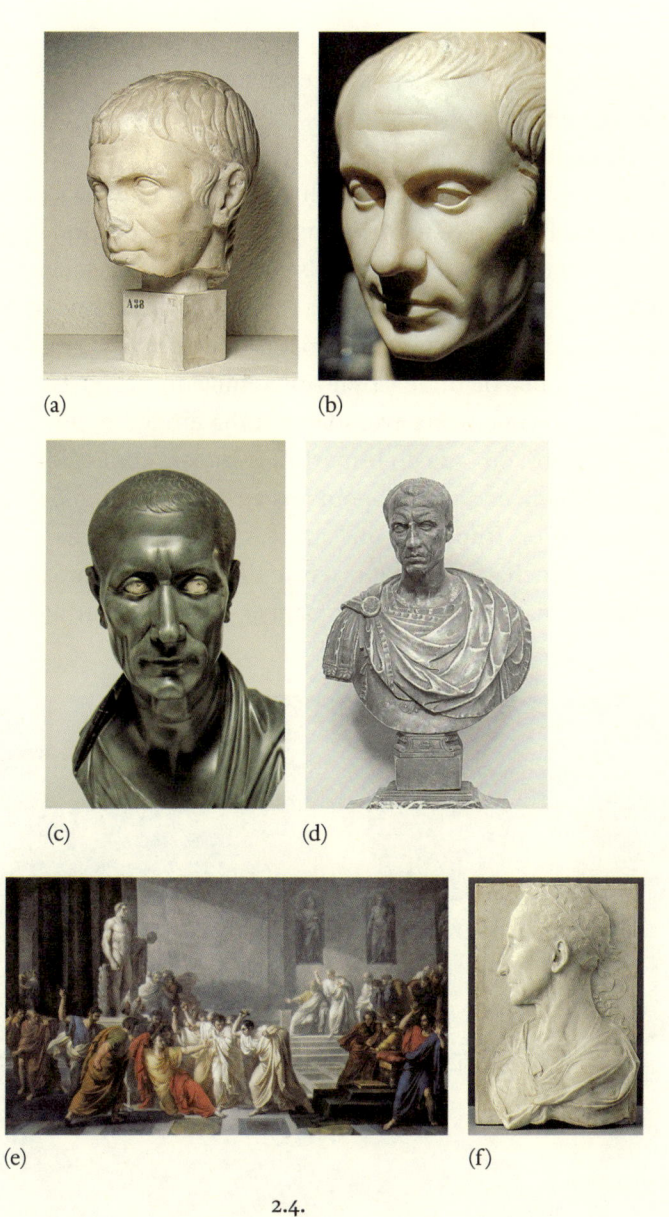

2.4.
(a) O "César" do rio Hudson.
(b) *Júlio César* (meados do século I) da ilha de Pantelleria.
(c) O *César verde*, presumidamente originado do Egito.
(d) *Júlio César* hoje na coleção Casali, em Roma.
(e) Rosto de César em *A morte de César* (1806), de Vicenzo Camuccini.
(f) Cabeça identificada com frequência como César, feita
por Desiderio da Settignano (*c.* 1460).

do século XVII). Em todo caso, nenhuma dessas dúvidas impediu Mussolini de fazer de uma imagem de César sua própria marca registrada, símbolo de suas ambições para seguir os passos do ditador romano.[24] "Il Duce", como Mussolini era conhecido, fez tirarem a estátua de seu lar, no pátio do Conservatori, para lhe dar um lugar de destaque na câmara municipal de Roma, no Palazzo Senatorio, logo ao lado, onde ainda preside discussões sobre regulamentações urbanísticas e multas de estacionamento. Em um projeto que lembrava bastante a replicação de estátuas de césares 2 mil anos antes, ele também fez duas cópias dela, uma para erguer em Rimini, no Norte da Itália, de onde César tinha iniciado sua busca final pelo poder em Roma, e outra em sua avenida novinha em folha, no centro de Roma (Via dell'Impero, ou "rua do Império", como era conhecida na época; mais tarde, rebatizada em homenagem aos vestígios arqueológicos adjacentes como Via dei Fori Imperiali, ou "rua dos Foros Imperiais") (Figura 2.5).[25]

Mas a maior chave para o que o mundo moderno tanto busca (e às vezes inventa) nas imagens de César, e para as estranhas narrativas que podem

2.5. Benito Mussolini anuncia a abolição da Câmara dos Deputados na Itália, em março de 1936. Oportunamente, ele se pronunciou bem em frente à estátua de Júlio César, que fora transportada para a câmara municipal sob suas ordens: um ditador diante do outro.

estar por trás das esculturas silenciosas nas prateleiras dos museus, vem com duas cabeças de mármore que se tornaram, uma após a outra, as imagens definidoras de César: uma do British Museum, em Londres, e outra do Museu Arqueológico de Turim. Quase toda escultura remanescente de "César" vem com uma história semelhante a ela atrelada, mesmo as mais singelas (uma sucessão de autenticação e desautenticação, admiração e desdém); mas esse par, mais do que qualquer outro, ilustra alguns dos conflitos mais intensos que os "césares" podem provocar.

A primeira foi comprada pelo British Museum em 1818, em meio a um lote de objetos adquiridos de James Millingen, colecionador e comerciante britânico de antiguidades italianas (Figura 2.6).[26] Onde, ou como, foi descoberta não consta em registros, e de início a trataram como nada de mais, tomada, por cautela, como uma "cabeça desconhecida". Porém, em torno de 1846, de acordo com o catálogo escrito à mão do museu, foi reidentificada como um retrato de Júlio César.[27] Quem fez isso, e com base em quê, é um mistério (é provável que a similaridade com retratos em moedas tenha entrado em discussão em algum momento). Mas por décadas essa imagem reinou como o César dos sonhos da Modernidade. Ilustrava biografias do ditador, estampava toda e qualquer sobrecapa de livro e promoveu o que em retrospecto parece ser um tipo de prosa vergonhosamente extravagante.

Em 1892, um encômio particularmente efusivo foi feito por Sabine Baring-Gould, escritor britânico best-seller e clérigo anglicano, hoje mais lembrado como hinógrafo ("Avante, soldados cristãos" é seu hino mais famoso) do que como historiador de Roma. Ele concedeu que o artista talvez tivesse feito vista grossa para a careca de César e que provavelmente não esculpiu o retrato com base na vida real (uma decepção que paira ao fundo de muitas dessas discussões). Mas decerto foi

feita por um homem que conhecia bem Júlio César, que esteve em sua presença várias vezes e ficou tão profundamente impressionado com sua personalidade que nos proporcionou um retrato do homem melhor do que se tivesse se baseado no retratado em carne e osso. [...] ele captou e reproduziu as peculiaridades de expressão que o rosto de César apresentava quando ele estava em repouso, o sorriso doce, triste e paciente, a circunspecção de poder nos lábios e o olhar distante em direção aos céus, como alguém que busca o desconhecido e confia na Providência que lá reinava.[28]

2.6. Adquirido pelo British Museum em 1818 como um
"romano desconhecido", de meados do século XIX ao começo
do século XX este busto em tamanho real foi a imagem mais
famosa e mais reproduzida de César. Hoje é consenso que se
trata de falsificação ou pastiche datado do século XVIII.

Pouco tempo depois, Thomas Rice Holmes, outro cesariano fervoroso, seguiu uma linha parecida no começo da história sobre a conquista da Gália
por Júlio César:

> O busto representa, ouso dizer, a personalidade mais forte que já viveu
> [...]. Não se detecta sequer um defeito no perfil [...]. Ele viveu todos os
> dias de sua vida e está começando a ficar cansado da tensão, mas todas
> as faculdades se mantêm em pleno vigor [...]. O homem parece perfei-
> tamente inescrupuloso; ou [...] é como se nenhum escrúpulo pudesse
> fazê-lo hesitar no empenho para alcançar seu objetivo.[29]

John Buchan foi outro, um classicista, diplomata e autor de *Os 39 degraus*,
que, em um dos seus textos da década de 1930, se referiu a ele como "a mais
nobre representação do semblante humano que já vi", ainda que evocasse

um sentimento diferente, admirando "a moldagem fina, quase feminina, dos lábios e do queixo". "César", insistiu ele, "é o único grande homem de ação, exceto Nelson, que tem no rosto um quê de delicadeza feminina."[30]

Agora é difícil levar esse tipo de prosa a sério. A defesa ("não foi feito com base no retratado em carne e osso, mas é ainda melhor assim") irrita, e a hipérbole parece desproporcional ao retrato propriamente dito, sobretudo para nós, que não estamos convencidos da "grandiosidade" absoluta de César. Mas, ainda assim, fica claro o que está por trás disso. A prioridade desses escritores era reivindicar um encontro face a face com o ser humano representado em mármore — mesmo que, na prática, não estivessem fazendo nada muito além de encontrar uma imagem oportuna na qual podiam projetar várias suposições sobre "o homem César", de poder visionário, passando por uma leve falta de escrúpulos, a um intrigante lado feminino. Também há um indício, como Rice Holmes quase admite, de que a paixão compensa, em parte, a falta de argumentos fortes para a identificação dessa cabeça como César. E esse viria a ser mesmo o problema. Pois, e se o busto do British Museum não fosse mesmo César? Ou sequer fosse da Roma Antiga?

Dúvidas começaram a surgir logo após 1846, quando a estátua foi batizada com o nome de César. Um guia do museu publicado em 1861 tratou de refutar uma alegação de que não era César, e sim um de seus contemporâneos: "Entre os críticos, há quem defenda a ferro e fogo que na verdade se trata de um retrato de Cícero. Não podemos, contudo, concordar com essa visão".[31] Mas o pior ainda estava por vir. Em 1899, o historiador de arte alemão Adolf Furtwängler alegou que o busto não era nada antigo ("uma obra moderna com corrosão forjada") e, embora a crítica não passasse de um ataque fugaz, pairaram dúvidas no ar desde então, mesmo entre aqueles mais favoráveis a descartá-las (com declarações como: "O caráter antigo da cabeça do British Museum foi posto em questão, *mas*...").[32] Em meados da década de 1930, mais ou menos na mesma época em que Buchan estava escrevendo seu encômio, "a mais nobre representação do semblante humano" estava em vias de ser rebaixada de seu posto de honra nas galerias romanas para ocupar outro lugar do museu, ainda em destaque, mas sem contornos cronológicos específicos, na entrada da biblioteca. O rótulo não deixou margem para dúvida: "Júlio César. Retrato ideal do século XVIII. Roma, adquirido em 1818". Um frequentador assíduo lamentou o rebaixamento, recordando-se, com pesar, da famosa piadinha feita por César ao se divorciar da segunda esposa, em 62 a.C., ao passo que também apontou a ingenuidade daqueles que compravam falsificações na Itália. A célebre cabeça vinha com um aviso terrível: "Ele, que insistia que sua esposa devia estar acima de qualquer suspeita, agora serve apenas para alertar o inglês ingênuo para que não compre antiguidades falsas no estrangeiro".[33]

Esse César nunca foi readmitido como uma peça antiga genuína, passando então dos cuidados e controle do Departamento Greco-Romano do museu aos cuidados do Departamento Britânico e Medieval e depois voltando, como se ninguém fosse capaz de se decidir a que ala esse exemplar estranhamente ilegítimo pertencia (uma coisa é certa: não é britânico nem medieval). Foi só em 1961, no entanto, que se montou um caso técnico detalhado contra ele, conduzido por Bernard Ashmole, que fora curador de Antiguidades Gregas e Romanas do British Museum entre 1939 e 1956. Ashmole deu ênfase à suspeita cor marrom da peça toda. Teriam aplicado sumo de tabaco nela, ele se perguntou, como parte do arsenal de falsificação, para produzir uma pátina "antiga"? Mas o que a denunciou mesmo foi a textura esburacada da pele. Seus apoiadores justificavam a textura dizendo que a cabeça (antiga) tinha sido limpada com ácido (que decerto fazia parte do repertório de "tratamentos" do século XVIII), embora Furtwängler já tivesse sugerido ser essa uma "corrosão fabricada". Ashmole argumentou, com mais propriedade, que a causa eram lesões físicas — "desgaste" é o termo técnico —, efetuadas com o intuito fraudulento de fazê-la parecer velha. Com efeito, apontou ele, era possível ver áreas remanescentes de mármore liso onde o desgaste parava, próximo ao couro cabeludo. Isso parecia ser a prova cabal. A escultura não está mais à mostra, embora ocasionalmente emerja do porão para estrelar exposições de falsificações famosas.[34]

Quase no exato mesmo período, contudo, havia outro retrato à espreita nas alas do museu para tomar o lugar desse César. Nos primeiros anos do século XIX, Luciano Bonaparte — arqueólogo, colecionador, por vezes revolucionário e irmão mais novo (e meio afastado) de Napoleão — descobriu uma cabeça de mármore em escavações perto de sua casa ao sul de Roma, no local da antiga cidade de Túsculo. Ela não se destacou em particular entre as descobertas, e, assim como a cabeça do British Museum, a princípio não foi identificada como César, mas como um "filósofo velho" ou "homem velho" genérico. Quando Bonaparte começou a passar por dificuldades políticas e econômicas, a peça foi parar nas mãos de novos proprietários, em um castelo em Agliè, nas imediações de Turim, onde permaneceu em anonimato por cerca de cem anos.[35] Foi só em 1940 (momento auspicioso para descobrir césares na Itália, dado o entusiasmo de Mussolini) que um arqueólogo italiano, Maurizio Borda, alegou que na verdade se tratava de Júlio César (Figura 2.7).

Isso se justificava, como de praxe, pelas semelhanças com os retratos em moedas de 44 a.C., mas Borda foi mais longe. Ele não só concluiu que as semelhanças eram tão grandes que o retrato decerto tinha sido feito durante a vida de César como também se julgou capaz de usar a escultura para diagnosticar duas deformações no crânio, das quais César obviamente sofria. O formato um pouco esquisito da cabeça não era fruto de incompetência, ou idiossincrasia, por parte do artista. Era uma representação precisa de duas patologias craniais congênitas, *clinocefalia* (leve depressão no topo da cabeça) e *plagiocefalia* (achatamento de um lado do crânio). Esse retrato rivalizou com o César do British Museum no quesito "hipérboles suscitadas". "O movimento quase imperceptível da cabeça ligeiramente erguida e a contração momentânea da testa e da boca sugerem uma presença atenta e superior", escreveu um historiador da arte recentemente, elogiando seu "realismo psicológico". "Pelos olhos, convergindo de leve, ele passa uma impressão de ironia ou reserva aristocrática."[36] Mas, ainda mais do que a rival do British Museum, a cabeça de Túsculo foi considerada tão fiel à vida real que poderia sustentar um diagnóstico clínico: não só é possível olhar César no olho como tomar notas sobre seu caso.

2.7. O Júlio César predileto de meados do século XX. Escavado no começo do século XIX, em um sítio em Túsculo, na Itália, foi a princípio identificado como um "velho" anônimo, mas em 1940 foi reidentificado como o autêntico rosto de César em tamanho real. Além das linhas do pescoço, aqui o formato do crânio foi usado para indicar uma deformação cranial (da qual César talvez sofresse ou não).

2.8. Atrás da orelha do *César* do British Museum há indícios de um trabalho incompleto — uma série de perfurações, feitas no processo de separar a orelha da cabeça, mas não com a intenção de que permanecessem na peça final, terminada.

Aqui também as perspectivas começaram a mudar. O César de Túsculo ainda tem seus entusiastas, e em 2018 foi usado — com bastante atenção da mídia internacional — para produzir uma reconstrução científica, em tamanho real, do autêntico rosto do ditador.[37]

Mas, mesmo entre seus apoiadores, muitos já deixaram de argumentar que é um retrato baseado na vida real (que dirá o único remanescente), e são poucos os que insistem que se trata de um dos graais do estudo de retratos romanos, uma imagem baseada na máscara mortuária do homem.[38] Reconhecem que é muito mais provável que seja uma cópia ou versão de uma escultura anterior, de bronze, que se perdeu e o agrupam com quatro outros "césares" antigos, ainda que posteriores (incluindo a descoberta recente da ilha de Pantelleria), que evidentemente apresentam vestígios de peculiaridades semelhantes no crânio — como se fossem todos baseados no mesmo original de bronze.[39] Longe da exaltação por sua qualidade artística com que Borda recebeu a cabeça, há quem hoje a classifique como uma obra bem rudimentar, ou, no mínimo, bastante corroída ("uma cópia medíocre"). Talvez seja só questão de tempo até ser relegada de volta ao status de "homem velho desconhecido". Seu retorno ao anonimato decerto será facilitado, ou acelerado, pelo fato de que o César do Ródano já está a postos para tomar seu lugar e ser saudado com as mesmíssimas aclamações. Visitantes do museu que o confrontam pela primeira vez (e usando as redes sociais como os viajantes do século XVIII usavam seus diários) dizem ficar "hipnotizados pela simples presença que emana dele", incapazes de se afastar da visão do grande homem. Nada muito diferente de John Buchan e companhia.[40]

Mas essas convicções estão sempre mudando e há mais surpresas reservadas. Existe até uma chance remota de o César do British Museum um dia ser reabilitado como de fato antigo (mesmo se não for um César ou se não for baseado no retratado de carne e osso, necessariamente). Pois, quase despercebida, atrás de cada uma de suas orelhas, mais marcada de um lado do que do outro, corre uma linha de perfurações (Figura 2.8). São sinais de um trabalho inacabado. Seguindo um padrão encontrado em estátuas genuinamente antigas, o escultor começou o delicado trabalho de separar da cabeça a parte posterior da orelha (delicado porque é muito fácil acabar arrancando a orelha quando se faz isso). Ele acelerou o processo ao fazer esses furos, mas não finalizou o trabalho com o cinzel a ponto de abrir corretamente um sulco. Como se explica isso? É possível que se trate de uma falsificação incompleta (escultores do fim do século XVIII possivelmente usavam as mesmas técnicas que seus antigos antecessores, e talvez não sejam apenas os artigos genuínos que se encontram inacabados). Pode ser um blefe duplo por parte de um artesão moderno, na esperança de acrescentar uma aura de autenticidade à obra, através dessa ideia de uma pequena falha. Mas quem vende falsificações não costuma trabalhar com imperfeições. Quaisquer que sejam os outros sinais de modernidade, esses buraquinhos mais cedo ou mais tarde acabam deixando questões em aberto sobre onde exatamente essa escultura se posiciona no espectro entre antigo e moderno. Agora, se ela vai reemergir ou não de seu exílio em algum porão... Quem sabe?[41]

A "aparência" de César

A história do antigo rosto de César pode parecer uma série frustrante de reviravoltas, impasses, identificações e reidentificações. Ao longo de décadas, um retrato em particular é tido como a imagem mais precisa e autêntica do ditador; então, por razões que não são mais claras do que as que lhe conferiram fama em primeiro lugar, ele é jogado para escanteio como falsificação, por não ser sequer um César, ou por ser mera cópia de segunda categoria de uma obra-prima original, perdida para nós. É como se, de duzentos anos para cá (o padrão vem até de antes disso), toda geração, ou quase toda, abraçasse seu César favorito, que impera por um tempo, oferecendo ao mundo moderno a oportunidade preciosa de olhar César nos olhos e enxergar, na imagem de mármore, a personalidade — e mesmo a patologia clínica — do homem por trás dela. Com o passar do tempo, cada César é deposto por alguma nova descoberta, ou redescoberta, e desaparece gradualmente até uma relativa obscuridade, ao passo que atores coadjuvantes, como o *César verde* ou a versão de Mussolini, entram em cena e ganham o palco. Para os relegados, resta a menção honrosa (como no caso dos sarcófagos de Jesse Elliott, identificados equivocadamente) de que *outrora foram tomados* por César.

Contudo, apesar desses debates e discórdias aparentemente intermináveis, Júlio César é um dos governantes romanos mais identificáveis nas artes do mundo moderno, em pinturas, esculturas e peças de cerâmica, desenhos e filmes, bem como em falsificações e forjas. Em qualquer coleção de bustos renascentistas dos Doze Césares, ele costuma se destacar como a figura ligeiramente esquálida, com feições aquilinas, ainda que não necessariamente com o pescoço descarnado e o pomo de adão. É assim que é retratado também em quase toda pintura ou desenho, da figura ligeiramente macabra de Mantegna em sua carruagem triunfal (Figura 6.7), passando pelo ditador moribundo de Camuccini (Figura 2.4 e), à versão em cartum de *Asterix*, completo com a coroa e um olhar fixo desconcertante (Figura 1.18 i). E são justamente esses aspectos que nos levam a pensar que a delicada estátua de mármore de Desidério, um dos pontos altos do artesanato do século XV, foi concebida como uma imagem de César, apesar — assim como no caso de todos os seus antigos antecessores — de não ter nome algum (Figura 2.4 f).[42] É fácil detectar a "aparência" de César (e aqui escolho minhas palavras com cuidado).

Essa "aparência", claro, é um estereótipo complexo, capcioso e multifacetado que praticamente se perpetua por conta própria e é um dos maiores exemplos desses emaranhados de antigo e moderno que discuti no capítulo I. Parte disso com certeza vem dos bustos memoráveis estampados nas moedas de 44 a.C., parte vem das esculturas de corpo inteiro que eram tomadas por representações antigas de César (das quais algumas sem dúvida não eram) e parte vem das palavras de Suetônio. Mas os artistas respondem também à obra de seus colegas contemporâneos e antecessores, que, no processo de recriação da imagem de César — em pinturas, esculturas ou mesmo nos palcos —, ajudaram a estabelecer uma régua pela qual as futuras representações dele seriam avaliadas.[43]

É impossível saber até que ponto essa composição se assemelha à aparência do ditador em carne e osso. A maioria das pessoas, imagino, diria que há certa sobreposição de imagens. Contudo, independentemente da dimensão da sobreposição, esse conjunto de traços prontamente assinala que para nós é "César". Meu palpite é que, grosso modo, também apontaria que é "César" para os espectadores romanos. Não seria difícil para eles perceber quem estava ali, na carruagem triunfal de Mantegna, ou criando confusão com os gauleses inoportunos nos quadrinhos.

O plano adiante

Os retratos de nenhum dos sucessores de Júlio César atraíram elogios tão extravagantes e hipérboles tão efusivas, ou foram debatidos com tanto fervor. Mas Augusto, Calígula, Nero e Vespasiano estrelaram suas próprias exposições, e nos últimos duzentos anos houve muitos outros momentos de *"mais c'est César"*, à medida que imagens de imperadores posteriores surpreendentemente vieram à tona; ou assim reza a lenda, pelo menos. Um dos exemplos mais recentes e menos convincentes é uma figura de mármore sem cabeça, e em parte sem corpo, apreendida de "saqueadores de túmulos" pela polícia italiana em 2011, e quase instantaneamente badalada como o imperador Calígula — com muitas alusões picantes a sua loucura, depravação e promiscuidade no pacote.[44] Sem um rosto para seguir em frente, a menos que uma cabeça surrada, praticamente descaracterizada, descoberta não muito longe, de fato pertencesse à estátua, a identificação dependia muito da sandália elaborada da peça, que foi interpretada como uma das botas militares, ou *caligae*, que o imperador vestia quando criança e que rendeu o apelido "Calígula", pelo qual ele hoje é conhecido. Poucas pessoas se perguntam por que raios, nessa escultura outrora tão grandiosa, haveria uma referência visual ao apelido infantil (algo como "Sapatinho") que o imperador, oficialmente conhecido como "Caio", segundo consta detestava. Tal é nossa vontade de redescobrir os imperadores famosos — e os infames.

De modo geral, esses regentes foram rastreados por métodos muito similares aos usados na caça por César. O mesmo procedimento subjetivo de *comparar e contrastar* — com a descrição de Suetônio ou com os pequenos retratos em moedas — embasa a maioria das identificações, e sempre foi visto com tanta naturalidade que, no século XVIII, um truque dos *ciceroni*, ou guias turísticos, era andar com o bolso cheio de moedas antigas para ajudar os clientes a nomear as estátuas que estavam vendo.[45] Há argumentos similares também em relação aos sucessores de César sobre como distinguir um imperador feito por um escultor moderno de outro produzido no próprio mundo romano; e não faltam exemplos incuráveis de ilusão, identidades cambiantes e casos profundamente debatidos. Um par de estátuas encontrado em uma construção do Fórum em Pompeia mantém arqueólogos ocupados há décadas, na tentativa de concluir (sem nenhuma evidência concreta) se são um solene casal imperial ou dois ambiciosos dignitários locais imitando o estilo imperial.[46]

Dito isso, há algumas diferenças significativas entre as imagens de César e as dos imperadores posteriores. A identificação deles nem sempre se provou *tão* difícil assim. Algumas esculturas chegaram a ser encontradas com nomes atrelados a elas, e outras em contexto, como o grupo dinástico de Pantelleria, estreitando as opções de quem é quem;[47] e o número bem maior e mais variado de retratos remanescentes em moedas oferece uma base mais ampla de comparação. Também há, em geral, muito mais exemplos com os quais trabalhar. Os sucessores por vezes foram muito além de César na distribuição em massa de retratos. O palpite de que havia originalmente entre 25 mil e 50 mil retratos de Augusto a ser encontrados pelo mundo romano talvez seja generoso demais. Contudo, pedestais com inscrições servem de indicador confiável para a contagem. Há pouco mais de vinte pedestais sobreviventes que outrora exibiam uma imagem de César. De Augusto, são mais de duzentos, e pelo menos 140 foram erguidos durante sua vida (uma vida longa, sem dúvida, mas o argumento continua válido).[48]

Há sinais evidentes de que, depois de César, "disseminar a imagem imperial" se tornou uma operação extremamente centralizada. Mesmo quando descobertos a centenas ou milhares de quilômetros de distância um do outro, alguns retratos imperiais remanescentes são bastante parecidos entre si, até em (ou sobretudo em) detalhes mínimos, como o arranjo exato das mechas do cabelo (Figuras 2.9 e 2.10 b). Para a maioria dos historiadores da arte modernos, o único jeito de explicar a combinação dessa distribuição tão ampla de retratos muitas vezes praticamente idênticos é imaginar que modelos de rosto imperial, talvez em argila, cera ou gesso, eram

2.9. A "Cabeça de Meroé", retratando Augusto, recebe esse
nome com base na cidade cuchita de Meroé, atual Sudão, onde
foi encontrada. Com seus olhos incrustados originais, muito
provavelmente era parte de uma estátua de bronze do imperador,
em dimensões maiores do que o tamanho real, erguida pelos
romanos no Egito, saqueada pelos cuchitas e levada de volta a
Meroé, como troféu. No começo do século XX, foi desenterrada por
arqueólogos britânicos e levada para o Reino Unido. As tranquilas
feições clássicas do retrato não deveriam ofuscar as histórias
complicadas do império e das violências que há por trás dele.

enviados pela administração de Roma para as diversas partes do império,
para ser reproduzidos por artistas e artesãos desses lugares, em geral em
pedras locais. Um protótipo autorizado assegurava que os súditos romanos
que contemplassem as estátuas de suas cidadezinhas distantes, onde quer
que fossem, vissem todos o mesmo imperador.

Na verdade, não há nenhuma evidência desses protótipos, nenhum vestígio em registros romanos de quem os poderia ter projetado, construído ou
enviado, e nenhuma ideia acerca da identidade dos artistas que os usavam
para produzir as esculturas finais. E eles não cobrem o grande leque de imagens independentes, espalhadas pelo império para representar o imperador.

(a)

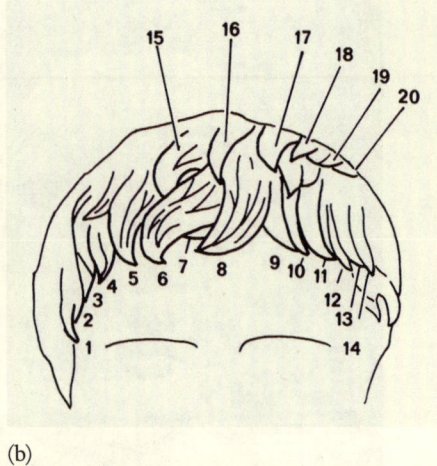

(b)

(c)

(d)

(e)

(f)

2.10.

(a) A cabeça de Augusto, de sua estátua na vila de Lívia, em Prima Porta, perto de Roma.

(b) Diagrama das mechas de cabelo em um retrato imperial (baseado na cabeça de Prima Porta, 2.10 a).

(c) Cabeça em geral identificada como Tibério, sucessor de Augusto.

(d) Calígula retratado rigorosamente como o modelo de seu predecessor, Tibério.

(e) Cabeça identificada de diversas formas, como Augusto, Calígula e dois herdeiros escolhidos de Augusto, Caio e Lúcio César, que morreu jovem.

(f) Cabeça identificada de diversas formas, como Augusto, Calígula, Caio César e Nero (e talvez reeditada para ganhar identidades diferentes).

Nem tudo era "de cima para baixo", ou "do centro para fora". As fôrmas de biscoitos imperiais decerto não eram baseadas diretamente em algum modelo enviado de Roma, assim como nem os incríveis entalhes do imperador com a aparência de um faraó egípcio, nem todas aquelas pinturas rústicas que Frontão relatou ter visto (Figura 2.11). Ainda assim, a ideia de que alguns processos regulamentados como esse para a feitura de cópias está por trás das semelhanças entre algumas esculturas é quase inescapável, e tem consequências óbvias para a forma como rostos imperiais são reconhecidos.

De uns cem anos para cá, isso não proporcionou exatamente um novo método para identificar os retratos dos imperadores, mas uma nova arma para o arsenal tradicional de comparação. Vários rostos foram definidos com base em minúcias, sugerindo que derivavam do mesmo modelo de produção central. Pensando em extremos, há casos até mais absurdos do que todo o alvoroço em torno do pescoço e do pomo de adão de César: às

2.11. Nas paredes do templo egípcio de Dendur, construído em torno de 15 a.C., Augusto aparece várias vezes com roupagem de faraó. Aqui, à direita, em uma imagem que um dia foi uma pintura de cores vivas, ele oferece vinho a duas divindades egípcias. Nos cartuchos (molduras ovais) ao lado de seu rosto, é nomeado em hieróglifos como "Autokrator" (imperador) e "César" — fazendo desta uma identificação muito mais sólida do que no caso de quase todos os seus retratos de estilo greco-romano.

2.12. O estilo sóbrio e a aparência de maturidade desta cabeça de Vespasiano marca um contraste — sem dúvida intencional — com a perfeição juvenil das imagens da dinastia anterior, júlio-claudiana.

vezes, por exemplo, tudo se resume à disposição das madeixas, em pinça, sobre o olho direito da estátua, sem que se atente para quase nada do aspecto da peça como um todo. Assim, ao passo que quase nenhuma cabeça de Júlio César escapou de contestações, juntando as identificações "absolutamente certas" com as "muito prováveis", há hoje um total de cerca de duzentos retratos remanescentes de Augusto (que lidera a contagem), e exatos vinte para o jovem Alexandre Severo.[49]

Isso não significa que todos os regentes romanos que vieram depois de César têm uma "aparência" igualmente distinta na arte antiga ou moderna, longe disso. Entre os Doze de Suetônio, Nero — com sua papada característica e às vezes uma barba rala — costuma se destacar nas fileiras de bustos de mármore com tanta clareza quanto Júlio César. Também não é difícil detectar o jovem Augusto, que beira a perfeição, ou o rosto sóbrio, de meia-idade, de Vespasiano (Figura 2.12). Mas, para espectadores modernos, há algumas disparidades frustrantes entre os imperadores de descrições mais memoráveis na literatura — Calígula, por exemplo — e suas representações um tanto insípidas em mármore. Detalhes do cabelo à parte, alguns dos sucessores imediatos de César (ainda mais se incluirmos a penumbra de herdeiros e príncipes) de fato confundem, de tão indistinguíveis que são. Para entender isso, precisamos nos voltar para outras inovações do período e para a política por trás delas: um estilo de retratos novinho em folha, apresentado com Augusto, e um senso radicalmente novo da função dos retratos na dinastia imperial. Uma similaridade meticulosamente construída (bem como uma diferença ocasional) podia ser justamente a intenção.

César Augusto e a arte da dinastia

Os planos de Júlio César para o futuro, quaisquer que fossem, foram assassinados com ele. Foi Augusto quem estabeleceu o sistema permanente, ainda que por vezes com uma continuidade abalada, do regime de um homem só em Roma. Sob o nome Otaviano, esse jovem rapaz já tinha compilado um histórico notório de brutalidade e traição nos quinze anos da guerra civil que o assassinato de César tinha deflagrado. Contudo, em uma das transformações políticas mais impressionantes da história, após a vitória sobre seus rivais, ele se reinventou como estadista responsável, cunhou um novo nome de respeito ("Augusto" significa nada mais, nada menos do que "o reverenciado") e regeu como imperador por mais de quarenta anos. Nacionalizou o exército sob seu próprio comando e aplicou quantias exorbitantes de dinheiro na reconstrução da cidade e em apoio ao povo. E conseguiu, com destreza, levar a elite a anuir a seu controle efetivo do processo político, ao mesmo tempo livrando-se daqueles que não o fizeram. Todo imperador que veio depois não só incluiu o nome "César" como "César Augusto" no título oficial: o ditador assassinado que marcava as origens do sistema romano de governo de um homem só ficou para sempre associado ao político sagaz ("velha cobra traiçoeira", como um de seus sucessores viria a chamá-lo) que concebeu o plano de longo prazo.[50]

Um grande problema que a velha cobra traiçoeira nunca resolveu de todo, no entanto, foi o sistema de sucessão. Está bem claro que Augusto pretendia que seu poder fosse hereditário, mas ele e sua esposa de longa data Lívia não tiveram filhos juntos, e uma série de herdeiros escolhidos inconvenientemente morreu em tenra idade. Por fim, Augusto foi forçado a recorrer a Tibério, filho de Lívia com seu primeiro marido, que se tornou imperador em 14 d.C. (daí o título "júlio-claudiana", hoje dado a essa primeira dinastia romana, refletindo sua descendência misturada, da família "juliana" de Augusto e da família "claudiana" do pai de Tibério). Mesmo quando essas dificuldades práticas foram superadas, os princípios de sucessão permaneceram nebulosos. A lei romana não tinha nenhuma regra fixa de primogenitura. Para quem quisesse suceder ao trono, sem dúvida ser o filho mais velho do imperador ajudava, mas não era uma garantia. Nenhum filho natural sucedeu ao pai durante os primeiros cem anos de regime imperial, até Tito seguir Vespasiano no trono, em 79 d.C. É improvável que seja coincidência o fato de Vespasiano ter sido também o único imperador dos doze primeiros que, segundo consta, morreu de causas naturais. Todos os demais assassinatos, suicídios forçados ou boatos de envenenamento (por mais infundados que fossem) apontam para o momento de sucessão como sendo de incerteza, ansiedade e crise.

A "aparência" da nova marca de retratos imperiais é indissociável dessa nova estrutura política e tinha pouco a ver com os traços particulares do próprio Augusto. A descrição de Suetônio é uma das evidências que o denunciam. Seus retratos, ao menos, não têm a dentição irregular, o nariz adunco e o cenho franzido que o biógrafo destaca como feições distintas do imperador. Ainda mais reveladoras são a perfeição um tanto fria da imagem que derivava diretamente de estátuas da era clássica da Grécia no século V e a constatação gritante de que os retratos produzidos ao longo dos 45 anos de seu reinado eram quase idênticos, da cabeça de bronze encontrada no Sudão, espólio de uma invasão local à província romana do Egito (Figura 2.9), à sua estátua encontrada na vila de Lívia, nas imediações de Roma (Figura 2.10 a). É praticamente um *Dorian Gray* ao contrário: no romance de Oscar Wilde, o retrato envelhece ao passo que o retratado permanece jovem; no caso de Augusto, até sua morte em 14 d.C., beirando os oitenta anos, ele foi retratado como um rapaz. Para nós, ele pode acabar parecendo um pouco idealizado, e procuramos em vão por qualquer sinal dessa relação pessoal e dinâmica entre modelo e retratado, muitas vezes considerada, talvez por uma romantização exagerada, referência na grande tradição moderna de retratos (nesse caso, é provável que os escultores nunca tenham conhecido o retratado). Mas na história da autoexibição romana, em que rugas e verrugas outrora tinham servido de moeda comum, essa imagem juvenil e classicizante foi um choque de tão inovadora. Um estilo inédito na arte romana foi desenvolvido para representar o acordo inédito do imperador e sua ruptura com o passado romano. Longe de ser uma obra governamental rotineira e insossa, essa imagem de Augusto foi uma das criações mais brilhantemente originais e bem-sucedidas da tradição de retratos. Projetada para "fazer as vezes" de Augusto entre a ampla maioria dos habitantes do Império Romano que jamais o veriam ao vivo, a imagem "faz as vezes" dele desde então.[51]

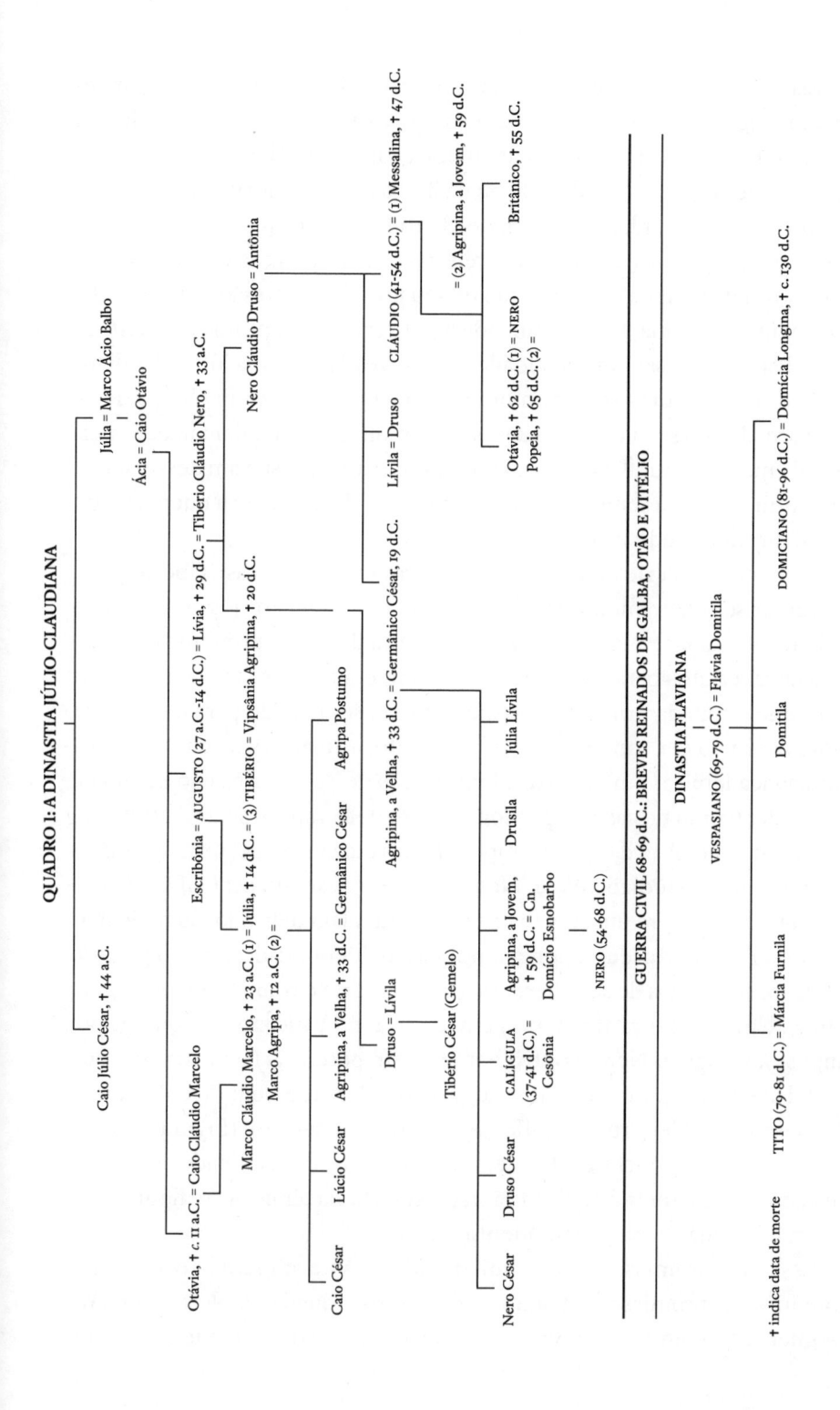

QUADRO 1: A DINASTIA JÚLIO-CLAUDIANA

GUERRA CIVIL 68-69 d.C.: BREVES REINADOS DE GALBA, OTÃO E VITÉLIO

DINASTIA FLAVIANA

† indica data de morte

Quadro 1. Dinastias muitas vezes são marcadas pela complexidade; é quase impossível delinear com clareza suas inúmeras adoções e novos casamentos em uma página. O quadro é uma árvore genealógica dos Doze Césares, intencionalmente simplificada, focando nos personagens principais mencionados neste livro.

89

Ela também estabelece o padrão de retratos de seus sucessores para os séculos seguintes. Quaisquer que sejam os vislumbres de individualidade que notemos nos olhinhos de Cláudio, na papada de Nero ou, mais tarde, na franja bem ajeitada de Trajano ou na barba cheia de Adriano, os retratos públicos dos imperadores falavam de identidade em termos muito mais políticos do que pessoais. Também se referiam à incorporação do retratado na genealogia de poder e à legitimação de seu posto na sucessão imperial. Ofereciam um diagrama da continuidade e por vezes das rupturas no *direito de reger*. Pelas tortuosas complexidades familiares da dinastia júlio-claudiana (dinastias posteriores seguiram um padrão similar, com um elenco de sósias barbados no século II), os sucessores escolhidos eram demarcados pela semelhança escultural com o imperador reinante que estavam destinados a substituir — e pela semelhança com a imagem de Augusto, a quem remontava o direito hereditário ao poder imperial.

Não era uma série de imagens absolutamente idênticas: Tibério pode aparentar ser ligeiramente mais ossudo do que Augusto (Figura 2.10 c), e Calígula, um pouco mais delicado (Figura 2.10 d). Mas o princípio geral era conceber retratos para que a imagem do imperador fosse talhada para o título, e ao longo da primeira dinastia imperial ser talhado para o título significava se parecer com Augusto. Com efeito, as maiores discussões e discórdias acadêmicas em torno da identificação desses césares não tratam de responder (como no caso do par controverso de Pompeia) se um retrato em particular é membro da família imperial, mas qual príncipe, principelho ou herdeiro júlio-claudiano ele é. Nem mesmo o desenho específico dos cachos oferece sempre uma resposta consistente. Um delicado busto de mármore do British Museum, por exemplo, já foi identificado como o próprio Augusto, como dois de seus herdeiros de vida curta e como Calígula (Figura 2.10 e). Uma escultura ainda mais enigmática, no Vaticano, foi tomada por Augusto, Calígula, Nero e outro herdeiro em potencial (sem contar a possibilidade de que poderia ser um Augusto que fora reesculpido como Nero, ou mesmo um Nero reesculpido de volta como Augusto) (Figura 2.10 f).[52] É difícil resistir à conclusão de que, volta e meia, uma quantidade desumana de energia acadêmica é dedicada a traçar uma linha tênue entre figuras que foram retratadas para parecer idênticas.

Esse compromisso com a similaridade inevitavelmente se alternava com um compromisso com a diferença. Após a queda de Nero e um ano de guerra civil entre 68 e 69 d.C., a nova dinastia de imperadores — os "flavianos", assim intitulados em homenagem a seu fundador, Flávio Vespasiano — foi instaurada, e os retratos mudaram junto com a política. Vespasiano, como ele costuma ser conhecido hoje, adotou um estilo "sem retoques", em contraste com a perfeição idealizada da "aparência" júlio--claudiana. Em geral, o novo imperador enfatizava uma abordagem realista de poder imperial, com um histórico familiar sóbrio, em uma região bem modesta da Itália, e sua difícil experiência como soldado. Foi ele, por exemplo, que, de acordo com Suetônio, estipulou um imposto sobre a urina, ingrediente vital da indústria de lavanderia romana (daí o nome "*vespasiennes*" dado aos antigos mictórios públicos de Paris); e foi ele que cunhou a expressão mordaz — se não apócrifa — de que "dinheiro não tem cheiro". Seus retratos também trabalhavam claramente com pressuposições do que seria um realismo sensato em termos visuais (Figura 2.12). Mas não há motivo para pressupor que fossem uma construção menos política do que os retratos de Augusto. Em uma tentativa de tirar proveito da tradição romana passada, ele marcou meticulosamente a distância visual entre ele e os excessos de seu antecessor Nero e o classicismo especioso partilhado por Augusto e seus herdeiros. E é assim que ele perdura, sendo recriado e embelezado, há 2 mil anos no imaginário artístico.[53]

O que constitui uma "semelhança" sempre foi uma das grandes questões da história e teoria da arte, de Platão a Ai Weiwei. O debate em torno do que exatamente é (ou deveria ser) representado em um retrato é infindável: as feições de uma pessoa, sua personalidade, seu lugar no mundo, sua "essência" ou o que quer que seja.[54] Mas nossa constatação de que os retratos imperiais de Augusto eram muito mais centrados em uma identidade política do que em uma identidade pessoal não era partilhada por antiquários, historiadores e artistas modernos antes do século XX. Eles estavam cientes de quão desconcertantemente jovens e idealizadas eram algumas dessas imagens (aspecto que às vezes se explicava pela "vaidade e arrogância" dos retratados).[55] Contudo, supunham que, por trás desses rostos antigos, estavam os contornos físicos de regentes reais, pessoas reais e personalidades reais.

Eram considerados tão reais que, do século XVI em diante, retratos imperiais costumavam ser usados como espécimes científicos precisos, representando as pessoas do passado de formas que iam muito além da detecção das deformidades do crânio de César na cabeça de Túsculo. Há algumas reviravoltas inesperadas nessa história.

O crânio de Vitélio

Galba, Otão e Vitélio são três imperadores que, até aqui, não tiveram seu papel neste capítulo. O trio já quase esquecido, cada um deles reinou por um mês, antes de ser assassinado ou forçado a se suicidar, durante a guerra civil de 68-9 d.C., que separou a dinastia júlio-claudiana da flaviana. A imagem que Suetônio faz deles é vívida, cheia de personalidade, mas bem unidimensional: Galba, o velho sovina; Otão, o libertino com lealdade a Nero; Vitélio, o glutão e sádico. Seus retratos antigos não chamam tanta atenção entre historiadores da arte quanto os retratos de César e Augusto. Com efeito, apesar de várias referências — sobretudo em contextos militares — a imagens de um candidato ao poder serem destruídas e substituídas por imagens de outro, parece improvável que qualquer um desses três, em seus breves momentos de poder, em plena guerra civil, tivesse tempo ou recursos para dedicar à circulação de bustos em tamanho real, em mármore ou bronze; e eles não são prováveis candidatos para uma comemoração póstuma. Mas gerações anteriores de estudiosos e artistas (e mesmo alguns nos últimos anos), querendo inteirar uma coleção completa dos Doze Césares, buscaram bustos plausíveis para preencher a lacuna entre Nero e Vespasiano.[56]

2.13. Um retrato em busto hoje presente na "Sala dos Imperadores", nos Museus Capitolinos, é identificado como Otão, que reinou brevemente durante as guerras civis de 69 d.C., sobretudo com base no que parece ser uma peruca (que, segundo Suetônio, ele usava). Otão era amigo e apoiador de Nero, e — se essa for uma identificação correta — um estilo neroniano talvez seja refletido aqui, em contraste com o da Figura 2.12.

Os bustos das moedas e as descrições de Suetônio mais uma vez desempenharam um papel-chave. Todo imperador romano, não importa quão curto tenha sido seu reinado, lançou moedas, pois precisava de "seu" dinheiro para pagar "seus" soldados, e Suetônio destacou um ou dois detalhes úteis aqui e ali. A peruca de Otão, usada para disfarçar sua calvície (um resgate nostálgico de Júlio César) ou o nariz adunco do velho Galba já eram o bastante para recriar uma "aparência" plausível deles, ilusoriamente convincente até — a ponto de (bem ou mal) um ou outro busto antigo darem conta do recado (Figura 2.13).[57] Vitélio era um caso especial. Por causa de sua cabeça distinta, o *Vitélio* de Grimani (Figura 1.24), segundo consta descoberto em escavações em Roma no início do século XVI, e por apresentar, aparentemente, uma correspondência exata com imagens do imperador em moedas, foi considerada uma imagem ímpar dele, "inspirada na vida real".

Talvez o mais reconhecível e replicado de todos os retratos imperiais, sua fama foi muito além da *Última Ceia* de Veronese e de pinturas de aulas de desenho. Como ainda veremos, esse Vitélio faz uma ponta em *Os romanos da decadência* (Figura 6.18), de Thomas Couture, uma ampla reflexão sobre o vício imperial romano, alegoria gritante da corrupção francesa à época. Também serviu de modelo para o imperador corpulento e um tanto inexpressivo que aparece assistindo aos gladiadores em *Ave Caesar!* (Ave, César!), uma das reconstruções espetaculares do anfiteatro feitas por Jean-Léon Gérôme. Uma cópia de uma cópia sua, ainda à mostra em Gênova, é parte de um pastiche extraordinário do século XIX, em que ele se encontra abraçado pelo próprio "Gênio da Escultura", como se essa fosse a maior realização artística do escultor (Figura 2.14).[58]

Contudo, para muitos observadores modernos, havia mais nesse retrato do que mera "arte". Ele costumava servir de exemplo-chave nas antigas disciplinas científicas que liam a personalidade humana a partir da aparência externa: a fisiognomonia, estudo que remontava à própria Antiguidade, aplicado para inferir o temperamento com base em traços faciais, com frequência comparando seres humanos a tipos de animais; e a frenologia, doutrina em voga sobretudo no início do século XIX, aplicada para os mesmos fins, baseada no formato do crânio (e do cérebro em seu interior).[59]

Em um dos manuais modernos mais famosos e detalhados sobre o tema, do estudioso napolitano Giambattista della Porta, publicado pela primeira vez no fim do século XVI, imperadores romanos aparecem nas ilustrações de figuras romanas, que incluem um *Vitélio*, não muito diferente do *Vitélio* de Grimani, cujos traços e tamanho da cabeça são comparados a uma coruja para mostrar sua *ruditas* (rudeza) (Figura 2.15).[60] A frenologia tendia a ser um espetáculo chamativo, bem estabelecido no circuito de palestras populares na Grã-Bretanha vitoriana. Em uma de suas célebres conferências na década de 1840, Benjamin Haydon — pintor, teórico da arte, falido e entusiasta da leitura de crânios — apresentou uma comparação entre a cabeça de Sócrates, conforme tinha sido (imaginativamente) recriada em esculturas antigas, e a cabeça do imperador Nero, para desvantagem deste, como seria de esperar.[61] Mais ou menos na mesma época, David George Goyder, ideólogo da frenologia e excêntrico entusiasta de uma série de outras causas perdidas (era pastor da Igreja Swedenborgiana e defensor ferrenho do método de ensino criado por Pestalozzi), deu uma palestra ainda melhor. Segundo um artigo de jornal sobre uma de suas palestras em Manchester, após um ataque aos interesses escusos das instituições religiosas que se opunham a sua nova

2.14. Escultura do início do século XIX celebrando o "Gênio da Escultura", de Nicolò Traverso, no Palazzo Reale de Gênova. A figura delicada e juvenil do "Gênio" abraça uma versão moderna do *Vitélio* de Grimani — originalmente um busto de mármore, que foi removido para ficar exposto em outro lugar e substituído pelo molde de gesso que se encontra à mostra hoje. O "Gênio", em outras palavras, agora abraça uma cópia de uma cópia do *Vitélio* de Grimani.

2.15. No tratado de Giambattista della Porta sobre fisiognomonia, do século XVI, a cabeça de Vitélio é equiparada à de uma coruja, apontando para a rudeza desse governante (para fins construtivos, as semelhanças foram reforçadas pelo desenho). Entre os outros imperadores representados estão Galba (com seu nariz adunco, comparado ao bico de uma águia) e Calígula (por sua distinta tez encovada).

ciência (elencando, em apoio desta, Sócrates e Galileu, entre outros) e uma explicação do sistema básico do cérebro, em que diferentes partes comportavam diferentes talentos e temperamentos, sua *pièce de resistance* culminou em uma demonstração de seus métodos, com direito a auxílios visuais e, imagino, todo o alvoroço que ele poderia causar. Nela, estava incluída uma "cabeça de Vitélio", cujo crânio, explicou Goyder, era "redondo e estreito, não muito alto", indicando "tendências irascíveis, beligerantes e violentas".[62] Ele apresentou no palco um molde do *Vitélio* de Grimani.

Não será surpresa para ninguém agora a constatação de que essa imagem famosa, apesar da semelhança (casual) com alguns de seus retratos em moedas, não tinha nada a ver com o imperador. Após décadas de debates nos últimos tempos sobre questões previsíveis (será a cabeça antiga?), a visão-padrão moderna o rebaixou a "romano desconhecido" e, graças a detalhezinhos técnicos do entalhe, conferiu-lhe uma datação de meados do século II, quase cem anos após o assassinato de Vitélio.[63] Há nessa história uma combinação de ironia e absurdo. É impossível conter um sorrisinho diante da ideia de que a cabeça de imperador que provavelmente foi a mais reproduzida na arte moderna era, esse tempo todo, de um "imperador" entre aspas. E a imagem de um visionário (ou, dependendo do ponto de vista, lunático) do século XIX demonstrando a veracidade de uma pseudociência com a ajuda da cabeça de um pseudoimperador identificado erroneamente é mais do que um pouco absurda. Mas esse absurdo é por si só uma prova do poder extraordinário do encontro face a face com os regentes da Roma Antiga que esses retratos pareciam oferecer.

É um encontro face a face que, de maneira ainda mais surpreendente para nós, as moedas imperiais também oferecem, apesar de seu tamanho diminuto. Entre os séculos XIV e XVI, em especial, essas cabeças em miniatura foram muito mais do que um recurso para a identificação de retratos em larga escala, por mais importante que isso sempre tenha sido. O próximo capítulo explora alguns dos primeiros encontros entre o mundo moderno e as imagens dos imperadores romanos — tratados quase como presenças vivas miniaturizadas, para serem colecionados, exibidos, carregados no bolso, copiados em papel e recriados em paredes.

3.
Moedas e retratos, antigos e modernos

Moedas entram em cena

Uma moeda romana com o rosto do imperador Nero partilha dos holofotes em um dos retratos mais celebrados de Hans Memling, artista alemão do século XV. O homem retratado ostenta para o espectador uma moeda de bronze, na qual, mesmo nessa pequena escala, é possível ver com clareza não só o rosto do imperador como também seu nome e títulos oficiais em torno da borda ("Nero Claudius Caesar Augustus Germanicus...", diz o latim bastante abreviado). Radiografias recentes mostram que essa moeda — uma cópia quase exata de um tipo autêntico, cunhado na Gália em 64 d.C. — não fazia parte do design original, mas foi uma das diversas alterações e adições que Memling fez no decorrer da pintura. E, no entanto, ela viria a se tornar o elemento mais distinto, se não o mais enigmático, da imagem. Por que o pintor optou por representar o retratado segurando o rosto de um dos mais notórios vilões imperiais? E por que em uma moeda (Figura 3.1)?

Seria mais fácil pensar em algum motivo em particular se tivéssemos certeza da identidade do protagonista do quadro. Teorias recentes favorecem Bernardo Bembo, intelectual veneziano, colecionador e político do final do século XV, que, na década de 1470, passou algum tempo em Flandres, onde Memling trabalhava na época, e cujo emblema pessoal apresentava uma palmeira e folhas de louro (elementos incomuns, visíveis na paisagem ao fundo e na borda inferior do retrato). Se for esse o caso, pode ser que a moeda seja uma referência lisonjeira à qualidade da própria coleção de Bembo, uma vez que especialistas renascentistas em moedas antigas defendiam que, a despeito do caráter deplorável do imperador, as moedas de Nero eram obras de arte particularmente belas.

3.1. *Retrato de homem com moeda romana* (1471-4), de Hans Memling. Apesar
do tamanho minúsculo (a pintura toda tem cerca de trinta centímetros
de altura apenas), a moeda no canto inferior à direita atrai o olhar do
observador. Por que o modelo (anônimo) está nos mostrando a moeda?
E o que significa o fato de ser uma moeda do imperador Nero?

Mas há muitas outras identificações e explicações. Uma ideia é que a moeda
faz um trocadilho visual com o nome do modelo, do contrário anônimo: ele
se chamava "Nerione", nome não incomum na Itália na época. Ou talvez
houvesse uma mensagem moral mais sutil. Poderia ser um lembrete, como
disse um historiador da arte recentemente, "de que fama universal e celebração visual nem sempre podem ser associadas a virtude".[1]

3.2. *Retrato de homem com medalha de Cosimo, o
Velho* (*c.* 1475), de Sandro Botticelli, supera a pintura
de Memling. Tem o dobro do tamanho (57 por 44
centímetros), e a medalha se destaca com ainda
mais força, feita de gesso e folheada a ouro.

Seja qual for a resposta certa, há uma triangulação potente aqui, que
ainda retomarei, entre a moeda, o rosto moderno e a ideia do retrato. Era
uma triangulação que claramente chamou a atenção de Sandro Botticelli.
Em dois anos, ele ofuscou e talvez tenha até parodiado de leve a composição de Memling. Nessa pintura de outro modelo desconhecido, *Retrato de
homem com medalha de Cosimo, o Velho*, Botticelli substituiu a antiga moeda
de Nero por um medalhão comemorativo do dinasta florentino Cosimo de'
Medici, e não a ilustrou com mera tinta, mas como um modelo tridimen-
sional em gesso folheado a ouro, inserido na pintura (Figura 3.2).[2]

Quase cem anos depois, no retrato que fez de Jacopo Strada, Ticiano
também apontou para a importância das moedas na definição da imagem
tanto do retratado quanto do passado romano. Strada era um comerciante,

antiquário e colecionador proeminente, um desses homens renascentistas que parecem ter rodado o mundo (Figura 3.3). Ele nasceu em Mântua, passou boa parte da vida em Viena e se tornou bastante influente (e rico) como agente e conselheiro do papa, e de uma série de comerciantes e aristocratas do Norte da Europa, da família Fugger, banqueiros de Augsburgo, aos imperadores Habsburgo. Na década de 1560, volta e meia Strada se encontrava em Veneza, garimpando artes e antiguidades em nome de Alberto V da Baviera, que o contratara para planejar e adquirir uma coleção apropriada para seu palácio em Munique (o Residenz). Foi durante uma dessas estadias que ele encomendou a Ticiano uma pintura sua: o pagamento seria um caro forro de pele para um casaco, como o que é mostrado na pintura, e um inescrupuloso "empurrãozinho" para Ticiano na busca por compradores ricos para as obras de seu ateliê. Ou assim alegou um dos rivais invejosos de Strada, enquanto sugeria também que não havia muita diferença entre pintor e modelo quando se tratava de ganância comercial: eram "dois glutões no mesmo prato", escreveu ele.

A avareza lasciva de Strada muitas vezes é vista como um aspecto proeminente do retrato. Ele acaricia uma antiga escultura de Vênus, propriedade sua, enquanto a mostra para o espectador, como se o fizesse para um comprador em potencial; e a pilha de moedas romanas em cima da mesa aponta para o lado monetário de seus negócios com arte antiga. Mas há mais por trás disso. O que Ticiano salienta aqui também é a primazia das moedas romanas (sobretudo moedas imperiais) na relação de Strada com a história. Pois, além das moedas à sua frente — que, claro, mais do que dinheiro corrente, eram itens colecionáveis —, ele ainda usa outra em uma esplêndida corrente de ouro em torno do pescoço, com o que aparenta ser o rosto de um imperador, como se fosse um talismã ou emblema pessoal. Os dois livros em destaque no topo do armário, atrás, seguem a temática, apontando para a escrita erudita de Strada. Ele era especialmente conhecido por sua *Epitome thesauri antiquitatum* (Enciclopédia de antiguidades), publicada pela primeira vez em 1553, que oferecia breves biografias de governantes "romanos", de Júlio César ao imperador do Sacro Império Romano Carlos V (1500-58), ilustrado do começo ao fim com bustos de moedas — alguns tirados de sua própria coleção.[3]

Outro pintor veneziano, Tintoretto, apresentou uma ideia parecida de maneira ainda mais extravagante, quando aceitou a empreitada de fazer o retrato do filho adolescente de Strada, Ottavio, que o pai encomendara

3.3. Jacopo Strada foi uma das figuras europeias mais importantes do estudo (e comercialização) de antiguidades no século XVI. O grande retrato que Ticiano fez dele na década de 1560 frisa a importância das moedas no mundo cultural e acadêmico da época: das moedas antigas espalhadas pela mesa ao exemplar que pende de seu pescoço. O título no topo, à direita, identificando Strada, é uma adição posterior.

junto com o seu (ao que tudo indica, as duas pinturas, quase do mesmo tamanho, foram produzidas para formar um par) (Figura 3.4). É difícil imaginar que Tintoretto não estivesse de olho no retrato que Ticiano estava criando simultaneamente na mesma cidade.

Pois o jovem Ottavio, em um contraste decerto deliberado com a imagem de Jacopo, aparece dando as costas para uma Vênus desnuda, voltado para uma figura voadora, ligeiramente implausível, da "Fortuna", que entorna em seu colo uma cornucópia (o chifre da abundância) de moedas antigas. A cena sem dúvida dramatizava as escolhas morais perante o jovem e poderia muito bem ser lida como presságio de riqueza futura. Mas também contrastava a escassez de antigas esculturas de mármore como via de acesso ao mundo da Antiguidade com a incrível abundância de moedas antigas. Como disse um intelectual do século XVI, na Roma moderna moedas antigas "jorram em um fluxo sem fim".[4]

Cada uma dessas pinturas salienta o fato de que as moedas da Roma imperial eram muito mais do que um recurso útil para identificar retratos de imperadores em grande escala, em mármore ou bronze. Por centenas de anos, as moedas e suas cabeças desempenharam um papel maior no imaginário acerca dos imperadores do que qualquer uma daquelas comparações, precisas ou duvidosas, de rugas no pescoço e pomos de adão.[5]

3.4. O retrato de Ottavio, filho de Jacopo Strada, feito por Tintoretto, formava par com o retrato do pai: foi pintado no mesmo período e as duas obras são do mesmo tamanho (cerca de 125 centímetros por um metro). Os dois apresentam, em destaque, moedas e a deusa Vênus (contudo, ao passo que o pai carinhosamente a afaga, o filho lhe dá as costas).

Eram os únicos retratos antigos autênticos facilmente disponíveis para quem fosse de fora do Sul da Europa. Brotavam às centenas por onde quer que os romanos tivessem passado, uma pequena parcela dos milhões que outrora tinham sido cunhados em uma das primeiras indústrias de verdadeira produção em massa (em média, em uma estimativa ousada, cerca de 22 milhões de peças de prata por ano, só na casa da moeda central, em Roma, sem contar as peças de bronze e de ouro, ou a fabricação de outras casas). Mesmo na Inglaterra, Shakespeare podia contar com sua plateia de *Trabalhos de amor perdidos* para saber o que "o rosto de uma velha moeda romana" significava.[6]

Mas é mais do que uma questão de familiaridade. Essas pequenas peças de metal muitas vezes eram tomadas como a representação física das lições que a história de Roma e seus regentes oferecia. Em meados do século XIV, Petrarca, por exemplo, sem o menor pudor, deu uma seleção de moedas romanas para Carlos IV, pouco antes de sua coroação em Roma como sacro imperador romano. As moedas, sugeriu ele, proporcionariam um ensinamento melhor sobre comportamento principesco do que uma cópia de seu próprio livro, *De viris illustribus* (*Sobre homens ilustres*), que Carlos lhe tinha pedido abertamente. Outro erudito, Ciríaco de Ancona, repetiu o truque no começo do século XV, presenteando o novo sacro imperador romano com uma moeda de Trajano — cujas vitórias temporárias no Oriente

Próximo, no século II, ofereciam um exemplo para uma cruzada contra os turcos-otomanos.[7] Moedas também serviram de modelo importante para a recriação de imperadores em papel, tinta e pedra, bem como molde para retratos modernos em geral. O final deste capítulo destrincha algumas das conexões que acabaram ligando as primeiras imagens de Júlio César estampadas nas moedas de 44 a.C. à tradição posterior de retratos seculares no Ocidente, quase até os nossos tempos.

Retratos em moedas

O presente de Petrarca para Carlos IV não trouxe o resultado esperado. Ele tinha destacado uma cabeça de Augusto (tão realista, afirmou, que parecia estar "a ponto de respirar"),[8] destinada a servir de exemplo para o novo imperador e encorajá-lo a tomar medidas ativas, como fizera Augusto, para recuperar as fortunas da Itália e da própria cidade de Roma. Mas Carlos não fez nada do tipo. Em vez disso, após a coroação em Roma, voltou direto para sua casa preferida na Boêmia (hoje República Tcheca). Ao que tudo indica, ele também enviou para Petrarca, como retribuição ao presente, uma moeda de Júlio César. Se foi esse o caso, talvez ele não tenha entendido; pois Carlos parece ter tratado essas cabeças imperiais não — qual Petrarca — como a personificação de uma lição moral e política, mas como mercadorias artísticas e crédito de reciprocidade e amizade.[9]

Contudo, quaisquer que fossem os desentendimentos ou prioridades distintas dos dois, Petrarca e Carlos partilhavam do senso generalizado de valor e importância das imagens de imperadores em moedas romanas, que só foi se perder no século XIX (quando o estudo da "numismática", como passou a ser chamado, foi ao mesmo tempo profissionalizado e jogado para escanteio, graças a seu novo status de disciplina acadêmica). Da metade do século XIV ao fim do XVI, em particular, antes da redescoberta do número significativo de retratos de mármore em tamanho real, acreditava-se que as moedas ofereciam a visão mais vívida, autêntica e acessível dos regentes do mundo romano. De fato, houve debates longos, e enigmáticos para nós, sobre o propósito original delas: uma das maiores controvérsias entre estudiosos do Renascimento, encerrada apenas no final do século XVIII, centrava-se em entender se, na sua maioria, essas *medaglie* (como eram chamadas em italiano) eram "moedas" no sentido moderno do termo — ou, ao contrário, medalhões comemorativos, cunhados em homenagem aos donos dos bustos que elas estampavam. Mas havia *de fato* um consenso de que, independentemente de sua função original, elas nos aproximavam, mais do que qualquer outra coisa, dos imperadores em carne e osso.[10]

Faz tempo que perdemos a capacidade de reagir a moedas dessa forma, mesmo como um conceito retórico, mas Petrarca não estava sozinho, na época, ao descrevê-las como "a ponto de respirar". Filarete, criador das grandes portas de bronze da Basílica de São Pedro, também descreveu os rostos nas moedas como aparentemente "bem vivos"; era por meio da arte das moedas, prosseguiu ele, "que reconhecemos [...] César, Otaviano, Vespasiano, Tibério, Adriano, Trajano, Domiciano, Nero, Antonino Pio e todos os demais. Que coisa mais nobre! Pois, por meio disso, conhecemos aqueles que morreram mil ou 2 mil anos atrás, ou mais".[11] Petrarca também não estava sozinho ao focar sua dimensão moral. Em meados dos anos 1500, Enea Vico — antiquário de Parma que escreveu o primeiro manual básico para o estudo de moedas antigas (como acreditava firmemente que fossem), e que teve a morte digna de um erudito, tendo um colapso enquanto levava uma preciosa antiguidade para um dos duques de Ferrara — também se convenceu do poder reformador delas. "Já vi quem tenha sido fisgado", escreveu ele, "por um prazer tão imenso ao contemplá-las que foi demovido de seus maus hábitos e se voltou para [...] uma vida nobre e honrada."[12]

Mas igualmente importante para muitos era o acesso direto, não mediado, que as moedas ofereciam ao mundo clássico e seu povo, o que conferia a elas uma confiabilidade histórica que superava textos clássicos. Como Vico mais uma vez observou, elas compunham "uma história que se mantém em silêncio e mostram a verdade, ao passo que palavras [...] dizem o que bem entendem". Quase duzentos anos depois, Joseph Addison, político, dramaturgo e ensaísta inglês, fez a mesma observação de forma mais clara. Ele levou um dos personagens de *Dialogues*, obra semissatírica sobre cunhagem antiga, a insistir que uma moeda era uma evidência "muito mais segura" do que Suetônio, pois a autoridade vinha diretamente do próprio imperador, sem o intermédio deturpador de um biógrafo parcial.[13]

Não surpreende, portanto, que por séculos, do Renascimento ao século XIX, moedas imperiais tenham sido os itens colecionáveis mais populares da Europa, e não só em meio à superelite. A combinação de portabilidade, abundância relativa e, por consequência, valor relativamente acessível as deixava ao alcance de homens e mulheres que levavam uma vida muito mais modesta. (Apesar de alguns alardeios pontuais sobre "escassez", estima-se que, em meados do século XV, o rosto de um imperador em uma moeda de prata provavelmente foi vendido apenas pelo dobro de seu valor de metal.)[14] A melhor evidência dessa febre de coleções está escondida nos "agradecimentos" do autor, no fim de um relato sobre a vida de Júlio César, e sobre os principais atuantes da guerra civil após sua morte, publicado em 1563 por Hubert Goltzius, escritor, pintor e impressor de Bruges.[15]

Goltzius dedica cerca de cinquenta páginas, no início do livro, às moedas das figuras que ele descrevia (começando com cinco páginas de imagens em miniatura de César, quase idênticas, com o pescoço enrugado e o pomo de adão, tiradas de exemplares ligeiramente diferentes); e, como que para fechar a argumentação, a última página do livro tem uma ilustração da Fortuna entornando uma torrente de moedas de uma cornucópia, uma versão bem mais serena da figura voadora no retrato do jovem Strada feita por Tintoretto. Na seção de dezoito páginas de agradecimentos anexada ao texto principal, ele nomeia e agradece os estudiosos e colecionadores cujas posses estudou ao longo de suas pesquisas sobre o primeiro dos césares e outros tópicos da história romana. São 978 ao todo, espalhados pela Itália, França, Alemanha e Países Baixos, meticulosamente apresentadas na ordem cronológica em que ele as consultou durante suas viagens pela Europa em 1556 e entre 1558 e 1560.

Claro, agradecimentos de livros eram exercícios retóricos capciosos, produzidos — não menos do que hoje — tanto por exibicionismo quanto por gratidão. Ainda assim, mesmo dando espaço para alguns exageros e algumas inclusões meticulosamente calculadas, esses nomes apontam para a diversidade sociocultural e internacional dos colecionadores. Isso inclui figuras da nata da classe governante europeia — do papa ao rei da França, passando pelos Médici, de Florença — e alguns artistas célebres, Vasari e Michelangelo entre eles. Abrange católicos, calvinistas e judeus, cujos nomes estão cuidadosamente inscritos em hebraico, bem como locais nativos e expatriados: quatro "ingleses" morando fora, um certo "Ioannes Thomas" (é tentador o quanto esse nome se parece com "John Thomas", embora possa ser um alemão) e ainda mais "espanhóis". A maioria esmagadora era de conselheiros locais, padres, advogados e médicos de cidadezinhas comuns da Europa, hoje desconhecidos.[16] A aspiração colecionista de cada um era moldada para caber nos bolsos. Somente os mais ricos poderiam chegar perto dos Médici, cuja coleção de moedas contava com milhares e milhares de exemplares ao todo, nem todos romanos, no final do século XV, ou da princesa alemã do início do século XVIII que se gabava de sua preciosa série de regentes romanos,

3.5. Pequeno porta-joias alemão do século XVI (de pouco mais de vinte centímetros de comprimento), decorado na frente e atrás com réplicas de moedas dos Doze Césares folheadas a ouro; aqui estão os segundos seis, de Galba, acima, à direita, a Domiciano, abaixo, à esquerda. Em cada lado há uma seleção de figuras dos primórdios da história e da mitologia romanas.

abarcando até Bizâncio, do século VII ("Agora tenho [...] um conjunto de imperadores, de Júlio César a Heráclio, sem lacunas", escreveu ela, o que daria uns cem no total).[17] Mas decerto todos esses colecionadores, em diferentes graus, partilharam do prazer da aquisição, classificação, ordenação, reordenação e escambo que vinha com o pacote: da emoção da caça à satisfação silenciosa de completar a coleção.

Seria muito errado, contudo, imaginar que as moedas ficavam trancadas em gabinetes ou escondidas em caixas e bolsas, reservadas ao prazer de seus donos. Moedas, mais do que tudo, estamparam os rostos de imperadores no cenário cultural renascentista. Apareciam até pendendo do pescoço de homens como Jacopo Strada (a corrente do camafeu de césares usada pela vítima da Armada, mostrada na Figura 1.13, era uma variante mais vistosa e mais cara do mesmo acessório de moda). Encontravam-se também incorporadas em *objets d'art* de todos os tipos, em diversos contextos, de bibliotecas a igrejas.

Belas encadernações de livros em couro vinham com gravações ou "plaquetas" das moedas de César, Augusto e seus sucessores. Um precioso porta-joias, pertencente à extravagante coleção de arte e bricabraques reunida no século XVI por um ramo júnior da dinastia Habsburgo, no Schloss Ambras, em Innsbruck, tinha réplicas de doze moedas romanas incrustadas,

folheadas a ouro, compondo uma formação com os imperadores de Suetônio, de Júlio César a Domiciano (Figura 3.5). Mas mesmo esse item de luxo
foi ofuscado por um cálice litúrgico mais ou menos contemporâneo, da Tran-
silvânia, decorado com dezessete moedas originais dos imperadores e suas
esposas, de Nero ao bizantino Justiniano (com uma peça que provavelmente
é uma moeda local do século I a.C. para constituir dezoito) (Figura 3.6).[18]

Havia todo tipo de mensagem implícita nessas exibições. As gravações da
encadernação talvez tivessem a finalidade de chamar a atenção não tanto para
o conteúdo do livro (não se tratava de uma cabeça de Júlio César estampando
a capa de sua biografia), mas para os processos de sua produção e para a semelhança entre o antigo método de cunhar moedas e o moderno método de
impressão.[19] As moedas do porta-joias do Schloss Ambras sem dúvida apon-
tavam para os conteúdos preciosos em seu interior, bem como para o senso
de ordem que vinha com uma formação dos Doze Césares. E caso alguém fique tentado a presumir que tudo isso não passava de decoração, de bugigan-
gas de um passado distante despidas de significado, ou ostentação de uma

3.6. Cálice do início do século XVI, de Nitra, atual Eslováquia, com dezoito
moedas — todas romanas, exceto uma — incrustadas na decoração. Detalhes: um
dos diversos Neros incorporados ao design (acima) e seu sucessor, Galba (abaixo).

fortuna moderna, vale refletir sobre a experiência de bebericar o vinho da comunhão em um recipiente que oferecia aos fiéis uma visão de perto de alguns dos maiores perseguidores (bem como alguns dos regentes mais pios) da história da Igreja. Essas imagens, na maioria dos casos, tinham uma mensagem por trás; eram parte importante do câmbio cultural renascentista.

Não é exagero dizer que, nesse período, europeus abastados e instruídos (e provavelmente até alguns "espectadores" de Shakespeare, a julgar pela referência jogada na peça) teriam reconhecido os principais tipos de moedas como mais tarde viriam a reconhecer esculturas antigas célebres. Foi só nos últimos trezentos anos, mais ou menos, que a Antiguidade clássica passou a ser definida com tanto afinco pelo mármore. Antes disso, o retrato de Júlio César em moedas e provavelmente o Nero da pintura de Memling tinham uma parcela da fama que *Apolo de Belvedere*, *Gaulês moribundo* ou *Laocoonte* viriam a desfrutar depois.[20]

Visualizando imperadores

As imagens em moedas, mais do que em escultura, eram os modelos a que os artistas se voltavam primeiro quando queriam criar novos retratos imperiais para ilustrar histórias de Roma ou biografias de imperadores.[21] Às vezes isso envolvia adaptações engenhosas. Um manuscrito de *Vidas*, de Suetônio, produzido em Veneza em torno de 1350, inclui algumas imagens híbridas criativas, com cabeças e traços faciais distintos desenhados com base em retratos numismáticos, inseridos em corpos imperiais mais genéricos (Figuras 3.7 a e b).[22] Era muito mais comum, como na *Epitome thesauri antiquitatum*, de Strada, que as moedas aparecessem *como moedas*. O exemplo mais antigo disso é também o mais simples. Trata-se de uma obra das primeiras décadas do século XIV, de um acadêmico veronês, Giovanni de Matociis — ou "Il Mansionario" (o sacristão), como é mais conhecido, por sua posição na catedral.

Il Mansionario tem várias reivindicações à fama. Para classicistas, mesmo agora, sua maior realização foi ter sido o primeiro leitor, desde a Antiguidade, a se dar conta de que os escritores latinos que chamamos de "Plínio, o Velho" e "Plínio, o Jovem" eram na verdade duas pessoas diferentes — e não a mesma, como se pensava à época. Mas seu compêndio de biografias imperiais, de Júlio César a Carlos Magno (coroado sacro imperador romano em 800), não perdia em inovação. Pois ele ilustrou cada uma de suas "vidas" com um diagrama esquemático de uma moeda: um rosto de perfil, rodeado dos títulos do imperador, inscritos em dois círculos planos. Em alguns deles, tanto o retrato quanto a inscrição são claramente baseados em exemplares autênticos, que o autor — que, pelo jeito, era também o artista — tinha visto ou talvez até tivesse em sua posse. (Isso fica claro com a imagem de Maximino Trácio, Figuras 3.7 c e d.) Em outras, em que, ao que tudo indica, ele precisava de um retrato, mas não tinha a moeda, adaptava ou simplesmente inventava alguma coisa seguindo a mesma fórmula.[23] Era o começo de uma tendência artística que continuaria por mais de duzentos anos.

Algumas versões posteriores desse esquema básico eram bem mais detalhadas, desenhadas com esmero e de maneira floreada. Em uma cópia manuscrita de *Vidas*, de Suetônio, encomendada na década de 1470 por Bernardo Bembo — o candidato mais plausível a ser o modelo do retrato de Memling —, quase todas as biografias começam com uma página que só poderia ser descrita como uma "extravagância numismática": de um lado há uma "coluna" composta por ilustrações de moedas de imperadores, vistas do lado reverso (ou "coroa"); e no rodapé da página está a cabeça do imperador em questão, reproduzida com tanta precisão — retrato e inscrição — que ainda é possível assinalar o tipo de moeda em que foi baseada. No caso de Nero, a moeda é mesmo muito parecida (ainda que não absolutamente idêntica) com a moeda exibida com orgulho na pintura de Memling. Supondo que nossa identificação do modelo esteja correta, é muito tentador especular que talvez haja uma conexão entre o manuscrito, o retrato e um exemplar particularmente estimado da coleção de Bembo (Figura 3.8).[24]

Contudo, histórias pessoais à parte, o importante é que, entre os séculos XIV e XVI, as moedas foram mais do que apenas as melhores evidências disponíveis da aparência dos imperadores romanos; proporcionaram uma lente pela qual esses regentes foram reimaginados e recriados repetidas vezes na arte moderna. "Pensar em *imperador*" em geral significava "pensar em *moedas*", e não em "bustos de mármore". Isso se aplicava a todos os meios, dos relativamente baratos aos mais extravagantes, dos produzidos em massa aos singulares. Quando Andrea Fulvio, amigo e antiquário colaborador de Rafael, compilou seu famoso compêndio ilustrado (que viria a ser muito imitado, como veremos) das grandes vidas (*Illustrium imagines* ou *Imagens dos grandes*) no início do século XVI, seus imperadores e imperatrizes foram representados, no início de cada minibiografia do livro, como se fossem retratos em moedas (Figura 3.7 h).[25] Quando, por volta da mesma

3.7.

(a) Galba, de um manuscrito da metade do século XIV de *Vidas*, de Suetônio.
(b) Moeda de Galba (sestércio de bronze, cunhado em 68).
(c) Moeda de Maximino Trácio (denário de prata, cunhado em 236-8).
(d) Maximino Trácio (imperador, 235-8), do compêndio de
biografias imperiais de Il Mansionario.
(e) Caracala (imperador, 198-217), do compêndio de biografias imperiais de Il Mansionario.
(f) Moeda de Marco Aurélio (imperador, 161-80) (denário de prata, cunhado em 176-7).
(g) Caracala de Altichiero, do Palazzo degli Scaligeri, em Verona (meados do século XIV).

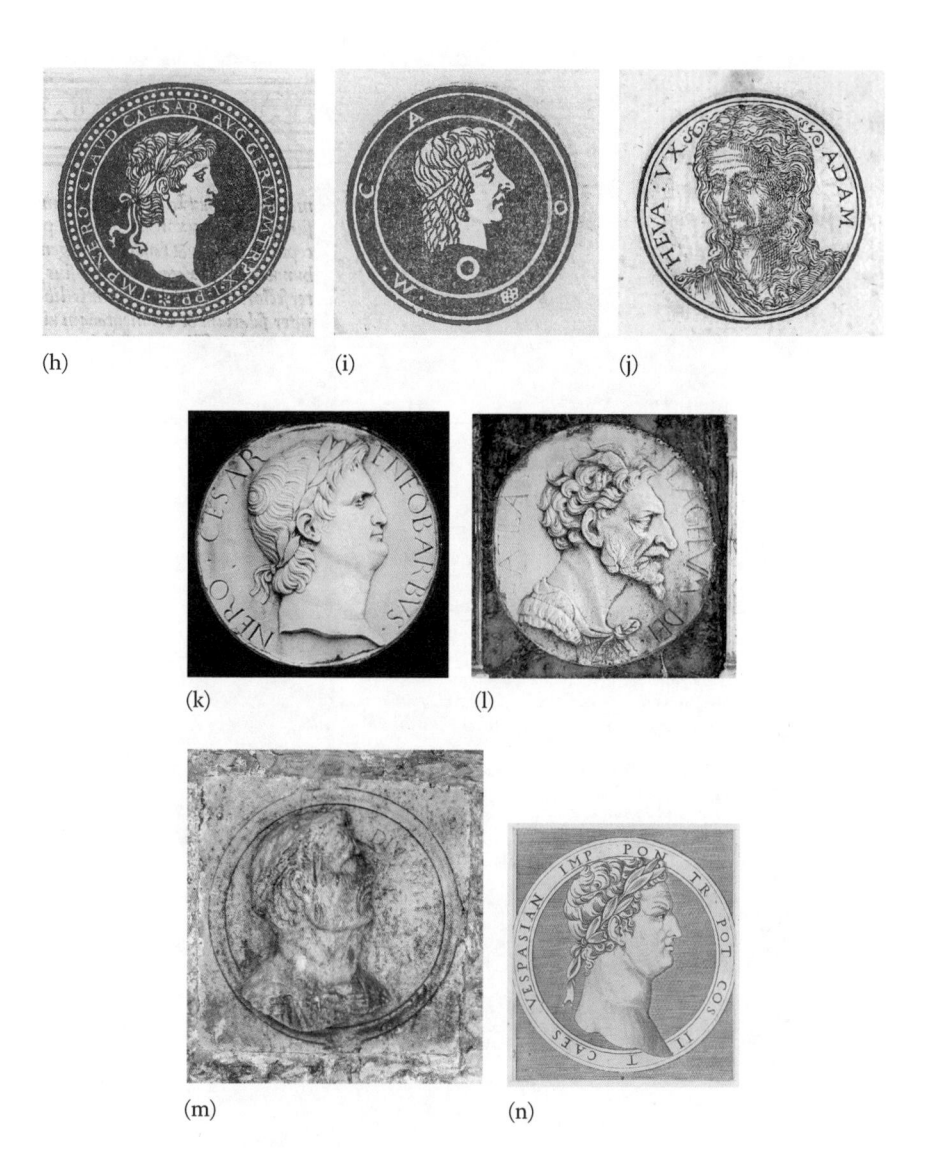

(h) (i) (j)

(k) (l)

(m) (n)

(h) Nero, de *Illustrium imagines*, de Fulvio, do início do século XVI.

(i) Catão, de *Illustrium imagines*, de Fulvio, do início do século XVI.

(j) Eva, de *Promptuaire des medalles*, de Rouillé, de metade do século XVI.

(k) Nero, em medalhão do final do século XV, em La Certosa, Pavia.

(l) Átila, o Huno, em medalhão do final do século XV, em La Certosa, Pavia.

(m) Júlio César, de Horton Court, Gloucestershire, Reino Unido
(cerca de oitenta centímetros de diâmetro).

(n) Vespasiano, de uma série de luxo dos Doze Césares, do início do século XVI
(cada um medindo dezessete por quinze centímetros); ver também Figura 4.8.

3.8. Página de abertura da vida de Nero de uma cópia manuscrita de *Vidas*, de Suetônio, encomendada na década de 1470 por Bernardo Bembo (provável modelo do retrato de Memling (Figura 3.1). A decoração é, em grande parte, baseada em moedas: no centro do rodapé, o rosto de Nero com seu nome e seus títulos; à direita, várias ilustrações do lado reverso de moedas de imperadores (de cima para baixo: a deusa "Roma", exercícios militares, arco triunfal, celebração da provisão de milho, porto de Óstia, em Roma). Em torno da letra E inicial há uma cena de Nero "tocando lira enquanto as chamas consomem Roma".

época, Marcantonio Raimondi produziu sua coleção de luxo dos bustos dos Doze Césares em gravuras, eles também foram retratados como apareciam em moedas (Figura 3.7 n), assim como em muitos relevos em mármore que os representavam na Florença renascentista.[26] Em uma escala maior, se olharmos para a pintura no teto da "Camera Picta" (a Sala Pintada, também conhecida como Camera degli Sposi, ou Câmara dos Esposos), obra de Andrea Mantegna no Palácio Ducal, em Mântua, ainda veremos oito imperadores em medalhões, olhando de volta para nós — os rostos bem visíveis de frente, em vez de estarem de perfil, mas com os títulos em torno da borda de cada círculo, como em uma moeda (Figura 3.9).[27]

Milhares de edifícios de prestígio, e alguns nem tão grandiosos assim, por toda a Europa, produziram esses perfis distintos, ao estilo das moedas, em suas fachadas. Muitas vezes, apenas um ou dois regentes romanos, escolhidos a dedo, eram posicionados um de cada lado de uma porta ou arco, mas os mais ambiciosos nesse sentido foram os monges (e seus patrocinadores) de La Certosa, o grande monastério cartuxo em Pavia, no Norte da Itália. O exterior de sua igreja era repleto de esculturas de todo tipo; mas a faixa inferior da decoração, e a parte que fica na altura dos olhos dos visitantes, quando entram ou passam em frente ao prédio, consiste em uma linha contínua de 61 retratos em medalhões. Produzidos no fim do século XV, cada um com 0,5 metro de extensão, a grande maioria ao estilo de moedas, retratavam inúmeros imperadores romanos e companhias sortidas (entre os quais alguns dos primeiros reis de Roma, várias personalidades do Oriente Próximo e Alexandre, o Grande, como o grego solitário, além de Átila, o Huno, figuras míticas e algumas abstrações pingadas, como "Concórdia" e "Celeridade") (Figuras 3.7 k e l). Qualquer que seja a lógica do design (que continua a espantar especialistas), os medalhões encontram um eco marcante, e singelo até, a quilômetros de distância, em Horton Court, na Inglaterra rural. Quatro medalhões de calcário decoram o muro dos fundos de um jardim, eufemisticamente chamado de "*loggia*", construído na década de 1520 para um proprietário que estivera em Roma, representando Henrique VIII. Três deles — Júlio César, Nero e Átila, o Huno — fazem parte do conjunto de La Certosa e aparecem de novo na Inglaterra na linguagem característica das moedas imperiais ampliadas (Figura 3.7 m).[28]

Muitos outros imperadores-de-moedas têm seu lugar na pintura renascentista, com frequência pouco notado hoje. Mesmo quando buscavam

3.9. Vista do teto da chamada "Camera Picta", pintada por
Mantegna, no Palácio Ducal, em Mântua, em torno de 1470.
No centro, há um trompe l'oeil aparentemente se abrindo
para o céu azul lá fora e, ao redor, uma sequência de oito
imperadores (de Júlio César a Otão) olhando para baixo.

passar mensagens importantes com a figura de regentes romanos, os artistas ainda os retratavam com aspecto numismático. Quando, por exemplo,
Vincenzo Foppa, no século XV, quis usar os rostos de Augusto e Tibério
para apresentar e definir os parâmetros da vida de Jesus na Terra (nascido
como Augusto, morto como Tibério), ele escolheu duas imagens ao estilo de retratos de moedas para decorar o arco sobre sua cena — extraordinariamente arrepiante — da crucificação (Figura 3.10).[29] Uma inspeção
muito mais apurada se faz necessária para divisar a cabeça desbotada de
Augusto em um medalhão fixado na parede, a pairar acima da figura de Jesus em *Cristo e a adúltera*, pintura de Ticiano — mas lá está ele, figura que,
acredita-se, outrora se destacava com mais clareza (Figura 3.11). As possibilidades interpretativas aqui são intrigantes. O perfil do imperador, evidentemente, situa a cena em tempos romanos, mas pode ser também uma
referência oblíqua à história de Augusto e a Sibila: em vez de uma aparição
de Jesus para o imperador, este é visto de relance nos fundos do ministério

de Jesus. Talvez não seja tão mirabolante assim enxergar um paralelo (ou contraste) entre a famosa reação de Jesus à mulher flagrada em adultério e levada até ele para ser punida ("Quem dentre vós estiver sem pecado, seja o primeiro a lhe atirar uma pedra!") e as reações, quase igualmente famosas, de Augusto — cujo programa legislativo regulamentou a punição para adultério (eliminando a ameaça de morte) e que exilou Júlia, a própria filha, pelo crime. Alinhada à história bíblica, que opõe a Lei de Moisés à lei de Jesus, a presença do imperador romano na pintura nos impele a refletir de forma mais ampla sobre moralidades conflitantes, diferentes sistemas legais e a autoridade por trás deles. Tudo isso contido em uma imagem pintada de um perfil imperial ao estilo de uma moeda.[30]

Seria ingênuo imaginar que todos esses artistas do Renascimento tinham uma pilha de moedinhas antigas junto à prancha de desenho (ainda que, se Goltzius estava falando a verdade, e não só se gabando de seus contatos, Vasari e Michelangelo tinham mesmo); e seria igualmente ingênuo presumir que tinham um compromisso com a precisão arqueológica, nos nossos termos. Às vezes, como na pintura de Memling ou em algum dos retratos de Il Mansionario, é possível, *sim*, identificar o tipo de moeda que serviu de modelo. Contudo, muitas vezes os artistas as copiavam de outros desenhos e fontes impressas, assim como as copiavam das peças originais propriamente ditas; eles inventavam e adaptavam retratos numismáticos tanto quanto os replicavam fielmente. As imagens *ao estilo* de moedas em La Certosa eram justamente isso, "variações do tema" da cunhagem, mais do que reproduções precisas, e alguns artistas e antiquários eram bem sinceros sobre seus procedimentos. Um ambicioso compilador francês de biografias admitiu, na década de 1550, que seu artista às vezes tinha que trabalhar "com base em fantasia" (*phantastiquement*), enquanto frisou, ao mesmo tempo, que essa fantasia era "imaginada com a consultoria e o aconselhamento do nosso amigo mais letrado": uma bela tentativa de combinar erudição e invenção.[31]

Houve, verdade, muitas "gafes", como diríamos hoje, entre as obras desses artistas. O retrato excêntrico que Il Mansionario fez do imperador Caracala, por exemplo, é, quase certamente, cópia de uma moeda do imperador Marco Aurélio; ele tinha entendido errado o latim difícil do nome e títulos imperiais inscritos na moeda e identificado erroneamente o imperador em questão (Figuras 3.7 e e f). Era fácil se confundir. A esplêndida cabeça de Vespasiano, feita por Raimondi, decerto é fortemente baseada em um retrato de uma moeda. Mas, de novo: é a moeda errada, com

3.10. *Crucificação* (1456), de Vincenzo Foppa, de pouco menos de setenta por quarenta centímetros, põe a cena dentro de um arco clássico. As identidades dos imperadores inominados no topo da pintura já foram bastante debatidas, mas eles tendem a ser vistos como Augusto (à esquerda) e Tibério (à direita) — como que para inserir a vida de Jesus na narrativa histórica de Roma.

3.11. *Cristo e a adúltera* (*c.* 1510), de Ticiano, ilustra a passagem do Evangelho em que Jesus (no centro, à esquerda) se recusa a fechar os olhos para o apedrejamento até a morte de uma mulher acusada de adultério (à extrema direita), ainda que fosse essa a punição estabelecida pela Lei de Moisés. É uma tela grande, de quase dois metros de largura, com uma história complicada (foi recortada de uma imagem ainda maior, com uma figura inteira removida do lado direito — um joelho em azul e branco ainda é ligeiramente visível atrás da mulher). Hoje poucas pessoas notam o rosto de Augusto na parede atrás de Jesus.

o imperador erradíssimo. Ele também tinha interpretado mal o nome e os títulos da borda e na verdade reproduziu uma imagem de Tito, filho de Vespasiano (Figura 3.7 n).[32]

Boa parte do nariz empinado de acadêmicos modernos é direcionada a erros desse tipo (embora nem sempre sejamos melhores em ler latim, ou acertar o imperador, do que nossos antecessores renascentistas).[33] "A dimensão e a profusão da ignorância dos escultores de Certosa são uma maravilha para contemplar [...] eles não se continham", protestou um estudo recente, que contestou, entre outras coisas, as cópias equivocadas e erros ortográficos do latim nas inscrições em torno dos retratos.[34] Há muitas atividades acadêmicas dedicadas a desemaranhar as fontes precisas dessas imagens e desvendar de onde exatamente os artistas tiraram seus modelos numismáticos, e quem copiou o que de quem. Algumas conexões significativas já foram reveladas. Semelhanças muito marcantes, por exemplo, mostram que o manuscrito de Il Mansionario deve ter sido usado, algumas décadas depois (com os erros e tudo), como fonte principal para uma série elaborada de imperadores pintados ao estilo de moedas no teto de um *palazzo* em Verona; essa é a série cujo artista se divertiu desenhando uma caricatura imperial irreverente na camada preparatória sob a pintura finalizada (Figura 1.16). Há um claro percurso de moedas a manuscritos, a réplicas em pinturas, como mostra o nada ortodoxo "Caracala".[35]

Traçar esse percurso é um trabalho investigativo perspicaz e muito satisfatório, mas às vezes deixa passar o ponto principal. Fossem réplicas exatas, adaptações livres, invenções, erros ou cópias de cópias de cópias, era o formato *tipo moeda* desses retratos que era de suma importância. As moedas imperiais romanas providenciaram as imagens mais autênticas desses rostos famosos do passado romano. Mais do que isso, o formato da cunhagem e o idioma numismático dos bustos, estabelecidos em Roma por Júlio César, concediam um selo de autoridade a *todo e qualquer* retrato que moldavam. Embora os imperadores fossem centrais aqui, era um estilo que podia emprestar sua autenticidade a qualquer figura do passado, homem ou mulher.

Isso fica evidente no gênero do "livro-retrato", em voga no Renascimento, que juntava breves biografias de figuras históricas com um retrato correspondente. O primeiro deles — obra de Fulvio, publicada em 1517 — se concentra sobretudo em figuras da história imperial romana, mas estendia-se pelas margens, do deus Jano e Alexandre, o Grande, no início, ao sacro imperador romano Conrado, do século X, no final. Até essas imagens periféricas seguiam o mesmo formato numismático, por vezes baseadas em exemplares reais de moedas, por vezes adaptadas de forma imaginativa (ou equivocada). Um dos erros mais curiosos, no caso, é uma imagem do deus Baco tirada de uma moeda, passando-se por um retrato de Catão, o Jovem, republicano romano, adversário de Júlio César (Figura 3.7 i).[36]

O mesmo se aplicava à bem mais elaborada série de retratos em um livro publicado na década de 1550, por um dos sucessores de Fulvio na França, Guillaume Rouillé. Seu ambicioso *Promptuaire des medalles* (Guia de moedas) continha centenas de biografias e retratos, de Adão e Eva, passando pelos gregos e romanos, mortais e imortais, ao rei da França na época, Henrique II. Os desenhos eram menos estereotipados, e definidos com mais clareza, do que a série de perfis semelhantes e um tanto vagos de Fulvio.

Mas — coisa que hoje pode parecer ridícula — ainda enquadrava todas as figuras em uma moldura numismática. Na primeira página, por exemplo, Eva é representada como imperatriz romana, com uma inscrição em volta da cabeça que imita uma moeda romana: *"Heva ux(or) Adam"* (Eva, esposa de Adão) (Figura 3.7 j). Rouillé foi o homem que orgulhosamente apontou para a própria combinação de fantasia e erudição. Compreensível.[37]

Combinação semelhante se encontra em La Certosa. Qualquer que fosse o grau da deficiência no latim por parte dos escultores ou projetistas, eles retrataram a maioria das figuras não imperiais que conviviam com os imperadores — de Rômulo e Remo a Nabucodonosor — como versões dos próprios imperadores romanos, ainda que ligeiramente exóticas. Não se sabe se eles captaram as ironias resultantes disso... Mas hoje é difícil não se impressionar com o fato de que Átila, o Huno, infame inimigo de Roma, chegou a ser representado, tanto em La Certosa quanto em Horton Court, de acordo com a linguagem originalmente desenvolvida para afirmar o poder autocrático romano em moedas (Figura 3.7 l).[38]

A centralidade das moedas imperiais no repertório visual renascentista, e na reconstrução renascentista de figuras históricas, não se resume melhor ou mais surpreendentemente do que em umas poucas linhas de uma biografia de Jesus outrora popular, *La humanità di Christo* (A humanidade de Cristo), publicada pela primeira vez em 1535 por Pietro Aretino — satirista, teólogo, pornógrafo e amigo de Ticiano. A narrativa de *La humanità* faz referências frequentes a imagens visuais, mas nos episódios do julgamento e da crucificação de Jesus, em particular, isso é feito de um jeito bem inesperado. Quando tenta captar a aparência de alguns dos protagonistas, Aretino não os compara apenas com imperadores romanos (ainda que isso, por si só, já aponte para a familiaridade de imperadores como tipos visuais); ele explicitamente os compara com a forma como esses imperadores eram representados em suas moedas. Dois dos sacerdotes judeus envolvidos no julgamento, Anás e Caifás, se assemelham, respectivamente, ao "busto de Galba conforme é visto em *medaglie*" e ao "retrato em moedas de Nero, com algo da aparência ameaçadora de Calígula". Quaisquer que sejam as questões teológicas delicadas que tais comparações suscitam, não poderia haver evidência mais clara de como os retratos imperiais em moedas estavam arraigados no olhar renascentista e como ofereciam um padrão para se imaginar os rostos do passado.[39]

Não só os rostos do passado, mas do presente também. Pois uma das invenções mais influentes e radicais da arte do início do Renascimento foi a convenção, que perdurou até o século XIX, de representar retratados vivos — reis, figurões locais, estadistas ou soldados, ou até escritores e cientistas — com a aparência de imperadores romanos. São estátuas, bustos, pinturas e medalhões, de toga, com armadura ou com uma coroa de louros, que até hoje ocupam, aos milhares, museus e mansões, parques e praças públicas. São relativamente pouco discutidos na história geral dos retratos, em parte, sem dúvida, porque sua linguagem clássica é vista como uma forma artística reacionária, velharia ultrapassada ou mera tentativa banal de lucrar com o prestígio da Roma Antiga (por mais correta que seja, a forma como costumam ser descritas na academia moderna — *all'antica*, ao estilo antigo — é também uma rejeição educada).[40] A familiaridade das moedas tende a ofuscar sua ambivalência, sua transgressão política e os debates em torno do caráter da representação e da função dos retratos.

A esta altura, vale olhar para a frente e restabelecer a ligação com a riqueza, a complexidade e os perigos dessa tradição, como passamos a vê-la do século XVII ao XIX — antes de retornar a suas origens renascentistas, na obra de produtores de medalhas e escultores dos séculos XIV e XV. Não seria exagero dizer que a tradição de retratos seculares ocidentais de indivíduos vivos nasceu em diálogo com o estilo, os rostos e os trajes dos governantes da Roma Antiga. Era assim, claro, que eles apareciam não só em metal cunhado como também em esculturas de mármore. Todavia, uma das principais mensagens da famosa pintura que Memling fez do homem com sua moeda de Nero era lembrar os espectadores de que imagens imperiais, sobretudo em moedas, foram cruciais para a representação do rosto moderno. Vejamos quão cruciais.

Os romanos e nós

Por muitos anos, até que, em 2012, foram transferidas para o museu mais próximo, duas grandes estátuas de mármore, do rei Jorge I e do rei Jorge II, encontravam-se na entrada da Biblioteca da Universidade de Cambridge. Eram obras de dois dos principais escultores da época — uma, de John Michael Rysbrack, a outra, de Joseph Wilton. "Os Jorges", pai e filho, que governaram a Grã-Bretanha e a Irlanda, respectivamente, em 1714-27 e 1727-60 e foram grandes doadores da biblioteca, resplandeciam em roupagens de imperadores romanos, vestidos com trajes de batalha que eram mais cerimoniais do que práticos. Seus rostos eram puro século XVIII, com (difícil não ver) uma leve soberba hanoveriana; mas ambos foram retratados em uma armadura ornada, saia de couro (as chamadas "plumas", ou *pteruges*) cobrindo as coxas, botas justas e uma coroa de louros na cabeça. Jorge II também abraçava um globo, símbolo óbvio de dominação imperial. Muitos dos estudantes e funcionários que passavam por eles não prestavam atenção na indumentária. Outros a tomavam por uma peculiaridade da moda artística do século XVIII, um traje de requinte disparatado, ou prepotência (ou desespero) colossal por parte de dois reles monarcas que se viam como imperadores romanos, e sem dúvida não dominavam o mundo. "Ainda bem que foi embora, essa realeza pomposa e pedante", foi como um frequentador da biblioteca reagiu à remoção das figuras (Figura 3.12).[41]

Esses Jorges são apenas duas amostras de um grande número de esculturas do início da era moderna na Europa, no Império Britânico e mais tarde nos Estados Unidos, que representam seus retratados com uma roupagem

3.12. "Os Jorges" antes ficavam na entrada da Biblioteca da Universidade de Cambridge. Obras de Michael Rysbrack (*Rei Jorge I*, 1739, à esquerda) e Joseph Wilton (*Rei Jorge II*, 1766, à direita), ambas as estátuas em tamanho real trajam vestes militares de imperadores romanos e têm na cabeça uma coroa de louros.

imperial romana, ainda que em combinações ligeiramente diferentes de estilo contemporâneo e antigo.[42] Em alguns casos, perucas modernas e esvoaçantes formam um par incongruente com armaduras imperiais romanas. Em outros, um simples detalhe de uma toga em torno do pescoço de um busto já é o bastante para sinalizar o teor romano da imagem. Algumas são extravagantemente "antigas". Não muito longe da biblioteca universitária, nos jardins do Pembroke College (demovida de sua localização original, no centro de Londres), encontra-se uma estátua de bronze do início do século XIX, do primeiro-ministro William Pitt, o Novo, obra de Richard Westmacott. Ele está enrolado em uma toga, segurando um pergaminho e sentado em um assento que, curiosamente, parece um trono.[43]

Essas esculturas, em sua grande maioria, são imagens genéricas. Os Jorges foram retratados na linguagem-padrão dos "imperadores romanos", sem alusão a um regente ou uma estátua antiga em particular. Só de vez em quando há um sinal de comparação direta entre o modelo moderno e uma figura imperial antiga específica. O retrato que Canova fez de Madame Mère como "Agripina" é o exemplo mais gritante disso, ainda que Rysbrack tenha feito algo parecido quando "mesclou" os traços de um de seus modelos, de um patamar ligeiramente menos elevado da aristocracia, com os traços de Júlio César.[44] Em pinturas, apontam-se referências cruzadas com mais frequência. Às vezes é por diversão. Não surpreende, dado seu interesse por antiguidades da Itália, que George Knapton tenha pintado, no século XVIII, alguns dos membros da "Sociedade de Dilettanti", de Londres, em trajes imperiais romanos. Mas quando ele baseou, explicitamente, seu retrato do jovem Charles Sackville na versão que Ticiano fizera de Júlio César em seu ciclo de césares, tratava-se de uma piada ambígua, direcionada aos eruditos e espirituosos (por vezes cansativos) Dilettanti. Pois Sackville foi um notório libertino, grande jogador de críquete e entusiasta de ópera, que se vestiu como um romano em um desfile tipicamente instigante de Carnaval em Florença, na década de 1730, ocasião referenciada no texto junto a seu ombro, na pintura. A comparação desse caça-prazeres, ou traste mesmo, com a presença imponente do ditador romano parece ser feita para causar indignação, ao passo que aponta também para alguns dos aspectos mais degradantes da carreira de César. Por mais que ele tivesse sido um imperador triunfante, sua vida sexual estava na mesma liga de Sackville (Figura 3.13 com Figura 5.2 a).[45]

Menos humorístico, e mais intrigante, é um retrato de Carlos I pintado por Anthony van Dyck na década de 1630, cerca de dez anos antes da execução

3.13. O retrato de Charles Sackville, feito por George Knapton em meados do século XVIII, de pouco menos de um metro de altura, é amplamente baseado na versão de Júlio César feita por Ticiano (Figura 5.2 a). O texto em latim em seu ombro é uma alusão a Sackville vestido como um cônsul romano em um desfile de Carnaval (ou "Saturnália" romana) em Florença, em 1738.

do rei. O retrato o mostra de cabelo comprido, com a barba característica, em uma armadura moderna, com a coroa e o capacete militar logo atrás dele — nada, à primeira vista, associa a pintura a regentes romanos. Mas a postura exata do rei, o jeito como segura o cetro, bem como o aspecto brilhante e anguloso da armadura, foram inequivocamente baseados em outro imperador da série de Ticiano, que na época pertencia a Carlos, após tê-los adquirido junto a seu carregamento de pinturas de Mântua (ver pp. 196-204).

Nesse caso, o modelo é Otão, o libertino extravagante e afeminado (como os romanos o estereotipavam), cuja principal e talvez única virtude foi ter encarado a derrota inevitável na guerra civil com um corajoso e digno suicídio. É difícil imaginar que isso originalmente se destinava a ser uma crítica codificada do rei. Van Dyck, o principal criador da imagem régia de Carlos e restaurador de alguns dos imperadores da série de Ticiano, quando

3.14. Vista aqui em uma cópia datada do século XVIII, a pose do retrato que Van Dyck fez do rei Carlos I (de quase 1,5 metro de altura) foi baseada na versão de Ticiano do imperador Otão (Figura 5.2 h) — conhecido por seu estilo de vida libertino e, em contrapartida, uma morte honrosa. A coroa real "não romana" foi relegada ao fundo.

estes chegaram à corte inglesa, seria um patrocinador improvável da subversão; e o próprio Carlos parecia nutrir um interesse particular pelas pinturas originais de Otão, encomendando uma gravura dele em especial, entre todos os *Césares* do pintor veneziano.

Contudo, qualquer espectador que captasse a referência — e muitos de certo captavam, posto que era parte do conjunto mais conhecido de imagens imperiais na época — seria premiado com reflexões sobre as similaridades incômodas entre Otão e o rei inglês, sobretudo após a execução de Carlos, ato cuja dignidade contrastava com muitos outros aspectos de sua carreira. Como Madame Mère veio a se dar conta depois, parecer-se muito com um membro em particular da família imperial romana incorria sempre em riscos para a reputação (Figura 3.14 com Figura 5.2 h).[46]

Havia, no entanto, questões políticas incômodas subjacentes até a essas imagens genéricas de "modelo como imperador". Era normal imaginar um monarca ou dinasta com roupagem imperial. Mas em Houghton Hall, sua casa de campo em Norfolk, Sir Robert Walpole, primeiro-ministro no reinado dos Jorges, tinha um busto seu, enfaixado em uma toga de mármore, rodeado de bustos de imperadores romanos, como se pretendesse se equiparar a eles. Como não interpretar essa história como mais uma versão do "problema de Andrew Jackson"? Como um republicano moderno, antimonarquista, radical, ou mesmo um político do Partido Whig, como Walpole, de elite, que apoiava apenas versões constitucionais e parlamentares do governo de um homem só, poderia tranquilamente adotar uma imagem para si com tamanha ressonância de autocracia, ou sinalizar um paralelo tão gritante com os detentores do poder imperial?[47]

Isso sempre foi uma dificuldade para aqueles que olhavam para trás — e buscavam imitar — os dias de glória de Roma, antes da ditadura de César, da república democrática livre, com todas as suas histórias heroicas de liberdade, coragem e sacrifício. É bem possível que tenham sido dias de glória (ou não); mas, afinal, como um retrato deixava claro que você estava sendo representado como um democrata romano, e não um imperador romano? Pois, embora um patrimônio da literatura da época sobreviva em gêneros muito diversos, como drama cômico, filosofia profunda e cartas particulares, poucos vestígios *materiais* da República foram preservados, seja na arquitetura, seja na escultura. O paradoxo frustrante é que quase todos os vestígios físicos da Roma Antiga vêm da "decadência" do Império, da "cidade de mármore", pela qual Augusto trocou, enquanto se gabava, a velha "cidade de tijolos" republicana.[48]

Se você quiser reimaginar o mundo, ou o estilo, dos heróis republicanos e suas virtudes, tem praticamente que reinventá-lo — reinventá-*los*. De Cincinato, o patriota republicano que, no século V a.C., salvou Roma e então renunciou ao poder e retornou a sua fazenda, a Cícero, rostos e traços foram totalmente perdidos. A arte dos retratos tinha raízes profundas na tradição romana, mas, entre os exemplos esparsos dos tempos anteriores a Júlio César que sobreviveram, nenhum, ou quase nenhum, pode ser nomeado com convicção — só entre aspas, e com uma dose maior de pensamento positivo do que na identificação dos imperadores. Até a era César, também não havia rostos em moedas com os quais depois fosse possível comparar e buscar correspondências. A prestigiosa tradição de retratos romanos (não estou falando de imagens modestas em lápides) era esmagadoramente imperial. Não

3.15. A enorme estátua de George Washington (1840), obra de
Horatio Greenough, era uma combinação esquisita de herói romano
imaginado com o deus grego Zeus (inspirada em uma estátua
colossal que antigamente ficava no templo de Zeus em Olímpia).
Durante várias décadas ao longo do século XIX, pareceu mais seguro
mantê-la na área externa perto do Capitólio. Aqui é admirada (?)
por um grupo de estudantes afro-americanos, por volta de 1900.
Atualmente se encontra no Museu Nacional de História Americana.

retratava os imperadores propriamente ditos, claro, mas quase sempre ado-
tava ou adaptava esses estilos imperiais. É difícil escapar do estranho fato de
que quem é representado como uma figura romana no mundo moderno está
praticamente fadado a levar junto um toque de autocracia no pacote.

Alguns artistas — como o prateiro alemão do século XVII que fez uma
louça de prata dourada que hoje integra a coleção real britânica — parecem
ter abraçado (ou ignorado) essas dificuldades. No centro da peça, ele recriou
uma das histórias mais gloriosas de virtude republicana (Múcio Cévola no
finzinho do século VI a.C. provando sua coragem para o inimigo pondo a
mão direita no fogo); já na borda, como testemunhas da cena, está um incongruente grupo de autocratas imperiais, em seus medalhões em miniatura — de Júlio César e Augusto a uma série de governantes posteriores,
sendo a maioria deles, Galba incluso, vítima da guerra civil.[49] Outros tentaram escapar do problema, ainda que nem sempre conseguissem. Nos Estados Unidos, o retrato colossal de George Washington feito por Horatio
Greenough evoca o republicano Cincinato no ato de devolver a espada do

3.16. Na década de 1760, Joseph Wilton (escultor do Jorge mais novo, Figura 3.12) tentou dar a Thomas Hollis — ativista britânico, apoiador da Revolução Americana — credenciais antimonárquicas com uma expressão romana. Isso está escrito com todas as letras na base do busto, onde é possível ver que Wilton esculpiu os símbolos (punhais e um "quepe da liberdade") usados em uma moeda famosa, lançada pelos assassinos de Júlio César.

cargo, restituindo assim o poder ao povo. Mas a estátua não só era muito grande e pesada para o entorno (quase rachou o piso da rotunda do Capitólio quando instalada, em 1841) como foi uma aposta desastrosa, ao inspirar o herói republicano americano em um clássico deus grego (Figura 3.15).[50]

Muitas vezes, retratos de republicanos modernos e radicais, dos dois lados do Atlântico, miravam em uma versão particularmente austera do estilo romano, sem, por exemplo, o drapeado balonê de uma toga volumosa ou uma armadura bastante adornada. Não que estivessem seguindo um modelo republicano romano, como se costuma dizer (pois mal havia modelos republicanos a ser seguidos). Na verdade, estavam criando uma linguagem republicana, despindo o retrato imperial de qualquer vestígio de luxúria e excesso.[51] Nem mesmo isso era o bastante, necessariamente. Em um busto de Thomas Hollis, radical britânico abastado e bem relacionado do século XVIII (que seguia seus princípios antimonárquicos ao fazer boas ações para a Universidade Harvard), Wilton não só representou o retratado reduzido à nudez como esculpiu na base da peça um par de punhais e um "quepe da liberdade" (o pequeno chapéu usado por escravos romanos quando eram libertados por seus senhores). Era uma referência ao design de uma moeda

3.17. Duas versões de um presente de aniversário régio do século XIX, feito pelo artista alemão Emil Wolff. Ambas as esculturas em tamanho real do príncipe Alberto usam um traje antigo. A versão posterior, à direita (de 1849), alonga seu "saiote" na tentativa de passar uma impressão mais sóbria e séria.

lançada pelos assassinos de Júlio César no rescaldo de seu assassinato, celebrando a liberdade do Estado que havia sido vencido pela violência; e era um sinal claro da política de Hollis. Mas para nós é também um sinal claro de que a ideia de poder monárquico estava profundamente ancorada na linguagem romana — e de que era preciso tomar medidas drásticas para conseguir combatê-lo (Figura 3.16).[52]

A rainha Vitória e o príncipe Alberto enfrentaram problemas parecidos cem anos depois, como se depreende da história de uma escultura de mármore do príncipe, em tamanho real, que — com a bravura, ou autoestima, típica da realeza — ele mesmo encomendou como presente de aniversário para a esposa. Representar Alberto com roupagem imperial apresentou certas dificuldades, por razões óbvias. Ele não era um imperador moderno, mas o mero consorte de uma rainha governante. A solução do escultor, Emil Wolff, após se consultar com o retratado, foi democratizar o estilo imperial com alusões à iconografia do clássico guerreiro ateniense: a armadura que Alberto veste não é muito diferente da armadura dos Jorges, mas a seus pés se encontra um inconfundível capacete grego, e ele empunha um escudo grego para combinar. Não fez muito sucesso. Quando chegou a primeira versão, Vitória educadamente disse que era "muito bonita", mas acrescentou no diário o comentário venenoso de que "ainda não sabemos onde colocá-la". Acabou sendo deixada fora de vista, em um corredor dos fundos do palácio, na Ilha de Wight — pois, explicou ela, "Alberto achou a armadura grega, com as pernas e os pés de fora, muito despida para ficar exposta". Enquanto isso, foi encomendada uma segunda versão, com sandálias e um "saiote" mais comprido para cobrir um pouco mais as pernas, e esta foi colocada à mostra no Palácio de Buckingham em 1849. É uma história reveladora não só de como reis e rainhas podem ter infortúnios tão constrangedores com seus presentes de aniversário quanto todos nós, mas da facilidade com que essa linguagem romana poderia implodir. Longe de criar uma figura de distinção, o traje antigo transformou Alberto em um homem vestido com uma fantasia levemente incongruente, muito como os frequentadores da biblioteca de Cambridge mais tarde viram os Jorges (Figura 3.17).[53]

3.18. A Batalha de Quebec, entre franceses e britânicos, no Canadá em 1759, resultou na vitória destes últimos, mas na morte de seu comandante, James Wolfe. A decisão de Benjamin West de ilustrar seus últimos momentos na contemporaneidade do século XVIII, em vez de com antigos trajes romanos, foi bastante debatida, ainda que West não tenha sido o primeiro a usar uma linguagem moderna para representar essa cena. Mas a grande tela (de mais de dois metros de largura) é impressionante em outros aspectos: da pose ao estilo de Cristo do homem agonizante ao papel proeminente do indígena nativo americano canadense na composição.

As aflições do casal real também apontam para questões maiores a respeito da natureza desse estilo antigo, sobre o que exatamente era representado nesses sósias imperiais modernos e sobre as convenções de apresentação que os fundamentam. Uma pintura de Benjamin West — *A morte do general Wolfe* (o comandante britânico morto na Batalha de Quebec contra os franceses em 1759) — tinha trazido essas questões à tona, dramaticamente, mais de cinquenta anos antes, no começo da década de 1770 (Figura 3.18).

West era um americano que estudara arte clássica na Itália (onde fez uma observação perspicaz, ou pelo menos notória, comparando a famosa estátua do *Apolo de Belvedere* com um "jovem guerreiro moicano"),[54] mas passou boa parte da vida trabalhando na Inglaterra, atuando como segundo presidente da Academia Real, após Sir Joshua Reynolds. Sua representação de Wolfe virou alvo de debates fervorosos porque, entre outras questões, ele optou por retratar o general e seus companheiros em trajes contemporâneos do século XVIII, em vez de armaduras ou togas de estilo romano.

A pintura muitas vezes ganha uma aura mítica exagerada como uma reviravolta revolucionária. Decerto não foi a primeira imagem do tipo a incorporar vestes modernas (George Romney e Edward Penny já tinham retratado a morte de Wolfe na mesma linguagem contemporânea, anos antes),[55] e houve muitas pinturas e esculturas posteriores que continuaram usando um estilo antigo. Nem todos os visitantes e críticos que debateram a pintura na década de 1770 chegaram a mencionar a vestimenta, o que talvez tenha sido a preocupação de um círculo bem fechado de teóricos da arte e seus mecenas. William Pitt, o Velho, por exemplo, primeiro-ministro assim como o filho, estava mais interessado em reclamar do "abatimento exagerado" no rosto de Wolfe e das figuras em seu entorno. Pode até parecer, pelo menos para um público moderno, que ele não entendeu a pintura, mas é provável que estivesse em sintonia com a maioria dos espectadores da época, mais interessados na emoção da cena do que no que os personagens estavam vestindo.[56]

De qualquer forma, o debate em torno da roupa escolhida é importante, não só pelos figurões de renome envolvidos (o que garantiu, em parte, a fama da controvérsia) como também por articular com muita clareza algumas das grandes questões de interpretação. A própria posição de West não surpreende. Quando pressionado a defender sua escolha, ele insistiu que o Canadá, onde Wolfe tinha morrido, era "uma região do mundo desconhecida para gregos e romanos", e que seria, portanto, bem ridículo vestir seus personagens com trajes antigos. "Considero-me responsável por relatar esse grande evento aos olhos do mundo", prosseguiu; "mas se, no lugar dos fatos da transação, eu representar ficções clássicas, como serei compreendido pela posteridade?" Era justamente a posteridade uma das preocupações de seus oponentes. Joshua Reynolds não só se opôs à falta de dignidade dos trajes contemporâneos como argumentou também que somente um traje clássico daria a um momento assim heroico da história uma permanência atemporal; sem isso, em poucos anos, os eventos representados simplesmente pareceriam *datados*.

A maioria dessas informações, incluindo as citações diretas, vem de uma fonte bem tendenciosa: uma biografia laudatória do próprio West. A ideia era assentar o terreno para a futura vitória de West sobre seus críticos, que culmina, assim dizem, em Reynolds admitindo seu erro: "Retiro minhas objeções [...] e prevejo que essa imagem não só se tornará a mais popular como ocasionará uma revolução na arte". Além do mais, o rei Jorge III, que a princípio fora dissuadido por Reynolds de comprá-la, supostamente acabou se arrependendo por ter deixado de adquirir tamanha obra-prima. Contudo, sejam os relatos tendenciosos ou não, essas discórdias captam muito bem algumas das questões mais profundas subjacentes a essas diversas linguagens de representação: sobre as diferentes formas de representar o presente, sobre como a passagem do tempo pode abalar a temporalidade de uma imagem, ao transformar o presente em passado, e sobre como as fronteiras entre passado e presente são definidas pela arte e nela questionadas.[57]

Esse debate em particular faz bem o estilo da elite londrina do século XVIII, com suas cutucadas elegantes entre pintores rivais, e o rei aparecendo como figurante, e até o arcebispo da Cantuária também, tomando o lado de Reynolds, como seria de esperar. O debate é quase impensável em qualquer outro contexto ou qualquer outra data. Ainda assim, a lógica básica dessas trocas memoráveis pode nos ajudar a identificar questões que provavelmente estavam em pauta séculos antes, agora que voltamos no tempo para tatear com mais cautela as tradições do início do Renascimento italiano, de representar indivíduos modernos vivos — e imperadores mortos.

O Renascimento e os romanos

Costuma-se supor que, subjacente à decisão de representar dignitários modernos à maneira romana, havia um forte paralelo entre virtude clássica e contemporânea — quaisquer que fossem as dissonâncias políticas em potencial e o tom inevitável de autocracia. Isso é em parte verdade. Na Grã-Bretanha

3.19. Ilustração de página inteira de Augusto e a Sibila, de uma edição manuscrita de *Vidas*, de Suetônio, produzida em Milão, em 1433. É o mesmo indivíduo da Figura 1.17, mas em um estilo e trajes medievais marcantes. A Sibila, à direita, aponta para a Virgem e o Menino no céu. O imperador ao que parece com armadura debaixo do manto, empunha um cajado com a mão direita e segura um símbolo do universo na esquerda.

do século XVIII, com mais clareza do que em qualquer outro lugar, o investimento da elite na literatura latina e na sua linguagem de debate moral e filosófico certamente fomentou a ideia de que os retratos romanos podiam servir de espelho — ou molde — para os cavalheiros. Quando Voltaire observou, na década de 1730, que "os membros do Parlamento inglês gostam de se comparar com os velhos romanos", estava se referindo ao que os acadêmicos modernos chamariam de "autorrefinamento": os antigos romanos serviam de modelo importante, por meio do qual esses homens (e estou me referindo a *homens* de fato) aprenderam a se comportar e se enxergar. Mas não era só isso. Pois retratar um indivíduo vivo como romano antigo — e, mais especificamente, romano imperial — não era novidade, remontando aos primórdios das tradições modernas de retratos no Ocidente.[58]

Entre as diversas mudanças e subversões culturais do Renascimento italiano, houve duas revoluções, relacionadas entre si, nas formas de ver e nas formas de representar, das quais ainda somos, em parte, herdeiros.

A primeira foi a mudança radical que aconteceu — em diferentes ritmos, em diferentes meios, contextos e lugares — entre os séculos XIV e XVI, na maneira como imperadores romanos e outros personagens do passado clássico eram retratados nas artes. Como já insinuei por alto, na Idade Média, esses regentes antigos, por padrão, surgiam com a aparência de seus equivalentes modernos. No vitral de Poitiers, o imperador Nero está com uma coroa medieval e as túnicas de um rei do século XII combinando (sem o nome "Nero" escrito embaixo, seria difícil identificá-lo, mesmo com o diabinho atrás dele e a crucificação de são Pedro por perto) (Figura 1.6). E em um manuscrito gloriosamente ilustrado de *Vidas*, de Suetônio, produzido em 1433, todos os imperadores aparecem em vestimentas reais do século XV, com a eventual coroa de louros para sinalizar a identidade romana: Tibério, por exemplo, veste uma túnica elaborada, vermelha e dourada, com meias por baixo, ao passo que Augusto, em seu encontro com a Sibila — história essa que, é claro, não foi contada por Suetônio, mas é usada aqui como imagem identificadora do imperador —, apresenta uma semelhança suspeita com um bispo do século XV (Figura 3.19).[59]

É um contraste gritante com as representações em estilo romano antigo que exploramos em outros manuscritos no começo deste capítulo. Houve um período considerável de sobreposição entre essas duas linguagens (o Augusto com trajes eclesiásticos é posterior a algumas dessas ilustrações de Suetônio baseadas em moedas antigas). Entretanto, com o passar do tempo, artistas renascentistas recriaram cada vez mais — e espectadores renascentistas esperavam cada vez mais — imperadores que se pareciam com romanos, e não com seus próprios contemporâneos. No final do século XVI praticamente nenhum artista vestia figuras antigas com roupagem moderna. Essa mudança volta e meia é atribuída a um conhecimento e a uma compreensão cada vez maiores acerca dos resquícios autênticos do passado clássico, tanto literários quanto visuais. Contudo, por mais importante que fosse esse conhecimento antiquário, ele não explica tudo. Os artistas que trabalhavam com a linguagem anterior sabiam muito bem que imperadores romanos usavam togas, não *doublet* e meia-calça — assim como Shakespeare sabia que romanos não usavam culote, como os atores de *Júlio César* usaram, e Joshua Reynolds sabia que o general Wolfe não tinha morrido na batalha de Quebec de saia militar e armadura peitoral romana.

Subjacentes a essas grandes mudanças na arte renascentista estão algumas das questões que vieram à tona séculos depois, no embate entre Reynolds e Benjamin West. O que estava em jogo eram as respostas variáveis a questões sobre como o presente e o passado deveriam ser contemplados e como as semelhanças e diferenças entre os mundos antigo e moderno deveriam ser expressadas. Não é mera coincidência que, mais ou menos simultânea à representação "correta" dos imperadores romanos, uma revolução paralela nos retratos de indivíduos vivos fez com que retratados modernos fossem representados, pela primeira vez, ao estilo de romanos antigos. Simplificando bastante (porque, como veremos, sempre haverá exceções e outras linguagens em jogo), o Renascimento europeu — sobretudo na Itália, em primeiro lugar — foi uma época em que imperadores romanos deixaram de ser retratados como se fossem governantes modernos, e governantes modernos começaram a ser retratados como se fossem imperadores romanos.[60]

As razões exatas para essas mudanças hoje são irrecuperáveis, e muitos legados e fatores diferentes devem ter participado da equação, que era parte de uma revolução artística muito maior. Os próprios rostos imperiais romanos, fossem eles em miniaturas de metal ou, por vezes, em figuras de mármore em tamanho real, decerto eram um dos estímulos por trás das convenções particulares dos retratos que se desenvolveram nesse período; mas não estou querendo sugerir que tenham sido a única força motriz. Algumas tradições anteriores específicas também tiveram seu papel: das pedras preciosas com entalhes personalizados e bustos contendo relíquias de santos (os chamados "bustos-relicários") às minúsculas figuras realistas de doadores e mecenas muitas vezes incorporadas em grandes pinturas religiosas. E o crescimento dos retratos como gênero sem dúvida estava ligado a tendências culturais e intelectuais mais amplas (a "descoberta do indivíduo" no Renascimento, como diz uma generalização popular).[61] Há também diversas diferenças minúsculas pela Europa, e em diferentes meios, ainda que o padrão geral seja similar em quase todo lugar.

Posto isso, imagens de césares foram bastante influentes no desenvolvimento da linguagem visual dos retratos modernos, sobretudo, ainda que não inteiramente, retratos de homens, em que uma forma de expressão do passado foi repetidamente adaptada para a representação do presente. É isso que, mais tarde, Reynolds viria a apresentar como "atemporalidade".

Não é mera coincidência que um dos bustos individuais baseados em figuras vivas mais antigos da era moderna ocidental a sobreviverem até hoje — quase o mais antigo — siga o estilo imperial romano. Trata-se da escultura de mármore produzida por Mino da Fiesole por volta de 1455, retratando Giovanni, filho de Cosimo de' Medici, de Florença. É considerado o segundo busto mais antigo, e por pouco não é páreo para o primeiro, no caso um retrato de outro filho legítimo de Cosme: Piero, obra de Mino também, esculpido apenas dois anos antes, em 1453-4. O que distingue a imagem de Giovanni da do irmão é que ele está vestindo uma armadura antiga, intrincada, que não destoa muito do garbo dos Jorges de Cambridge. É impossível saber o que exatamente levou o escultor a adotar essa linguagem em particular (Giovanni tinha um interesse imenso pela Antiguidade clássica, mas Piero também). Qualquer que tenha sido o motivo, é um forte indício de que a confluência entre modelo moderno e imperador antigo, por mais que tenha tomado outros caminhos mais tarde, estava enraizada nos primeiros estágios dessa tradição artística (Figura 3.20).[62]

Mais uma vez, contudo, foram moedas e *medaglie* que definiram essa confluência com mais clareza, e mesmo antes até. Não me refiro apenas às hábeis réplicas ou às engenhosas falsificações de moedas antigas, feitas por artistas como Cavino, ou às imagens "ao estilo de moedas" que definiram os rostos do passado, como em La Certosa. Os vivos também tomaram parte nisso. Já na década de 1390, havia uma rica e ilustre tradição de retratos de figuras modernas em medalhões de bronze (*medaglie*, ou medalhas, para os nossos parâmetros), em uma escala maior do que moedas "de verdade", chegando a vários centímetros de diâmetro. Geralmente vinham com imagens de seus modelos imitando o rosto do imperador romano nas moedas (ou, se fosse uma mulher a retratada, o rosto das esposas ou filhas dele), muitas vezes com uma inscrição identificadora em torno do perfil. E vinham acompanhados de toda uma variedade de desenhos no lado reverso (ou "coroa"), em geral celebrando a virtude da pessoa em questão, e às vezes copiando minuciosamente o que se encontrava em uma moeda antiga. Aqui o retrato moderno tinha se fundido quase por completo com o romano (Figura 3.21).

Nas vitrines dos museus hoje, essas medalhas tendem a passar despercebidas, como é usual nas exibições de moedas antigas. Nossa preocupação moderna com retratos em pintura ou esculturas de mármore em tamanho real tende a tirar a atenção das placas de bronze em pequena escala. Mas no Renascimento, no Norte da Europa, assim como na Itália, tinham uma enorme importância sociopolítica. Circulavam para que se disseminasse a imagem do retratado ("a moeda da fama", como são conhecidas desde então, ainda que não fossem moedas no sentido monetário). Muitas eram obras de artistas pioneiros e experimentais, e não o produto pronto de fabricação em massa — ainda que a replicabilidade fosse parte de seu apelo.[63]

3.20. Dois filhos, duas linguagens: à esquerda, um retrato de Piero, filho de Cosimo de' Medici (1453-4); à direita, de um par de anos depois, em estilo clássico, seu irmão Giovanni. Ambos foram feitos por Mino de Fiseole, quase em tamanho real.

A conexão que faziam entre imagens de imperadores antigos e imagens dos vivos, e, portanto, entre passado e presente, era parte da ideia. Um dos correspondentes eruditos de Leonello d'Este, o marquês de Ferrara, chegou a lhe escrever que encomendara milhares de medalhões desse tipo, parabenizando-o por ter aparecido neles "ao estilo dos antigos imperadores romanos, com o nome inscrito de um lado, junto à representação de seu rosto". Outros especialistas sugeriram ligações mais nuançadas entre as moedas romanas e as *medaglie* da época.

Filarete, que produziu alguns exemplos esplêndidos de medalhões imperiais modernos, referia-se à prática de enterrá-los nas fundações de novos edifícios (seguindo o que se acreditava ser o costume romano de enterrar moedas); e, em outra reviravolta interessante nas temporalidades conflitantes da representação, ele especulou sobre como os futuros arqueólogos um dia os descobririam, assim como seus contemporâneos haviam encontrado artigos parecidos, enterrados a fundo nas ruínas da Roma Antiga. O fato é que, para onde quer que olhemos na teoria e na prática dos retratos renascentistas, imperadores romanos nunca estão longe.[64]

Essa é uma tecla na qual o retrato de Memling, que abriu este capítulo, bate bastante. Claro, aqui, como sempre, a combinação de um indivíduo

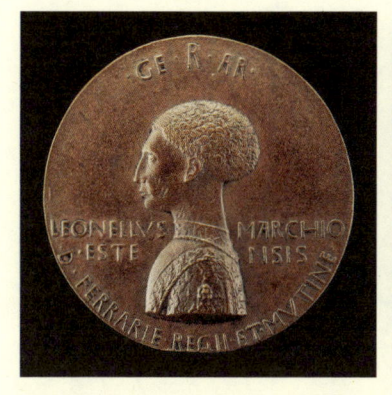

3.21. O clássico e o Renascimento se fundem. Medalhão de bronze de Pisanello (cerca de dez centímetros de diâmetro) que comemora Leonello d'Este, marquês de Ferrara, com seus títulos em um latim bastante abreviado em torno da borda: "GE R AR" o identifica como genro (GENER) do rei (REGIS) de Aragão. No verso, marcando o casamento do marquês, um pequeno leão ("Leonello") aprende a cantar com Cupido (sob a assinatura de Pisanello).

moderno retratado com um imperador em particular suscita questões problemáticas — que não desaparecem, por mais que asseveremos que tudo não passa de um trocadilho inteligente, uma lição de moral ou um mero tributo à qualidade artística das moedas neronianas. Assim como no caso de Carlos I e Otão, ou Madame Mère e Agripina, com o modelo anônimo — seja Bembo ou não — e Nero, sempre haverá suspeitas entre aqueles que conhecem as histórias do imperador ou da imperatriz em questão. Todavia, ao colocar o retratado segurando a moeda com tanta exaltação, como emblema distinto do retrato, Memling estava passando mensagens mais profundas sobre sua própria prática e, em termos mais gerais, sobre a prática da representação. Retratos imperiais romanos foram o alicerce do conceito de retratos modernos. Os rostos dos imperadores romanos nas moedas serviam para validar as imagens dos modelos vivos, bem como dos retratados do passado. A arte dos retratos não se resumia apenas a uma relação binária entre artista e retratado, necessariamente, mas poderia ser vista como uma triangulação entre artista, retratado e a imagem do imperador — em moedas.

Mas havia ainda outras formas, no Renascimento, de configurar a ideia do imperador romano. E uma delas — que até agora só mencionamos por alto — era como um *conjunto*, e em particular como um conjunto dos Doze Césares. Ainda que, como veremos no próximo capítulo, isso fosse muito mais contestado do que se imagina.

4.
Os Doze Césares, mais ou menos

Césares de prata

Um dos grandes mistérios da história da arte é o conjunto de doze magníficas peças (ou *tazze*, em italiano) de prata dourada, primorosamente adornadas, cada uma delas com um imperador romano em miniatura posicionado no centro (Figura 4.1). Hoje conhecidas como "Tazze Aldobrandini", em alusão à família italiana a que pertenciam, têm 0,5 metro de altura, dos pés até a cabeça do imperador, e são consideradas algumas das peças mais impressionantes de prataria renascentista do mundo inteiro. Mas sua história é tão obscura que chega a ser frustrante. Não sabemos exatamente quando foram feitas (em algum ponto do fim do século XVI, mas quão antes do primeiro registro documentado delas, em 1599, é tema de debate). Tampouco onde ou por quem (os designs apresentam características típicas do Norte da Europa, mas, na falta de marcas para análise, as sugestões de origens variam, de Augsburgo a Antuérpia). Não sabemos quem as encomendou. O peso conjunto de toda essa prataria, somando mais de 37 quilos, sem dúvida aponta para um proprietário original que figurava entre os ricaços da época — mas não o cardeal Pietro Aldobrandini, que, como mostram documentos contemporâneos, só foi adquirir o jogo nos primeiros anos do século XVII, embora leve seu nome hoje. É impossível dizer até para que serviam, como eram usadas ou dispostas. A ideia de que foram feitas para decorar uma mesa extravagante, de banquetes, é um palpite muito plausível, mas não passa de palpite.[1]

O que *de fato* é certo é que — ainda que não sejamos capazes de definir a data exata de manufatura — sua decoração constitui a primeira tentativa sistemática de ilustrar *Vidas dos Doze Césares*, de Suetônio, de que se tem registro. Não é como as ricas ilustrações manuscritas, individuais, que vêm

4.1. "Cláudio" do jogo de louças conhecido como Tazze Aldobrandini, produzido no final do século XVI, de quase 0,5 metro de altura, do topo à base. O imperador, em trajes militares romanos, com o nome inscrito junto a seus pés, é destacável e pode ser atarraxado e desatarraxado da peça, que por sua vez contém cenas intrincadas de sua vida. Estas são a haste e a base originais (diferentemente de seis peças do conjunto, que foram retrabalhadas, com suportes mais elaborados, no século XIX).

de antes. Foram selecionadas quatro cenas da *Vida* de cada imperador para serem entalhadas em prata, na superfície interna de cada peça, cuidadosamente dispostas na ordem em que vinham no texto (a menos que fossem ilustrados cortejos triunfais celebrando alguma vitória militar do imperador durante seu reinado, que então apareciam no final, mesmo que isso interferisse na cronologia).[2] É quase como se os imperadores de prata, aparafusados no centro do prato, com o nome de cada um — do Júlio César ao Domiciano de Suetônio — inscrito a seus pés, contemplassem sua história de vida do alto da haste.

As figuras imperiais propriamente ditas parecem meio convencionais, quase insípidas até (ainda que uma olhada em seus rostos de perfil deixe claro de imediato que foram baseadas em retratos de moedas). Mas as cenas narrativas nos pratos são bastante distintas, elaboradas com muito cuidado, repletas de detalhes. Incluem episódios que até hoje perduram como favoritos modernos, praticamente os emblemas do imperador em questão. Nero, por exemplo, é retratado "tocando lira enquanto as chamas consomem Roma": isto é, ele é mostrado tocando lira em uma torre com vista para a cidade, enquanto o fogo arde à sua volta e os cidadãos escapam com seus bens mais valiosos (Figura 4.2 a). Mas outras peças sugerem outras prioridades de artistas e espectadores renascentistas, ilustrando partes da narrativa de Suetônio que leitores modernos tendem a deixar passar. Muitos desses presságios bizarros de futuro poder imperial, que hoje poucos de nós levam a sério, aqui ganham protagonismo. A primeira cena no prato de Galba mostra uma águia surrupiando as entranhas de um sacrifício conduzido pelo avô do futuro imperador: "significava", como afirmou Suetônio, "que o poder supremo, ainda que tardiamente, estava previsto para sua família" (Figura 4.2 b).[3] Em geral, a percepção do regime imperial representada pelas cenas é nitidamente positiva, para não dizer triunfalista. A vitória militar, em particular, é celebrada. Não há menos do que nove cenas de cortejos triunfais, ou equivalentes (Figura 4.2 c), ao passo que, apesar do interesse de Suetônio pela morte de seus retratados, há apenas uma cena de morte em prata. Trata-se do corajoso suicídio de Otão em 69 d.C., que aparece reclinado em um sofá elegante enquanto se apunhala no peito (Figura 4.2 d).

Quem quer que tenha feito essas peças (decerto muitos artistas foram envolvidos no processo), o designer geral sem dúvida tinha lido Suetônio com cuidado e pinçado os mínimos detalhes: dos pássaros que a história dizia terem voado em debandada sobre Nero durante seu desfile da vitória aos elefantes com tochas que figuraram no de Júlio César.[4] Mas havia outras fontes também. Duas cenas, apresentando o porto de Óstia (projeto do imperador Cláudio) e o Circo Máximo (onde Domiciano viria a oferecer espetáculos suntuosos), são cópias muito próximas de gravuras, reconstruindo ambos os monumentos, de Pirro Ligorio, antiquário do século XVI (Figura 4.2 e). É quase certo que moedas romanas — ou, o que é mais provável, um compêndio impresso de designs de moedas, ou mesmo uma edição de Suetônio que usou moedas pertinentes como ilustrações — estavam por trás das reconstruções de Ligorio.[5] Essas reconstruções não se embasam em cabeças, mas nas imagens das faces de "coroa" das moedas, que geralmente apresentavam algumas das construções da cidade de Roma, bem como

4.2. Cenas dos pratos das Tazze Aldobrandini:
(a) Nero "tocando lira enquanto as chamas consomem Roma".
(b) Auspícios da ascensão de Galba ao poder.
(c) O triunfo de Júlio César, mostrando os elefantes mencionados por Suetônio.
(d) O suicídio de Otão.
(e) O ancoradouro de Cláudio no porto de Óstia.
(f) Nero tocando sua lira em um teatro.

seus trajes e rituais. Um caso marcante de empréstimo similar é a imagem na *tazza* de Nero que o mostra fazendo um recital musical no palco: a pose do imperador é tirada diretamente do lado "coroa" de uma de suas moedas, que mostra o deus Apolo, ou — como alguns acreditavam — o próprio

Nero, tocando sua lira (Figura 4.2 f).[6] Esses designs em miniatura, mais uma vez, ofereciam um molde para reimaginar o mundo romano.

Essa formação suntuosa, erudita e ligeiramente autocongratulatória das Tazze Aldobrandini capta bem um aspecto dos Doze Césares. Já encontramos algumas célebres imagens avulsas de imperadores romanos, antigas e modernas, e ainda há mais por vir. Mas hoje os césares — de mármore, de metal, em pintura ou em papel — são apresentados para nós com mais frequência em grupos ou como coleções. Onde encontramos uma figura imperial, é provável que haja outra não muito atrás: irmão, pai, esposa, sucessor ou toda uma dinastia. Esses preciosos césares de prata resumem uma visão dessa pluralidade, cuidadosamente ordenados e identificados, duas dinastias completas, com os rivais da guerra civil no meio, um conjunto fixo e bem amarrado.

Não será surpresa para ninguém que esses exemplares dos Doze de Suetônio às vezes servem de símbolos visuais para os próprios princípios de classificação, representando a ordenação sistemática do conhecimento em si. Examinaremos parte dessa ordenação com um olhar atento e veremos como os césares embasam, por exemplo, o mais rigoroso dos sistemas classificatórios, isto é, o catálogo de uma biblioteca. Mas boa parte deste capítulo foca o outro lado das coleções modernas de regentes romanos, sejam eles os doze canônicos ou versões ligeiramente mais extensas: isto é, em sua desordem, suas variantes subversivas, suas perdas, sua incompletude, identificações equivocadas, reorganizações e frustrações. Veremos coleções de imperadores como "trabalhos em andamento", e os Doze Césares como um paradigma que sempre foi recebido com bastante resistência, tanto quanto foi abraçado, um foco de debate e incertezas, e um regulamento, ou camisa de força, das artes. Esse será o caso das Tazze Aldobrandini, de um jeito muito inesperado.

O conjunto perfeito?

Enquanto objetos de arte, os Doze Césares foram uma invenção renascentista.[7] Como tributo moderno a *Vidas*, de Suetônio, de Júlio César a Domiciano, e tentativa de visualizar os heróis e anti-heróis desse texto literário em formato material, os Doze Césares representavam também uma variante classicizante de alguns desses grupos canônicos de figuras históricas que foram repetidamente reimaginadas nos primórdios da arte moderna — como os Doze Apóstolos ou os Nove da Fama (grupo composto por Júlio César, Alexandre, o Grande, e Heitor, mítico herói troiano, ao lado de três figuras judaicas e três figuras cristãs à altura deles). Serviram de modelo também para os monarcas modernos, cujas dinastias se espremiam em grupos de doze para espelhar os Doze de Suetônio. Não há demonstração mais extravagante disso do que o "Pórtico dos Imperadores", parte do cenário projetado por Rubens para a entrada triunfal do príncipe Fernando de Habsburgo em Antuérpia, em 1635: ele exibia doze estátuas folheadas a ouro, em escala maior do que o tamanho real, dos monarcas de Habsburgo, de Rodolfo I a Fernando II, como os novos Doze Césares.[8]

Após um início tímido em escultura em meados do século XV, em meados do século XVI os conjuntos de retratos dos doze imperiais romanos já tinham se tornado um aspecto marcante das decorações europeias (e mais tarde americanas), das maiores às mais relativamente modestas, e em quase todo meio imaginável.[9] De tempos em tempos, artistas e mecenas gostavam de incorporar esculturas originais, restauradas ou retrabalhadas (justamente para se encaixarem em um jogo) em seus conjuntos de bustos de mármore.[10] Mas quase todas essas imagens eram obras inteiramente modernas, mesmo que baseadas direta ou indiretamente em protótipos antigos, e ainda eram bastante produzidas no século XX. Também eram onipresentes. Apesar dos ocasionais pontos cegos acadêmicos (um dos catalogadores mais meticulosos dos Doze Césares chegou a sustentar pouco tempo atrás que não havia conjuntos do tipo — em pedra, pelo menos — na Inglaterra),[11] não havia país no Ocidente que eles não tivessem invadido, mais cedo ou mais tarde.

Eles sem dúvida agradavam ao gosto dos ricaços. Praticamente não havia residência aristocrática na Roma renascentista que não tivesse pelo menos uma coleção completa de bustos de césares. A Villa Borghese hoje tem dois bustos do jogo à mostra (Figura 4.3). Um deles é uma peça do século XVII de pórfiro e alabastro, que deu nome à "Sala dos Imperadores". O outro foi esculpido no final do século XVI por Giovanni Battista Della Porta, cuja oficina familiar era responsável por muitos dos rostos imperiais de Roma à época (incluindo mais dois jogos dos Doze no Palazzo Farnese, dos quais um — em sua própria "Sala dos Imperadores" — vinha acompanhado de cópias da série de pinturas de césares por Ticiano, de Mântua).[12] Encontraram seu lugar, como itens colecionáveis ou curiosidades preciosas, nos gabinetes e cofres de estadistas, cardeais e reis. Uma fileira de doze plaquinhas com bustos imperiais aparece afixada à parede, atrás de uma série de obras de arte, pássaros empalhados, globos e animais de estimação sortidos, nas pinturas da galeria particular de um líder político flamengo, em

4.3. O conjunto de bustos dos Doze Césares de Giovanni
Battista Della Porta, do século XVI, na Villa Borghese, em Roma,
no alto das paredes do salão mais grandioso da entrada: eles
compõem o conjunto canônico de Júlio César a Domiciano.

4.4. Hieronymus Francken II e Jan Brueghel, o Velho, comemoraram a visita dos arquiduques Alberto e Isabel de Habsburgo, governantes dos Países Baixos do Sul, a uma coleção particular em Bruxelas, na década de 1620. O painel, de mais de um metro de largura, retrata a variedade de conteúdos desse "gabinete": esculturas, pinturas, conchas, um pássaro empalhado — e um jogo de placas dos Doze Césares na parede dos fundos.

Bruxelas, na década de 1620 (Figura 4.4).[13] E Rodolfo II, sacro imperador romano da virada do século XVI para o XVII, rivalizava com o patrocinador das Tazze Aldobrandini com duas coleções de Doze Césares de prata (uma, aparentemente, de bustos independentes, e outra, de placas em relevo) em seu castelo nos arredores de Praga; nesse caso, ainda que discriminados com detalhes em um inventário do início do século XVII, perderam-se de lá para cá, muito provavelmente por terem sido reciclados ou derretidos.[14]

Ao ar livre, ladeavam *allées* e passeios "naturais" minuciosamente projetados de jardins ornamentais. Um lembrete útil de que fortunas mais recentes também foram dedicadas a imperadores se encontra na abadia de Anglesey, uma imensa casa de campo no Leste da Inglaterra. Ali, no começo da década de 1950, Lord Fairhaven, cuja riqueza provinha de uma combinação afortunada de herança industrial americana e sucesso na criação de cavalos britânicos, construiu uma "Calçada dos Imperadores" — com uma coleção de Doze Césares do século XVIII que ele tinha comprado no mercado de antiguidades, contrastando com as árvores.[15]

Coleções como essa, todavia, não eram apenas tesouros de aristocratas ou aspirantes; estendiam-se por casas e meios menos elitizados também. Diversas coleções de césares em gravuras foram produzidas nos anos 1500 e 1600, para acabarem em bibliotecas ou nas paredes de residências mais modestas: imperadores ilustrados de perto, só cabeça e ombros, de corpo inteiro ou a cavalo, e muitas vezes acompanhados de breves biografias, ou cenas em miniatura ilustrando momentos-chave de suas vidas. A introdução de uma coleção impressa de bustos imperiais publicada em 1559 com um texto de acompanhamento de Jacopo Strada discute a função dessas imagens e justifica a produção de ainda mais uma coleção. Ressalta o uso delas expostas em paredes, destacando a decoração de "salas de jantar" (*triclinia* no texto original em latim), e explica o tamanho particularmente grande dessa edição: era uma deferência a fragilidades visuais, uma forma de garantir que mesmo os mais idosos e aqueles com deficiência visual pudessem apreciar os rostos imperiais.[16] Outros imperadores foram parar em diferentes meios. Na França da metade do século XVI, alguém com um pouco mais de dinheiro de sobra mandou decorar um pequeno porta-joias com medalhões esmaltados que tomavam de empréstimo alguns de seus distintos retratos imperiais da série de gravuras de imperadores feita por Marcantonio Raimondi (Figuras 3.7 n e 4.8), com ainda dois *putti* absurdamente rechonchudos completando a série, a segurar crânios sob o lema "*Memento mori, dico*" (Lembre-se de que vai morrer, digo eu). "Esses imperadores estão mortos e enterrados para servir agora de mera decoração" devia ser parte da mensagem (Figura 4.5).[17]

Um mercado burguês dos séculos XVIII e XIX decerto foi destino de muitas séries de retratos imperiais em pequenas placas de produção em massa, em metal ou cerâmica, às vezes com os doze canônicos (Figura 4.6). Josiah Wedgwood, um dos fabricantes de cerâmica mais bem-sucedidos

4.5. Esse pequeno porta-joias de metal (de apenas dezessete centímetros de comprimento), feito em torno de 1545, contém imagens esmaltadas dos césares, algumas baseadas nas gravuras de Marcantonio Raimondi (com algumas substituições posteriores). Oito imagens individuais se enquadram nas laterais mais longas, com duas "duplas" (duas cabeças com uma só coroa de louros), uma de cada lado, para compor doze.

4.6. Medalhão de bronze de Calígula, produzido em massa no século XIX, com dez centímetros de diâmetro, com dois buracos para ser afixado a uma parede ou um móvel. É muito provável que originalmente fizesse parte de um jogo de doze, fosse ele adquirido peça a peça ou completo, de uma só vez.

dos anos 1700, foi bem explícito quanto a seu objetivo de disponibilizar a alta cultura à "*Classe Mediana* das Pessoas". Seus jogos de pequenos medalhões colecionáveis com rostos de imperadores romanos e suas esposas, junto a heróis gregos, diversos reis e rainhas e (com um apelo bem menos popular) papas, sem dúvida cumpria esse papel, além de contribuir para a fortuna de Wedgwood.[18]

Havia prazer a ser desfrutado e dinheiro a ser feito com os conjuntos dos Doze Césares. Mas é importante não esquecer — e pode ser fácil esquecer quando vemos esses rostos enfileirados nas paredes de museus e galerias — que também houve frustrações e insatisfações, que houve fracassos além de sucessos. Um experimento particularmente desafortunado de cera, de meados do século XVIII, é, pelo menos aos nossos olhos, um "erro" estranhamente crasso (Figura 4.7).[19] Mas as coisas podiam dar errado até nos meios mais padronizados, e mesmo para os mais abastados. Todos nós podemos nos solidarizar com o homem que encomendou um conjunto de Doze Césares para decorar sua casa de campo inglesa na década de 1670 e a seguir descobriu que o primeiro carregamento a chegar de Florença viera com os atributos errados nos imperadores errados. Em suas queixas sobre os escultores, escreveu: "Critico-os por terem, do alto de sua ignorância, plantado barbas em queixos que nunca foram barbados"; então emprestou a eles algumas de suas próprias moedas para ajudá-los a ajustar os rostos.[20]

Uma marca desses conjuntos de césares, como as Tazze Aldobrandini, era o senso de *completude* que vinha implícito neles. Isso era assinalado pela numeração de I a XII, em geral impressa ou inscrita do lado dos rostos imperiais em papel ou placas, e às vezes até em pinturas ou esculturas mais prestigiadas. Os números eram um incentivo claro, àqueles que não tinham adquirido o jogo completo de uma só vez, para que preenchessem as lacunas (e, evidentemente, era do princípio de "preencher as lacunas", ou deixar os compradores "obcecados", que vinha boa parte do lucro de Wedgwood). Mas os números também serviam, em parte, para dar um senso de *ordem*, em termos práticos: permitiam que qualquer um alinhasse os imperadores "corretamente", mesmo que não se lembrasse se Otão (VIII) vinha antes ou depois de Vitélio (IX); e, no caso das cadeiras imperiais (Figura 1.12), mesmo para quem desse o azar de pegar a cadeira de Calígula ou Nero, era oferecido um diagrama para os lugares à mesa de jantar. Havia, contudo, uma questão maior. Como resumiu recentemente um historiador de arte, os ciclos numéricos dos césares "pareciam simbolizar

4.7. Quatro pequenos painéis em relevo de imperadores, feitos de cera (dentro da moldura, medem apenas catorze centímetros de altura), do que hoje é uma série de dez: Tito parece ter se perdido há pouco tempo; é provável que Calígula nunca tenha sido produzido (ou que tenha sumido logo de cara). Aqui, Júlio César, Augusto, Tibério e um pitoresco Cláudio.

o conhecimento enciclopédico dos colecionadores"; eles refletiam "um conhecimento pleno e bem-ordenado do passado".[21]

Há uma insinuação disso na galeria do colecionador flamengo (Figura 4.4): a formação imperial organizada na parede dos fundos sugere um senso de sistema e ordem subjacente ao que, do contrário, tomaríamos por confusão e desordem. Mas essa ideia é elevada a seu extremo lógico na biblioteca do colecionador, antiquário e político inglês Sir Robert Bruce Cotton, que ele inaugurou no fim do século XVI e que se tornou uma das coleções de livros mais importantes e valiosas do país, além de conter moedas e curiosidades. Ali, bustos de bronze dos Doze Césares foram colocados sobre as prateleiras, em armários (estantes de estilo medieval), e balizam o sistema de classificação dos conteúdos abaixo. Mesmo hoje, na Biblioteca Britânica — fundada no século XVIII, em torno do núcleo da biblioteca Cotton, e onde a maioria de seu conteúdo que escapou de um incêndio, em 1731, é preservada desde então —, quem quiser consultar o único manuscrito remanescente de *Beowulf* tem de solicitá-lo como "Vitellius A xv" (originalmente o 15º item na prateleira superior da estante de Vitélio); para *Lindisfarne Gospels*, o número do pedido é "Nero D IV". Não havia conexão óbvia, em termos de assunto, entre a figura imperial acima e os livros abaixo, mas os imperadores e suas imagens representavam, e ainda representam, o sistema taxonômico.[22] Isso se reflete em outras bibliotecas mundo afora e vai além da prática comum, arraigada na própria Antiguidade, de usar bustos antigos para compor uma decoração apropriada para o ambiente livresco ("bustos de biblioteca", como ainda são anunciados em catálogos de vendas requintados). Mais ou menos ao mesmo tempo que Cotton estava montando sua própria coleção, a biblioteca da Villa Medici, em Roma, foi instalada, também com bustos imperiais sobre as prateleiras.[23] Talvez essa tradição ecoe de leve nos bustos de mármore de uma seleção de imperadores que até hoje adornam algumas partes da Biblioteca Pública de Nova York: conhecimento e bibliotecas ainda operam sob o signo dos césares.[24]

Contudo, o sistema de Cotton revela também os contornos irregulares de suas próprias categorias. Suas principais linhas sem dúvida eram definidas pela sucessão dos imperadores de Suetônio, de Júlio César a Domiciano, mas duas mulheres com conexões imperiais também faziam parte do esquema classificatório: Cleópatra, a rainha do Egito, outrora parceira de Júlio César e inimiga de Augusto, por ele derrotada; e Faustina, do século II, esposa dita virtuosa do imperador Antonino Pio (mas, assim como no caso das

Agripinas do século I, havia também uma filha infame com o mesmo nome, que era a esposa de Marco Aurélio e difícil de diferenciar da mãe). O par às vezes é tratado como uma adição ao jogo principal. Então talvez fosse mesmo. Uma tentativa recente de reconstruir a disposição física da biblioteca Cotton, há muito destruída, coloca a seção de Cleópatra e Faustina em um nicho secundário, à parte da série principal de impressos, entre Augusto e Tibério.[25] É possível que tenham sido proprietários ou curadores posteriores que idealizaram essas seções extras, e não o próprio Cotton. Mas quem quer que fosse o responsável pela reformulação salienta quão flexível e *porosa* a categoria canônica dos Doze Césares poderia ser, e como era fácil desfazer a formação-padrão — nesse caso, com as figuras dissonantes de uma futura esposa imperial (se tivermos a Faustina correta) e uma amante e vítima imperial. É uma flexibilidade que sempre torna a aparecer, e faz dos Doze Césares uma categoria muito mais dinâmica — e interessante — do que pode parecer à primeira vista. O que chamamos de "os Doze Césares" nem sempre é isso.

Reinvenções, bordas irregulares e trabalho em andamento

No momento em que artistas modernos começaram a produzir imagens dos Doze Césares, eles já estavam redefinindo, adaptando e se divertindo com a categoria. Hoje é impossível dizer exatamente quando e onde foram realizadas as primeiras empreitadas para captar os imperadores de Suetônio em pedra, mas há referências claras em relatos e inventários italianos — remontando até a meados do século XV — a escultores produzindo e sendo pagos por "doze cabeças", "doze cabeças de imperadores em mármore" ou ainda "doze cabeças de mármore baseadas em *medaglie* de XII imperadores"; e uma série de imagens que parecem bater com as descrições sobrevive até hoje, sendo, em sua maioria, painéis em relevo, alguns mais ou menos do mesmo tamanho e estilo, retratando o perfil de figuras imperiais à maneira de moedas. Perdura todo tipo de enigma em torno dessas imagens, e já se provou bem difícil, frustrante até, fazer conexões entre quem talvez tenha encomendado as primeiras esculturas (Giovanni de Médici, representado pelo primeiro retrato moderno de estilo imperial, Figura 3.20, é um dos candidatos), os artistas contemporâneos que as produziram e as próprias imagens. Nenhum conjunto completo foi preservado. O que está mais do que claro, entretanto, é que essas formações inovadoras de "doze imperadores" nem sempre correspondiam aos doze canônicos.

No contexto da elite cultural de meados do século XV, a expressão "Doze Césares" sem dúvida apontava para o texto de Suetônio e "seus" imperadores, mas os escultores (ou seus mecenas) fizeram suas próprias "substituições". Do contrário, seria difícil explicar a presença, entre os painéis sobreviventes, de Agripa, genro do braço direito de Augusto, e de Adriano e Antonino Pio, junto a Júlio César, Augusto, Nero, Galba e outros — no lugar, ao que parece, de Calígula, Vitélio ou Tito.[26]

Cerca de meio século depois, a primeira série de gravuras feitas para celebrar os Doze Césares nos permite identificar com mais precisão o tipo de substituição que estava sendo feita. Trata-se do impressionante, influente e bastante replicado conjunto originalmente produzido em 1520 por Marcantonio Raimondi — que, ao concebê-lo, como já vimos (Figura 3.7 n), sem querer confundiu os títulos e a imagem numismática de Vespasiano com os de seu filho Tito. Era uma formação de Doze Césares, sem dúvida. Mas, mesmo dando margem para erros, não eram exatamente os Doze de Suetônio. No lugar de Calígula, colocado na última vaga, como "12" nas coleções enumeradas, vinha o imperador Trajano (98-117 d.C.), com seus nomes, títulos e padrão de retrato derivados, assim como nos demais imperadores da série (e corretamente, no caso), de bustos de moedas. Ou assim pretendia Raimondi. Ironicamente, mais de um grande museu moderno nos levaria a pensar que sua formação de imperadores terminava, na verdade, com o imperador Nerva, que governou no breve período de 96 a 98 d.C.: o sucessor idoso e sem carisma de Domiciano, e pai adotivo de Trajano. Isso se dá porque os catalogadores cometeram o mesmo tipo de erro, ao identificar o imperador final, que o próprio Raimondi cometera com seu Vespasiano e seu Tito. É muito fácil mesmo se equivocar com esses nomes imperiais quase idênticos, e assim confundiram o "Nerva Traianus" impresso (trata-se de "Trajano", como o chamaríamos) com seu antecessor, que era apenas "Nerva". Esses erros de identificação, repetidos até pelos especialistas mais qualificados, ao longo de quase meio milênio, contam como mais um fator do caráter escorregadio da categoria. Também oferecem um alerta sobre os perigos de ridicularizar, em alto e bom som, os erros de gerações passadas: as versões completas dos nomes dos imperadores, em sua similaridade enganosa, há séculos fazem tropeçar os mais desconfiados, tanto quanto os mais desavisados (Figura 4.8).[27]

Por que essas substituições foram feitas podemos apenas conjecturar. A explicação mais comum é que havia uma agenda moral subjacente, com

4.8. A gravura de Trajano (imperador, 98-117), produzida por Marcantonio
Raimondi no início do século XVI, hoje costuma ser identificada
erroneamente como Nerva (96-8), seu antecessor e pai adotivo, pelos títulos
em latim em torno da borda. É um equívoco compreensível. O título de
Trajano (como mostrado aqui) era "Imp[erator] Caes[ar] Nerva Traianus
Aug[ustus] Ger[manicus]" etc. Mas "Nerva" é uma referência que remonta
ao pai de Trajano, e não aponta para o imperador Nerva propriamente dito
(cujos títulos seriam "Imp[erator] Caes[ar] Nerva Aug[ustus]" etc.).

o objetivo de inserir um "bom" imperador entre os doze, no lugar de um
"ruim", para transformar o conjunto em um modelo exemplar mais convincente: por isso, Trajano, às vezes apelidado de *optimus princeps* (o melhor
imperador), destituía o pretenso monstro Calígula. Sem dúvida há alguma
razão nisso, ainda que não explique de todo, por exemplo, a aparente omis-
são de Tito dos primeiros perfis de mármore (embora fosse um "garoto de
ouro" na tradição bibliográfica, talvez não contasse com reconhecimento

popular o bastante); tampouco explica por que Raimondi rejeitou Calígula, mas pelo jeito não viu problema em incluir os igualmente tenebrosos Domiciano e Nero.

O ponto principal, contudo, é que os doze canônicos prosperaram com as diferenças, e não só com a padronização. Foi só de cem anos para cá, quando se apertou a camisa de força acadêmica, que o hábito de abraçar mudanças cessou. Não foi só Ticiano que não completou doze, terminando com Tito e omitindo Domiciano nos césares que pintou para Mântua na década de 1530. A julgar por um dos primeiros inventários da coleção, o experimento infeliz com cera (Figura 4.7) era originalmente um conjunto truncado que deixava Calígula de fora.[28] Variações ainda mais radicais do tema eram possíveis. Em 1594, a família Fugger, de Antuérpia, ergueu uma "colunata temporária" (*porticus temporaria*) dos Doze Césares como parte das celebrações para dar as boas-vindas a mais um membro júnior da família Habsburgo (no caso, o irmão caçula de Rodolfo II). Sua escala era mais modesta do que a ostentação posterior de Rubens, em "Pórtico dos Imperadores", mas ela oferecia um combo de figuras mais variado. O projeto contava com os quatro "melhores" imperadores romanos, em imagens de cinco metros de altura: Augusto e Tito (incluído dessa vez, como conquistador de Jerusalém), além de Trajano e Antonino Pio; mas foram seguidos por quatro imperadores bizantinos e, estrategicamente, quatro imperadores de Habsburgo, para compor doze.[29]

Em suma, como muitas categorias do tipo, que à primeira vista parecem rigorosamente uniformes, os "Doze Césares" eram uma categoria passível de ser adaptada, reconstruída, reinventada e modernizada em torno do símbolo que é esse número canônico. Era tanto um *diálogo com* quanto uma tentativa de *replicar* os Doze de Suetônio. Quem examinasse com cuidado não encontraria apenas mais do mesmo, mas novas questões levantadas em torno da própria categoria. Substituições particulares (um imperador "bom" no lugar de um "ruim") ou cortes (onze, em vez de doze) prometiam, ou ameaçavam, sempre acrescentar uma nova camada de significado ao conjunto.

Essa flexibilidade, ou mesmo desordem às vezes, ganhou um empurrão com o próprio processo de colecionar. Sem dúvida, algumas séries correspondentes aos Doze Césares em mármore, expostas em palácios e jardins, foram produzidas como uma encomenda única ou adquiridas em uma só compra. Com efeito, quase todas as coleções imperiais, quando as vemos nos gabinetes dos museus e prateleiras das galerias hoje, estão sujeitas, em retrospecto, a parecer congeladas e acabadas, como se fosse esse o

4.9. *Vitélio*, de Hendrick Goltzius (de cerca de setenta por cinquenta centímetros), da série encomendada no início do século XVII, provavelmente por Maurício, príncipe de Orange. Goltzius morreu no começo de 1617, o que viria a fazer desse imperador implausível, "de ombro de fora", o primeiro da série. Mas as datas, a encomenda e até os artistas não foram muito bem documentados.

propósito desde sempre. Mas coleções — de césares, bem como quaisquer outras — volta e meia eram trabalhos em curso. Não eram só pessoas sem recursos financeiros, como os clientes mais modestos de Wedgwood, que adquiriam seus imperadores aos poucos. A "graça da busca" costuma ser um fator importante aqui. Muitos dos colecionadores mais ricos até desfrutavam dos prazeres incrementais de compor o conjunto e de, gradualmente, preencher as lacunas (bem como criar novas, quando a busca perigava acabar cedo demais).

Isso é assinalado de um jeito intrigante no *Illustrium imagines*, de Fulvio (Figuras 3.7 h e i), em que volta e meia um medalhão em branco aparece tomando o lugar de um retrato. Isso é, em parte, um sinal de autenticidade ("na falta de uma imagem confiável dessa pessoa, vou simplesmente indicar um espaço em branco"); mas esses vazios eram também um lembrete de que sempre havia mais a acrescentar a uma coleção (mesmo impressa), havia sempre um exemplar em falta.[30] Existiam outras formas engenhosas de insistir em variedade. Um príncipe holandês do início do século XVII, por exemplo, encomendou um conjunto de Doze Césares — mas cada um de um artista diferente. As pinturas finalizadas chegaram ao longo de anos, entre 1618 e 1625, dependendo do ritmo de cada pintor. Variavam bastante, de um Júlio César assustadoramente severo, obra de Rubens, a um Vitélio de ombro de fora, beirando o absurdo, e um Otão inocente e sonhador, feitos por talentos menores (Figura 4.9).[31]

4.10. Essa diminuta figura do século XVIII (de cerca de 26 centímetros de altura, base inclusa), de pedras preciosas e semipreciosas, ouro e esmalte, representa o imperador Tito. Esculpidas separadamente, as diversas partes (braços, rostos etc.) então foram emendadas com uma cola muito forte!

Está claro que as metas de alguns colecionadores, ainda que tivessem começado com a modesta vontade de juntar apenas os primeiros doze, se estendiam constantemente. A princesa alemã tão orgulhosa de suas moedas antigas decerto não havia tido a princípio a ambição de conseguir um exemplar para cada regente, de Júlio César a Heráclio. Seus objetivos foram crescendo junto com a coleção. Outros tiveram suas ambições frustradas ou suprimidas no meio do caminho. Arquivos do início do século XVIII nos permitem rastrear a aquisição gradual, por parte de Augusto, o Forte, eleitor da Saxônia e rei da Polônia, de um conjunto um tanto espalhafatoso de imperadores em miniatura, de pedras semipreciosas: um pequeno Domiciano foi o primeiro que ele comprou, seguido de um Tito do mesmo tipo no ano seguinte, e um Vespasiano no início de 1731 (seguindo de trás para a frente até aqui, passando pela dinastia flaviana); mas alguns meses depois um Júlio César foi adicionado (Figura 4.10), quando então a coleção foi interrompida. Os mais diversos fatores podem ter entrado em jogo. O eleitor pode ter mudado de ideia por capricho, ou talvez o artista. Posto isso, é provável que, se Augusto, o Forte, tivesse vivido um pouco mais, para além do comecinho de 1733, hoje estaríamos diante de um jogo de Doze Césares, não de quatro.[32] Em outros casos, coleções cresceram e mudaram com o passar do tempo por conta de perdas acidentais, roubos, quebras e reorganizações. O Calígula desaparecido entre aquelas desafortunadas obras de cera talvez não passasse disso: uma obra desaparecida, perdida de alguma forma ou removida antes de o inventário ser feito. Até os exuberantes Doze Césares do *salone* mais grandioso da Villa Borghese, em Roma, logo foram reorganizados. Os mesmos césares, agora desagregados, foram reposicionados, não mais na ordem cronológica "correta", suetoniana.[33]

Essa ideia de trabalho em andamento, com todas as suas bordas irregulares e acidentes, se resume bem na história de uma grande coleção à mostra na galeria do Castelo de Herrenhausen, em Hannover, que consiste hoje em onze retratos de bronze de imperadores (os Doze de Suetônio, sem Júlio César e Domiciano, mas incluindo Septímio Severo), além do republicano

4.11. Panorama datado do século XVIII, da galeria do Castelo de Herrenhausen, em Hannover, por Joost van Sasse. Nem aqueles que desfilam com requinte nem os cachorros prestam muita atenção nos bustos enfileirados nas paredes.

"Cipião" e do rei egípcio "Ptolomeu". Adquiridos em 1715 por Jorge I — eleitor de Hannover, bem como rei da Grã-Bretanha e da Irlanda —, da propriedade de Luís XIV, quando este veio a falecer, originalmente não compunham uma coleção só, homogênea. A julgar pelos detalhes e tamanhos ligeiramente diferentes, eles foram reunidos a partir de três jogos separados, do início da era moderna, para então fazerem as vezes de obras romanas originais, içadas do Tibre (J. J. Winckelmann, entre outros, logo jogou um balde de água ainda mais fria nessas ideias). Em 1715, contavam-se 26 peças, mas elas foram levadas de volta à França por Napoleão em 1803 e somente catorze retornaram depois. As demais nunca reapareceram. A perda de Domiciano, roubado em 1982, reduziu o número mais uma vez (Otão também tinha sido roubado alguns anos antes, mas por sorte fora encontrado debaixo de um arbusto, nos jardins dos arredores, e reinstalado). E só para acrescentar ainda mais um elemento à confusão, após um projeto de limpeza em 1984, as cabeças de Galba e Vespasiano foram colocadas de volta nos pedestais uma da outra (com nomes), adicionando uma nova camada de "identidades" errôneas. À primeira vista, parece não estar longe de ser uma coleção dos doze canônicos, mas uma observação mais minuciosa mostra o contrário (Figura 4.11).[34]

As roupas novas do imperador, de Roma a Oxford

Uma coleção muito mais ambiciosa, e ainda mais complexa, de bustos imperiais até hoje ocupa as salas principais da nova ala (o Palazzo Nuovo) dos Museus Capitolinos, em Roma. É a "Sala dos Imperadores", cujos 67 bustos, de Júlio César a Honório (393-423), mais uma seleção de esposas, formam hoje a maior coleção sistemática de imperadores romanos de mármore do mundo (Figura 4.12). Eles estão dispostos de um lado a outro da sala, em duas fileiras de prateleiras, na exata ordem cronológica, salvo por duas peças que se encontram separadas, em pedestais, e uma figura entre elas: a dita "Agripina", que serviu de modelo para a Madame Mére de Canova, ainda que, mais recentemente, tenha mudado de identidade. Hoje, acredita-se que o estilo nitidamente posterior dessa estátua torna impossível a hipótese de que fosse qualquer uma das damas imperiais do século I que levavam o nome Agripina. A questão agora é se não seria na verdade Helena, mãe do imperador Constantino (306-7), como veio a ser chamada (Figura 1.22).

Todos os tipos de retratos imperiais aqui se encontram, quase que literalmente, em contato uns com os outros — de legítimas peças antigas

280. ROMA · Sala degli Imperatori (Museo Capitolino).

4.12. A "Sala dos Imperadores" dos Museus Capitolinos, como estava organizada na década de 1890, com a então intitulada "Agripina" no centro. A profusão de imagens tende a mascarar as diferenças de escala: veja, por exemplo, à esquerda da porta (prateleira superior), o grande Tito, ao lado de uma cabeça feminina muito menor (comumente identificada como Júlia, a filha de Tito).

(identificadas de maneira correta ou não como figuras imperiais), passando por bustos que foram artisticamente "restaurados" enquanto imperadores ou damas imperiais, híbridos variados (incluindo alguns rostos genuinamente antigos inseridos em extravagantes bustos modernos, multicoloridos), a inúmeras "versões", "réplicas" ou "falsificações" modernas.[35] É uma coleção de imperadores romanos tão misturada — e tão típica — quanto se pode imaginar. Quando instaladas pela primeira vez, contudo, a crença (ou esperança) era que essas cabeças fossem mesmo antigas.

Isso se deu nos anos 1730, quando o Palazzo Nuovo estava sendo reprojetado para se tornar o que viria a ser de fato o primeiro museu público da Europa. Os *palazzi* do monte Capitolino (incluindo a ala antiga, que antes era o Palazzo dei Conservatori) com certeza abrigavam antiguidades e obras famosas fazia um bom tempo já, e havia outras inúmeras coleções papais e privadas às quais poucos privilegiados tinham acesso. Mas um dos maiores colecionadores de Roma no período — Alessandro Gregorio Capponi — converteu a ala mais recente (o Palazzo Nuovo) em um novo museu cívico, que proporcionava "acesso livre a estrangeiros e diletantes curiosos, e maior facilidade a jovens que estudavam humanidades". Isso envolvia expulsar do edifício o departamento de agricultura local, entre outras guildas e agências, e tirar dinheiro do papa para comprar boa parte da grande coleção de estátuas antigas do cardeal Albani, como o núcleo do novo museu, e converter o prédio em uma série de galerias.[36]

Nesse arranjo, duas das sete salas do primeiro andar — a principal área de exibição — foram destinadas aos rostos de homens e mulheres da Antiguidade clássica. Adjacente à Sala dos Imperadores ficava (e ainda fica) a "Sala dos Filósofos": uma coleção de quase cem "retratos" de mármore de pensadores e escritores antigos — "filósofos", em uma definição bastante ampla —, de Homero a Cícero, de Pitágoras a Platão. Nessas salas, Capponi foi muito além dos Doze Césares que, quaisquer que fossem suas variações sutis, eram um acessório em voga nas residências aristocráticas da vizinhança, e iam muito além de qualquer gama eclética de bustos de biblioteca, de figuras literárias. No caso dos imperadores, ele estava mirando em uma exposição total e sistemática desses rostos imperiais, o que não era novidade com coleções de moedas, mas jamais tinha sido experimentado nessa escala, em mármore.

Por duzentos e tantos anos, a Sala dos Imperadores foi considerada um ponto alto do museu. Catálogos e guias de outrora (ao contrário de algumas versões modernas, mais pusilânimes) discorriam sobre cada uma das cabeças, às vezes com textos bem extensos. Um compêndio dedicou mais de trezentas páginas aos conteúdos da sala, com ilustrações e longas descrições de cada escultura, combinando detalhes arqueológicos e observações diversas de Winckelmann com uma caracterização histórica informal dos homens e mulheres representados.[37] Os visitantes tinham reações variadas. Alguns se divertiam traçando a evolução estilística dos retratos ou fazendo comparações com líderes modernos (segundo um observador americano, Trajano partilhava do reconhecimento instantâneo com "nosso Washington"). Outros, justamente, viam como eram tênues as linhas entre escultura e figura histórica (qual seria a reflexão proposta, sobre a história da arte ou sobre a história do poder imperial?). Nem todos eram tão bem informados sobre regentes romanos e suas árvores genealógicas como tentavam parecer. Pelo menos um deles, em seus diários, identificou, convicto, a "Agripina" do centro da sala como a *mãe* do príncipe Germânico — e não era preciso ter muito conhecimento de história antiga para saber que se tratava ou de sua esposa (Agripina, a Velha) ou de sua filha (Agripina, a Jovem), sem dúvida, não de sua mãe.[38]

Mas, quaisquer que fossem suas reações ou sua expertise, fica claro que os visitantes, em seu passeio pelo museu, não pulavam a Sala dos Imperadores, como se costuma fazer hoje. Visitantes agora passam reto ou dão uma volta rápida. Para quem tem certa aversão a fileiras de bustos de mármore, a sala deve ser um pesadelo transformado em realidade, ainda mais por ela estar ao lado da Sala dos Filósofos (somando quase duzentas cabeças decepadas, prateleira após prateleira). Sua justificativa moderna se dá muito mais por seu lugar na história da disposição do museu: uma instalação do início do século XVIII congelada no tempo, praticamente uma exibição por si só. Como disse um historiador de arqueologia clássica recentemente, a Sala dos Imperadores, no coração dos Museus Capitolinos, representa uma "cápsula do tempo" museológica, como se permanecesse intocada ao longo dos séculos.[39]

Inalterada com certeza ela não está. Qualquer que seja a ilusão que nutrirmos a respeito dessa coleção imutável de rostos imperiais que chegaram até nós diretamente da década de 1730, a verdade é que a Sala dos Imperadores está em fluxo — com seus conteúdos debatidos, descartados e reorganizados — desde a fundação do museu. No princípio, havia desentendimentos sobre quais exatamente deveriam ser seus contornos, bem como problemas para garantir a presença de um conjunto completo. Como mencionam os diários de Capponi da época, um busto do principal adversário de Júlio César, Pompeu, o Grande, morto no Egito em 48 a.C., foi uma das primeiras peças a serem colocadas, antes de quase imediatamente ser removida — com base em uma orientação especializada e justificativa óbvia de que, quaisquer que tenham sido suas ambições, Pompeu ainda era menos "imperador" do que Júlio César. Entretanto, o cardeal Albani nem sempre se mostrou cooperativo em se desfazer de suas esculturas como esperava Capponi. A formação dos Doze Césares de Suetônio, núcleo necessário da sala, por pouco não ficou incompleta no ponto de partida, uma vez que Albani não queria abrir mão de seu "Cláudio", até que Capponi arranjou mais dinheiro.[40]

Os contornos da coleção nunca foram delineados de fato. Há quase duzentos anos já, como mostram velhos catálogos e guias, o número de retratos sobe e desce, e a seleção de personagens vive sendo ajustada. Hoje contabilizados em 76, quando estão todos presentes (alguns costumam "tirar licença", emprestados para exibições temporárias), compõem um conjunto mais enxuto e menos abarrotado do que no passado. Havia 84 à mostra em 1736, caindo para 77 em 1750 (uma das quatro duplicatas de Adriano tinha sido retirada, bem como um dos três Caracalas e dois Lúcio Veros, além de outras "remoçõezinhas"). Os 76 listados em 1843 subiram para 83 em dez anos, e em 1904 já eram 84, voltando para 83 em 1912. Algumas dessas diferenças talvez possam ser atribuídas a contagens erradas ou omissões por parte de compiladores desatentos, mas há indícios claros de que critérios variáveis entram em ação aqui, seja pelo princípio, aplicado de maneira cada vez mais incisiva, de se ater a uma estátua por pessoa, ou outras questões de quem fica instalado onde, ou em que ponto deveria terminar a série.

Juliano, que reinou de 361 a 363 (e aparecerá de novo no capítulo 6), foi, por muitos anos, o último regente colocado à mostra, ainda que, a certa altura, um retrato diferente e muito suspeito de "Juliano" tenha sido substituído pelo original, e, no início do século XIX, um busto identificado com muito otimismo como o obscuro Magno Decêncio (que regeu no início da década de 350) usurpou a posição final, apesar de ter governado depois de Juliano. Decêncio continua lá (ainda que hoje identificado como Honório, ou então como Valens, que data de um pouco antes), embora Juliano tenha

(a)   (b)   (c)

4.13. A peça central da Sala dos Imperadores, que os governantes ao redor contemplam, mudou com o passar dos séculos. Antes de "Agripina" (Figura 1.22), vieram, em ordem, (a) o *Hércules bebê* de dimensões colossais (dois metros); (b) uma escultura outrora identificada como Antínoo, amante de Adriano (de quase dois metros de altura); e (c) a chamada *Vênus capitolina* (também de pouco menos de dois metros).

sido transferido para o recinto ao lado, a Sala dos Filósofos, provavelmente com base em seus escritos remanescentes, entre os quais textos bem empolados de teologia. Outros retratos caíram nas malhas do ceticismo moderno, e ou foram removidos em definitivo, ou passaram a ser mantidos no anonimato. O "Júlio César" original ainda está em seu lugar, mas rebaixado ao posto de "romano desconhecido", ou *busto maschile* — um ponto de partida decepcionante para a série imperial toda.[41]

É, contudo, na peça escultural independente, em geral colocada no meio da sala — como se fosse o objeto de contemplação desses imperadores reunidos e suas famílias —, que encontramos as mudanças mais drásticas com o passar do tempo. A "Agripina" é a peça central da exposição há mais de duzentos anos. Mas o ponto focal, instalado na sala antes mesmo dos próprios imperadores, era um Hércules bebê descomunal, em reluzente basalto verde-escuro, que tinha sido encontrado em um local onde ficavam termas romanas do século III (a piada dessa estátua grandalhona é que supostamente representava uma criança semidivina em uma escala colossal, de mais de dois metros de altura).[42] A peça foi ofuscada em 1744, quando uma estátua encontrada na vila do imperador Adriano, em Tívoli, que acreditavam representar

4.14. "Não são coroados nunca, salvo por coroas de neve", como os descreveu Max Beerbohm no início do século XX. Os "imperadores" de Oxford, do lado de fora do Sheldonian Theatre, cujas versões originais remontam ao século XVII, às vezes são, de fato, coroados com neve, sejam eles imperadores ou não.

Antínoo, amante de Adriano, ganhou o palco.[43] Essa estátua, por sua vez, logo perdeu o lugar para a famosa *Vênus capitolina*, instalada nesse lugar de destaque, entre as figuras imperiais, logo após sua apresentação ao museu, em 1752. Foi um tempo depois de essa Vênus preciosa ser levada a Paris por Napoleão, em 1797 (a ser devolvida a Roma somente em 1816), que a "Agripina" foi transferida para a Sala dos Imperadores (Figura 4.13).[44]

Esses arranjos mutáveis mal costumam ser notados, e suas implicações jamais são explanadas. Uma coisa é ter os imperadores e imperatrizes contemplando a figura sisuda de "Agripina", ou mesmo a imensa versão do Hércules bebê. Outra é dar a entender que o foco de atenção deles é o jovem namorado de Adriano, com pouca roupa, ou mesmo um dos nus mais famosos da Europa na época: a *Vênus capitolina*. É um lembrete importante de que as fileiras de césares nem sempre foram tão passivas quanto tendemos a supor. Não era preciso muito para dar vida a essas figuras e fazer parecer que interagiam ativamente com o cenário.

Os césares podiam até ser imaginados como participantes exemplares dos acontecimentos a seu redor, ou transformados, vez por outra, em observadores sagazes e sarcásticos da vida contemporânea. Assim, por exemplo, no teatro do século XVI da cidadezinha italiana de Sabbioneta, bustos de Augusto e Trajano colocados na parede da galeria superior — junto com vários deuses e deusas pagãs, e uma figura de Alexandre, o Grande — aludiam, em parte, aos antigos antecessores desse experimento classicizante e radicalmente novo em cenografia. (O famoso mote renascentista *"Roma quanta fuit ipsa ruina docet"* — Quão grande foi Roma!, como suas próprias ruínas dizem —, ainda está estampado na fachada do prédio, para aqueles que não entenderam o recado.) Mas os imperadores, com seus olhos fixos no palco, também funcionavam como modelos de membros na plateia, para sempre fixos na apreciação da performance.[45]

Um exemplo mais descontraído era o círculo de oito imperadores dispostos ao redor da fonte do século XVII no Castelo de Bolsover, no Norte da Inglaterra. Um século antes da disposição similar com a *Vênus capitolina* em Roma, essas figuras imperiais serviram de pano de fundo para — e foram voyeurs de — uma figura nua de Vênus, peça central da fonte. Ainda mais vívidos, e quase ganhando vida como personagens de uma das novelas cômicas mais engraçadas do início do século XX, há os chamados "imperadores romanos", queridinhos dos guias turísticos, que ainda se encontram do lado de fora do Sheldonian Theatre, em Oxford. Embora não sigam o estilo clássico, compõem a formação mais famosa de césares ao ar livre na Inglaterra (Figura 4.14).

O Sheldonian Theatre, projetado por Christopher Wren na década de 1660, é o principal centro de cerimônias da universidade (e não um teatro destinado à arte dramática). Dos catorze imperadores originais de pedra que Wren dispôs ao redor da fachada principal, um foi removido em meio a obras nas imediações, poucas décadas depois, e os demais, desde então, já se erodiram e foram substituídos, duas vezes, por novas versões: primeiro em 1868, depois no início da década de 1970 (se bem que um ou outro conjunto do século XVII ainda pode ser encontrado, reciclado como decoração nos jardins de Oxford).[46] A fama literária desses césares um tanto grosseiros vem do romance *Zuleika Dobson*, de Max Beerbohm, publicado em 1911. No livro, a jovem heroína de nome exótico chega à cidade das torres dos sonhos para passar um tempo com o avô, que é reitor do fictício, ou semifictício, Judas College. Zuleika não só se apaixona pela primeira vez na vida como todos os universitários do sexo masculino (e Oxford, à época, era um ambiente quase inteiramente masculino) se apaixonam pela moça: *todos* mesmo, literalmente, e ficam tão apaixonados que acabam, cada um deles, se matando por ela. No fim do romance, os distraídos docentes mal se dão conta de que os estudantes todos morreram (embora o refeitório esteja estranhamente vazio); enquanto isso, na última página do romance, Zuleika aparece pedindo indicações sobre a melhor forma de chegar a Cambridge (e já sabemos o que vai acontecer por lá). É uma sátira inteligente sobre os perigos das mulheres e a loucura desse mundo universitário masculino.[47]

Beerbohm reimagina esses imperadores, em sua posição vantajosa no centro da cidade, como os principais observadores dos eventos tragicômicos do romance. Desde o começo, estão mais a par da situação do que os personagens de carne e osso. Ainda que Zuleika mal olhe para eles a caminho do Judas College com o avô ("o mundo inanimado não tinha muita graça para ela"), os imperadores — como nota um velho professor — começam a transpirar enquanto a observam, com "grandes gotas de suor reluzindo na testa". "Eles ao menos", continua Beerbohm, "anteciparam o perigo que pairava sobre Oxford e avisaram como puderam. Que isso seja lembrado a seu favor. Que isso nos incline a pensar neles com carinho." Isso o leva a fazer reflexões mais gerais sobre a moralidade e a sina desses autocratas imperiais. "Durante suas vidas", prossegue ele, "sabemos que foram infames, alguns deles." Mas em Oxford receberam sua punição:

[...] expostos, inexoravelmente e para todo o sempre, ao calor e ao frio, aos quatro ventos que os fustigam e às chuvas que os desgastam, estão expiando, em efígie, as abominações de seu orgulho, crueldade e cobiça. Outrora libertinos, não têm corpo; outrora tiranos, são coroados apenas pela neve; outrora equiparados, por eles próprios, aos deuses, costumam ser confundidos, por visitantes americanos, com os Doze Apóstolos [...]. A esses imperadores, por quem ninguém derrama lágrimas, o tempo não dará descanso. Decerto é um sinal de graça da parte deles não terem se regozijado, nesta tarde iluminada, do mal que recai sobre a cidade de sua penitência.[48]

Há, no entanto, uma piada ainda maior aqui. A verdade é que não há nada que sugira que Christopher Wren, ou que seu escultor, William Byrd tenham concebido essas figuras para representar césares. Agora é que são quase universalmente interpretados como tais (*quase*: o escultor que fez a nova versão da década de 1970 teria dito que "não eram tão nobres assim [...] apenas ilustravam diferentes tipos de barba").[49] Mas, até onde sei, Beerbohm foi o primeiro a se referir a eles em uma publicação como "imperadores romanos", ainda que a tradição oral venha de antes. Sua aparência sugere que provavelmente foram pensados para representar um grupo de "dignitários" ou demarcar limites ("hermas"), com uma inspiração clássica muito remota. São, em outras palavras, um dos exemplos mais gritantes da porosidade da categoria de imperador, sejam estes doze ou não, que se poderia encontrar: aqui, como por vezes em outros casos, a inteligência, a perspicácia e o autoengano de futuros escritores e espectadores tiveram êxito em converter uma série de outras figuras inócuas em uma formação de regentes romanos, com toda a bagagem cultural que carregam consigo. O blefe duplo de Beerbohm é que (embora os Apóstolos não costumem aparecer em grupos de treze ou catorze) a voz autoral do romancista não estava mais próxima da intenção original do escultor do que a especulação "ignorante" dos visitantes americanos.

Césares de prata reorganizados

Essas grandes questões de identidade não pairam sobre os césares das Tazze Aldobrandini. Cada imperador traz seu nome em uma inscrição original junto aos pés e preside cenas de suas façanhas gloriosas, tiradas diretamente de *Vidas*, de Suetônio. Mas mesmo com esse conjunto aparentemente canônico, há muito mais agitações e reidentificações construtivas do que comentei até agora. As Tazze Aldobrandini há muito já comprometeram sua própria posição de coleção perfeita de césares. Em certos aspectos, são exemplos tão marcantes da fluidez da categoria quanto os "imperadores" de Oxford.

Para começo de conversa, o conjunto de doze não é mais um conjunto, mas uma série de unidades solitárias e duplas dispersas pelo mundo, em museus e coleções particulares, de Londres a Lisboa e Los Angeles. Como exatamente ocorreu a separação permanece um mistério, ainda que as linhas gerais da história sejam claras.[50] Suas origens são mais um caso de trabalho em curso (a referência mais antiga a eles de que se tem registro os descreve como um grupo de apenas seis, à venda em 1599). Mas ao longo de dois séculos e meio — de 1603, quando foram documentados na coleção do cardeal Pietro Aldobrandini, até 1861, quando foram todos vendidos juntos em um leilão em Londres — formaram uma coleção completa dos Doze de Suetônio, passando de mão em mão, da Itália à Inglaterra. Pouco tempo depois, cada um foi para um lado. Uma peça foi vendida avulsa em Hamburgo, em 1882. Segundo registros, a família Rothschild, de Paris, teve posse de sete, seis e duas, nessa ordem decrescente, entre 1882 e 1912. E, em 1893, em mais um leilão em Londres, seis das *tazze*, que pertenciam ao marchand e colecionador Frederic Spitzer, foram vendidas em lotes separados — e a desagregação seguiu, com intervenções radicais em algumas das peças. Spitzer, por exemplo, teve suas seis peças remodeladas com pés muito mais elaborados, ao que tudo indica para valorizá-las e aumentar o apelo de venda. Mas ele não foi tão longe quanto a pessoa que decidiu tirar o pé e a figura imperial do prato que representava a vida de Tito (as figuras convenientemente se "atarraxavam" e "desatarraxavam") e reinventá-lo como "recipiente para água de rosas" feito por Benvenuto Cellini — como foi vendida em um leilão em 1914.

Esses tipos de alteração representam, no entanto, apenas parte da fluidez das imagens imperiais nas *tazze*, como descobri em 2010, quando fui ver de perto a peça que acabou exposta no Victoria and Albert Museum (por meio da venda de Spitzer). Era tida como a figura de Domiciano, com cenas de sua vida no prato: a esposa do imperador viajando para se encontrar com ele na Germânia, as campanhas dele contra os germânicos, a procissão triunfal celebrando a conquista e, por fim, a confirmação da submissão formal dos germânicos.[51] A figura propriamente dita, com o nome inscrito, era tal como anunciada. Mas logo ficou claro que havia mesmo algo muito errado com as cenas no prato. O alerta mais claro veio com a representação do cortejo triunfal. Pois, excepcionalmente, a carruagem em que o general viajava estava vazia, e, pelo visto, ele tinha descido para se ajoelhar perante outra figura, sentada junto à rota processional. Isso não tinha nada a ver com o relato de Suetônio sobre o desfile da vitória de Domiciano, mas corresponde exatamente ao que o biógrafo diz a respeito do triunfo sobre os germânicos celebrado por Tibério, enquanto Augusto ainda se encontrava no trono: "[...] antes de virar para seguir pelo monte Capitolino, ele desceu da carruagem e ficou de joelhos diante do pai [Augusto], que presidia à cerimônia".[52] Leitores romanos teriam tomado isso como sinal da deferência de Tibério. Para mim, era um claro indício de que o prato tinha sido identificado de maneira equivocada e estava acoplado ao imperador errado (Figura 4.15 a).

E assim se provou. A cena identificada como a esposa de Domiciano indo ao encontro dele na Germânia não batia. Não há nada do tipo em *Vida* — e, no mais, por que a mulher, ao que parece, está pegando fogo? Deve ser a história da sorte grande que Tibério, ainda bebê, tirou em uma escapada durante a guerra civil, após o assassinato de Júlio César. Ele estava em fuga com a mãe, Lívia, quando um incêndio florestal engoliu o restante do grupo (Figura 4.15 b). Em paralelo, a cena interpretada como a submissão dos germânicos a Domiciano (surpreendentemente acompanhada de cenas de edifícios desabando) casa muito melhor com a referência de Suetônio à generosidade de Tibério para com as cidades do império oriental após um forte terremoto. E a batalha entre romanos e lanceiros de armaduras típicas do século XVI, na cena remanescente, poderia muito bem representar tanto as campanhas de Tibério na Germânia quanto as de Domiciano. Foi preciso apenas um olhar mais atento, e um texto de Suetônio, para ver que o imperador errado estava no prato errado.[53]

Isso obviamente levantou outras questões. Se o prato de Domiciano ilustrava mesmo cenas da *Vida de Tibério*, em que pé que ficaria o dito prato de "Tibério" que estava em Lisboa, erroneamente acoplado, como já se reconhecia fazia muito tempo, à figura de Galba? No fim das contas, tratava-se na verdade do prato de Calígula (graças a uma imaginação fértil, a cena de Calígula a empinar seu cavalo sobre uma ponte de barcos, por exemplo, tinha sido interpretada como Tibério se retirando para a ilha de Capri) (Figura 4.15 c). Para complicar ainda mais, o prato de Minneapolis, atribuído a "Calígula", provou se tratar de um Domiciano enganoso, que também tinha passado por identificações errôneas, hiperotimistas (a cena do incêndio do Capitólio, em Roma,

(a)

(b)

(c)

4.15.
(a) O prato de Tibério (previamente identificado como Domiciano):
Tibério desce de sua carruagem triunfal para honrar Augusto.
(b) O prato de Tibério (previamente identificado como Domiciano):
Lívia e o bebê Tibério escapam por entre as chamas durante a guerra civil.
(c) O prato de Calígula (previamente identificado como Tibério):
Calígula sobre sua ponte de barcos na baía de Baiae.

durante a guerra civil de 68-9, com suas chamas inconfundíveis, tinha sido lida, por incrível que pareça, como a eclosão de agitação popular após a morte de Germânico, pai de Calígula).[54] Mas isso era só o começo. Como mostraram estudos recentes sobre as *tazze*, já foram feitas muitas leituras equivocadas das cenas, e — apesar da rotulação clara — imperadores volta e meia migram de um prato para outro. O prato de Domiciano, que se encontra em Minneapolis, na verdade é encimado pela figura de Augusto, ao passo que o de Augusto está com a figura de Nero, servindo de estimada decoração de mesa para um colecionador particular em Los Angeles. E assim por diante. Apenas dois, Júlio César e Cláudio, parecem ter sobrevivido em seu estado original.

Essas recombinações vêm de séculos; o fato de que só são possíveis quando mais de uma das *tazze* está em posse de um mesmo proprietário indica que os erros remontam ao século XIX e muito provavelmente até antes disso. Em parte eles se explicam pela facilidade prática com que essas peças se desmembram. Se todos os doze imperadores fossem desatarraxados para ser limpados, seria preciso ter, para dizer o mínimo, uma eficiência e tanto para garantir que fossem colocados de volta nos pratos certos (afinal, até os curadores especializados de Hannover acabaram colocando os bustos de mármore de Galba e Vespasiano nos pedestais errados). Também se explicam, em parte, pela provável crescente falta de familiaridade com o texto de Suetônio. Se nem a equipe de limpeza, compreensivelmente, percebeu que as cenas nos pratos não batiam com os imperadores, então os proprietários e colecionadores ricos decerto não perceberam. Mas, em geral, quaisquer que sejam as razões exatas, a fluidez dessas combinações é um belo exemplo de como o conjunto canônico de Doze Césares quase nunca é tão canônico quanto parece, mas está quase sempre em fluxo, no processo de desagregação e recombinação. Por trás das fileiras de bustos de mármore há muitas histórias inesperadas como essa.

Mas há um grau adicional de aguda ironia e pretensões frustradas na história da figura imperial e do prato que fui ver no Victoria and Albert Museum. Quando lá chegou, em 1927, a figura de Vitélio foi exposta sobre o prato tido como o de Domiciano. A presente combinação é fruto de uma tentativa, na década de 1950, de colocar alguns dos imperadores de volta em seus devidos pratos. Três museus, o Victoria and Albert, o Metropolitan Museum e o Museu Real de Ontário, cada um detentor de uma das *tazze*, combinaram de trocar suas figuras. A figura de Vitélio foi enviada ao Met para se juntar ao prato de Vitélio. Otão, que estava no prato de Vitélio, foi enviado pelo Met para o Museu Real de Ontário, para se reunir com "seu prato", e a figura de Domiciano, de Ontário, foi para Londres.

Foi um exemplo bem-intencionado de colaboração internacional, e o Met e o Museu Real de Ontário acabaram, cada um, com suas *tazze* montadas corretamente. O único problema foi que, como o prato de Londres não pertencia a Domiciano, a *tazza* do Victoria and Albert continuou como a mesma vira-lata de sempre.[55] Não poderia haver símbolo melhor dos perigos de identificações errôneas estendendo-se por séculos de história, e das formas como o desejo de ordenar e sistematizar esses conjuntos de Doze Césares muitas vezes passa dos limites ou vai por água abaixo.

Duvido muito que Domiciano vá deixar o prato de Tibério em um futuro próximo. Mas como saber?

Esses perigos de identificações errôneas serão um dos temas do próximo capítulo, que olha de perto outra grande obra de arte do século XVI: os onze *Césares*, de Ticiano, provavelmente o conjunto mais importante e influente de césares modernos, que atravessaram a Europa inteira, para ser completamente destruídos em um incêndio na Espanha no século XVIII. A história deles é uma trajetória fascinante de reconstrução, com a diversão de mergulhar nos mínimos detalhes de apenas um conjunto de césares inclusa. De que maneira podemos saber como eram essas pinturas e o que havia de tão especial nelas? Conseguimos recriar seus contextos — e significado — mutáveis? Por que foram eles que ficaram marcados como *os* césares por séculos na Europa, no início da era moderna?

Tudo começa com uma história inesperada de sobrevivência.

5.
Os césares mais famosos de todos

Bons achados?

Em 1857, segundo a história, Abraham Darby IV emprestou os retratos de seis dos césares pintados pelo próprio Ticiano para a Exposição de Tesouros de Arte em Manchester, mostra que ainda é listada como a maior do gênero já realizada na Grã-Bretanha. Darby fizera dinheiro com a indústria do ferro, seguindo o exemplo de seu tio-avô, o inovador Abraham Darby III, famoso por ter construído a primeira ponte de ferro do mundo (no rio Severn, perto de sua fábrica no centro da Inglaterra). O Darby mais jovem estava atrás de prestígio nas artes, além do obtido com o ferro, e investia boa parte de sua fortuna na montagem de uma enorme coleção de pinturas. Ele havia comprado essas obras-primas em particular de outro empreendedor, John Watkins Brett, engenheiro de telégrafos, marchand e possível oportunista, que, na década de 1830, tinha quase conseguido persuadir o governo dos Estados Unidos a fazer de sua própria coleção a base da primeira galeria nacional americana. Brett era um vendedor sagaz e parece ter dado a esses seis césares — Júlio, Tibério, Calígula, Cláudio, Galba e Otão — conexões irresistivelmente glamorosas, bem como uma estirpe artística de primeira (Figura 5.1). O duque de Wellington, o grande adversário de Napoleão em Waterloo, segundo constava tinha notado que o Tibério de Ticiano era incrivelmente parecido com o general francês, ao passo que outros viam uma clara semelhança entre o próprio Wellington e Galba.[1]

Nem é preciso dizer que não eram os *Césares* originais de Ticiano. Essas pinturas, onze no total, de Júlio César ao imperador Tito, tinham sido encomendadas nos anos 1530 por Federico Gonzaga, primeiro duque de Mântua, no Norte da Itália (de uma dinastia que juntava um lugar relativamente baixo na ordem hierárquica da aristocracia europeia com a posse de

5.1. Tomada por seu proprietário da metade do século XIX, Abraham Darby IV, como a pintura original do imperador Tibério feita por Ticiano (a inscrição "TIBERIO" ainda é vagamente visível no canto superior esquerdo), esta tela foi apresentada na Exposição de Tesouros de Arte de Manchester, em 1857 (ao lado dos outros cinco imperadores do conjunto de Darby). Alguns críticos da época tiveram suas dúvidas quanto à autenticidade de vários itens da exposição (em parte por esnobismo, recusando-se a acreditar que uma cidadezinha industrial do Norte do país pudesse abrigar arte de primeira). Mas nesse caso estavam certos. É uma cópia posterior.

uma extraordinária galeria de arte); haviam sido adquiridas por Carlos I da Inglaterra quando a família Gonzaga estava passando por maus bocados, na década de 1620; e, após a execução de Carlos em 1649, foram compradas por agentes espanhóis, indo parar na coleção real do palácio Alcázar, em Madri. Hoje são conhecidas apenas por meio de diversas séries de cópias, de qualidade variada (Figura 5.2) — porque, por estarem penduradas muito

5.2. As cópias mais influentes de *Onze Césares*, de Ticiano, foram as impressões feitas por Aegidius Sadeler no início da década de 1620, em escala reduzida (medem por volta de 35 centímetros de altura; os originais eram cerca de três vezes maiores). Aqui, a partir do topo, à esquerda: (a) Júlio César, (b) Augusto, (c) Tibério, (d) Calígula, (e) Cláudio, (f) Nero, (g) Galba, (h) Otão, (i) Vitélio, (j) Vespasiano e (k) Tito.

alto na parede, dificultando o resgate, foram destruídas quando o palácio pegou fogo em dezembro de 1734, junto com centenas de outras pinturas. *As meninas*, de Velázquez, foi uma das sortudas, salva ao ser arrancada da moldura e jogada por uma janela.[2]

Os críticos mais cultos da exposição de Manchester sabiam muito bem que os *Césares* haviam se perdido na Espanha mais de um século antes (apesar da alegação mirabolante de que essas seis peças tinham ido parar nos Estados Unidos após a execução de Carlos I).[3] Junto com muitas outras pinturas à mostra em 1857, emprestadas por seus donos — muitos deles ingênuos —, as posses valiosas de Darby foram menosprezadas em resenhas como "cópias de segunda categoria", indignas de "ocupar um lugar entre as obras de Ticiano".[4] Isso não impediu que fossem vendidas na casa de leilão Christie's como Ticianos "genuínos", quando Darby (que fizera de tudo para montar a coleção) tornou a leiloá-las em 1867. Os preços obtidos (menos de cinco libras cada) sugerem que os ofertantes tiveram uma ideia melhor.[5]

Brett e Darby não foram os únicos a lucrar, ou viver uma ilusão, com a fantasia dos *Césares* originais de Ticiano. Poucas décadas antes, em 1829, a imprensa britânica reportava "um caso de sorte extraordinária". "Um homem que mantém uma lojinha insignificante em condições obscuras em Marylebone", iniciava um artigo um tanto soberbo, tinha comprado dez velhas pinturas em um leilão local, por cinco libras a dúzia. Mais tarde, quando foram inspecionadas por "aficionados por virtudes", foram reconhecidas como dez dos *Césares* pintados por Ticiano e avaliadas em 2 mil libras. Um escritor sustentou que o homem vendeu seu achado rapidinho para "um fidalgo inglês rico, cujo nome infelizmente esqueci, pela quantia exorbitante de 8 mil libras".[6] Essa história definitivamente tem um quê de lenda urbana (é bem conveniente a amnésia acerca do nome do comprador). Mas, verdadeira ou não, faz parte do apelo extraordinário desse jogo de imagens imperiais. Mais de cem anos após serem consumidas pelo fogo, ainda rendiam um bom material para jornais populares. Durante séculos, essas pinturas famosas — hoje pouco reconhecidas, exceto pelos "amantes das artes" mais escolados — representaram a face moderna dos antigos imperadores.[7]

Até aqui, tem sido impossível deixar alguns vislumbres dos imperadores de Ticiano de fora deste livro, do retrato de Carlos I inspirado em seu *Otão* (Figura 3.14) ao infame Charles Sackville, ironicamente retratado com base em seu *Júlio César* (Figura 3.13). Mas há uma história importante a ser contada sobre essas pinturas por si sós e sobre suas réplicas encontradas aos

5.3. Chá digno de um rei, ou uma rainha. A cópia de *Augusto*, de Ticiano, desenhada com base nas impressões de Sadeler (Figura 5.2 b), decora uma xícara de chá francesa de nove centímetros de altura, comprada pelo futuro rei Jorge IV, em 1800.

milhares pela Europa. Algumas foram tiradas diretamente dos próprios originais, outras têm uma conexão muito mais remota com elas; e foram produzidas em uma série de diferentes meios, de pinturas e impressões em papel a recriações em esculturas tridimensionais, placas baratas ou elaboradas encadernações de livros. Sem dúvida, versões distintas dos césares, baseadas na obra de outros artistas, também se ancoraram no imaginário popular do século XVI em diante,[8] mas nunca com o impacto dos rostos que Ticiano produziu, tampouco com adaptações tão criativas (ou improváveis) — como uma delicada xícara francesa de porcelana, adornada com uma cópia de uma cópia de uma cópia do rosto do Augusto de autoria do pintor veneziano, em que membros da família real britânica talvez tenham sorvido seu chá no início do século XIX (Figura 5.3).[9]

Esses césares levantam, de uma nova forma, algumas das questões que já exploramos. Há muitos equívocos curiosos de identificação à espreita e idas e vindas intrigantes na história deles, com todos os seus donos soberbos, atravessadores calculistas e mercadores que os vendiam e compravam, e momentos em que estiveram à beira do desastre. Muito antes das chamas finais, Van Dyck tinha sido chamado para intervir e restaurar pelo menos um dos imperadores gravemente danificados por um vazamento de mercúrio a bordo do navio na jornada de Mântua para Londres. A história põe de volta em cena alguns dos personagens que já vimos antes, entre os quais o comerciante e antiquário Jacopo Strada, que, na década de 1560, encomendou os desenhos que nos permitem ter uma noção mais precisa da disposição original das pinturas no Palácio Ducal, em Mântua. Mas elas também deixam grandes questões de interpretações em aberto. Ao longo do caminho, da Itália para a Inglaterra e Espanha, e em meio a réplicas que se tornaram praticamente onipresentes na Europa, constata-se toda uma variedade de diferentes leituras dessas figuras imperiais, em seus diversos contextos. Às vezes elas serviram de acessório importante para o brilho aristocrático e a legitimação do poder dinástico; às vezes serviram de lembrete para uma reflexão sobre os perigos, a corrupção e a imoralidade da autocracia — como deixam bem claro alguns versos em latim difícil anexados às séries mais populares das primeiras cópias impressas das pinturas.

Uma das morais da história dos *Césares* de Abraham Darby é que as telas originais de Ticiano, pintadas em Veneza entre o fim de 1536 e o fim de 1539, não podem ser separadas de todo dos milhares de reproduções feitas da metade do século XVI em diante. Não só porque às vezes se provou difícil distinguir um original de uma reprodução (ou porque às vezes foi tentador procurar não fazê-lo). De maneira ainda mais pertinente, desde o incêndio de 1734, nosso principal acesso aos originais se dá por meio dessas reproduções, com todas as discussões acadêmicas que inevitavelmente são suscitadas em torno delas, questionando qual seria o "melhor" guia sobre o que Ticiano pintou, ou quão "melhores" talvez fossem os originais. Dito isso, este capítulo começa focando o que podemos reconstruir dos próprios *Césares* do pintor veneziano e suas configurações mutáveis, saboreando a história do que um dia foi o conjunto mais influente de imperadores do mundo moderno, seus detalhes enganosos, enigmas curiosos e inconsistências, antes de passar para quem os copiou e por quê, até sua grande diáspora e suas implicações.

A "Sala dos Césares"

No imenso palácio dos Gonzaga, a sala onde os *Césares* estavam expostos originalmente hoje mal tem resquícios de seu visual outrora espetacular (Figura 5.4). Em seu estado atual, o "Camerino dei Cesari",[10] sala relativamente pequena do primeiro andar (de pouco menos de sete por cinco metros), encontra-se um pouco triste, uma vez que edifícios posteriores bloquearam, em parte, a luz para sua única janela, removendo também o que devia ser uma bela vista. E é só graças a uma grande reforma feita na década de 1920 (quando partes do afresco do teto foram desveladas e um conjunto de cópias das pinturas de Ticiano foi comprado e reinserido no seu devido lugar) que há algo para ver ali além de alguns nichos de estuque vazios, decorados com cenas clássicas genéricas.[11] É difícil imaginar que ela a princípio era uma de uma série de esplêndidas salas para exibições — o Appartamento di Troia, ou Suíte Troiana, como era conhecido (por conta de pinturas em outra sala ilustrando cenas da Guerra de Troia) —, patrocinadas por Federico Gonzaga, o primeiro duque de Mântua, para celebrar seu próprio sucesso. Ele se mantivera próximo o bastante do sacro imperador romano, Carlos V, para ter seu título promovido de mero marquês a duque em 1530, e seu casamento tortuosamente arranjado, com uma herdeira aristocrata, tinha trazido um novo

5.4. A "Sala dos Césares", no palácio dos Gonzaga, hoje é mera sombra de sua glória no século XVI, mesmo com as cópias das pinturas de Ticiano inseridas nos espaços que os originais outrora ocuparam (aqui, a partir da esquerda, Galba, Otão, Vitélio, Vespasiano e Tito). A decoração entre as pinturas é original (embora as pequenas esculturas do nicho tenham se perdido), bem como a pintura mitológica (com deuses, deusas e ventos) no teto.

território e riqueza a Mântua.[12] Com seus Ticianos em um cenário elaborado, Federico pelo visto também queria que seu Camerino dei Cesari ecoasse — ou mesmo superasse — alguns temas imperiais anteriores do palácio: não só a coleção crescente de antigas esculturas romanas, mas também os oito medalhões de Andrea Mantegna com bustos de imperadores no teto da Camera Picta, e a ainda mais famosa, do final do século XV, série de nove telas de Mantegna sobre *Os triunfos de César* (Figuras 3.9, 6.6 e 6.7).[13]

Enquanto imagens de imperadores, as pinturas de Ticiano eram inquietantes, radicais e uma atração instantânea para os visitantes — "parecem mais césares de verdade do que pinturas", segundo um de seus contemporâneos.[14] Hoje é difícil entender o valor da escolha ousada dele como artista por um elenco de regentes romanos (Veneza, sua terra natal, sem uma história clássica própria, não era o lugar ideal para esse tipo de encomenda). Mas, mesmo a partir das cópias, conseguimos ter uma ideia de quão animadas eram essas figuras em três-quartos, em dimensões reais, com várias posturas diferentes, indicando respeito e animosidade, amizade e hostilidade, em um grupo que costumava ser retratado como sisudo. No arranjo original, de maneira apropriada, Tibério lançava um olhar de lealdade a Augusto, e Galba, resoluto, dava as costas para seu usurpador, Otão. Ticiano também apontava para uma nova configuração — híbrida até — de governantes antigos e modernos. Os traços dos imperadores eram nitidamente inspirados em esculturas romanas e moedas, e a aparência geral dos trajes refletia um estilo romano, mas havia fortes marcas da contemporaneidade. Um olhar atento à pintura do imperador Cláudio, por exemplo, teria notado que ele estava usando uma peça reconhecível de armadura do século XVI, feita em 1529 para o sobrinho de Federico, outro principelho italiano, Guidobaldo della Rovere (a armadura peitoral ainda é preservada no Museu Bargello, em Florença).[15]

Contudo, por todo o seu ineditismo e fama ("imbatível", como um dos irmãos Carracci, família de pintores do século XVI, escreveu na margem de seu exemplar de *Vida de Ticiano*, de Vasari),[16] esses césares pintados eram apenas um elemento da decoração de uma sala que era muito mais do que pano de fundo de uma série de retratos célebres. Adentrar o Camerino nos anos 1540 significava deparar-se com uma imersão total em iconografia imperial romana, do teto ao chão.[17]

O mestre por trás do projeto era Giulio Romano, pupilo de Rafael que trabalhava como pintor e arquiteto para Federico, e hoje é mais conhecido pela concepção grandiosa do palácio dos prazeres dos Gonzaga, o

Palazzo Te, além de ser o único artista renascentista mencionado pelo nome na obra de Shakespeare.[18] Graças a cartas do fim da década de 1530 que sobrevivem até hoje, ainda podemos delinear os esforços (bem-sucedidos, no fim das contas) para conseguir os retratos imperiais finalizados com Ticiano o quanto antes — usando de um misto de ameaças, bajulação, um plano de aposentadoria sob medida e uma intimidade friamente calculada (*"Messer Tiziano*, meu caríssimo amigo..."*).[19] Enquanto isso, Giulio Romano e seus assistentes estavam ocupados criando o espaço imperial mais elaborado da história desde a própria Antiguidade. Quando foram entregues, a intenção era que os onze *Césares* ocupassem a parte superior das paredes, ao passo que os nichos estucados entre alguns deles estavam reservados para esculturas "clássicas", antigas ou modernas. A abóboda ilustrava o antigo reino celestial, com deuses, deusas e ventos. A parte inferior da parede está forrada de imagens de mais imperadores, suas famílias e narrativas: pinturas de "histórias" emblemáticas extraídas da obra de Suetônio para acompanhar cada imperador; medalhões ao estilo de moedas, celebrando os pais, esposas e outros familiares dos césares regentes; e uma série de figuras romanas a cavalo, com observadores dos séculos XVI e XVII, em geral também tomados por imperadores (embora possam ter sido concebidos como soldados ou guardas).[20] Finalizada às pressas em 1540, essa sala foi, durante décadas, uma das mais celebradas da Europa, com suas instalações ganhando fama para muito além da sociedade da corte. Em 1627, já tinha sido desmontada.

Com parte dessa decoração estamos em terreno razoavelmente firme. Assim como as diversas cópias dos retratos de Ticiano, algumas das pinturas originais da parte inferior da parede, obra de Giulio Romano e sua oficina, ainda sobrevivem. Estas também (ou algumas delas) vieram para Londres e foram vendidas para diferentes compradores, após a execução do rei Carlos. As peças que outrora compunham a decoração de uma única sala em Mântua acabaram separadas, a centenas de quilômetros uma da outra, pela Grã-Bretanha e além. Pelo menos duas das histórias emblemáticas — uma águia pousando no ombro do futuro imperador Cláudio como presságio de sua ascensão ao poder e Nero "tocando lira" em meio às chamas (Figura 5.5) — por fim retornaram à coleção real e hoje estão no Palácio de Hampton Court. O cortejo triunfal de Vespasiano e Tito (um painel maior que parece ter servido de "história" para acompanhar ambos os imperadores) foi comprado por um comerciante local e revendido na França, onde hoje se encontra, no Louvre.[21] Muitas das figuras a cavalo também tiraram a sorte grande: duas sobrevivem em Hampton Court, uma em Christ Church, em Oxford (Figura 5.6), outras três em Marselha, uma em uma galeria particular de Londres, e uma em Narford Hall, em Norfolk (junto com um painel similar, mostrando uma Vitória com um cavalo, que também devia fazer parte da série).[22]

Juntar isso tudo, no entanto, e preencher as lacunas para resgatar a impressão geral do arranjo original da sala provou ser um capcioso quebra-cabeça. Alguns inventários contemporâneos (por exemplo, os registros das obras de arte dos Gonzaga em torno do momento da venda, em 1627, e da propriedade de Carlos I, quando foi descartada, em 1649-50) às vezes servem de instrumento proveitoso para conferência.[23] Mas as chaves mais importantes para nossa compreensão da sala remontam, no fim, a Jacopo Strada, cujo trabalho para Alberto V da Baviera, na década de 1560 — quando Ticiano estava pintando seu retrato —, incluía planejar seu "Kunstkammer", uma galeria de arte, curiosidades e itens colecionáveis preciosos, em Munique. Parece que, em uma parte dessa grande casa de tesouros, Strada decidiu fazer uma espécie de recriação, em cópias pintadas, do arranjo do Camerino: não só as imagens dos próprios césares como também as cenas narrativas. Um inventário alemão da galeria de Alberto foi compilado em 1598, incluindo uma descrição sistemática de suas cópias mantuanas — e é dessa fonte indireta e inesperada que conseguimos extrair a maioria das informações sobre o conteúdo e a interpretação, por vezes equivocada, sobre as "histórias" de Giulio Romano que acompanhavam cada imperador.[24]

Mas ainda mais importantes são alguns dos documentos que Strada reuniu ao se preparar para reconstruir a "Mântua em miniatura" em Munique. Ele encomendou plantas do Camerino dei Cesari e de outras partes da propriedade dos Gonzaga para um artista local, Ippolito Andreasi (uma alma infeliz, assassinado pelo amante da esposa em 1608 e praticamente esquecido desde então).[25] Alguns desses desenhos se encontram preservados no Kunstmuseum em Düsseldorf, incluindo não só versões meticulosas dos imperadores individuais de Ticiano (estão entre as cópias mais antigas que sobrevivem até hoje) como também visões gerais das decorações da parede do Camerino, com as quais é possível reconstruir um panorama quase completo de três lados (Figura 5.7).

Organizar o inventário de Munique a partir das cópias de Andreasi tem ajudado a rastrear versões preliminares de algumas das pinturas perdidas da sala e identificar seus temas. Uma estranha ilustração do Louvre, por exemplo — de um homem caindo de costas nos braços de três outros —,

(a)

5.5. Duas das "histórias" de Giulio Romano sob os imperadores do Camerino, cada uma com pouco mais de 120 centímetros de altura. À esquerda, é difícil dizer quem está com mais cara de espanto: a águia que pousou no ombro do futuro imperador Cláudio ou ele próprio. Mas é quase certeza que não se trata de coincidência ter uma águia como parte do brasão dos Gonzaga. Na página seguinte, a cena clássica de Nero no incêndio de Roma conversa com, e em parte cita, a pintura de Michelangelo na Capela Sistina, de duas décadas antes: as figuras fugindo das chamas são baseadas nos refugiados do *Dilúvio*.

(b)

bate com uma descrição no inventário e uma cena esboçada por Andreasi: é a "história" que acompanha o retrato do imperador Tibério (o qual certa vez, segundo Suetônio, por modéstia se afastou tão depressa de um homem que tentava agarrá-lo pelos joelhos que caiu) (Figura 5.8).[26] Mas, mesmo isolados, os desenhos de Andreasi não apontam só para a intensidade quase avassaladora do design original da sala, mas também para as relações significativas entre os diferentes elementos do arranjo como um todo e para a importância de alguns aspectos ignorados (ou mal interpretados) quase por completo pela maioria dos críticos modernos.

5.6. Figuras a cavalo, de pouco menos de um metro de altura, foram colocadas entre as "histórias" imperiais no patamar inferior das paredes do Camerino. Essa pintura, hoje em Oxford, outrora ficava entre *Incêndio de Roma* e *Sonho de Galba*. Mas se foram concebidos como imperadores ou guardas da cavalaria, ninguém sabe dizer.

Isso fica claro com minha reconstrução composta dos desenhos da parede oeste da sala, apresentada na Figura 5.7, e os retratos de Nero, Galba e Otão, além das imagens associadas a eles.[27] Quase nenhum espaço da sala parece ficar em branco. No patamar superior, os imperadores de Ticiano foram flanqueados, em nichos, por estatuetas independentes, sortidas. É bem fácil identificar Hércules, com sua maça à extrema direita; e a segunda figura da esquerda para a direita foi associada (com base nesse desenho) a uma estátua renascentista de bronze, provavelmente de um "atleta", hoje em Viena.[28] Na parte inferior, uma "história" pertinente se encontra sob cada imperador: *Incêndio de Roma*, de Giulio Romano, sob Nero; uma cena de Suetônio, da deusa Fortuna aparecendo em sonho para o imperador, sob Galba; e, sob Otão, seu próprio suicídio honroso. Cada uma dessas imagens é flanqueada pelos cavaleiros de Giulio Romano, com a aparência reconhecível do cavaleiro que hoje se encontra em Oxford (Figura 5.6), visto aqui em seu lugar original, sendo o segundo da esquerda para a direita.[29]

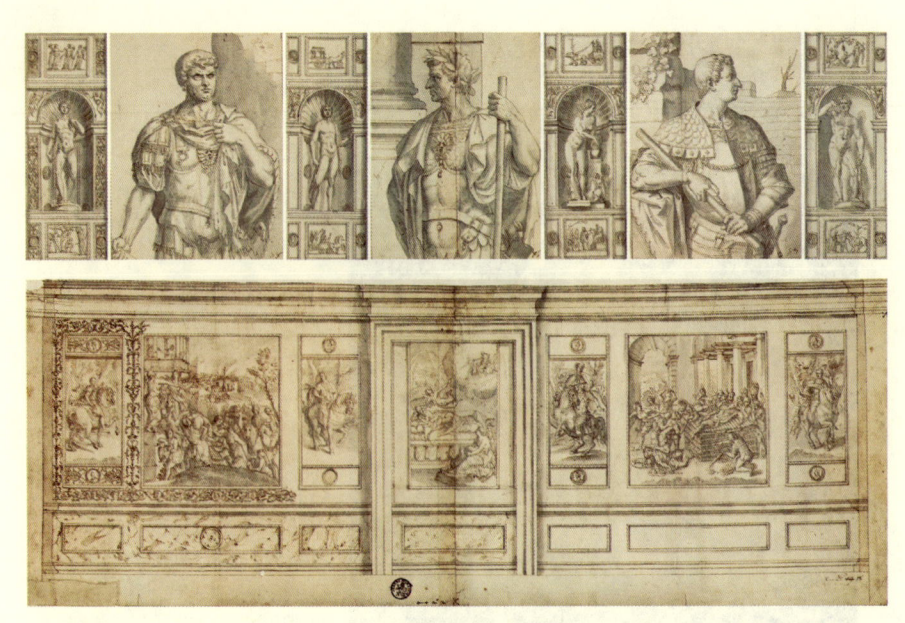

5.7. Reconstrução composta da parede oeste da "Sala dos Césares", usando os desenhos de Andreasi, de meados do século XVI. No patamar superior, retratos de Nero, Galba e Otão são flanqueados por nichos contendo estatuetas. No patamar inferior, as histórias associadas a cada imperador — o incêndio de Roma (Figura 5.5), o sonho de Galba e o suicídio de Otão — são separadas por cavaleiros (Figura 5.6); em cima e embaixo de cada uma delas há medalhões que ilustram membros da família imperial. A entrada principal da sala, pela porta central na lateral, é disfarçada pelo painel com a história do sonho de Galba a ela afixada.

Mas há outro elemento nesse arranjo que com frequência passa despercebido, sem suscitar comentários. Bem visíveis nos desenhos de Andreasi, em cima e embaixo de cada uma das figuras a cavalo, há medalhões, que parecem ser de estuque originalmente, apresentando — no estilo convencional que já vimos antes — rostos de perfil e os nomes e títulos dos retratados em torno da borda, à maneira de uma moeda. Andreasi em algumas ocasiões foi vago ao copiá-los, e por vezes chegou a omitir por completo os bustos. Mas ele incluiu o suficiente para mostrar que esses medalhões eram bastante inspirados nas ilustrações de *Illustrium imagines*, de Fulvio, ou baseados em uma das coleções mais tardias de biografias ilustradas que reutilizaram as mesmas imagens.[30]

Com a ajuda de Fulvio, é possível desvendar quem era quem na maioria dessas figuras, e às vezes até o texto exato que foi reproduzido em torno da borda. É uma formação muito bem pensada, e letrada também, em geral. Junto a *Incêndio de Roma*, são mostrados os dois pais de Nero, um de cada

5.8. O desenho prévio de Giulio Romano (de pouco mais de cinquenta centímetros de altura) para a "história" sob Tibério. A enigmática cena (que espanta observadores desde o século XVI) se explica por uma passagem da *Vida* do imperador escrita por Suetônio, exemplificando sua modéstia: um homem, à esquerda, tenta se desculpar para o imperador agarrando-se a seus joelhos (um antigo gesto comum, que indica rebaixamento), mas Tibério, que aqui usa uma coroa discreta, se afasta tão depressa para evitar isso que acaba quase caindo.

lado: o imperador Cláudio, seu pai adotivo, à esquerda, e, à direita, Domício Enobarbo, seu pai natural, primeiro marido de sua mãe, Agripina, a Jovem ("Domício, pai do imperador Nero"). Dentre os medalhões correspondentes abaixo, um está muito indefinido para se discernir, e Andreasi deixou o outro em branco (embora a própria Agripina deva ser uma candidata provável). Do lado direito da parede, junto à pintura da pira funerária de Otão, no patamar superior, ficavam os pais de Otão e Vitélio; e abaixo, as mães.[31]

Juntos, com retratos em medalhões similares nas outras paredes, eles compõem uma enorme galeria familiar, de imperadores e seus parentes — embora algumas escolhas pareçam excêntricas. Na parede leste, Andreasi expôs quatro medalhões sob o retrato de Augusto feito por Ticiano: os primeiros três, de sua esposa Lívia e sua filha, Júlia, bem como de "Tibério Nero", primeiro marido de Lívia (não confundir com o imperador Nero ou com Tibério, sucessor de Augusto), até que eram previsíveis. Mas, completando o conjunto, temos Lívila, "esposa de Druso, filho de (o imperador) Tibério", como diz a legenda. Ela era mesmo a esposa de Druso. Dizia-se também que fora sua assassina e amante de Sejano, o notório prefeito da Guarda Pretoriana, que almejava derrubar Tibério — e, segundo um relato, ela acabou sendo aprisionada pela mãe e morreu de fome (Figura 5.9).[32] Seria o caso de

5.9. Sob o retrato de Augusto feito por Ticiano, Andreasi mostra a história correspondente de Suetônio: ainda bebê, ele certa vez sumiu do berço e foi encontrado em cima de um edifício próximo, olhando para o sol — um presságio de grandiosidade futura. Os medalhões em torno do retrato apresentam: no patamar superior, sua esposa Lívia e o primeiro marido dela, Tibério Nero (pai do imperador Tibério); no inferior, sua filha, Júlia, e Lívila (esposa e assassina do filho de Tibério, Druso).

artistas com pressa, escolhendo um rosto que se encaixaria, sem realmente conhecerem a história? Ou há um indício, aqui, de um lado mais obscuro dessa escolha, uma versão mais sombria da política dinástica à mostra?

Qualquer que seja a resposta — e ainda retomarei o tema —, essas figuras nos lembram do excesso imperial em uma única sala. Contando os retratos de Ticiano e as "histórias" de Giulio Romano, junto com os quarenta e tantos medalhões, e tomando as figuras a cavalo por imperadores também, era um total não só de onze Ticianos, mas mais de setenta imperadores e parentes próximos no Camerino dei Cesari.

Pontas soltas, explicações e a herança imperial

O salão foi um grande exercício de "extravagância imperial". Contudo, perduram inúmeras pontas soltas, que fazem desse arranjo, e seu propósito, um tormento difícil de delinear. O estudo do Camerino há séculos vem acompanhado de enigmas, inconsistências, inferências otimistas e equívocos modernos tomados por "fatos" — que, por sua vez, se tornaram parte da história desses *Césares*.

Um problema é que há peças demais no quebra-cabeça, e "evidências" que parecem boas de mais pinturas do que de fato poderia caber na sala. É justo pressupor que Andreasi originalmente fez desenhos de cada uma das quatro paredes, bem como de todos os onze césares. Mas, nesse caso, a planta da parede norte, com os retratos de Vitélio, Vespasiano e Tito, se perdeu, impossibilitando a reconstrução de sua disposição exata. Não há como fazer caber, em sua extensão de menos de cinco metros (incluindo uma porta, que talvez tivesse uma pintura), todas as imagens que, segundo achamos, ficavam nessa parede: isto é, até três "histórias" produzidas pela oficina de Giulio Romano, entre elas a pintura remanescente *Triunfo de Vespasiano e Tito* (que, sozinha, tem pouco menos de dois metros), além de duas figuras de cavaleiros, para compor o total de doze listados em alguns breves comentários acerca da sala que Strada teceu em 1568. Alguma coisa tem que ficar de fora. Contudo, sem a chave de Andreasi, não fazemos ideia do quê — ou onde.[33]

Outro problema advém dos próprios inventários da época, que às vezes são mais inconsistentes do que úteis e às vezes estão simplesmente equivocados. Os compiladores, por mais diligentes ou inquietos que fossem, eram tão suscetíveis a cometer erros quanto aqueles que atarraxavam e desatarraxavam, estudavam ou possuíam as Tazze Aldobrandini: o Cláudio da pintura baseada em Suetônio que mostra a águia pousando em seu ombro (Figura 5.5), por exemplo, figura em uma lista como Júlio César, e no inventário de Munique — de maneira ainda mais absurda — aparece como um aristocrata romano que não é particularmente famoso, a quem se ofereceu o posto de "prefeito" de Roma em 25 a.C.[34] E eles podiam ser divergentes (ou desleixados mesmo) quanto à exatidão dos números. Não temos muito a que recorrer, além de criatividade, se quisermos conciliar as *doze* figuras de cavaleiros na parte inferior da sala que foram observados por Jacopo Strada em 1568 ("imperadores", como se referia a eles) com os *dez* registrados no inventário feito em 1627, ou com os *onze* nas listas feitas após serem levados para a Inglaterra, quando a propriedade de Carlos I foi vendida.[35]

O que fica evidente é que o poder instigante do número doze muitas vezes está em ação aqui, como se fosse possível presumir — sem a necessidade de uma contagem meticulosa — que os césares vinham em dúzias exatas. Isso talvez ajude a explicar os doze cavaleiros de Strada. Isso decerto enviesou a documentação dos retratos de Ticiano, tanto no caso de registros renascentistas quanto nos posteriores, descrevendo-os como "doze" com mais frequência do que "onze" imperadores. Já em 1550, Giorgio Vasari, em *Vidas dos artistas*, referiu-se constantemente aos "doze retratos dos Doze Césares" de Ticiano.[36] Quatrocentos anos depois, o historiador da arte Frederick Hartt, determinado a encontrar o 12º imperador, criou uma fantasia elaborada para comprovar que Domiciano outrora ficava à mostra no centro da decoração (perdida) do teto.[37] Não há motivo algum para crer que sim. Mas, logo depois que Ticiano finalizou seus onze, as atenções estavam voltadas para o misterioso césar "perdido".

Acontece que há um grande número de "12ºˢ césares" por aí. O pintor Bernardino Campi, que copiou os imperadores em Mântua em 1561, decerto fez um para completar a dúzia imperial (ver pp. 205-6). Mas havia outros Domicianos rivais para tapar o buraco. Tais rivais incluem um atribuído a Giulio Romano no inventário de Mântua de 1627 (sendo essa atribuição ou um palpite implausível, ou uma memória popular equivocada aos olhos da maioria dos historiadores da arte modernos), e dois exemplos remanescentes que seguiram à risca o formato geral de Ticiano, obras de Domenico Fetti, pintor empregado em Mântua no início do século XVII.[38] Embora não houvesse espaço para encaixar um Domiciano no Camerino, a "incompletude" do jogo do artista veneziano parece ter virado parte de seu atrativo, uma vez que pintores posteriores acharam o desafio de completar a obra do mestre bom demais para resistir. É outra versão dos césares como trabalho em andamento (Figura 5.10).

Mas então *por que* Ticiano parou no 11º? Não há evidências concretas, apenas palpites e inferências, bons e ruins. É difícil acreditar na explicação moderna mais comum, de que a sala, ainda mais com a janela interrompendo a ala leste, era pequena demais para acomodar devidamente doze césares. Se Ticiano ou Giulio Romano quisessem incluir todos os doze, decerto teriam dado um jeito (fazer pinturas um pouco menores não seria uma ideia mirabolante para nenhum dos dois). Talvez, como em outros conjuntos fluidos de romanos renascentistas, tenha sido em parte para omitir o monstruoso Domiciano (no entanto, de novo, fica difícil entender por que Calígula, Nero ou Vitélio ganharam lugar). É mais provável que houvesse uma mensagem sobre dinastia subentendida.

5.10. O *Domiciano* "perdido" de Ticiano serviu de oportunidade
para artistas preencherem a lacuna à sua própria maneira.
(a) Versão de Bernardino Campi, do século XVI, feita para o marquês de Pescara.
(b) e (c) Duas versões diferentes feitas por Domenico Fetti (1589-1623).
(d) Domiciano originalmente pertencente a uma coleção particular
de Mântua, embora identificado por engano como "Tito".
(e) Versão do palácio real de Munique, cortada para servir de decoração sobre a porta.
(f) Gravura de Aegidius Sadele, *c.* 1620.
(g) Versão do conjunto adquirida pelo Palácio Ducal, em Mântua, na década
de 1920, da qual onze se encontram hoje nas paredes do Camerino.

Um dos temas principais da decoração da sala — assim como nos pratos das Tazze Aldobrandini — era sucessão dinástica. Três "histórias" de Giulio Romano focavam sinais de poder futuro. Os desenhos de Andreasi mostram, além da águia no ombro de Cláudio, uma cena em que Júlio César é impelido a almejar para si o regime de um homem só enquanto contempla uma estátua de Alexandre, o Grande, e outra em que um milagre envolvendo Augusto bebê antevê sua soberania de ordem divina (segundo o relato de Suetônio, o bebê sumiu do berço, sendo encontrado no topo de um edifício das imediações, contemplando o sol nascente) (Figura 5.9).[39] Mais do que isso, os retratos em medalhões, representando pais e filhos imperiais, abordam a continuidade de poder, em sua transmissão de uma geração para outra. A ausência de Domiciano — como último da linha (em vez de monstro) — deixa aberta a possibilidade de uma continuação da série de governantes. É uma imagem de reinado imperial passada adiante, sem fim.[40]

Em outras palavras, é uma celebração do futuro dos Gonzaga — e também de sua genealogia, simbólica e literal. Independentemente das leituras mais subversivas que fico tentada a detectar nessas imagens, o duque Federico, recém-agraciado com o título, estava, antes de tudo, tentando se legitimar, e à sua família, alinhando-os aos imperadores de Roma. Àquela altura, essa era uma tática já bem estabelecida. Já observamos demonstrações públicas em que alguns membros da nobreza de Habsburgo são equiparados a seus equivalentes romanos, ou mesmo ao conjunto completo dos Doze de Suetônio (ver pp. 143-4). Em uma escala ainda maior, a linhagem toda de sacro imperadores romanos modernos (fossem da dinastia de Habsburgo, como eram nesse período, ou outros) em tese remontava ao mundo antigo. Um de seus lemas mais poderosos era *"translatio imperii"*, evocando a ideia da "transferência direta de poder" dos romanos antigos para os francos e para governantes germânicos posteriores.[41]

Esse slogan aparecia em várias roupagens diferentes. Foi suntuosamente convertido em bronze no grande mausoléu do imperador Maximiliano I, do século XVI, em Innsbruck, jamais finalizado. Aqui, o plano original era que um total de 34 bustos de imperadores romanos, começando por Júlio César, entrasse para um rol de antepassados dos Habsburgo e santos cristãos relacionados — tudo culminando no próprio Maximiliano.[42] E isso deu vazão a inúmeros empreendimentos literários e históricos tendenciosos. Um dos mais ambiciosos foi um projeto do próprio Jacopo Strada. Em 1557, ele publicou, a partir de rascunhos iniciais de um manuscrito, uma primeira edição "pirateada" de um enorme compêndio histórico escrito por Onofrio Panvinio, monge erudito que tinha compilado uma extensa lista de oficiais, cônsules, generais e imperadores vitoriosos de Roma; abarcava, sem interrupção, mais de 2 mil anos, de Rômulo, o lendário fundador da cidade de Roma, a Carlos V, o sacro imperador romano que abdicou em 1556. Era uma façanha extraordinária de engenhosidade e diligência eruditas a serviço do que hoje parece ser uma ideologia imperial sem dúvida implausível.[43]

O Camerino de Federico fazia parte dessa tradição. Se, como foi sugerido recentemente, Ticiano consagrou a equivalência entre os Gonzaga e os césares, baseando o retrato de Augusto nos traços do próprio Federico, é difícil dizer. Seu Augusto parecia, de fato, ser bem diferente da versão-padrão da Renascença, e talvez lembre por alto alguns retratos do duque. Mas corresponde ainda mais a alguns retratos barbados do jovem imperador romano em moedas, aos quais o artista muito provavelmente tinha acesso.[44] Visitantes atentos, contudo, já repararam na "rima" entre os onze césares e os onze rostos esculpidos (de lacaios, apoiadores, familiares ou antepassados de Carlos V, a quem Federico devia seu título de duque) na "Sala delle Teste" (Sala das Cabeças), ao lado. Era uma indicação de equivalência entre Antiguidade e Modernidade.[45]

Quem eram esses visitantes é uma última questão de incerteza e suscita uma pergunta relevante para qualquer conjunto de imperadores, seja ele feito em tinta ou papel, mármore ou cera. Quem os via, e para quem eram direcionados? A Suíte Troiana como um todo parece ser uma sequência de salas de exibição prestigiosas, projetada para deixar Federico e sua dinastia à mostra e, assim, impressionar. Mas isso não bate de todo com a parafernália doméstica listada em um inventário da propriedade dos Gonzaga feito em 1540, logo após a suíte ser finalizada. Assim como as salas adjacentes, o Camerino, à época, abrigava várias camas e colchões, bem como um clavicórdio.[46] Isso não significa, é claro, que *não* se destinava a impressionar. A função das salas, antes do século XIX, era muito menos fixa do que supomos hoje, e havia muitos usos (de celebrações suntuosas a dormir e fazer música) para os quais uma "sala de exibição" renascentista poderia servir. Mas isso aponta para um público-alvo mais interno e doméstico do que a princípio imaginamos, com implicações mais amplas sobre como essas imagens operavam. Em outras palavras, a apresentação dos Gonzaga como herdeiros do prestígio e do poder dos césares romanos talvez não se dirigisse tanto a visitantes de fora, mas aos próprios Gonzaga. Talvez seja bem fácil para nós esquecer que, entre aqueles que precisavam ser convencidos de que um aristocrata ou autocrata moderno mantinha a tradição do antigo poder imperial, não estavam apenas seus súditos, cortesãos e rivais, mas também o homem comum que era o próprio aristocrata ou autocrata.

De Mântua a Londres e Madri

Uma pessoa que não teve muita oportunidade de se deleitar ou aprender com o Camerino foi o homem que o idealizara. Uma carta remanescente do início de janeiro de 1540 oferece indícios de pagamento pelas caixas em que os retratos finais de Ticiano foram transportados de Veneza a Mântua;[47] no fim de junho desse mesmo ano, o duque Federico I estava morto. A sala não se manteve em seu glorioso estado impecável por muito tempo. Menos de noventa anos — e um regente e sete duques — depois, em 1628, a maioria de suas pinturas, junto com outras obras-primas de Gonzaga, estava a caminho da Inglaterra, adquirida para o rei Carlos I. Uma onda de gastos excessivos com "melhorias" adicionais no palácio, combinada com a necessidade de angariar fundos para enfrentar ameaças militares (o território extra, muito contestado, tomado por Federico na década de 1530, no fim das contas provou ser difícil de manter, em vista do que valia), de certa forma forçou os Gonzaga a vender boa parte de sua coleção de arte, Ticianos e Giulio Romanos inclusos. Muitas vezes tratada, mesmo por acadêmicos modernos quase meio milênio depois, como uma "tragédia", a venda na verdade gerou mais ganhos do que perdas. Pois em 1630, no que hoje é tediosamente conhecido como "Guerra de Sucessão de Mântua", tropas austríacas, lutando em prol de um dentre vários rivais, pretendentes ao ducado, saquearam a cidade de Mântua, em um típico cenário de pilhagem, roubo e destruição.[48]

Há outra razão que faz da "tragédia" um exagero, quando aplicada às pinturas do Camerino dei Cesari. A sala, do jeito que Giulio Romano tinha concebido, fora desmantelada anos antes. O inventário de 1627 (feito no momento da venda da coleção) deixa claro que seus principais elementos — os "Onze" de Ticiano, sendo o imperador adicional atribuído a Giulio nessa lista, as "histórias" e os cavaleiros — não estavam mais no lugar original, mas no chamado "Logion Serato", de frente para o jardim, em uma nova galeria, ou "loggia fechada", inaugurada no início do século XVII pelo neto de Federico (hoje conhecida como "Galleria degli Specchi", ou

Galeria dos Espelhos, por conta de sua decoração do século XVIII). Além do mais, o inventário também deixa claro que duas das "histórias" — *Incêndio de Roma* e *Águia no ombro de Cláudio* — já tinham sido reutilizadas como decorações para a porta, em uma parte completamente diferente do palácio (como o total de "doze" histórias registradas no Logion Serato deve ser conciliado com esses dois elementos discrepantes é outro problema numérico).[49] Por que, ou como exatamente, o Camerino foi desmembrado desse jeito é um mistério. Talvez fosse mera vítima dos arranjos decorativos e do novo entusiasmo dos sucessores de Federico. Mas a ironia é que a sala imperial mais celebrada de todas, com sua influência arrebatadora sobre as visões posteriores dos imperadores, teve uma vida bem curta — talvez até já estivesse em pedaços poucas décadas antes de Carlos I adquirir seus principais elementos.

Dizer que Carlos "adquiriu" as pinturas é um eufemismo para um misto de negociações suspeitas, trapaças, pagamentos não efetuados e pura incompetência, que terminou com quase quatrocentas pinturas e esculturas sendo enviadas para Londres. O rei, na maioria dos casos, não sabia o que estava comprando (era resultado de uma seleção feita por agentes, e não fruto de uma lista de compras elaborada por Sua Majestade). O principal negociador do acordo, um agente flamengo chamado Daniel Nys, já foi acusado muitas vezes de ter agido em interesse próprio, sem escrúpulos, beirando a má-fé. Seja essa uma caracterização justa ou não, a relutância dos agentes do rei em pagar com dinheiro vivo significou que Nys acabou falindo. E foram a organização ruim da remessa e o armazenamento negligente que levaram a um derramamento de mercúrio (colocado logo ao lado das pinturas) sobre elas, durante uma tempestade no caminho, deixando algumas escurecidas, sem chance de reconhecimento.[50]

Em meio a essa história complicada, alguns detalhes importantes do destino das peças do Camerino — o que exatamente veio para a Inglaterra e em que condições chegou — permanecem nebulosos. Por muito tempo correram alguns boatos. Um visitante alemão em Mântua, no começo do século XVIII, se deparou com o que acreditou ser um imperador original de Ticiano (só "estão faltando onze"), ao lado de uma pequena coleção de globos e um peixe-boi empalhado; provavelmente era uma cópia, ou um dos Domicianos de sobra. Um século depois, uma nota inusitada em uma edição refinada de *Vida de Giulio Romano*, de Vasari, sustentava que as pinturas do Camerino foram todas destruídas no saque da cidade em 1630, apesar do coro outrora unânime de referências a elas sendo levadas para a Inglaterra.[51]

Em geral, discussões sobre os efeitos do mercúrio e os corretivos aplicados nas pinturas foram previsivelmente resguardadas (disseram que uma mistura engenhosa de leite, saliva e álcool conseguiu reverter boa parte do dano). Mas era impossível encobrir o que o "mercúrio" tinha feito com o *Vitélio* (ou *Otão*, como dizia uma identificação anterior, equivocada) pintado por Ticiano. Segundo um inventário com comentários da coleção real, feito no fim da década de 1630, essa pintura tinha sido enviada a Bruxelas para restauro, mas deve ter voltado em um estado impróprio para uma exibição proeminente, pois — conforme documenta o inventário — tinha sido despachada para uma passagem usada como depósito.[52] O original pode muito bem ter sido substituído por uma nova versão, cortesia do pintor do rei, Anthony van Dyck, que, em 1632, recebeu a exorbitante quantia de vinte libras (o valor de mercado, à época, para um retrato de meio-corpo) pelo "Imperador Vitélio", ao mesmo tempo que recebeu cinco libras por "consertar a pintura do imperador Galbo".[53] Nesse caso, não há nenhuma referência explícita a isso nos documentos posteriores. Mas "encontre a cópia" (ou cópias) ou "identifique o artista" virou parte de um jogo de adivinhação em torno desses imperadores. Uma rara descrição de uma testemunha ocular da coleção do rei Carlos, um visitante francês à corte londrina em 1639, fez uma alusão aos onze Ticianos e ao 12º, que "Monsieur le Chavallier Vandheich" pintou tão brilhantemente que era como se tivesse "trazido Ticiano de volta à vida". Seria, como parece provável, o *Vitélio*? Nesse caso, tinham se esquecido, convenientemente, de que Domiciano nunca fora uma obra do veneziano, de qualquer forma.[54]

O que é certo é que as pinturas do Camerino tiveram significados diversos em suas novas casas, primeiro em Londres, depois em Madri. A ideia de um conjunto completo e complexo de imagens imperiais desaparecera de vez (como já tinha começado a desaparecer em Mântua). Assim que chegaram à Inglaterra, as pinturas foram separadas, ficando não só em salas diferentes como em propriedades reais diferentes, seja escondidas, como o *Vitélio*, em um corredor do Palácio de Whitehall usado como depósito, seja à mostra em Greenwich, como a "história" da morte de Otão.[55] O único grupo que refletia algo do arranjo original eram sete dos imperadores de Ticiano (de Júlio César a Otão, omitindo Calígula), que ficavam pendurados junto aos sete dos cavaleiros de Mântua, também identificados como césares: "Um retrato de meio-corpo de Júlio César, por Ticiano. Um menor de Júlio César a cavalo, por Julio Romano", conforme constava em um inventário de 1640-1.[56] Essas pinturas foram penduradas na chamada "galeria" do Palácio de St. James, que pegou fogo em 1809 (essa história toda é marcada por fogo e destruição). Por isso, é difícil saber onde exatamente as pinturas perdidas ficavam à mostra na galeria perdida.

Muito provavelmente, a julgar pela ordem em que foram listados, esses sete pares de figuras imperiais foram dispostos em dois grupos, de três e quatro, nas paredes laterais dessa comprida sala, que, à época, continha ao todo 55 pinturas. Ao que parece, rodeavam a grande representação feita por Guido Reni de Hércules em sua pira funerária, também de Mântua, que pendia sozinha na estreita parede dos fundos. Apesar da descrição prosaica no inventário ("Hércules em uma pilha de madeira"), era uma cena da apoteose mais famosa da mitologia antiga: a imagem do herói mortal prestes a ser transformado, pelas chamas, em um dos deuses imortais. Em uma posição de destaque na galeria, essa cena era contrabalançada pela novíssima tela de Van Dyck, ainda maior, de 3,5 metros de altura, retratando o rei a cavalo, sob um arco triunfal, que fechava a sala nos fundos — ou melhor, *abria* a sala, com sua arquitetura inacreditavelmente colossal, pela qual vislumbramos paisagens adiante (Figura 5.11).[57]

Na corte de Carlos, imperadores romanos — tanto as versões de Ticiano quanto outras — eram usados para passar uma mensagem sobre a monarquia moderna. Em muitos casos, o retrato do rei foi baseado em um protótipo romano. A imagem triunfal de Van Dyck, por exemplo, indiretamente pelo menos, era descendente da famosa estátua equestre de Marco Aurélio no monte Capitolino, em Roma;[58] e já vimos que, quaisquer que tenham sido as estranhas associações, o *Otão* do pintor veneziano ficava atrás do retrato de meio-corpo do rei de armadura, obra de Van Dyck. Mas os sete pares imperiais da galeria contribuíam com o diálogo com a imagem do monarca em vida, de uma forma particularmente carregada.

O principal eixo da galeria passava uma mensagem religiosa óbvia e importante. Em uma ponta ficava o monarca moderno, famoso por ter proclamado o "direito divino" do regente humano. Na outra ponta ficava o exemplo mais notório de um antigo herói mortal, plenamente convertido em deus, no momento exato de sua apoteose. Os imperadores romanos ajudavam a reforçar essa equivalência. Não eram, como imaginaram alguns críticos, "uma fileira de 'retratos'" fazendo as vezes de uma espécie de guarda

(a)

5.11. A galeria do Palácio de St. James, onde o núcleo de imperadores de
Ticiano e alguns dos cavaleiros foram pendurados, era dominada, em cada
lado, pela: (a) tela gigante de Van Dyck, de 1633, mostrando o rei Carlos I a
cavalo — com ecos da estátua equestre romana de Marco Aurélio (Figura 1.11);
e (b) representação abertamente implausível que Guido Reni fez, em 1617,
de Hércules se transformando em deus, enquanto era consumido pelas
chamas em sua pira funerária (de pouco menos de 2,5 metros de altura).

(b)

de honra, culminando na figura de Carlos pintada por Van Dyck (ficavam do outro lado da sala).[59] Na verdade, reunidos em volta de Hércules, eram apresentados quase como se fossem os antigos análogos históricos da figura mítica. Pois, assim como Hércules cruzou a linha entre o humano e o divino, acreditava-se que muitos desses imperadores romanos cruzaram a mesma linha "na vida real". Três deles à mostra na galeria, Júlio César, Augusto e Cláudio, foram oficialmente transformados em "deuses" por ocasião de sua morte, e no caso de cada um deles havia uma linha tênue, para dizer o mínimo, entre o poder imperial e o divino.

Os visitantes dessa área do palácio eram bem seletos (de novo, assim como em Mântua, era um espaço semiprivativo, onde o rei aprendia a ver *a si próprio* em termos romanos, tanto quanto impingia essa imagem nos outros). Mas qualquer um que entendesse de história romana muito provavelmente teria captado a mensagem de que os imperadores serviam de elo perdido entre a antiga apoteose mítica e a ideia complicada de "divindade humana" que sustentava algumas teorias de Carlos sobre autocracia. Ofereciam, em outras palavras, não apenas uma série de avatares do governo de um homem só como também uma lente pela qual refletir sobre os poderes e status do monarca — ajudando a expor as conexões entre Hércules e o rei, entre divindade e o regente humano.[60]

Carlos I desfrutou de seus imperadores romanos, explorando suas lições, por mais tempo que Federico em Mântua. Mas isso não durou mais do que uma década. Após o início da Guerra Civil Inglesa, em 1642, ele mal tornou a botar os olhos nas coleções de arte em seus palácios londrinos. Depois da execução, em 1649, a maioria dos "bens do rei", isto é, suas obras de arte, joias, insígnias reais e itens da casa, foi posta à venda, ou usada para quitar suas dívidas com os credores, que em geral recuperavam o dinheiro revendendo as peças. Era uma arrecadação de fundos para o novo regime parlamentar, que estava sem dinheiro, disfarçada de iconoclastia republicana e abalo contra as armadilhas da realeza.[61] A essa altura, as conexões originais entre os diferentes elementos do Camerino já se perderam de todo, e as pinturas, em sua maioria, foram cada uma para um lado, por rotas muitas vezes tortuosas. Os onze cavaleiros (ou imperadores montados), por exemplo, foram feitos ao longo do ano de 1651 para Ralph Grynder, que antes era o estofador real e encabeçava um dos sindicatos de credores. Ele os separou para vender, inclusive para um comerciante que servia de fornecedor para Luís XIV da França (por isso o trio está em Marselha hoje). Quando Carlos II retomou o trono do pai, em 1660, após um breve período de governo "parlamentar", apenas dois do conjunto original foram devolvidos à coleção real — agora, se foi por conta da campanha de ameaças e táticas brutas de intimidação dos servidores do novo rei ou resultado de um ato de generosidade politicamente conveniente por parte dos novos donos, não sabemos.[62]

Apenas os próprios *Césares* foram mantidos juntos. Na verdade, foram reagrupados, todos os "doze", vindos de diferentes localizações pelas propriedades reais — de uma escadaria dos fundos a uma galeria palaciana — e adquiridos como um jogo, ao lado de outros tesouros da coleção, para o rei Filipe IV da Espanha. As transações comerciais que levaram a isso foram tão sujas quanto aquelas em torno da compra das chamadas "peças de Mântua" por Carlos I, pouco mais de vinte anos antes, e recorreram a todos os meios para baixar o preço. Isso envolveu manter o nome de Filipe, e qualquer indício dos extravagantes cofres reais, fora das negociações — e (por bem ou por mal) empinar um pouco o nariz para algumas obras de arte em oferta.[63]

Os doze *Césares* claramente eram objeto de desejo, embora não figurassem no topo da lista. O primeiro instinto de Alonso de Cárdenas, principal agente de Filipe, foi ter cautela com os imperadores de Ticiano, pela simples razão, como ele disse em um memorando para um dos ministros do rei, de que seis peças do conjunto estavam muito danificadas, e o *Vitélio*, de qualquer forma, era de autoria de Van Dyck. Em novembro de 1651, por alguma razão, o agente deu uma envernizada na descrição do estado deles (talvez na esperança de que a compra fosse deixá-lo à frente dos rivais, que também estavam tentando se engraçar com Filipe, enviando-lhe algumas das relíquias de arte de Carlos I). Ao escrever para seu contato na corte espanhola, Cárdenas alegou ter ouvido dizer que nove dos *Césares* estavam bem preservados, levando em conta "a idade das pinturas" pelo menos; e, entre os três remanescentes, apenas o *Nero* estava danificado a ponto de não poder ser restaurado. Entretanto, ele admitiu que um era um substituto feito por Van Dyck, e o conjunto "não era assim tão valorizado por todo mundo". Após algumas negociações prolongadas, e algumas demonstrações calculadas de falta de interesse, ele conseguiu arrematar os doze por seiscentas libras com uma associação de credores de Carlos. Era metade do valor oficial em que tinham sido avaliados. Foram despachados para a Espanha, com parte do apelo de Ticiano ainda atrelado a eles, ao passo que já era sabido que precisavam de reparos, e eram vistos como um grupo misturado (talvez só não tão misturado como era de fato, presumindo que nem o *Vitélio* substituto nem o *Domiciano* adicional tivessem qualquer ligação direta com o próprio Ticiano).[64]

Que tratamento corretivo receberam as pinturas na chegada em Madri, em 1652, não sabemos. Mas elas entraram para uma coleção real que já investia fortemente em imagens de domínio romano. Em seu Palácio de Buen Retiro (também conhecido como Segunda Casa), nos arredores do centro de Madri, por exemplo, Filipe expôs uma série notável de pinturas com temas romanos, que incluía imperadores em seus papéis marcantes: de pronunciamentos às tropas e honrarias religiosas, passando por cortejos triunfais imperiais, ao velório de um imperador (Figura 5.12).[65] Sua nova aquisição de *Doze Césares* foi pendurada, em um contexto similarmente imperial, em uma galeria de pinturas de outro palácio, o Real Alcázar (Fortaleza Real), no centro da cidade. Essa "Galería del Mediodía" (Galeria Sul) ficava no primeiro andar e fazia parte dos aposentos do rei — de novo, um espaço tão privado quanto público —, onde as pinturas tinham lugar entre uma gama de retratos notáveis de Habsburgo e outros. Agora era *como retratos* que elas eram vistas; seu desenraizamento (ou libertação) do complexo conjunto dinástico de Mântua, do século anterior, estava completo.

5.12. O Palácio de Buen Retiro, da família real espanhola, em Madri, ostentava muitas imagens de poder imperial romano. Aqui, *Sacrifício para um imperador romano*, de 1635, obra de Giovanni di Stefano Lanfranco, de mais de 3,5 metros de largura, enfoca as conexões entre o antigo regente e os deuses pagãos. O imperador, em sua capa dourada, observa, enquanto um velho sacerdote conduz um sacrifício para garantir sua segurança e sucesso — e os pobres carneiros, que estão prestes a se tornar vítimas, são trazidos.

Mas quem olhasse pelas janelas da galeria — cujo nome alternativo era "Galería de los Retratos"— veria outras conexões elucidativas. Pois, pelo menos até 1674, quando o jardim foi destruído durante reformas do palácio, a galeria tinha vista para o Jardín de los Emperadores. Aqui, como ainda mais inventários deixam claro, havia duas séries de bustos modernos dos Doze Césares, de Júlio César a Domiciano, culminando em uma estátua de corpo inteiro do bisavô de Filipe, Carlos V (e o último Habsburgo do ramo espanhol da família a assumir o cargo de sacro imperador romano). Nesse caso, os césares formaram mesmo uma guarda de honra para um monarca moderno. E qualquer um que estivesse ao lado desses bustos no jardim e olhasse para cima avistaria, mesmo que só por um instante, pela imensa janela da galeria adjacente, a seleção das pinturas modernas de imperadores mais famosas já criadas: imperadores em diálogo com imperadores.[66]

Entretanto, com toda a sua fama, não é difícil suspeitar que os "Ticianos" pareciam já ter passado do auge. Muito provavelmente, foi esse o motivo para terem sido pendurados tão alto, perto do teto de um espaço de exibição com quase dois andares de altura. E por outro lado explica por que, no devastador incêndio de 1734, foi impossível alcançá-los nas tentativas de resgate e — apesar de avistamentos falaciosos posteriores — eles foram completamente destruídos.

Contudo, à época do incêndio, as pinturas originais de Ticiano (como quer que tivessem completado doze, restauradas, substituídas ou repintadas) representavam apenas uma parte da história. Logo após serem expostas pela primeira vez em Mântua e muito depois de serem destruídas, milhares de cópias delas foram produzidas, cópias essas que acabaram se tornando algumas das imagens mais conhecidas de um lado a outro do continente europeu, encontradas não só em castelos e palácios como também em cenários muito mais modestos, em todos os meios, de tinta e papel a esmalte e bronze. O termo "cópia" tende a subestimar a importância delas. Pois foi nesse processo quase industrial de replicação que os retratos de Ticiano — ainda que, para nós, não sejam imagens domésticas — se tornaram *o rosto* dos imperadores romanos por gerações a fio, pelo menos até o século XIX. E "rosto" às vezes era tudo que eles eram. Pois, embora boa parte do propósito original do Camerino dei Cesari dependesse de sua complexa decoração, com suas interseções narrativas, suas "histórias" imperiais e cavaleiros imperiais, deparei-me apenas com uma única tentativa posterior de recriar algo do tom do conjunto original. Era a "Mântua em miniatura" de Jacopo Strada, exibida no Kunstkammer de Munique, fundado por Alberto V. Quase universalmente, o processo de copiar deixava de lado o contexto original e exibia uma seleção de retratos — exatamente como estavam dispostos na galeria de Alcázar — prontos para se encaixar em novos contextos, dos mais variados tipos.[67]

Esse processo de replicação só começou vinte anos depois de as pinturas serem instaladas no Camerino, quando o artista Bernardino Campi foi a Mântua para uma celebração de casamento, em 1561, com seu mecenas, o marquês de Pescara. No tempo que passou lá, ele copiou os Ticianos, acrescentando um Domiciano próprio, tão próximo do estilo dos originais, diziam, que ninguém notava a diferença. Reza uma convincente lenda moderna (baseada em certa leitura equivocada de uma biografia sua do século XVI) que Campi gentilmente deixou o Domiciano para trás, como presente para seus anfitriões, para ser instalado na sala adjacente ao Camerino, como a peça perdida. O que Campi fez de fato, segundo o biógrafo, foi apresentar *todas* as suas pinturas para o marquês levar de volta para casa.[68] Mas muito provavelmente ele vislumbrou oportunidades lucrativas ali. Pois uma série de desenhos minuciosos a pena e nanquim de cada um dos imperadores de Ticiano, assinados por Campi e datados de julho de 1561, com breves notas biográficas, além de comentários sobre seus diferentes trajes e colorações, foi redescoberta recentemente em um arquivo italiano. É provável que tenham sido concebidos como base para mais cópias, a serem produzidas sob demanda.[69] E, com efeito, encontramos referências a pelo menos seis outros jogos de Campi nas mãos de aristocratas europeus à época: um pertencente a Fernando I da Áustria, o sacro imperador romano, outros três sendo bens valiosos de um trio de membros proeminentes da corte espanhola, e um pouco mais tarde, na década de 1580 — sob o princípio, imagino, de que nenhum palácio dos Gonzaga deveria ficar sem césares —, versões pertencentes a dois ramos juniores da família, baseadas em Sabbioneta e Guastalla.[70]

Mas Campi não tinha um monopólio sobre essas reproduções. Artistas locais se mantiveram ocupados produzindo cópias para as casas da nobreza de Mântua, e, no início da década de 1570, um deles foi incumbido de pintar um conjunto para outro membro da corte espanhola, Antonio Pérez, como presente do duque vigente.[71] De lugares ainda mais distantes, há evidências de que o imperador Maximiliano II pediu que enviassem um pintor de Viena, para produzir suas próprias cópias; ao passo que, no início do século XVII, a família Farnésio tinha ainda mais um conjunto, exibido (atrás de bustos dos Doze Césares) em seu palácio em Roma, atribuído, em um inventário posterior — corretamente ou não — a um, ou dois, dos irmãos Carracci.[72] Contudo, outra cópia foi feita para os próprios Gonzaga de Mântua, enquanto a coleção aguardava em Veneza, para ser enviada à Inglaterra. Parece que logo se arrependeram, em parte, da venda de algumas de suas posses favoritas (os césares entre elas, decerto) e adquiriram algumas peças similares como recordação.[73] Ironicamente, um conjunto de cópias acabou ficando redundante. Quando os originais chegaram a Alcázar, em 1652, ofuscaram um conjunto de réplicas que quase com certeza já se encontrava na coleção real espanhola. Isso, pelo menos, é o que dá a entender uma carta de 1585 que discute a venda das obras de arte colecionadas por Antonio Pérez. Segundo ela, o rei Filipe II (avô de Filipe IV) não estava na corrida para comprar as cópias que Pérez fez dos césares, pois já tinha adquirido suas próprias versões "de Roma".[74]

Com todas essas informações, é frustrante ver como é difícil cotejar os documentos copiados em cartas, inventários e biografias com os inúmeros conjuntos que de fato sobreviveram. Tirando os desenhos assinados de Campi,

(a) (b)

5.13. Replicar os imperadores de Ticiano foi um grande negócio para pintores, mas agora é difícil dizer quando, por quem e para quem foi feita cada cópia remanescente. À esquerda está um dos mais indiscutíveis: o *Augusto* de Bernardino Campi, pintado para o marquês de Pescara em 1561. À direita, *Augusto*, originalmente de uma coleção local de Mântua.

há apenas um que pode ser identificado com precisão. O primeiro conjunto de réplicas pintadas, feito por Campi para o marquês de Pescara, deve ser o da coleção D'Avalos, hoje parte da propriedade da Galeria Nacional de Nápoles (o nome de família de Pescara era D'Avalos). Ocasionalmente, outras genealogias podem ser reconstruídas. Por exemplo, um conjunto pouco conhecido de uma coleção particular do Reino Unido vem de uma antiga família mantuana com relações próximas com os Gonzaga — e, portanto, é muito provável que estivesse entre as primeiras cópias feitas para a elite local (Figura 5.13).[75]

Quanto ao resto, há enigmas, pontas soltas e uma série de tentativas tortuosas, engenhosas, inconclusivas e por vezes implausíveis de delinear história das diferentes cópias ao longo das gerações da aristocracia europeia. Vejamos as réplicas remanescentes em Munique, outrora o núcleo da "Mântua em miniatura", no Kunstkammer de Alberto V, mas retiradas mais tarde, para servir de decoração das portas de alguns salões grandiosos da Munich Residenz, ou palácio real. Poderiam elas ser as réplicas feitas por Campi para Fernando I, que então foram passadas para seu genro, Alberto?

Talvez. Mas, nesse caso, por que o Domiciano do conjunto é tão diferente do que Campi tinha produzido para o marquês de Pescara (Figuras 5.10e e 5.10a)? É possível que, apesar do modelo que ele tinha desenhado, o artista estivesse destacando as mudanças e explorando a liberdade que o Domiciano ausente lhe concedia. É muito mais provável que o conjunto de Munique não seja de sua autoria, de fato.[76] E quanto às cópias perdidas, pertencentes ao imperador Rodolfo II, de Praga? Seriam essas as cópias feitas para Antonio Pérez e então postas à venda? Ou terá ele herdado, e então transportado de Viena para sua nova capital "imperial", o conjunto encomendado por seu pai, Maximiliano II, em 1572?[77]

Como saber? Mas qualquer que seja a origem dos césares de Rodolfo, tiveram um impacto na arte europeia nos séculos seguintes que nem ele próprio jamais poderia ter previsto. Pois é quase certo que tenham servido de base para a série de gravuras do século XVII que conferiram aos imperadores "de Ticiano" sua presença popular pela Europa, muito além das residências suntuosas da aristocracia. No início da década de 1620, durante o reinado do imperador Fernando II (segundo na linha de sucessão de Rodolfo), Aegidius (ou Gilles) Sadeler, membro de uma dinastia de impressores flamengos que tinha se tornado o gravurista interno da corte em Praga, produziu uma série impressa dos césares (Figuras 5.2 e 5.10 f). Em comparação com desenhos anteriores de Andreasi e Campi (bem parecidos entre si, inclusive em pequenos detalhes), esses eram, em certos aspectos, uma versão menos precisa dos originais. Talvez as versões que ele copiara em Praga já fossem vagas; talvez Sadeler estivesse dando um verniz mais contemporâneo e norte-europeu aos "Ticianos". Contudo, precisas ou não, por gerações a fio, elas foram marca registrada do ofício de sua firma e brotaram às centenas, se não aos milhares, pelas bibliotecas da Europa e salas de estar da burguesia.[78] Algumas das cópias documentadas depois desse ponto *podem* ter sido tiradas dos próprios originais (não é de todo impossível, por exemplo, que os *Doze imperadores* de Lord Leicester, "baseados em Ticiano", vistos em Penshurst Place, na cidade de Kent, na década de 1720, tenham sido copiados quando as pinturas estavam em Londres).[79] Mas fica claro, pelos detalhes de seus designs, que a maioria das versões sobreviventes, de meados do século XVII em diante, foi modelada com base nessas gravuras. A face dos imperadores romanos agora era a face das *cópias das cópias feitas por Sadeler* dos retratos de Ticiano.

A verdade é que a maioria das versões pintadas, baseadas em Sadeler, está quase vergonhosamente distante de qualquer coisa que possa ser confundida com um Ticiano. As seis pinturas de Abraham Darby eram, muito provavelmente, um grupo dessas versões de "segunda geração" (Figura 5.1), bem como o conjunto ainda mais esdrúxulo que outrora figurava nas paredes do Castelo de Bolsover — onde figuras imperiais também rodeavam a fonte, encarando com malícia uma Vênus desnuda.[80] Teria sido, de fato, muito difícil para qualquer um detectar a mão do mestre por trás delas, a não ser que fosse alguém cego de otimismo. Mas o mais importante é como esses césares distintos foram parar em tantos contextos diferentes, em tantos meios diferentes. A imagem do que na verdade era o Augusto *de Sadeler* na xícara de chá real (Figura 5.3) foi uma das muitas cópias de seus retratos imperiais que encontrou lugar não só entre as paredes das galerias como também em objetos mais "domésticos", dos mais extravagantes e preciosos aos mais comuns. Decerto havia entre eles alguns artigos que visavam connoisseurs, feitos para impressionar, apesar (ou, igualmente provável, por conta) de sua pequena escala. Um colecionador de livros do fim do século XVIII, por exemplo, encomendou uma nova encadernação para sua estimada edição de *Vidas*, de Suetônio, datada de 1470. A encadernação reutilizou, em sua decoração, um jogo de retratos esmaltados em miniatura, produzidos em Augsburgo cerca de um século antes, baseados nas gravuras de Sadeler (retratos esmaltados similares foram parar em um par de "escudos" para exibição no Schatzkammer, ou tesouro real, de Munique) (Figura 5.14).[81] Contudo, ao mesmo tempo, a placa barata, produzida em massa, que ilustrei no capítulo anterior, feita para ser pregada à parede ou a um móvel de alguém com menos pretensões ou menos cacife, apresenta ninguém mais, ninguém menos do que o *Calígula* de Sadeler (Figura 4.6). Devia haver mais milhares e milhares de versões como essa.

As gravuras de Sadeler chegaram até a virar esculturas. Algumas imagens modernas de imperadores, sejam elas de mármore ou de metal, que ainda ladeiam galerias de palácios ou vielas de jardins, no fim das contas — quando se olha bem —, são baseadas nessas famosas gravuras. No jardim da velha residência real de Charlottenburg, em Berlim, por exemplo, há uma fileira de bustos imperiais do século XVII, obra do escultor Bartholomeus Eggers (era entre esses bustos que Effi Briest, personagem do romance homônimo de Theodor Fontante, costumava caminhar à tarde, perguntando-se como distinguir seu Nero de seu Tito).[82] À primeira vista, não parecem ser idênticos às imagens das gravuras de Sadeler. Isso se dá em

5.14. Os imperadores de Sadeler chegaram a toda parte e por rotas inesperadas. Esta edição de Suetônio, do fim do século XV, foi reencadernada por volta de 1800, incorporando pequenas versões (de menos de quatro centímetros de altura) esmaltadas das gravuras de Sadeler, feitas por volta de 1690.

parte porque, ao converter o rosto bidimensional, em geral de perfil, das gravuras em três dimensões, Eggers perdeu um pouco do caráter dos originais. Mas, quando se observam o traje e a armadura, em alguns casos (sobretudo *Otão*, com a corrente no peito e a papada reconhecível no pescoço) a correspondência é bem próxima. Recentemente, um historiador da arte chamou esses bustos de "fantasias imaginativas". Talvez sejam. Contudo, se for esse o caso, são frutos da imaginação de Ticiano, mediadas por Aegidius Sadeler (Figura 5.15).[83]

Hoje é quase impossível reimaginar o mundo europeu do século XVII ao XIX, em que os imperadores romanos, conforme foram recriados por Ticiano e disseminados pelo continente graças a Sadeler, representavam *a* forma-padrão de visualizar esses governantes antigos — um mundo em que fechar os olhos e pensar em, digamos, Otão quase certamente significava visualizar *essa* versão do imperador. A influência deles não desapareceu de todo. As gravuras de Sadeler podem ser vistas de relance no filme *A última tempestade*, de Peter Greenaway, de 1991. Poucos anos atrás, uma reportagem no *Daily Mail* sobre a descoberta de uma estátua romana, e bastante duvidosa, de Calígula (ver pp. 81-2) foi ilustrada com uma versão colorizada do *Calígula* de Sadeler. E é possível comprar *tote bags*, camisetas, capinhas de celular e colchas estampadas com esses imperadores.[84] Mas,

5.15. O contraste entre o cenário do jardim em Amsterdam e seu principal imperador é gritante. Este é uma versão do mesmo tamanho (de pouco menos de um metro de altura) do *Otão* de Eggers, do fim do século XVII, de Berlim — e a conexão com o *Otão* de Ticiano transparece pela vestimenta.

desde o século XIX, eles perderam a familiaridade instantânea. Quase ninguém hoje vê imperadores romanos com essa aparência.

Por que eles foram eclipsados? De certo modo, eu diria, o culto crescente ao "original" (veja as "descobertas" empolgadas que abriram este capítulo) deixou a perda das pinturas de Ticiano mais difícil de ignorar. Contudo, ainda mais precisamente, na busca por rostos imperiais do passado, autênticos, a combinação radical de Ticiano, de modernidade renascentista ligeiramente floreada e precisão arqueológica, acabou parecendo mais esquisita do que inovadora. A biografia do artista veneziano publicada na década de 1870 já capta esse clima de mudança. Seus autores concedem que as pinturas originais talvez fossem muito superiores às cópias, mas, ainda assim, eles não têm tempo para as "posturas forçadas e artificiais", a teatralidade "grotesca" e "grandiloquência afetada" dos imperadores.[85] Isso passa longe de um dos irmãos Carracci chamando-os de "imbatíveis".

A inscrição no muro

Há, no entanto, um elemento importante nas gravuras de Sadeler, ignorado quase por completo pelos historiadores da arte modernos. Sob cada figura imperial há uma série de versos em latim resumindo as façanhas e o caráter do imperador em questão: uma referência a "duas colunas de inscrições em latim" é um exemplo típico da atenção que se dava a eles. A identidade de quem redigiu essas palavras é um mistério, e em alguns trechos a linguagem da poesia é tão atrapalhada que é quase impossível traduzi-los com um sentido razoável (por isso, talvez, não haja tradução *nem mesmo* quando, vez por outra, acadêmicos modernos reimprimem o latim). No entanto, como as versões completas do Apêndice deixam claro, esses poemas, em grande parte, representam ataques ferrenhos à carreira e à moralidade do regente em questão. Como isso deve ser lido?

Mesmo no mundo conceitual da aristocracia europeia, imagens de césares já desempenharam diversos papéis. Já os vimos atuando como antecessores e legitimadores de dinastias modernas. Também podiam servir de "exemplos" para moldar a conduta do governante moderno. Às vezes era um modelo positivo a ser seguido. Um teórico espanhol do século XVII propôs restringir as imagens às dependências do palácio, por precaução. "Não deveria ser permitida uma estátua ou uma pintura", como dizia uma tradução anterior em inglês, "salvo as que criem no Príncipe uma Emulação gloriosa."[86] Mas, com mais frequência, esses *exempla*, tanto textuais quanto visuais, estabeleciam não só modelos honrosos para ser emulados como alertas sobre comportamentos a ser evitados. Ou, seguindo a ênfase meio esquisita de um estudante que pesquisava moedas no século XVI: aprende-se com a observação de crocodilos, hipopótamos, rinocerontes e outros *animais* monstruosos — e também com a observação de *imperadores* monstruosos.[87]

Isso provavelmente era parte do intuito das "histórias" imperiais de Giulio Romano, concebidas para o Camerino dei Cesari. Elas entremeavam exemplos de boa e má conduta (o nobre suicídio de Otão em oposição a Nero "tocando lira enquanto as chamas consomem Roma"), impelindo o espectador a perceber os contrastes e tirar disso as lições implícitas.[88] Mas os versos das gravuras de Sadeler iam muito além.

Dos Doze Césares, apenas Vespasiano foi categoricamente louvado ("Vejam agora a imagem de um bom césar"). Todos os outros foram alvos de críticas mais ou menos intensas. Alguns eram alvos óbvios. Tibério fundou seu reinado sobre "ritos selvagens e mais do que sentimentos de rancor", Nero "fez muitas perversidades" e "lutou para destruir sua terra natal com fogo, e sua mãe com a espada", e Domiciano "ofusca o nome de César e macula seu sacrário". Mesmo aqueles dos quais se esperaria uma reação mais favorável também acabavam sendo, em parte, execrados. Os versos sob Júlio César o acusam de incesto com a mãe ("mortal também, pelo crime de violar a mãe"). Augusto, evidentemente, é creditado por ter cessado guerras no Império, mas pelo menos a primeira parte de sua carreira é descartada por ele não ter conquistado "nada digno de glória". Mesmo Tito, que em virtude perde só para Vespasiano, é creditado com um tom um tanto sombrio por ser "sagaz o bastante para manter seus prazeres em segredo".

Esses versos grosseiros, esquisitos, que fazem troça de quase todas as figuras imperiais que retratam, são as únicas respostas detalhadas que temos ao conteúdo, mais do que ao estilo, dos *Césares* pintados por Ticiano, e é muito difícil saber como exatamente interpretá-los. Sadeler dedicou o conjunto todo de gravuras ao imperador Fernando II. Terá este ficado surpreso, chocado ou ironicamente entretido com o que leu sob cada uma das imagens? Que ideia estava Sadeler (ou seu versificador atrapalhado) querendo transmitir? Como era recebida a mensagem pelos milhares de outras pessoas que possuíam, admiravam ou recopiavam essas imagens clássicas? Ou os versos eram tão pouco lidos na época como são hoje?

Não há como saber. Mas eles nos impelem a refletir melhor sobre as facetas mais obscuras, subversivas e controversas das imagens dos césares — começando por outro palácio (Hampton Court, na Inglaterra), com outro conjunto de originais preciosos perdidos, mais casos de identificações equivocadas e, antes de tudo, uma das representações mais explosivas e menos apreciadas de imperadores romanos no mundo moderno.

6.
Sátira, subversão e assassinato

Os césares na escadaria

Para aqueles que não gostam muito de "barroco extremo", a decoração da "Escadaria do Rei" no Palácio de Hampton Court, nas imediações de Londres, é difícil de engolir ("floreada" é um dos adjetivos mais educados concedidos a ela).[1] Finalizadas nos primeiros anos do século XVIII, essas pinturas fizeram parte de uma reforma radical do palácio, iniciada pelo rei Guilherme e pela rainha Maria logo após tomarem o trono do pai desta, em 1688. Eram obra de Antonio Verrio, artista italiano, astuto homem de negócios e sobrevivente, que deu um jeito de ganhar comissões robustas de todos os regentes da Inglaterra entre Carlos II e a rainha Ana, passando por revoluções em dinastia, política e religião. Sua tarefa era cobrir, em um estilo devidamente grandioso, a escadaria cerimonial, projetada por Christopher Wren, que desembocava nos salões nobres dos Aposentos do Rei, no primeiro andar — daí o nome "Escadaria do Rei" (Figura 6.1).[2]

É difícil hoje, ao subir os degraus, entender o tema da decoração para além da extravagância ao que tudo indica exagerada. Tudo que se vê, em primeiro lugar, é uma variedade de deuses e deusas antigos se alastrando pelo teto: Hércules com sua maça curiosamente apoiada em uma nuvem, um conjunto inusitadamente lânguido de Musas seminuas (também em uma nuvem, encobertas por um Apolo um tanto presunçoso) e, abaixo, o que parece ser um imperador Nero meio perplexo, com uma coroa de louros e dedilhando um violão (Figura 6.2 b). Foi só nos anos 1930, após gerações de perplexidade registradas nos guias de Hampton Court, que um historiador da arte viu o que havia originalmente por trás de tudo isso. Verrio tinha pintado uma versão de uma curiosa sátira sobre os imperadores romanos, escrita por alguém do próprio meio: o imperador Juliano, do século IV,

6.1. O espetáculo barroco de Antonio Verrio, do início do século XVIII, na "Escadaria do Rei", no Palácio de Hampton Court, faz muito mais sentido quando se sabe da história em que foi baseado: *Os Césares*, do imperador Juliano (metade do século IV), que satirizava seus antecessores. Na parede principal, um grupo de imperadores romanos está no chão, e Alexandre, o Grande, se aproxima pela esquerda para se juntar a eles. Todos esperam ser admitidos a um jantar celestial. A mesa, vazia, já está posta em uma nuvem acima deles, enquanto os deuses estão visíveis no teto; também sobre nuvens, no ar, encontram-se Hércules e Rômulo (o anfitrião) com seu lobo. No topo da parede à esquerda, o deus Apolo toca sua lira, reclinado sobre as Musas.

hoje mais conhecido por sua tentativa de promover uma retomada pagã em face da ascensão do cristianismo (por isso ele ganhou o apelido de "o Apóstata"). *Os Césares* é uma das várias obras remanescentes suas, todas escritas em grego — de teologia pagã mística a um livro intitulado "Inimigo da barba" (*Misopogon*), que combina uma defesa irônica de sua própria aparência (barba inclusa) com um ataque a alguns de seus alvos ingratos.[3]

Uma piada simples conduz *Os Césares*. É hora de uma festa romana, e Rômulo, fundador de Roma (que no ínterim virou deus), decidiu convidar os imperadores passados para um banquete literalmente divino. As mesas superiores estão arrumadas para as deidades do Olimpo, em ordem estrita de posição

(a)   (b)   (c)

6.2. Quatro governantes romanos da "Escadaria do Rei": (a) um Júlio César um tanto altivo dá as costas para Augusto, que está sendo importunado pelo filósofo Zenão; (b) Nero dedilha seu violão; (c) em uma parede adjacente, o imperador Juliano, do século IV, escreve em sua mesa, com o deus Mercúrio/Hermes pairando logo atrás, a inspirá-lo.

hierárquica, de Zeus e seu pai, Cronos, aos deuses menores. Uma mesa mais baixa foi preparada para os imperadores, que se enfileiram, um por um, em uma grande seleção de todos os quatrocentos anos deles, de Júlio César aos antecessores imediatos de Juliano. Não são visitas convidativas para a companhia divina. Cuidado com César, Zeus é alertado, ele está atrás de seu reino. Nero é descartado como aspirante a Apolo. Adriano não consegue fazer nada além de procurar o namorado perdido. E assim por diante. A ampla maioria desses pretendentes a foliões é desconvidada da festa imediatamente, antes de os deuses realizarem um conclave mais formal — e por vezes hilário — de veto, para avaliar o valor relativo dos que sobraram: Júlio César, Augusto, Trajano, Marco Aurélio, Constantino e Alexandre, o Grande, entre os quais Hércules foi encaixado de última hora na competição. No fim disso tudo, após uma votação secreta, Marco Aurélio é declarado vencedor, embora não fique claro se algum dos imperadores irá de fato jantar com os deuses.[4]

Essa é a chave da pintura. Juliano é mostrado em uma parede lateral, perto do topo da escadaria, com o deus Hermes ou Mercúrio (que ele diz ter inspirado sua sátira) olhando por cima de seu ombro (Figura 6.2 c).[5] Nos patamares superiores, entre as nuvens fofas, estão os deuses do Olimpo propriamente ditos, e logo abaixo há uma mesa vazia, ao que tudo indica à espera de que os imperadores tomem seus lugares. Contudo, por ora, logo embaixo de Rômulo e seu lobo, alguns deles aguardam no mundo humano, enquanto Alexandre se aproxima pela esquerda para se juntar à trupe, seguido de perto por uma "Vitória Alada". Nem todos os imperadores são identificáveis. Mas, além de Nero e seu violão, a figura proeminente no centro do grupo imperial, no topo em vermelho, dá um Júlio César bem convincente, e logo à direita está Augusto (seu companheiro, vestido de branco, deve ser o filósofo Zenão, que — na sátira de Juliano — foi enviado pelos deuses para lhe dar um pouco de sabedoria) (Figura 6.2 a).

Há um encaixe entre texto e imagem. Mas a grande questão é: qual era o sentido disso? Por que Verrio decorou (ou emplastrou) as paredes do palácio real com uma versão visual de uma sátira que punha todo imperador romano em algum ponto do espectro entre vilão e idiota? É uma tentação pinçar na obra uma mensagem religiosa e política codificada. Algumas interpretações modernas enxergam o próprio rei Guilherme na figura de Alexandre, retratado como se estivesse em pé de igualdade com todos os imperadores romanos juntos. Ou, mais especificamente, detectam uma declaração do protestantismo de Guilherme contra o catolicismo de seu antecessor, Jaime II, representado aqui por esses regentes romanos (seria a figura ligeiramente macabra de Zenão um ataque velado aos clérigos?). Outra perspectiva sugere, de maneira mais sutil, que vejamos a pintura como um "ensaio interativo" sobre as qualidades de Guilherme enquanto regente, colocando-o em papéis bem diferentes, não só como o triunfante Alexandre, mas como o próprio Juliano (sendo seu paganismo tolerante equiparado ao protestantismo), e até como Apolo em sua nuvem, mais glorioso do que presunçoso, trazendo de volta uma era de cultura.[6]

Nada disso é impossível. Sem dúvida, é verdade que Juliano era mais conhecido e mais amplamente lido em torno de 1700 do que foi desde então (ainda que, mesmo à época, mal fosse reconhecível fora de um pequeno círculo da elite cultural). Mas há grandes dificuldades quando se trata desses significados codificados. Fosse sua tolerância admirada ou não, a exibição pública de Juliano, um pagão prosélito, como símbolo da fé protestante definitivamente teria sido capciosa — sem mencionar o fato inconveniente de que Alexandre na verdade não era o vencedor da competição dos deuses para ver quem era o melhor imperador; era Marco Aurélio.

Ainda mais importante, as tentativas de revelar a mensagem oculta da pintura passam por cima do que vemos com clareza em sua superfície. O mais surpreendente aqui não é que segredos talvez venham à tona, mas que, em uma das áreas mais cerimoniais do palácio real, somos apresentados a uma gama de imperadores romanos como fracassos risíveis (Marco Aurélio à parte). Estão muito longe de ser símbolos de poder, como costumamos imaginar que formações do tipo sejam. Por quê?

Estamos fadados a nunca saber das intenções de Verrio, ou de Guilherme III, ou mesmo as reações de todos, de criados a embaixadores, que subiram e desceram as escadas antes de os séculos de perplexidade geral começarem. Mas essas pinturas notavelmente desconcertantes nos impelem a contemplar algumas das outras imagens imperiais do palácio com um olhar mais intrigado — e então pensar em cento e tantos anos mais tarde, no século XIX, e em seu mundo muito diferente de exposições, salões, galerias, competições e debates públicos. Aqui, também, a complexidade e a *ousadia* de algumas das imagens de imperadores (descartadas muito rápido, e tediosamente, como "vitorianos de toga" ou exercícios rotineiros de um classicismo obsoleto) costumam ser menosprezadas.

Mas, primeiro, tratemos de outros césares em Hampton Court, sobretudo do próprio Júlio César.

O César de Mantegna

Júlio César sempre foi debatido com muito mais fervor do que qualquer outro regente romano. Escritores, ativistas e cidadãos discutem há séculos em que lado estariam: de César ou de seus assassinos? A tragédia *Júlio César*, de Shakespeare, é apenas uma ponderação, brilhantemente ambivalente, sobre a questão. No início do século XIV, Dante imaginou os assassinos Bruto e Cássio no círculo mais profundo do inferno, com os pés enfiados nas bocas do próprio Satã, em uma situação apenas um pouquinho melhor que a de Judas Iscariotes, cuja cabeça é abocanhada. Cento e poucos anos depois, dois humanistas italianos conduziram uma notável troca de panfletos sobre os méritos relativos de César e Cipião, o herói da República romana que tinha salvado Roma levando a melhor sobre Aníbal (para um desses eruditos, Poggio Bracciolini, César era um tirano que destruíra a liberdade; para outro, Guarino Veronese, ele na verdade havia resgatado a liberdade da malha de corrupção em que tinha caído).[7] Quando Andrew Jackson foi acusado de "cesarismo", no início do século XIX, talvez ele soubesse (ou não) que se tratava de uma denúncia que já fora feita a inúmeros líderes ocidentais antes dele. Como um escritor recentemente colocou muito bem, por mais de um milênio a carreira de César deu "corpo, carne e osso às categorias abstratas do pensamento político".[8]

Algumas dessas divergências têm raízes óbvias na política moderna (as conexões de Poggio com a República florentina alimentavam parte de seu

6.3. O tampo de porcelana (de cerca de um metro de diâmetro) da "Mesa dos Grandes Comandantes" com Alexandre, o Grande, como peça central, apresenta uma série de imperadores romanos, além de Júlio César, agrupados na parte inferior da imagem: da direita para a esquerda, Augusto, Septímio Severo (barbado), Constantino, do século IV (usando o arco com pedras preciosas), Trajano, e a seguir o próprio César (no detalhe). A cena sob César o mostra virando o rosto quando lhe foi apresentada a cabeça de seu rival decapitado, Pompeu, o Grande. A mesa foi encomendada por Napoleão em 1806, depois dada de presente ao rei britânico Jorge IV e hoje está no Palácio de Buckingham.

6.4. Escultura em relevo de John Deare, datada de 1796, mostra César lutando de um barco, ao passo que, à direita, um bretão lidera a investida contra os romanos. A inscrição original sob o painel indica que essa não seria uma vitória romana: HOC [V]NVM AD PRISTI[N]AM FORTVNAM CAESARI DE[F]VIT ("Faltou uma coisa a César para completar seu tradicional sucesso", citação de seu próprio relato da invasão da Britânia). Vale mencionar que Deare era apoiador da Revolução Americana e que essa escultura, de mais de 1,5 metro de largura, foi feita para ser instalada sobre uma lareira na propriedade inglesa de John Penn, neto de William Penn, da Pensilvânia.

desapreço por César). Mas nunca foi uma cisão simples entre monarcas e monarquistas a favor do ditador e republicanos contra. Havia muito a se admirar nele, independentemente do lado em que você estivesse, do estilo literário de sua escrita, que foi imitado, querendo ou não, por gerações de estudantes, a seu "gênio" militar audaz, de alto risco, mas muitíssimo bem-sucedido. Na seleção medieval dos "Nove Dignitários", ele foi agrupado com outros dois guerreiros, Alexandre, o Grande, e Heitor, o herói troiano, e encontrou lugar, mais uma vez junto a Alexandre, em um das peças de mobiliário mais caras e audaciosas encomendadas por Napoleão, a "Mesa dos Grandes Comandantes" (seu chamativo tampo de porcelana é ornado com cenas de triunfo, massacre e os rostos dos doze "maiores" generais do mundo clássico) (Figura 6.3).[9] Até outro dia, eram poucos os que seguiam os inimigos de César da própria Roma Antiga, perguntando-se se seu sucesso militar não teria sido mais genocida do que genial, e poucos artistas partilharam da perspectiva alternativa do escultor John Deare, do século XVIII. Ele representou o que parece ser, à primeira vista, César em um combate heroico contra os bretões, mas na inscrição anexa lembrava os espectadores que a cena viria a ser um fracasso militar do líder (Figura 6.4).[10]

Mas, para além dos livros e do campo de batalha, por séculos suas outras virtudes exemplares ofereceram um repertório frutífero para pintores e projetistas de um lado a outro da Europa, ainda que as histórias por trás delas há muito tenham deixado de ser reconhecíveis para a maioria de nós. A "clemência" (*clementia*) de César era um tema usual e muito apreciado, sobretudo a maneira como foi apresentada após sua vitória na guerra civil que inaugurou seu regime autocrático em Roma. O líder de seus inimigos nesse conflito era Pompeu, o Grande (Gnaeus Pompeius Magnus, em latim), um conquistador outrora ambicioso e cheio de si convertido a tradicionalista conservador. Derrotado por César na batalha da planície de Farsalos, no Norte da Grécia, em 49 a.C., logo a seguir teve um fim terrível, perfidamente decapitado enquanto tentava buscar refúgio no Egito. A postura de César no rescaldo da morte de Pompeu serviu de lição para líderes antigos e modernos, de todo espectro político.

O teto de uma das salas do Palazzo Te, de Federico Gonzaga, mostra César recebendo os "gabinetes de arquivos" do falecido Pompeu, mas ordenando que queimassem os conteúdos: uma promessa magnânima de que não haveria caça às bruxas com base nas informações comprometedoras neles encontradas (Figura 6.5).[11] E inúmeros artistas tentaram captar a cena de sua aflição e repulsa quando os assassinos de Pompeu lhe mostraram a cabeça do rival decapitado (que serve como emblema pictórico de César, junto a seu retrato, na "Mesa dos Grandes Comandantes") (Figura 6.3). De novo, era para ser uma marca de sua humanidade e decência, ainda que críticos mais cínicos desconfiem que tenham sido lágrimas de crocodilo, e não um gesto autêntico.[12]

Contudo, quaisquer que fossem suas virtudes, o assassinato de César sempre toma grandes proporções, e ele jamais poderia servir de modelo explícito para qualquer ditador ou dinasta moderno. O homem que (seguindo Poggio) trouxe a ruína ao sistema do regime republicano também trouxe a ruína a si próprio, tornando-se símbolo do perigo, e mesmo da sentença de morte, que pairam sobre um monarca. É muito difícil olhar para qualquer representação de Júlio César, por mais ostensivamente celebratória que seja, sem que o conhecimento de "o que aconteceu depois" se esgueire pela imagem.

O senso de agouro decerto embasa a série de nove pinturas de Andrea Mantegna ilustrando o extravagante cortejo triunfal de César em 46 a.C., conduzido para honrar suas vitórias militares ao redor de todo o mundo romano. Originalmente pintadas para os Gonzaga no final do século XV (talvez

6.5. Um exemplo clássico da magnanimidade de César: sentado no centro da cena, ele ordena que a correspondência de Pompeu, seu rival derrotado, seja destruída — de modo que qualquer informação ali contida não possa ser usada contra outros. Este é o painel principal do teto da "Câmara dos Imperadores" no Palazzo Te, o palácio de veraneio dos Gonzaga nos arredores de Mântua; obra de Giulio Romano na década de 1520.

encomendadas pelo pai do duque Federico), faziam parte do carregamento de obras de arte adquirido por Carlos I na década de 1620.[13] Desde então estão à mostra, quase continuamente, em Hampton Court. Há um histórico de oscilações entre o apreço por Mantegna e as decepções com a condição dilapidada das pinturas e os restauros fracassados — nenhum mais fracassado do que o projeto iniciado pelo artista Roger Fry no começo do século XX, que manifestamente removeu o rosto do único soldado negro do cortejo para combinar com os rostos brancos dos demais (Figura 6.6).[14] Mas, em geral, esses *Triunfos* já foram tão admirados quanto *Os Césares*, de Verrio, foram desprezados. É em parte essa admiração — por uma recriação tão vívida e brilhante do espetáculo romano — que ofusca a ambivalência incômoda do tema ilustrado.

A maioria das telas da série é centrada nos vários participantes no próprio cortejo, os soldados, prisioneiros e espectadores curiosos se acotovelando, e os espólios e preciosas obras de arte sendo carregadas pelas ruas de Roma. Mas, se por um lado essas pinturas parecem ser uma declaração autoconfiante de sucesso militar dinástico, a tela final muda o tom. Aqui, o próprio César aparece sentado em sua carruagem triunfal, uma figura

6.6. As duas primeiras cenas (aqui e na página seguinte) de *Os triunfos de César*, de Andrea Mantegna, do fim do século XV. São telas grandes, de quase três metros de altura, que se baseiam em descrições antigas dos desfiles, por vezes espalhafatosos, de vitórias: com os espólios e pinturas ilustrando as campanhas e motes em cartazes. Aqui o único participante negro, outrora removido por Roger Fry, foi restituído a seu devido lugar.

soturna e esquálida que já parece fazer uma vaga ideia do destino que a aguarda daí a menos de dois anos (Figura 6.7).[15] A figura proeminente atrás dele intensifica essa inquietação. Pois essa "Vitória Alada" ocupa o lugar do escravo cuja função, no cortejo real, era sussurrar repetidamente no ouvido do general: "Lembra-te de que és (apenas) um homem" — caso o sucesso o impelisse a se esquecer de sua mera condição de humano, como diziam que tinha acontecido com César.[16] E um olhar mais atento revela aflições ainda mais profundas em outro lugar. Um cartaz levado por um soldado da segunda tela (Figura 6.6) expõe as homenagens dedicadas a César por sua conquista da Gália, mas termina com três palavras fatídicas: "*invidia spreta superataq(ue)*" (literalmente, "com a inveja escarnecida e vencida").[17] A verdade, claro, era justamente o oposto. Qualquer um que conheça um pouco da carreira de César saberia que um dos motivos de seu assassinato foi o fato de ele *não* ter suplantado a inveja de alguns de seus compatriotas.

Há uma ambivalência aqui que, para dizer o mínimo, vai de encontro às pretensões a poder dinástico ou regime autocrático por parte dos Gonzaga ou da monarquia inglesa. Talvez tenha sido por entender isso (e não por ser fã das pinceladas de Mantegna) que Oliver Cromwell, líder do breve governo parlamentar, ou republicano, tirou *Triunfos* da venda dos "bens restantes do rei" após a execução de Carlos I, deixando a série para o Estado. (Que lição melhor poderia haver para um aspirante a monarca?) Mas outra série de obras de arte que outrora teve seu lugar de destaque em Hampton Court, seguindo também o tema de Júlio César e depois reservado para Cromwell, suscita essas ambivalências com ainda mais força: um conjunto de peças preciosas de tapeçaria, encomendadas pelo rei Henrique VIII, o proprietário mais famoso do palácio ao longo da história da propriedade. Os originais há muito foram destruídos, perdidos ou completamente esquecidos, e (assim como *Onze Césares*, de Ticiano) só um trabalho investigativo astuto conseguiria reconstruí-los a partir das diversas versões e adaptações posteriores. Mas constituíam uma das obras-primas mais importantes e caras da Inglaterra dos Tudor — uma obra cujo tema clássico preciso e a mensagem difícil são mal interpretados há séculos. Se nos dermos ao trabalho de escavar para além da superfície (e é uma *trabalheira* mesmo), emerge uma história intrigante.

6.7. A cena final da série de *Triunfos*, de Mantegna, com César em sua carruagem triunfal, suscita questões incômodas (como a cerimônia muitas vezes fazia com os próprios romanos). Terá a glória disso tudo ido longe demais? Seria esse um exemplo de orgulho a anteceder uma queda? Teria o general vitorioso acatado a mensagem repetidamente sussurrada em seu ouvido de que ele era "apenas um homem"? No caso de César, em dezoito meses veio o assassinato.

Césares tecidos em Hampton Court

Henrique adquiriu essas dez grandes peças de tapeçaria flamenga, contendo episódios da vida de Júlio César, em meados da década de 1540. Confeccionada em lã, seda e fios de ouro, cada uma media cerca de 4,5 metros de altura — e, penduradas lado a lado, estendiam-se por quase oitenta metros. Quando de uma cotação da coleção real, cem anos depois, o jogo foi avaliado em 5022 libras, fazendo dele o segundo item mais caro de todos os "bens do rei". Era quatro vezes mais do que o montante atribuído a *Onze Césares*, de Ticiano (e acima de oitenta vezes mais do que as pinturas de fato angariaram), ficando atrás apenas de outro jogo de tapeçaria, quase certamente encomendado também por Henrique: no caso, com dez cenas ainda maiores, ilustrando a história bíblica de Abraão, avaliado em 8260 libras.[18]

É difícil dimensionar hoje a importância da tapeçaria na decoração renascentista, tanto em termos de preço quanto de prestígio, e de quantidade também (inventários sugerem que havia mais de 2500 peças nas residências de Henrique VIII, ainda que o número esteja inflado por algumas que serviam de colchas, mais do que como itens de exibição). As peças que costumamos ver hoje pendem tristes nos corredores de mansões e galerias, em tons monótonos de marrom e verde, dando poucos indícios de seu status e brilho originais. As cores vivas desbotaram com o tempo de exposição à luz, e o brilho das linhas metálicas foi oxidado até cair em esquecimento. No século XIX, muitas dessas obras-primas, que outrora chegaram a ser mais cobiçadas do que as pinturas dos aristocratas mais ricos da Europa — com temas que iam dos triunfos imperiais romanos e a história de Hércules ao Jardim do Éden e o Massacre dos Inocentes —, já estavam tão sem graça e indistinguíveis que foram simplesmente jogadas fora.[19]

É quase certeza que foi isso que aconteceu com as peças de tapeçaria de Henrique retratando César. Eram vistas e admiradas pelos visitantes de Hampton Court no final do século XVI (um deles enalteceu as imagens como "confeccionadas em tapeçaria, prestes a ganhar vida"). Após serem retiradas da venda de "bens" depois da execução do rei Carlos, em vez de serem vendidas por um provável lucro altíssimo, foram devolvidas à coleção real. Até a década de 1720, são várias as alusões a seus restauros e realinhamentos, sendo algumas transferidas para diferentes palácios, até haver um último vislumbre delas em 1819 (quando, ou assim acreditam os otimistas, uma aquarela de *Sala de estar da rainha Carolina* no Palácio de Kensington mostrou uma peça que praticamente servia de papel de parede, atrás das pinturas emolduradas e nela penduradas).[20] Em algum momento depois disso — a menos que estejam à espreita, abandonadas e despercebidas, em algum sótão real — devem ter sido descartadas em algo do século XIX equivalente a uma caçamba.

Ainda assim, é possível reconstruir o aspecto geral do jogo de Henrique. Pois, ainda mais do que a pintura, a tapeçaria era um meio de replicação. Os papéis dos projetos originais da tecelagem — ou cópias deles, ou cópias das cópias — eram reutilizados com frequência, ou revendidos, às vezes cem anos ou mais depois, para produzir novas versões das mesmas cenas, aproximadas. *Espera-se* que uma grande série como essa tenha seus descendentes — retecelagens ou iterações ligeiramente ajustadas — nas coleções de outros membros super-ricos da Europa renascentista. E, se olharmos bem, tem mesmo.

Nenhum jogo completo de tapeçaria descendente dos originais de Henrique sobreviveu.[21] Mas uma investigação sagaz fez conexões convincentes entre vários documentos dispersos, que parecem aludir a versões posteriores dessa série de césares, e peças avulsas de tapeçaria que permanecem à mostra para o público, ou que vieram à tona, fugazes, em leilões pela Europa e pelos Estados Unidos (esses artigos continuam sendo itens de colecionadores do mercado de arte, mesmo que a preços muito mais baixos, na prática, do que antes impunham). Os argumentos ainda vacilam em alguns pontos. Entretanto, em geral, em grande parte graças às gerações posteriores dessas tapeçarias que um dia penderam das paredes do papa Júlio III, de dois membros da família Farnésio e da rainha Cristina, da Suécia, podemos ter uma boa ideia da formação da coleção de Henrique. A afortunada descoberta do que parece ser um par de pequenos esboços preliminares para uma das cenas chegou a ajudar a identificar o designer por trás das peças como o artista holandês Pieter Coecke van Aelst, do início do século XVI.[22]

Descrições de testemunhos das tapeçarias de Henrique mencionam precisamente os dois temas das duas únicas cenas em seu grupo original: o assassinato do próprio Júlio César, em 44 a.C., e o assassinato, quatro anos antes, de seu inimigo Pompeu.[23] A cena da morte de César quase com certeza é refletida em uma peça de tapeçaria ainda à mostra no Vaticano. É claramente datada de 1549 e faz parte de um jogo de dez peças adquirido, segundo registros documentais, por Júlio III no início da década de 1550, confeccionado em Bruxelas logo após a encomenda de Henrique — mesmo que um pouco menos suntuoso (esse conjunto não tinha fios metálicos: "sem ouro", como um inventário deixa explícito) (Figura 6.8).[24]

A cena apresenta um tumulto intenso, no meio do qual César é morto pelos punhais dos conspiradores; ao passo que, no fundo, em uma escala muito menor, o filósofo Artemidoro tenta em vão passar um bilhete para o vitimizado, alertando-o sobre o que está prestes a acontecer (incidente narrado por diversos escritores antigos, mas que viria a ficar ainda mais famoso ao ser reencenado na peça de William Shakespeare).[25] No topo, uma

6.8. O assassinato de César em uma enorme peça de tapeçaria (de sete metros de extensão) do Vaticano, datada de 1549 e quase certamente originária da mesma oficina que produziu o jogo de Henrique VIII. O próprio César se encontra submerso no grupo central de assassinos; ele é visto à esquerda, no fundo, sendo alertado sobre as tramoias de Artemidoro — sem fazer caso.

comprida legenda confeccionada no tecido oferece o que historiadores da arte chamam de leitura "moralizante" da cena (terminando com as palavras: "O homem que enchia o mundo todo do sangue de seus concidadãos acabou enchendo o senado de seu próprio sangue"). Por mais moralizante que seja, também é uma citação, um pouco abreviada e hoje sem reconhecimento universal, da descrição da morte de César feita por Floro, historiador romano do século II, escolhida para servir de explicação para o que é retratado abaixo.[26] Trata-se de apenas uma das muitas alusões clássicas dessas tapeçarias que foram esquecidas, mal interpretadas ou mal traduzidas.

Esse *Assassinato* é o mais próximo que temos das peças originais pertencentes a Henrique VIII: feitas na mesma década, ao que tudo indica a partir do mesmo design e pelos mesmos tecelões.[27] Contudo, graças à sua trajetória intrigante e por vezes tortuosa, as demais cenas romanas que outrora tão dispendiosamente decoravam as paredes do Palácio de Hampton Court podem ser, em sua maioria, determinadas. Vale provar um gostinho das reviravoltas dessa trajetória, acompanhando um pedacinho dela — começando

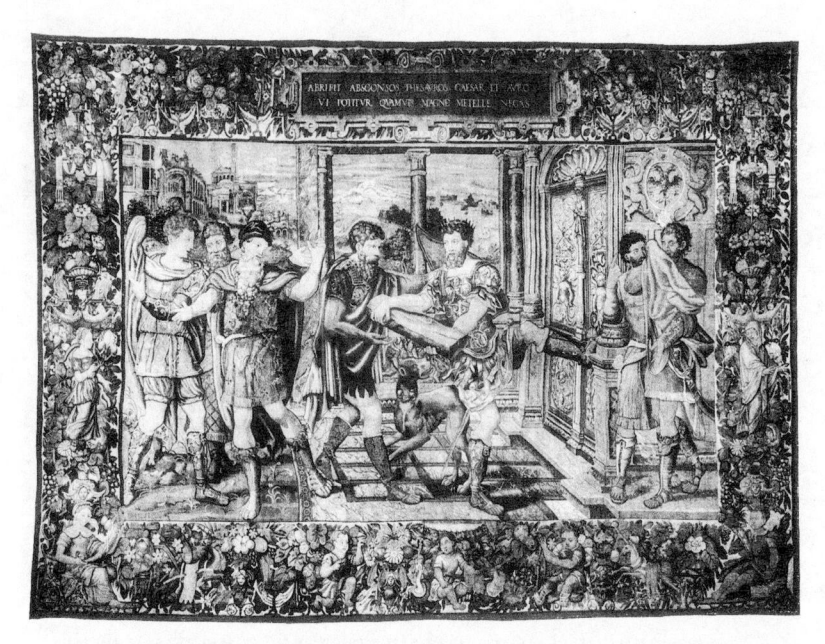

6.9. Uma descendente da tapeçaria cesariana de Henrique VIII apareceu no mercado de arte na década de 1930; seu atual paradeiro é desconhecido. A cena, contudo, é claramente identificável. César retornou a Roma no meio da guerra civil contra Pompeu e — à caça de dinheiro — arrombou as portas do Tesouro.

por uma peça de tapeçaria do século XVI que apareceu em um leilão em 1935 e, desde então, de novo saiu do radar (Figura 6.9).

A peça mostra um grupo de homens em trajes romanos aparentemente tentando arrombar uma porta com um aríete, os próprios pés e força bruta. Do contrário talvez não saltasse à vista, mas a legenda em tecelagem faz dela uma parte da história de Júlio César: *"Abripit absconsos thesauros Caesar et auro/ vi potitur quamvis magne Metelle negas"* (Cesar leva o tesouro escondido e toma posse do ouro à força, ainda que tu proíbas, grande Metelo). Para os espectadores bem informados, representa o momento, no começo da guerra contra Pompeu, em que César entra em Roma e, à força, põe as mãos no dinheiro trancado no Tesouro estatal de Roma, apesar da oposição de Metelo, um dos fiéis partidários de Pompeu.[28] Só que, mais do que isso, uma série de evidências dá por quase certo que essa tapeçaria é descendente de uma das peças de Henrique.

O primeiro indício vem de um inventário de tapeçarias levadas a Roma pela rainha Cristina quando de sua abdicação, em 1654, entre elas um jogo que apresentava Júlio César. Isso incluía um *Assassinato de César* e um

Assassinato de Pompeu, correspondendo aos dois temas documentados em Hampton Court, sendo assim muitíssimo provável que o conjunto de Cristina esteja relacionado ao conjunto de Henrique. Notavelmente, ele incluía também uma peça descrita como *César invadindo o Tesouro*. A conexão se fortalece com outro inventário, que lista dez tapeçarias com temas cesarianos similares (provavelmente outro jogo de "relações" de Henrique) pertencentes a Alexandre Farnésio, duque de Parma, em 1570. Cada uma delas é referida de forma abreviada pela palavra inicial da legenda confeccionada — sendo uma delas *Abripit*, a mesma palavra que aparece aqui primeiro ("*Abripit absconsos...*").[29] Apenas para concluir, há uma conexão visual também. Pois em 1714, para celebrar o casamento de uma princesa Farnésio com Filipe V da Espanha, toda a fachada da catedral de Parma foi revestida pelos dois jogos de tapeçaria da família sobre o tema César (a mãe de Alexandre também tinha adquirido um conjunto, já em 1550). Em uma gravura, da época, bem detalhada da catedral, decorada para a ocasião, pode-se ver justamente esse design no piso térreo, pendurado em um ponto de destaque (ainda que invertido), à direita da porta principal (Figura 6.10).[30]

Dessa forma, graças a uma combinação de aprendizados com arquivos e vestígios afortunados, historiadores da arte investigativos conseguiram, aos poucos, reconstituir o visual do conjunto original de Hampton Court. Uma das adições mais recentes é uma esplêndida peça de *César cruzando o Rubicão* (ato que marcou a invasão dele à Itália e, portanto, o início da guerra civil). Essa peça apareceu em um leilão em Nova York no ano 2000,[31] e — no momento em que escrevo — aguarda um comprador em um mostruário de tapetes local (Figura 6.11). O tema e a legenda, "*Iacta alea est...*" (O dado foi lançado), também batem com os inventários da rainha Cristina e de Alexandre Farnésio, e um design parecido pode ser visto ainda na fachada da catedral, dessa vez no canto superior direito.[32] O mesmo se aplica a uma imagem mais sinistra, hoje conhecida por conta de três peças de tapeçaria na Itália e em Portugal. Mostra um grupo de homens consultando uma profetisa ou maga, rodeada, em algumas das versões mais assustadoras, por cobras e morcegos, diante de um caldeirão de bruxa. Cada uma tem uma legenda diferente, mas uma delas diz "*Spurinna haruspex Cesaris necem predicit*" (A vidente Spurina prevê a morte de César) — somando-se aos avisos que César recebera pouco antes de seu assassinato, eis aqui o terrível presságio de que ele deveria (nas palavras de Shakespeare) tomar "cuidado com os Idos de Março" (Figura 6.12).[33]

6.10. Uma gravura contemporânea mostra a catedral de Parma, na Itália, decorada para celebrar o casamento de um membro da família Farnésio em 1714 — com diversas "tapeçarias de César" à mostra. À direita da porta principal, por exemplo, César invade o Tesouro (Figura 6.9); acima, à direita, ele cruza o rio Rubicão (Figura 6.11); no centro da fachada, à direita, encontra-se a decapitação de Pompeu, seu rival (cena conhecida por meio de uma peça remanescente de tapeçaria no Castelo de Powis).

Como é de esperar, há todo tipo de ponta solta nessas reconstruções. Se juntarmos tudo, acabamos com mais cenas do que as dez que compunham o conjunto de Henrique e outros conjuntos importantes. Teriam algumas peças sido adicionadas mais tarde? Ou, ainda, foram feitas substituições? Também há dúvidas quanto às datas e ordem das tecelagens posteriores, sendo algumas delas até da segunda metade do século XVII. É uma questão que, basicamente, se resume a deduções com base no estilo das bordas (embora algumas tenham sido removidas ou substituídas) e nas diferentes formas de legenda (como regra geral, quanto mais curta, mais recente). Se alguns exemplares individuais que passaram pelos salões de vendas um dia pertenceram aos jogos da rainha Cristina ou da família Farnésio, é outro mistério.[34] Mas, em geral, a reconstrução de uma das mais suntuosas obras de arte da coleção de Henrique VIII é um triunfo de trabalho acadêmico investigativo.

Exceto por uma coisa. Nenhum historiador da arte moderno (e, para falar a verdade, quase ninguém que, nos séculos XVI e XVII, reutilizou os designs originais) identificou corretamente a fonte antiga que Van Aelst usou como inspiração.[35] O resultado é que interpretaram muito mal algumas das cenas representadas e deixaram passar algumas das implicações complexas dessas imagens imperiais romanas.

6.11. César se aproxima do rio Rubicão, onde a figura feminina (de "Roma") o confronta. A legenda da peça de tapeçaria (de quase cinco metros de largura) identifica a cena. Começa com "*Iacta alea est*", "O dado foi lançado", o que significa que as coisas agora estão no ar, à mercê da sorte. E então prossegue: "[…] ele atravessa o Rubicão, seguindo os sinais dos céus e então, impetuoso, toma a cidade de Rimini".

6.12. A cena nesta peça de tapeçaria do século XVI (um quadrado de aproximadamente quatro por quatro metros) costuma ser identificada como Júlio César consultando a vidente Spurina; e a legenda diz "Aqui Júlio César foge à furiosa fúria". Mas o caldeirão, os morcegos macabros e o sexo da "vidente" sugerem uma leitura diferente (ver pp. 235-6).

Lucano em tapeçaria

As peças de tapeçaria de Henrique não retratavam apenas eventos-chave da carreira de César, como em geral se supõe. E, enquanto grupo, não eram baseadas na *Vida*, de Suetônio, ou nenhum outro trabalho antigo de história. Na verdade, quase toda cena da série sobre a qual temos evidências diretas é claramente inspirada no poeta Marco Aneu Lucano, do século I, hoje mais conhecido apenas como "Lucano". Ele foi vítima do imperador Nero, forçado ao suicídio em 65 d.C., após seu envolvimento em um golpe fracassado, e seu poema remanescente, o épico *Farsália*, tem como tema a guerra civil entre César e Pompeu (o título alude à batalha final de Farsalos). É uma dissecção sombria de um conflito civil, praticamente um antiépico experimental, do qual nenhum personagem emerge como herói de verdade. O quanto representa um ataque inequívoco contra o regime de um homem só é um debate que já rendeu bastante, mas o César de Lucano (assim como seu Pompeu) decerto é profundamente imperfeito, e sua competência, ímpeto e ambição militar são aplicados a fins terrivelmente destrutivos.[36]

Longe dos pontos altos da carreira de Júlio César, as peças de tapeçaria de Henrique eram uma representação visual da guerra civil, vista pelos olhos de um antigo poeta dissidente, vítima do regime imperial — conforme um segundo olhar deixa mais do que claro.[37]

O que me alertou primeiro para Lucano como a inspiração por trás das tapeçarias foram as cenas que deviam representar Spurina prevendo a morte de César. Sem dúvida, tratava-se de um famoso incidente da história de vida do líder, inequivocamente identificado pela legenda confeccionada em cima de uma das versões remanescentes; as legendas das demais estão mais truncadas.[38] Mas jamais poderia ter sido concebido assim — pela simples razão de que Spurina era *homem*,[39] e era, aliás, um vidente, ou adivinho (*haruspex* em latim), venerável. A principal figura aqui é sem dúvida mulher, e — com direito a cobras, morcegos e um caldeirão — é uma bruxa da cabeça aos pés. Só pode ser uma das personagens mais famosas e escabrosas da *Farsália*, de Lucano: Erictho, a temível necromante da Tessália, ao norte da Grécia (nas peças de tapeçaria, ela até usa um chapéu de estilo típico da Tessália), que se alimenta de cadáveres e conjura os poderes do outro mundo.[40] O que é retratado aqui é o momento do poema em que o filho de Pompeu aparece para se consultar com ela acerca do desfecho da guerra de seu pai contra César — e ela orquestra, com a ajuda de um cadáver temporariamente ressuscitado, uma profecia da derrota iminente de Pompeu.

Ao rotulá-la como "Spurina", estudiosos modernos se deixaram levar não só pela própria falta de familiaridade com a *Farsália* (e com o gênero de Spurina) como também pela identificação errônea, porém convicta, de uma das próprias peças de tapeçaria. Um grande mistério da produção de tapeçaria é quem eram os responsáveis por essas legendas, com que grau de cuidado ou formação trabalhavam e como os textos foram transmitidos, ou adaptados, ao longo das diferentes gerações de tecelagem. Por que se equivocaram nesse caso não está claro (se foi por falta de familiaridade com a fonte original ou por um forte empenho para reinterpretar a cena). Mas uma coisa está *mesmo* clara: Van Aelst, que originalmente compôs a cena, devia ter em mente a Erictho de Lucano.

A partir daí, o resto se encaixa. Outro momento igualmente clássico, e hoje igualmente pouco reconhecido, da *Farsália* é refletido em três peças de tapeçaria descendentes (uma no Castelo de Powis, no País de Gales, onde ainda está pendurada, não muito longe da fileira de bustos imperiais; as outras, pipocando em salões de venda) (Figura 6.13). Duas de suas legendas se referem à cena de batalha de César "matando um gigante", e a outra, de César "liderando um ataque".[41] O problema é que não há, na história ou na lenda de Júlio César, entre todas as suas diversas façanhas, alusão alguma a uma luta com um gigante, embora ele talvez tenha, em uma ocasião ou outra, liderado um ataque (como imaginou o escultor John Deare). Mas existe uma solução fácil. Pois aqui — embora nenhum historiador da arte moderno pareça ter notado — o lutador menor (o "César" contra "o gigante") está no topo de uma grande pilha de corpos. Para quem conhece a *Farsália*, essa é uma alusão óbvia ao tema pretendido por Van Aelst: a coragem de um dos soldados de César, Cássio Scaeva, durante o cerco ao acampamento de Pompeu, em Dirráquio (perto da atual cidade de Durrës, na Albânia), antes da batalha final de Farsalos. Para impedir a fuga das tropas de Pompeu, Scaeva empurrou da própria amurada do cerco de César os corpos de seus companheiros mortos e combateu o inimigo do topo dessa pilha macabra ("Ele não sabia quão grave é o crime da coragem em uma guerra civil", observou Lucano, sombriamente). No fim, atingido no olho por um arqueiro hábil do lado adversário (a figura "gigantesca" mostrada aqui), ele arrancou a flecha e continuou lutando. É essa cena de "heroísmo" desconcertante que é mostrada aqui, nada a ver com gigantes, ou com o genérico "César liderando um ataque".[42]

A única peça de tapeçaria da série que talvez nada tenha a ver com a *Farsália* é a do assassinato de César (o poema não foi terminado e é interrompido antes desse momento, se é que havia intenção de chegar a esse ponto). Todo o resto que é identificável — ainda que às vezes mencionado por outros escritores antigos também — remonta diretamente à narrativa de Lucano. *César invadindo o Tesouro* era uma de suas cenas mais famosas, bem como *César cruzando o Rubicão* (a figura feminina na beira da água é um dos detalhes distintos de Lucano que não se encontra em nenhum outro lugar) e *Assassinato de Pompeu*, perfidamente decapitado quando chegou ao Egito, uma versão sombria que também sobrevive no Castelo de Powis.[43]

De quando em quando, por mais confusas que sejam, as legendas em tecelagem mantiveram vivas as ligações com a *Farsália*. Um jogo de tapeçaria, por exemplo, retrata Pompeu se despedindo com tristeza de sua esposa Cornélia, antes de partir para se juntar à batalha com César, em um raro momento de ternura em um poema que é, de resto, brutal. A maioria dos críticos modernos e alguns dos primeiros redatores de legendas interpretaram a cena de maneira equivocada, como César dizendo adeus à *própria* esposa, mas uma legenda em tecelagem a identifica corretamente: "Pompeu, o Grande, corre para seu acampamento; Cornélia navega triste rumo à ilha de Lesbos [...]" (e, em outra versão da cena, em que a legenda identifica erroneamente a figura principal como César, a imagem do logo do lado de Pompeu, "SPQR" — "o Senado e o Povo de Roma" —, permanece visível nos estandartes atrás do general).[44] Em outro caso ainda, deixaram passar até uma citação direta de Lucano. Sobre uma cena de tapeçaria que mostra a própria Batalha de Farsalos, a legenda começa assim: "*Proelia* [...] *plusqua*[*m*] *civilia*" (Guerras [...] *piores do que civis*). É uma frase famosa, tirada diretamente do primeiro verso da *Farsália*, apresentando o tema da guerra em seu ápice imoral. Quem quer que tenha escrito essa legenda estava apontando para a inspiração original do ciclo de tapeçaria.[45]

Que combinação de ignorância, incompreensão e reinterpretação resoluta teria transformado um ciclo de tapeçarias que recriavam a história da *Farsália* nos "principais eventos da carreira de César" é impossível saber. Como deixam claro as legendas nas peças e os registros do inventário, era um processo que remontava a um tempo anterior às empreitadas de historiadores da arte modernos, no mínimo ao fim do século XVI. Mas não restam dúvidas de que, quando os funcionários de Henrique VIII desencaixotaram a remessa de Bruxelas contendo uma das obras de arte mais caras que o rei chegou a comprar, o que viram foi uma série de representações do conflito épico obscuro que tinha prenunciado o regime autocrático em Roma, e preparado o terreno para uma ditadura que culminou no assassinato de César. Havia alguma lição nisso?

6.13. A legenda dessa descendente (de mais de quatro metros de largura) de uma das peças da tapeçaria de Henrique VIII, proveniente do século XVII, da coleção do Castelo de Powis, descreve a cena como "César travando um ataque". Mas os detalhes da imagem — um soldado luta no topo de uma pilha de cadáveres, um atirador mira nele — deixam claro que o artista original tinha em mente um famoso episódio da *Farsália*, de Lucano. A cena mostra Cássio Scaeva, soldado de César, combatendo os oponentes no topo de uma assombrosa pilha de corpos e sendo atingido no olho por uma das tropas de Pompeu.

Reações negativas

Seria simplista imaginar que as cenas nas peças de tapeçaria de Henrique foram recebidas como um ataque direto ao regime monárquico. Longe de mim sugerir — por mais divertida que seja a ideia — que pairou um constrangimento no ar conforme os funcionários do rei se perguntavam como explicar a Sua Majestade a mensagem inesperada de sua nova compra. Nada sabemos sobre o processo de encomendas ou sobre o parecer do próprio Henrique. Mas não há razão para achar que ele ou seus conselheiros não tenham obtido o que esperavam, ou mesmo o que pediram.

Na Idade Média e no Renascimento, o poema de Lucano era popular, pelo menos em meio à elite europeia (ainda que não na escala de Ovídio ou Virgílio), e já encontramos diversas abordagens diferentes, por vezes inusitadas para nós, à obra. Foi só na segunda metade do século XVII que as leituras políticas, hoje padrão, começaram a dominar. Uma adaptação para o francês do poema — *Hystore de Jules César*, feita por Jean du Thuin, do século XIII — transformou César em um nobre herói cavaleiresco, e sua relação com Cleópatra (um dos temas principais do último livro da *Farsália*, incompleto), em um romance de cavalaria. Talvez, indiretamente, isso tenha servido de material para dezenas de óperas futuras (sendo a mais famosa *Giulio Cesare in Egitto*, de Handel), mas foram necessárias alterações radicais na versão de Lucano para que se elaborasse uma história quase totalmente nova. Menos surpreendentes são os diversos leitores que viam o poema não como um alerta tenebroso sobre tirania, mas sobre os perigos de uma guerra civil — uma lição bem-vinda na Inglaterra dos Tudor.[46]

Dito isso, ainda que houvesse muitas interpretações em jogo, a versão desconcertante do regime de um homem só incorporada a essas imagens não se explica com facilidade. É difícil imaginar, como já fizeram alguns, que — quaisquer que sejam suas fontes — elas tenham sido pensadas como uma lição para o jovem filho de Henrique, Eduardo, ou como uma espécie de consolo para o próprio rei (travestindo, por exemplo, sua dissolução altamente lucrativa dos monastérios como se fosse o equivalente de César invadindo o Tesouro).[47] O contraste com as cenas tiradas de Suetônio nas Tazze Aldobrandini, produzidas apenas algumas décadas depois, reforça o argumento. Em vez de presságios que prometem uma transmissão bem-sucedida de poder imperial, essa série de tapeçarias dispõe de um prenúncio de derrota com uma bruxa que se deleita entre cadáveres. Se por um lado a única perspectiva de morte imperial nas *tazze* era o suicídio honroso de Otão, aqui Van Aelst focou o assassinato sanguinolento de cada um dos protagonistas. Não importa o lado que se tome, o fim é ruim.

A combinação e a repetição de tais imagens negativas reforçam o incômodo. Imagine alguém a caminhar por Hampton Court no comecinho do século XVIII, fosse um morador ou visitante, criado ou monarca. Pelo menos em teoria (dependendo de a quem era permitido e onde, é claro), tal pessoa poderia ver as tapeçarias ainda no lugar e, de quebra, não só a "Escadaria do Rei", com os imperadores fazendo as vezes de convidados frustrados de um jantar, como também alertas sutis da parte de Mantegna sobre a arrogância do poder. Quaisquer que tenham sido as conclusões a que essa pessoa chegou, é mais um alerta para que não enxerguemos as imagens modernas de imperadores romanos de maneira uniforme e — para aqueles no poder — reconfortantemente positiva. Claro, muitas delas, como já vimos, não passam disso. No entanto, em Hampton Court, o mais monárquico dos cenários modernos, as imagens nas paredes cumpriam um papel mais complexo: suscitavam um diálogo entre uma apresentação negativa, ou pelo menos ambivalente, do poder imperial romano e o poder do rei moderno; levantavam questões sobre quanto era possível ver a monarquia moderna refletida na antiga; e talvez até oferecessem uma lente pela qual o monarca moderno poderia encarar os desagrados da monarquia.

Vícios imperiais e história imperial

Dentro e fora dos palácios reais, e para um público mais amplo, as imagens do poder dos imperadores romanos sempre estiveram de mãos dadas com a representação de seus vícios pessoais — com uma alusão à corrupção sistêmica do regime imperial dos quais esses vícios eram símbolo. Essa ideia ficou para sempre gravada na história do cristianismo, com a perseguição dos cristãos por parte de Nero e outros regentes pagãos se tornando marca registrada das imagens, do vitral do século XII em Poitiers (Figura 1.6) às pinturas religiosas e filmes impactantes das últimas décadas. Mas isso se estende em diferentes direções, para muito além do campo da religião.

Aegidius Sadeler não foi o único gravurista comercial a sugerir uma perspectiva alternativa sobre as virtudes dos césares, nos poemas que estavam à espreita sob as imagens. Os retratos imperiais concebidos por outro artista flamengo, Jan van der Straet (comumente conhecido como Stradanus), e reproduzidos aos montes por mais de um gravurista no fim do século XVI e no início do XVII, ofereciam uma visão igualmente hostil dos imperadores (Figura 6.14). Os versos em latim que acompanhavam essas

(a)   (b)

6.14. Dois dos imperadores de Jan van der Straet, em gravuras do fim do século XVI, feitas por Adriaen Collaert: (a) Augusto; no fundo, o notório banquete em que ele se vestiu como o deus Apolo; no pedestal, a batalha naval de Áccio (na qual ele derrotou as forças de Antônio e Cleópatra) e Lívia lhe servindo um figo envenenado; (b) Domiciano; no fundo, à direita, seu assassinato; na frente do pedestal, o imperador espetando moscas; os versos o acusam de ser "a mancha mais suja de sua família" e de "matar inocentes sem nenhum motivo".

gravuras viam o pior de cada imperador em questão, e não só dos vilões de sempre. Não surpreende que digam que Nero era um regente que teria se dado melhor atendo-se à lira e ficando fora da política (brandindo o *plectro* e não o *espectro*, como brinca o poema). Mas Augusto também é denunciado por ofuscar a distinção entre si e os deuses, erro que veio à tona (segundo uma variação pitoresca da história de sua morte) quando ele foi assassinado pela esposa Lívia: "Quando tu [Augusto] ousares te comparar com deus, diz-se que Lívia, entornando veneno, tratará de lembrá-lo de seu caráter mortal". Somente Vespasiano e Tito escapam ilesos, e isso se dá em parte — por mais desconfortável que seja para nós — porque destruíram o Templo de Jerusalém.[48]

Nessas gravuras, no entanto, a hostilidade não está apenas inscrita nos versos. Por trás de cada um dos retratos, há cenas da vida do césar; e em algumas versões — em que o imperador a cavalo é retratado como se fosse uma estátua equestre — ainda mais cenas se encontram esculpidas no pedestal. A ênfase delas recai, de maneira esmagadora, em morte, destruição, e sadismo e excesso imperial. Ao fundo, atrás da figura de Augusto, por exemplo, correspondendo às afirmações do poema, está o notório "Banquete dos Doze Deuses", em que — ostentando um traje extravagante que seus inimigos julgaram beirar o sacrilégio — ele supostamente encarna o deus Apolo; e, na frente de seu pedestal, encontra-se uma figura que deve ser Lívia, que oferece ao marido um figo envenenado, fatal. Na frente do pedestal de Domiciano está a figura inconfundível do jovem imperador a espetar moscas com sua pena.[49]

A mesma imagem de crueldade juvenil é representada em alguns desenhos feitos por Rubens, no comecinho do século XVII. Ele é conhecido por seus interesses antiquários e seus retratos imperiais, do *Júlio César* com o qual contribuiu a uma série multiartista dos doze a outras duas formações possíveis de diferentes grupos imperiais, que hoje sobrevivem em parte como originais, em parte como reconstruções a partir de cópias.[50] Esses retratos vão de representações mais austeras, no caso de César, a um tom mais carnal, mais humano e um pouco irreverente. Mas nenhum é tão irreverente quanto os esboços de imperadores que cobrem os dois lados de uma única folha de papel, hoje em Berlim.[51]

Esses desenhos, em parte, talvez fossem esboços informais para um projeto maior. Ao lado de Júlio César, por exemplo, identificado pela frase *veni, vidi, vici* (vim, vi, venci), Rubens escreveu *sine fulmine* (sem relâmpagos), como se ainda estivesse no processo de decidir que atributos lhe dar. Mas alguns deles parecem também ter ganhado vida própria como caricaturas humorísticas. No verso do papel (Figura 6.15), um Vespasiano brutamontes, beirando o ridículo, é identificado pelo que outrora, segundo Suetônio, fora seu apelido comum, *mulio* (condutor de mula), enquanto o jovem Domiciano apunhala moscas (*"Ne musca"*, escreveu Rubens, aludindo à anedota contada por Suetônio de que "nem mesmo uma mosca" faz companhia a ele).[52] Qualquer que tenha sido o objetivo final desses desenhos, eles nos lembram — assim como a caricatura do século XIV sob o emplastro em Verona (Figura 1.16) — de que até aqueles que produziam as imagens mais sérias e sóbrias de poder imperial podiam, ao mesmo tempo, ter em mente uma visão alternativa, mais realista ou cômica, dos imperadores romanos.

6.15. Caricaturas imperiais de Rubens, desenhadas em um pedaço de papel (de mais ou menos vinte por quarenta centímetros), *c.* 1598-1600. Vespasiano é mostrado duas vezes do lado esquerdo (uma vez em cima, fazendo referência a seus edifícios; e embaixo, com a frase "Cônsul apelidado de condutor de mula"). Tito o encara de frente, com uma referência a sua vitória sobre os judeus (e, ao que tudo indica, uma nota do artista para si mesmo, para "verificar se o imperador empunhava um bastão militar na coluna de Trajano"). À direita estão duas versões de Domiciano, um mirando em uma mosca, com a frase *"Ne musca"* — "Nem uma mosca [lhe faz companhia]".

Mas foi duzentos anos depois que artistas começaram a explorar, com um olhar ainda mais sistemático, sutil, intrigado e incisivo, esses fracassos dos imperadores romanos e do sistema sociopolítico que eles simbolizavam. É desse período que temos acesso a algumas das reações menos reverenciosas a imagens de poder imperial, por mais reverentes que fossem (ou não) os propósitos dessas imagens. Isso se deu em um contexto de um mundo muito diferente de arte e instituições artísticas. Pinturas não só foram produzidas, e sobreviveram, em número muito maior e em estilos muito mais variados do que nunca (na década de 1850, milhares de novas obras eram expostas a cada ano, só em Paris, tornando traiçoeiro qualquer tipo de generalização) como era também um mundo de galerias, exposições públicas, academias, novas formas de ensino, uma gama maior de mecenas e compradores, uma cacofonia de disputas ideológicas e um novo coro de críticas, comentários e jornalismo de arte — o que abre para nós toda uma gama de discussões contemporâneas, antes impossíveis de explorar.

À primeira vista, as telas do fim do século XVIII e do XIX só ficam atrás das fileiras de bustos de mármore como imagem popular dos "romanos no mundo moderno". Recriam cenas de mitos e história romana (lado a lado com as telas inspiradas na Grécia Antiga, em mitos nacionalistas modernos e histórias secundárias da Bíblia, hoje não tão conhecidas), geralmente em uma escala colossal, ao que tudo indica para fins edificantes. *Exemplum virtutis* (um exemplo de conduta admirável) era um dos bordões que costumavam ser promovidos por essas "pinturas históricas", como em geral eram chamadas — um gênero artístico que talvez seja soporífico para visitantes, mas que por décadas permaneceu no topo do topo da hierarquia estipulada pelas academias europeias de arte (acima de gêneros "secundários" como paisagens ou pinturas menores sobre outros temas).[53] Todavia, na época, provocavam reações muito mais diversas do que se costuma imaginar.

Na falta de mais evidências, é perigoso presumir que imagens de poder de séculos anteriores tenham alcançado seus objetivos conforme planejado (todas aquelas imensas imagens de antigos faraós egípcios podem ter sido tão vilipendiadas quanto veneradas). Já tivemos um vislumbre, nos versos satíricos das gravuras, por exemplo, de como "exemplos de conduta admirável" por parte de um imperador romano havia muito tinham sido facas de dois gumes. Mas da metade do século XVIII em diante, páginas e páginas de comentários impressos e publicados oferecem muitas evidências fortes de reações diametralmente opostas aos imperadores romanos, e à cultura romana, em termos mais gerais.

O satirista inglês William Makepeace Thackeray certamente não foi o único a ter suas dúvidas quanto ao modelo oferecido pelos gloriosos heróis romanos recriados, por exemplo, nas pinturas de Jacques-Louis David. Seria o primeiro Bruto (o lendário antepassado do assassino de Júlio César), que teve os dois filhos condenados à morte por traição política, de fato um bom exemplo para seguir na vida moderna em família? Onde ficava o limite entre rigidez e sadismo?[54] E Théophile Gautier não estava sozinho ao sentir certa trepidação, além de admiração, diante da evocação suntuosa de *A era de Augusto*, de Jean-Léon Gérôme, encomendada por Napoleão III, exibida em 1855 na Exposição Universal de Paris (Figura 6.16). O imperador está no centro da cena, derrotando seus inimigos (Antônio e Cleópatra aparecem mortos nos degraus) e trazendo a paz às nações bárbaras, que estão enfileiradas, a homenageá-lo; e, em uma nova abordagem da velha história medieval que cuidadosamente alinhava o nascimento de Jesus à era de Augusto,

6.16. *A era de Augusto, o nascimento de Cristo* (1852-4), pintura colossal de Jean-Léon Gérôme, de dez metros de extensão, incorpora muitas referências históricas precisas, e põe lado a lado a Natividade e o reino de Augusto. À direita do trono do imperador estão artistas e escritores. Antônio e Cleópatra jazem nos degraus, com o corpo de Júlio César visível à direita — ainda que em grande parte ocultado por seus assassinos, Bruto e Cássio, vestidos com togas brancas. Os diferentes povos sob o domínio de Roma se aglomeram dos dois lados, de uma prisioneira nua arrastada pelos cabelos à esquerda a partas à direita, devolvendo os estandartes militares que outrora capturaram de um exército romano.

um presépio clássico aparece em destaque sob o palanque imperial. O que preocupou Gautier aqui não foi a estranha mistura de estilo clássico e estilo gótico (que incomodava outros), mas o fato de que muitas das figuras a prestar homenagem ao imperador eram de nações que viriam a derrubar o império. Seria essa pintura também um presságio da queda de Roma, além de celebração da grandiosidade augustana?[55]

Por outro lado, às vezes os artistas simplesmente não eram considerados à altura da missão de representar a virtude imperial. Na década de 1760, três quadros foram encomendados a três artistas diferentes, para uma das casas de campo de Luís XV, representando os feitos nobres dos antigos antecessores do rei: Augusto fechando os portões do Templo de Jano, para simbolizar a paz por todo o mundo romano (Figura 6.17); Trajano se dando ao trabalho de escutar uma mulher pobre a pedir ajuda; e Marco Aurélio distribuindo pão

6.17. Pintura de Carle van Loo, de 1765, de três por três metros, mostra Augusto fechando os portões do templo do deus Jano, em Roma — ato que tradicionalmente marcava os (raros) momentos em que o mundo romano inteiro vivia em paz. Mais tarde serviu de pano de fundo apropriado para Napoleão e os britânicos firmarem seu acordo de paz, em 1802.

durante a fome. O filósofo e crítico Denis Diderot — embora admirasse os imperadores em questão — não tinha tempo para a qualidade desses retratos. "Esse Augusto é lamentável", ele se imagina dizendo ao pintor. "Não podia ter achado um aprendiz do seu estúdio que teria ousado comentar como ele era inexpressivo, comum e baixinho... *Isso*, um imperador?"; e quanto à cena de Trajano, ele brinca que "o cavalo é a única figura digna de nota". O próprio rei, ao que parece, tinha outras objeções. Ele não ligava para essas questões de esmero artístico. Sem pensar duas vezes, arrancou as pinturas do que, com efeito, era um grande chalé de caça. Queria ninfas com pouca roupa em suas paredes, não exemplos edificantes da virtude monárquica. Por ironia, duas das três pinturas (*Augusto* e *Marco Aurélio*) vieram a ser apropriadamente recicladas. Em 1802, auxiliares de Napoleão se depararam com elas quando procuravam uma decoração adequada para a sala em Amiens onde "o primeiro cônsul" (seu título oficial) iria assinar o acordo de paz com os britânicos — e estão na cidade desde então.[56]

Mas as imagens para as quais me volto agora não são aquelas em que detectamos rachaduras na apresentação da virtude romana, mas aquelas em que artistas encararam as transgressões dos regentes imperiais, a corrupção do império e a fragilidade e a violência da sucessão dinástica: primeiro, um grupo de pinturas produzidas ou exibidas em Paris, todas no mesmo ano, com um dos vilões mais notórios dos Doze Césares; depois, um conjunto muito mais diverso de imagens que, ao retratar o assassinato de regentes imperiais, de Júlio César a Nero, suscita questões importantes e desconfortáveis sobre a natureza do próprio sistema imperial.

Vitélio, 1847

Desde seu curto e desagradável reinado durante a guerra civil, em 69 d.C., 1847 foi o melhor ano para o imperador Vitélio na arte. Por muito tempo, ele tinha sido um dos regentes romanos mais reconhecíveis, graças a "seu" busto na coleção Grimani em Veneza (que na verdade não era ele, mas muito provavelmente um retrato de um romano desconhecido do século II) (Figura 1.24). Sua imagem tinha estrelado em demonstrações populares de fisiognomonia e se esgueirado — em disfarces tênues — em uma gama de pinturas famosas. Mas em 1847, em Paris pelo menos, no ano antes da revolução que depôs o rei Luís Filipe e sua "Monarquia de Julho", com rebeliões e protestos já irrompendo, Vitélio estava por toda parte no mundo da arte.

Seu papel mais famoso foi uma ponta na mais estrondosa dentre as 2 mil ou mais obras expostas no Salon anual de Paris: a enorme tela *Os romanos da decadência* (ou *A orgia*, como foi justamente apelidado), de Thomas Couture (Figura 6.18). A pintura ficara badalada por conta da campanha publicitária entusiástica que correu por um par de anos, antes de ser vista em público, e o produto final não deixou a desejar. Mais de sessenta anos depois, um artigo de uma revista de arte americana clamava por uma reprodução da tela à mostra em toda escola dos Estados Unidos, pois era "o maior sermão já representado em pintura". (As crianças americanas escaparam dessa, eu diria.)[57]

6.18. O vício romano é mostrado em uma escala devidamente grandiosa na tela *Os romanos da decadência*, de Thomas Couture, de quase oito metros de largura. O sol está nascendo, mas a orgia romana segue firme e forte; um dos poucos convidados que já caiu no sono é uma figura à esquerda do grupo principal, cujas feições — amplamente reconhecidas por críticos quando a pintura foi exposta pela primeira vez, em 1847 — eram baseadas nos traços do *Vitélio* de Grimani (Figura 1.24).

Era do tipo de sermão que inspira não pelo exemplo edificante, mas por uma imagem extravagante de imoralidade; um misto de choque e — sem dúvida — provocação. A tela é repleta de convivas romanos espalhados, cada um com uma peça de roupa a menos, no fim de uma festa que durou a noite toda (o sol parece estar começando a nascer). Ao redor deles há estátuas de homens do passado glorioso da cidade, com alguns observadores austeros nas margens, definitivamente ficando de fora da "diversão". Era uma demonstração do declínio moral de Roma, com algumas reviravoltas e questões espinhosas. O que devemos pensar, em particular, da figura de mármore nua e heroica que domina a cena, baseada em uma estátua do Louvre, tradicionalmente identificada como "Germânico" — e que, em contraste com a seminudez lasciva dos festeiros logo abaixo, nos lembra de que há maneiras mais e menos honrosas de ficar sem roupa? Germânico, marido de Agripina, a Velha, fora um príncipe popular e bem-sucedido aos moldes das grandes tradições de Roma, outrora visto como herdeiro em potencial do trono imperial. Mas também era pai de Calígula, imperador monstruoso e suposta vítima de envenenamento em 19 d.C., sob as ordens de seu tio, o imperador Tibério. Aqui ele serve de indício de que, qualquer que fosse a data exata da "decadência" retratada, os sinais de corrupção estavam presentes, inevitavelmente, já quase no começo do regime imperial.[58]

Havia uma mensagem contemporânea, mais ampla, também. Apesar do contexto político do momento, comentaristas da época não interpretaram a pintura como um ataque estrito à instituição da monarquia. Mas ela era, *sim*, amplamente vista como uma crítica às disparidades de renda e imoralidade apática da elite e da burguesia francesas contemporâneas.[59] Uma série de sagazes cartuns da revista satírica *Les Guêpes* (As Vespas), ilustrando as diferentes reações dos visitantes do Salão, bateu nessa tecla. Em um deles, um ladrão deplora o fato de que a burguesia da pintura acabou com toda a comida. Outro vira do avesso o desequilíbrio social: um homem rotulado de "utilitarista" observa que a tela de Couture, por si só, poderia ter servido de material suficiente para vestir uma família pobre.[60]

Mas, à esquerda da pilha de convivas, a figura adormecida com os traços distintos de Vitélio — tão letárgico que nem repara na odalisca nua a um palmo de seu nariz — dá um toque especial à obra. Embora ele seja muito menosprezado hoje, era amplamente reconhecido pelos críticos em 1847, que se referiam a seus excessos, por alto, como "vitelianos". "Glória somente a Vitélio César", bradou um poeta, em uma resposta irônica à pintura.[61] Mas o que exatamente ele está fazendo na cena?

Em parte, talvez ele seja mais uma pista para a data da "decadência". A intenção era que o imperador fosse compreendido como anfitrião dessa orgia? O que, portanto, significaria que o declínio moral de Roma já estava em curso no ano 69 d.C.? Em parte, talvez ele seja um tributo alusivo a Veronese, que Couture costumava apontar como sua inspiração.[62] Em sua *Última Ceia*, Veronese dera ao mordomo bem alimentado o rosto do *Vitélio* de Grimani (Figura 1.23); aqui, o artista está apontando para isso ao aplicar o mesmo rosto a um dos seus personagens. Mas há outras implicações. Qualquer um que soubesse da história de Vitélio, e de seu fim terrível (arrastado pelas ruas de Roma, torturado, espancado até a morte, empalado em um gancho e jogado no rio Tibre, conforme a nova dinastia flaviana chegava ao poder), enxergaria nessa figura um forte indício de que a cena de libertinagem — e qualquer que fosse o estilo de vida moderno que evocava — estava condenada. Para quem reparava nele, o rosto do imperador era uma garantia visual de que a punição era inevitável. Assim como na pintura de Veronese, os traços do imperador romano praticamente oferecem comentários internos sobre a cena e uma chave para lê-los.

Mas esse não foi o único Vitélio a confrontar os visitantes do Salon de 1847. Em meio a uma gama de pintores propondo temas clássicos, de mitologia antiga aos santos e mártires dos primórdios da Igreja, um artista trouxe os imperadores romanos para o centro das atenções. Tratava-se do então pouco conhecido Georges Rouget, mais lembrado — quando lembrado — como o assistente predileto de Jacques-Louis David. Ele apresentou duas pinturas do mesmo tamanho, concebidas como um par contrastante: uma delas com a imagem bem agradável do futuro imperador Tito, aprendendo a arte da boa governança com o pai, Vespasiano; a outra, um estudo impressionante, intitulado *Vitélio, imperador romano, e cristãos jogados aos leões* (Figura 6.19). O imperador, baseado em uma versão (um pouco mais franzina) do "Grimani", está sentado, olhando para a frente, aparentemente absorto em seus pensamentos, de costas para a arena, onde podemos distinguir vagamente algumas vítimas perante os leões. Sobre seu ombro, um mártir acorrentado segura um crucifixo, enquanto uma moça olha fixamente para ele, de baixo.[63]

Alguns críticos se divertiram com a obra, refletindo que, em contraste com Couture, com sua multidão decadente, Rouget conseguiu evocar o vício romano com apenas três figuras. Mas foram vagos quanto às dinâmicas da cena. Estamos vendo um imperador decidido, sem pestanejar, a não ter misericórdia, apesar das súplicas? Ou, o que é mais provável, devemos imaginar que o pintor está nos mostrando frutos perturbadores da imaginação do imperador (sendo a mulher, talvez, sua consciência pesada)? Se for esse o caso, antecipa imagens que (como veremos no próximo capítulo) enfocam o desconforto do poder *para seus detentores*, bem como os dilemas e ansiedades que podem afligir até o tirano mais cruel.[64] Mas isso é muito diferente do outro papel controverso desempenhado por Vitélio na arte desse ano em particular.

Durante o verão de 1847, dez dos jovens artistas mais ambiciosos da França passaram meses a fio pintando a cena sanguinolenta do assassinato de Vitélio. Eram os talentosos (e sortudos) que tinham passado para a rodada final da competição pelo Prix de Rome, que não só concedia fama ao vencedor como também uma bolsa generosa para uma residência de longo prazo em Roma. Era um processo simples, ainda que às vezes carregado de controvérsia. Todo ano, pedia-se que cada um dos candidatos pré--selecionados fizesse uma pintura sobre um tema estipulado por um comitê da Academia de Belas-Artes, que então as julgava.[65] Em maio de 1847, o comitê descreveu a cena que os concorrentes deviam representar: Vitélio arrastado para fora de seu esconderijo em Roma, as mãos atadas nas costas, a cabeça erguida à força, com uma espada, para que seus assassinos "pudessem agredi-la com mais facilidade". No fim de setembro, vencedor e vice-campeão foram anunciados: em primeiro lugar, Jules-Eugène Lenepveu; em segundo, Paul-Jacques-Aimé Baudry (Figura 6.20). Suas representações eram ambas macabras, com o rosto do imperador não só exposto como quase arrancado pela turba furiosa.[66]

Os críticos dissecaram o veredito dos juízes. Lenepveu tinha exagerado um pouco na emoção, segundo um dos pareceres. A versão de Baudry era tão "maluca", segundo o crítico e ex-pintor Etienne-Jean Delécluze, que podia ter sido feita por um gaulês nativo na época de Vitélio; outros criticavam aspectos de coloração e perspectiva, ou sugeriam candidatos diferentes para o prêmio. Houve também inquietação sobre o tema propriamente dito. Já tinham sido propostos antes temas de mortes míticas e sanguinolência (a história bíblica de Judite decapitando Holofernes, por exemplo, ou Catão, o ideólogo romano e inimigo de Júlio César, arrancando as próprias vísceras). Mas esse foi o primeiro e único assassinato

6.19. Um retrato íntimo do vício (ou de uma consciência pesada) na pintura *Vitélio, imperador romano, e cristãos jogados aos leões*, de Georges Rouget, de pouco mais de um metro de altura, foi exposto pela primeira vez em 1847. O próprio Vitélio, na verdade, não tinha nada a ver com a perseguição aos cristãos, e o Coliseu, vislumbrado ao fundo, só foi construído após seu reinado. Mas a obra oferece uma imagem desconcertante de crueldade imperial, em contraste com o "bom" imperador Tito, que Rouget retratou em uma pintura que faz par com esta.

imperial na história do prêmio. Não era um tema, mais uma vez segundo Delécluze, que se prestava a um tratamento refinado. "Que tipo de satisfação alguém pode tirar da representação, por mais bem-feita que seja, de um monstro terrível como o imperador Vitélio arrastado até a morte, a garganta cortada por soldados e cidadãos romanos que fizeram justiça com as próprias mãos?"[67]

De que maneira podemos justificar esse foco em Vitélio como o imperador do momento, e a conjunção de seus excessos, sua consciência

(a)

6.20. O assassinato de Vitélio foi o tema estabelecido para o Prix de Rome de pintura, em 1847: (a) o vencedor do concurso foi Jules-Eugène Lenepveu, com uma cena pequena, mas sanguinolenta, de pouco mais de trinta centímetros de altura, em um panorama histórico da cidade (a coluna de Trajano foi erguida mais de cinquenta anos após a morte de Vitélio); (b) o prêmio de segundo lugar foi para Paul-Jacques-Aimé Baudry, com uma imagem que não perdia em brutalidade, em uma escala um pouco maior (tem quase 1,5 metro de largura).

pesada e seu assassinato? De novo, seria ingênuo imaginar uma conexão *direta* entre esses temas vitelianos e a insatisfação da época com Luís Filipe e a Monarquia de Julho. A maioria esmagadora das críticas em jornais e revistas abordou minúcias de técnicas artísticas, ou no máximo paralelos sociais amplos. Elas definitivamente não se concentraram no imperador romano como um análogo codificado para o rei. Além do mais, como

(b)

um gesto de jogo limpo, a seleção final do tema para a competição do Prix de Rome era feita por sorteio, a partir de uma pré-seleção de três temas (em 1847, dois assuntos muito mais insossos também estavam em jogo).[68] Contudo, seria igualmente ingênuo negar quaisquer conexões, pelo menos indiretas. Os comentários de Delécluze sobre as pessoas fazendo "justiça com as próprias mãos" decerto refletem questões políticas da época subjacentes, ainda mais levando em conta que eram publicados em um periódico que era forte apoiador da monarquia. E é inevitável perguntar se os dez jovens artistas trancafiados em seus estúdios durante o verão, trabalhando em suas pinturas do linchamento de um imperador romano, não viam nenhuma conexão com o levante revolucionário a fermentar lá fora. Em um caso, sabemos o que fizeram. Em uma carta escrita no ano seguinte, Baudry (o vice-campeão do prêmio) reclamou do tema anódino para a competição de 1848, pouco tempo após a queda do rei, em fevereiro: era "são Pedro na casa de Maria". Como era possível, ele se perguntava, que, sob a monarquia, tivessem estabelecido "a agonia de um tirano", mas não tivessem tramado nada parecido sob a nova república?[69] Ele, pelo menos, tinha percebido.

Assassinato

Assassinatos sempre atraíram artistas, e o de Júlio César se tornou tema popular da Idade Média em diante, com diferentes vieses políticos. Mas assassinatos eram mais do que sangue e violência, ou envenenamentos velados e tramoias palacianas, ou levantes populares. Na história dos Doze Césares, dos quais apenas um (Vespasiano) morreu sem uma alegação sequer de crime, assassinatos também eram parte integral da sucessão imperial e mesmo do próprio sistema imperial. Muitas pinturas renascentistas fizeram pouco-caso disso, optando por mostrar a sucessão sob uma luz mais positiva, em termos de presságios favoráveis (melhor ter o imperador Cláudio marcado pela grandeza, com uma águia pousando em seu ombro, do que — como Suetônio, entre outros, relatou de bom grado — vergonhosamente descoberto atrás de uma cortina após o assassinato de seu antecessor). Artistas do século XIX, por outro lado, impelidos ou não pelas políticas da época, costumavam usar recriações imaginativas de cenas de assassinato para questionar o próprio sistema imperial, refletindo sobre a vulnerabilidade do regente e sobre onde de fato estava o poder. A forma pela qual os imperadores morriam provou ser um diagnóstico revelador do regime como um todo.

Uma das mais influentes dessas pinturas, amplamente reproduzida em impressões, e usada até como base para o cenário de apresentações de *Júlio César*, de Shakespeare, foi *A morte de César*, obra de Gérôme, de 1859 (Figura 6.21). A sensação que ela passa é o mais distante imaginável de *A era de Augusto*, do mesmo artista (Figura 6.16). O ditador se encontra estirado no senado, onde caiu, por ironia, aos pés da estátua de Pompeu. Mas trata-se do momento após o ato propriamente dito, e os próximos passos já estão sendo dados, os reajustes políticos já estão sendo feitos, em um mundo agora *sem* César: alguns senadores são vistos simplesmente em debandada; um senhor robusto está fazendo hora; os assassinos, com seus punhais em riste, agora estão no controle (ainda que, no fim das contas, por um breve período apenas). Há um contraste bem forte aqui com representações anteriores desse que é o mais simbólico dos assassinatos. Na maioria dos casos (como na tapeçaria do Vaticano, Figura 6.8), César é o foco de atenção no momento de sua morte; enquanto tiver fôlego, a vítima ainda é a estrela do espetáculo. Aqui Gérôme nos lembra de como é passageiro o poder autocrático. César foi reduzido a uma trouxinha manchada de sangue, difícil de notar, embaixo, à esquerda.[70]

Outros pintores escolheram outros momentos de assassinato para passar outras mensagens. Jean-Paul Laurens, por exemplo, artista conhecido por sua oposição às corrupções da monarquia, retratou a cena da A morte de Tibério, em 37 d.C. — seguindo os antigos rumores de que o velho tinha sido liquidado pelo sucessor Calígula ou seu capanga, Macro (nem morrer em paz no leito era suficiente para descartar suspeitas de que um imperador na verdade tinha sido sufocado) (Figura 6.22). Aqui, um assassino um tanto corpulento, muito provavelmente concebido como Marco, está a uma pressão do joelho e a um toque no pescoço de se livrar do frágil Tibério. É um emblema do cenário doméstico do poder imperial (o destino do mundo romano é decidido *em um quarto*), e vira do avesso uma narrativa reconfortante de sucessão: aqui, não é Tibério que *passa* o trono para Calígula, é Calígula que o *rouba* de Tibério.[71]

Narrativas também são desafiadas em recriações da sucessão imperial seguinte, de apenas quatro anos depois. Calígula foi morto, junto com a esposa e a filha pequena, em meio a tramoias lideradas por membros descontentes da guarda imperial ("Pretoriana") que tinham uma desavença pessoal com ele. Esse é o momento em que, na falta de um candidato mais plausível para tomar seu lugar, conta-se que arrancaram Cláudio — já debilitado, na meia-idade, uma opção definitivamente implausível — de seu esconderijo e o declararam *imperator*.[72] Foi uma cena que Lawrence Alma-Tadema, pintor holandês residente em Londres, pintou três vezes entre 1867 e 1880.

Alma-Tadema ocupa um lugar controverso na história da arte do século XIX. Ele é mais conhecido por suas recriações elegantes, por vezes lânguidas, da vida doméstica romana, em cenários meticulosamente estudados, tão próximos de uma autenticidade quanto permitia a arqueologia da época (de mulheres nas termas a nomeações em terraços de mármore ensolarados, ou clientes em salas de exposição de artistas antigos). Para alguns críticos modernos, ele estava inserindo um novo tipo de história em pinturas históricas, com um interesse mais democrático, com foco em vidas "históricas" mais comuns. Para outros, ele estava vendendo um classicismo desgastado, que parecia cada vez mais ultrapassado em face do modernismo radical (embora a verdade seja que ele era um dos pintores mais comercializados de sua época). Outros, ainda, veem sua obra como a banalização cultural de temas clássicos para clientes *nouveaux riches*. Logo após a morte de Alma-Tadema, Roger Fry, em meio às suas próprias empreitadas fracassadas com *Triunfos*, de Mantegna, em Hampton Court, fez uma crítica mordaz e esnobe de seu apelo para os "membros semi-instruídos da classe média baixa": suas pinturas faziam parecer que ele achava que o mundo romano era feito de "sabonete perfumado".[73]

6.21. A pintura *A morte de César* (1859), de Jean-Léon Gérôme, é uma imagem arrepiante de mudança de poder. O César morto, caído em frente a uma estátua de seu rival, Pompeu, é apenas uma pequena parte de uma tela de 1,5 metro de largura. O que importa agora é a sequência e o que os assassinos (aglomerados no meio) decidirão fazer.

Alma-Tadema não produziu muitos quadros que apresentavam imperadores romanos, mas eles eram bem mais sofisticados do que o que a boba generalização de Fry sugere, e teriam demandado mais do que uma "formação incompleta".[74] A pintura espetacular de *Rosas de Heliogábalo*, por exemplo, não só comemora uma pegadinha imperial cujo tiro sai pela culatra, quando o imperador sufoca seus convidados, como aponta nitidamente para um paradoxo no cerne da cultura romana imperial — que (pelo menos no imaginário antigo) mesmo a bondade e a generosidade dos imperadores poderiam ser letais (Figura 6.23). Mas o tratamento, por parte de Alma--Tadema, da ascensão de Cláudio suscita questões complexas adicionais.

A segunda de três versões, exibida pela primeira vez em 1871, intitulada *Um imperador romano, 41 d.C.*, é a mais desafiadora (embora o artista pareça ter ficado bastante insatisfeito — ou talvez bastante satisfeito —, a ponto de retornar a ela em escala menor alguns anos depois) (Figura 6.24). O momento representado é claro. Calígula e sua família aparecem estirados no centro, assassinados; alguns membros da Guarda Pretoriana (bem como duas mulheres, identificadas pelos críticos da época como "prostitutas") surgem aglomerados à esquerda; enquanto, à direita, outro membro da guarda se curva diante do recém-proclamado imperador, Cláudio, que mal sai de trás da cortina.

6.22. Em *A morte de Tibério*, de 1864, Jean-Paul Laurens ampliou a cena da morte do imperador em sua cama para um grande formato de "pintura histórica" (com quase 2,5 metros de largura). Para um imperador, a morte no leito não vinha com nenhuma garantia de que não era assassinato.

Mas há vários tipos de detalhes reveladores. O novo imperador está usando belos e requintados sapatos vermelhos (foram os sapatos despontando, segundo Suetônio, que denunciaram seu esconderijo). Mas seu poder não está à altura. São os soldados que mandam. O novo imperador precisa fazer o que eles dizem. O poder, na verdade, não está onde parece.[75]

Estará *Um imperador romano* sugerindo que o ano de 41 d.C. foi um ponto decisivo na história do império, com a vitória da violência sobre a ordem jurídica? Talvez. Nesse caso, a distinta estátua de mármore de Augusto — manchada, muito à semelhança da de Pompeu, na cena do assassinato produzida por Gérôme, com as marcas sangrentas das mãos da vítima — representa a história outrora nobre do regime imperial (anterior à morte de Augusto, cerca de 25 anos antes, em 14 d.C.). Contudo, há indícios de que é mais complicado do que isso e de que a estátua de Augusto aqui aponta para a violência e a injustiça que *sempre* estiveram no cerne do regime imperial. Isso decerto é sugerido pela pintura que mal se faz visível

6.23. Em *Rosas de Heliogábalo* (1888), Lawrence Alma-Tadema capta os paradoxos do poder imperial. A grande tela, de mais de dois metros de extensão, enfoca a "generosidade" de Heliogábalo (imperador, 218-22) ao banhar seus convidados com pétalas de rosa; contudo, segundo a história, as pétalas os sufocam e matam.

nos fundos da sala, com a etiqueta "Áccio" na borda inferior. Essa foi a batalha que levou Augusto ao poder absoluto em 31 a.C. Mas era uma batalha em meio a uma guerra civil, contra o conterrâneo romano Marco Antônio. Decerto a mensagem — não muito diferente da que passa a estátua de Germânico na *Decadência*, de Couture — é que o sistema imperial romano foi fundado sobre violência e desordem desde o princípio. Em termos mais diretos, a monarquia (romana) foi construída sobre ilegalidade.

Ao contrário de Roger Fry, John Ruskin, o guru da arte mais famoso do fim do século XIX, reconheceu, ainda que a contragosto, a ousadia política da obra de Alma-Tadema.[76] Talvez, nesse caso, alguns dos compradores em potencial tenham percebido isso também. A pintura ficou dez anos sem ser vendida, até ser adquirida pelo colecionador americano William T. Walters — e hoje está no Walters Art Museum, em Baltimore.

O fim de Nero

Se há uma pintura, no entanto, que representa, mais hábil e sucintamente do que qualquer outra, a capacidade dos artistas do século XIX de sondar, de um ponto de vista crítico, a natureza e a fundação do sistema imperial, é a obra daquele cujo território natal era Moscou e São Petersburgo, não Paris, ou Londres, ou a Holanda. Todavia, Vasily Smirnov viajou bastante pelo resto da Europa na década de 1880, expondo no Salon de Paris, antes de sua morte em 1890, com apenas 32 anos. Sua pintura mais famosa é uma representação de Nero em grande escala, não o lirista imprestável dos murais de Verrio, tampouco o tocador de lira "enquanto as chamas consomem Roma", mas *A morte de Nero* (Figura 6.25).[77]

Smirnov seguiu estritamente a descrição de Suetônio das últimas horas do imperador, em 68 d.C., quando os exércitos e a cidade se viraram contra ele de vez.[78] Nero foi abandonado no palácio, e seus chamados a criados outrora obedientes não foram ouvidos — até que, por fim, ele seguiu para uma vila fora da cidade, onde (incapaz de cometer o ato por conta própria), para sua ignomínia, um escravo o ajudou a se suicidar, e algumas mulheres leais o carregaram para ser enterrado. É exatamente o que estão fazendo nessa pintura: levando o corpo para o jazigo da família.

6.24. Pintura de Alma-Tadema, retratando a morte de Calígula e a ascensão de Cláudio (*Um imperador romano, 41 d.C.*), exposta pela primeira vez em 1871. Com quase dois metros de extensão, ela mostra, no centro, o corpo de Calígula morto, enquanto Cláudio (que está prestes a ser seu sucessor involuntário) é descoberto atrás de uma cortina. O retrato de Augusto ao fundo levanta questões sobre o sistema imperial como um todo. Teria sido um afastamento do que planejava Augusto? Ou esse tipo de assassinato vinha embutido na história imperial desde o princípio?

6.25. O que acontece quando o poder se esvai? A enorme tela de Vasily Smirnov, de quatro metros de largura, pintada em 1887, enfoca o abandono do imperador Nero morto, sendo cuidado apenas por três mulheres — sem poder de comando, sem seus homens, sem nada.

Mas há uma estátua famosa no canto, a única obra de arte no cenário, reconhecível de imediato como a escultura que hoje chamamos de *O menino e o ganso* — da qual há muitas versões no mundo greco-romano. É um objeto muito debatido (Figura 6.26). Será puro kitsch ou uma peça elegante, de gênero? Será um mito? Ou história real? E, acima de tudo, qual é a intenção da criança? Diversão inocente? Ou estaria ela tentando matar a ave? Nessa pintura, sem dúvida, a peça foi em parte concebida como decoração residual de uma propriedade imperial esmaecida (segundo o polímata Plínio, havia uma versão dela no palácio mais suntuoso de Nero, a "Casa Dourada").[79] Mas ela decerto faz mais do que isso. Move o dilema interpretativo da escultura à figura do próprio imperador. Quão culpável era Nero?

6.26. A escultura no canto da pintura de Smirnov (Figura 6.25) é um famoso — e intrigante — duo antigo de um menininho e um ganso. Uma versão dessa estátua pertenceu a Nero. Mas seria a criança de mármore (brincando com/ estrangulando/torturando o ganso) símbolo do próprio Nero?

Até que ponto eram *seus* excessos diversão inocente ou sadismo juvenil? O cerne da questão era: seriam todos os tiranos crianças (ou todas as crianças, tiranas)? A estátua cristaliza os dilemas da imagem — e do poder imperial — como um todo.

Há, no entanto, uma reviravolta. Quem comprou o quadro? Diferentemente do *Imperador*, de Alma-Tadema, ele não passou uma década sem ser vendido. O czar russo Alexandre III o surrupiou quase de imediato.[80] À primeira vista, pode parecer uma escolha esquisita para um monarca. Mas talvez ele, assim como Henrique VIII, tenha aproveitado o ensejo para refletir sobre as complexidades e dificuldades do regime autocrático.

7.
A esposa de César... acima de qualquer suspeita?

Agripina e as cinzas

Em 1886, um ano antes de pintar sua primeira versão da ascensão indigna ao trono por parte do imperador Cláudio, Alma-Tadema recriou outra cena da história da Roma imperial, expondo também a crueldade e a corrupção da autocracia romana (Figura 7.1). À primeira vista, pode parecer uma de suas recriações ligeiramente oníricas da vida doméstica romana. Não há soldados nessa pintura, nem sequer homens — apenas uma madame solitária reclinada em um sofá, olhando pensativa para o que talvez seja seu porta-joias.

Um olhar mais atento mostra que não é nada do tipo. A mulher está reclinada no que só pode ser um grande túmulo: há epitáfios afixados à parede; perfeitamente legível, atrás dela, encontram-se as iniciais "DM", abreviação para "Dis Manibus" (aos espíritos dos que se foram) — frase comum em memoriais romanos; e a escada à esquerda sugere que a cena se dá no subterrâneo; o que talvez fosse um porta-joias provavelmente é uma pequena urna funerária que ela tirou de um nicho na parede. O título do quadro o identifica com precisão: *Agripina visitando as cinzas de Germânico*. Alma-Tadema, em outras palavras, imaginou uma cena na vida de uma das trágicas heroínas da família imperial romana. Agripina, a Velha (como ela é chamada hoje, para se distinguir da filha, "a Jovem").[1]

A história de sua devoção à memória do marido, Germânico — cuja estátua sobreviveu à "decadência" da pintura de Couture —, era uma das favoritas na Roma Antiga.[2] Escritores se debruçaram não só sobre a morte terrível do belo rapaz, na Síria, em 19 d.C. — que, por consenso, se acredita ter sido encomendada pelo tio dele, o invejoso imperador Tibério —, como também sobre a lealdade inabalável de Agripina, que, sendo um dos poucos descendentes diretos do imperador Augusto, vinha de uma estirpe

7.1. Agripina, ao visitar o túmulo de sua família, segura no colo a caixa contendo as cinzas do marido, Germânico, que ela tirou do nicho a seu lado. A pintura de Alma-Tadema, de 1866, retrata uma atmosfera de domesticidade taciturna em uma escala intimista (mede menos de quarenta por 25 centímetros).

ainda superior à do marido. Presume-se que ela tenha levado as cinzas dele de volta para Roma, a mais de 3 mil quilômetros de distância, onde houve uma recepção calorosa do público (cujo luto pela morte de Germânico foi comparado à moderna comoção popular pela morte da princesa Diana).[3] Aqui Alma-Tadema retrata Agripina sozinha no que deve ser uma visita posterior ao túmulo da família; ela foi mais uma vez tomar nas mãos as cinzas, que tinham se tornado sua marca registrada, ou talismã. O nome "Germânico" aparece, tênue, na placa memorial no muro.

O pior, no entanto, estava por vir. Na história-padrão, ao menos (a verdade é outra conversa), Agripina não se retirou para um recolhimento sensato e inconspícuo. Em vez disso, enfrentou Tibério e seus *apparatchiks* em uma série de demonstrações de princípio admirável, lealdade à família ou teimosia sem sentido (fica a cargo do ponto de vista do leitor). Por fim, em 31 d.C., ela foi exilada em uma pequena ilha na costa da Itália, onde jejuou (ou passou fome) até morrer. Foi só no reinado de seu filho Calígula — um desses monstros imperiais devotados à mãe — que suas cinzas foram trazidas de volta a Roma. A grande lápide em que elas foram então depositadas ainda existe, mesmo que com uma reviravolta na história. Foi redescoberta e reciclada para uso como unidade de medida para grãos na Idade Média, e só restaurada como monumento antigo no século XVII, quando instalada nos Museus Capitolinos, em Roma, onde se encontra até hoje. (Os burgueses romanos de 1635 não resistiram e gravaram uma piada de mau gosto em seu novo pedestal: havia certa ironia, sugeriram, em criar uma unidade de medida para grãos/sustento, ou *frumentum*, com o memorial de uma mulher que morreu *recusando frumentum*.)[4]

A história de Agripina e a tentativa de Alma-Tadema de recapturar a viúva pesarosa no túmulo (sem falar no "humor" grosseiro dos romanos do século XVII) levantam algumas questões maiores sobre o papel das mulheres na família imperial, bem como sobre suas imagens antigas e modernas. Até aqui, neste livro, representações das esposas, mães, filhas e irmãs do imperador romano desempenharam um papel menor. Sempre houve, é verdade, muito menos representações delas do que dos imperadores propriamente ditos ou de seus irmãos e filhos. Algumas até ganharam o status de celebridade. Um busto romano de Faustina, esposa do imperador Antonino Pio, do século II, por exemplo, foi objeto de uma famosa disputa, do início do século XVI, entre Andrea Mantegna e Isabella d'Este, que no fim das contas conseguiu comprá-lo do pintor falido por um precinho amigo (se for o busto triste de *Faustina* que até hoje se encontra no Palácio Ducal, em Mântua, fica difícil entender o burburinho em torno dele; ver Figura 7.2).[5] E *Agripina visitando as cinzas de Germânico* é apenas uma das muitas pinturas em que artistas modernos usaram figuras de mulheres para expor a corrupção da corte imperial.

Este capítulo explora a história das mulheres na hierarquia imperial, como parte da complexa genealogia da casa reinante. Há nomes famosos e outros nem tanto, de Lívia, esposa de Augusto (cujas vilanias tornaram a ganhar fama graças à atriz Siân Phillips, que a interpretou na série *I, Claudius* [Eu, Cláudio], da BBC e da HBO, na década de 1970), a Messalina (a terceira esposa de Cláudio, que, segundo rumores da Roma Antiga, aceitou um emprego de meio período em um bordel) e Otávia (a virtuosa primeira esposa de Nero, cuja sina era ver seus entes queridos e mais próximos caírem mortos diante de si). Mas o que elas faziam de fato? Quão importantes eram? E como eram representadas em imagens visuais, antigas ou modernas? Vimos que o início do regime autocrático veio de mãos dadas com mudanças revolucionárias na representação dos novos líderes políticos (imperadores, príncipes e herdeiros). O mesmo se aplicava às mulheres da família? O que ganhamos com um enfoque feminino? Concluiremos com um olhar mais atento a Agripina, a Velha, e a Jovem: uma delas, mártir implacável; a outra, esposa de Cláudio, mãe de Nero, que acaba como um corpo terrivelmente dissecado. E traremos à tona ainda mais uma Agripina, de uma pintura famosa e controversa de Rubens, no último caso de identidade equivocada tratado aqui.

Mulheres e poder?

Não existia a ideia de "imperatriz romana" nem nada parecido. Mas é praticamente impossível evitar o termo de todo (não são poucos os casos de "imperatrizes", confesso, que vão se esgueirar pelas páginas a seguir). Várias honras concedidas às mulheres mais importantes da corte, incluindo o título "Augusta", equivalente feminino de "Augusto", sugerem certa proeminência pública. A própria Lívia foi a primeira delas: ficou formalmente conhecida como "Júlia Augusta" após a morte do marido (para a confusão de todos na época, imagino, e não só hoje), tendo antes sido promovida em um poema "absurdamente hiperbólico" como *"princeps Romana"* (que não fica muito aquém de "rainha").[6] Ainda assim, exagero poético à parte, não existia posição oficial de consorte imperial, e sem dúvida nenhuma possibilidade de uma mulher a ocupar o trono. Quando falamos das mulheres da família imperial, estamos nos referindo a um grupo heterogêneo e mutável de esposas, mães, filhas, irmãs, primas e amantes de imperadores, com graus variados de influência e importância, mas nenhuma posição formal na hierarquia.

Dito isso, escritores romanos trataram essas mulheres, membros da família imperial, como muito mais poderosas, na prática, do que as mulheres de elite tinham sido no início da República. É difícil precisar quão verdadeiro era isso. Tenho fortes suspeitas de que Lívia, ou qualquer uma das demais, ficaria surpresa ao saber da influência atribuída a elas pelos escritores antigos e modernos, ou dos rivais inconvenientes que, segundo dizem, elas liquidaram (boatos, claro, prosperavam em um mundo em que um caso fatal de peritonite não se distinguia de um caso fatal de envenenamento). Verdadeira ou não, essa *percepção* de poder feminino remonta diretamente à estrutura do regime autocrático.

7.2. Este busto romano, em uma escala um pouco menor do que o tamanho real, talvez seja, ou não, o retrato de Faustina, esposa de Antonino Pio (imperador, 138-61), pelo qual Isabella d'Este e Mantegna brigaram no começo do século XVI. Seja a identificação correta ou não, o penteado é um dos aspectos estilísticos que situam o retrato em meados do século II.

Em primeiro lugar, em qualquer corte como a Roma imperial, a influência parece estar entre aqueles que são próximos dos homens no topo. É o poder por proximidade, outorgado àqueles a quem o imperador dá ouvidos, por conversarem com ele no jantar, fazerem a barba dele ou (ainda melhor) compartilharem a cama com ele. Até certo ponto, claro, há *mesmo* poder na proximidade, e é o que impulsiona o velho clichê das mulheres como "o poder por trás do trono". Só que, mais do que isso, as mulheres são um aparato explicativo incrivelmente conveniente para os mistérios, inconsistências e caprichos do processo decisório do imperador — daí o porquê de exagerarem sua influência. O advento da autocracia significava que o poder se afastava da discussão aberta do fórum republicano ou senado, rumo aos corredores ocultos e conspirações secretas do palácio imperial. Ninguém do lado de fora dos muros do palácio sabia como — ou por quem — as decisões eram tomadas lá dentro.[7] Culpar a influência da esposa, mãe, filha ou amante era uma explicação genérica conveniente ("Ele fez isso para agradar Lívia", ou Messalina, ou Júlia Mameia, ou quem quer que fosse). A mídia moderna apela para o mesmo expediente quando quer explicar as engrenagens internas da Casa Branca, da casa de número 10 na Downing Street ou da família real britânica (pense em Ivanka Trump, Cherie Blair ou Meghan Markle).

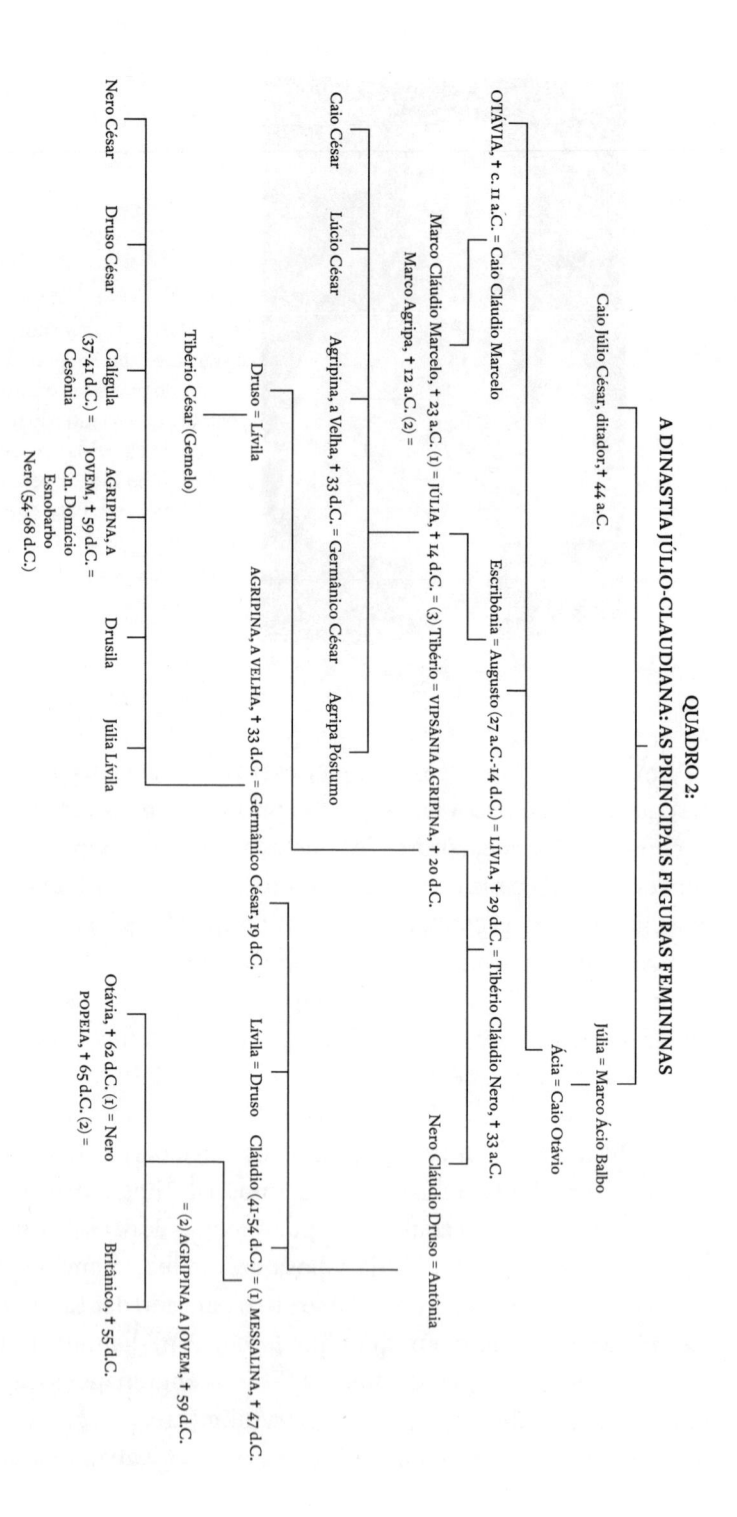

Caio Júlio César, ditador, † 44 a.C.

Júlia = Marco Ácio Balbo

Ácia = Caio Otávio

OTÁVIA, † c. 11 a.C. = Caio Cláudio Marcelo

Escribônia = Augusto (27 a.C.-14 d.C.) = LÍVIA, † 29 d.C. = Tibério Cláudio Nero, † 33 a.C.

Caio César

Lúcio César

Marco Cláudio Marcelo, † 23 a.C. (1) = JÚLIA, † 14 d.C. = (3) Tibério = VIPSÂNIA AGRIPINA, † 20 d.C.

Marco Agripa, † 12 a.C. (2) =

Nero Cláudio Druso = Antônia

Agripina, a Velha, † 33 d.C. = Germânico César   Agripa Póstumo

Tibério César (Gemelo)

Druso = Lívila

AGRIPINA, A VELHA, † 33 d.C. = Germânico César, 19 d.C.

Nero César

Druso César

Caligula
(37-41 d.C.) =
Cesônia

AGRIPINA, A
JOVEM, † 59 d.C. =
Cn. Domício
Enobarbo
Nero (54-68 d.C.)

Drusila

Júlia Lívila

Lívila = Druso   Cláudio (41-54 d.C.) = (1) MESSALINA, † 47 d.C.

= (2) AGRIPINA, A JOVEM, † 59 d.C.

Otávia, † 62 d.C. (1) = Nero
POPEIA, † 65 d.C. (2) =

Britânico, † 55 d.C.

† indica data de morte

270

Todavia, em Roma isso também estava ligado à centralidade das mulheres nas estratégias de sucessão dinástica. Em termos mais simples, o papel crucial delas em gerar herdeiros legítimos embasa os dois tipos de mulheres, diametralmente opostos, que dominam a escrita e o imaginário antigos. De um lado estavam aquelas que agiam de forma correta dentro da dinastia, que fielmente geravam filhos e facilitavam a transmissão de poder. Do outro lado, muito mais marcadas na imaginação moderna, estavam as Messalinas e Lívias, com suas competências mortíferas em envenenamento (o tradicional crime feminino: secreto, furtivo e doméstico, uma forma fatalmente pervertida de culinária). O comportamento delas ameaçava desestabilizar a sucessão ordenada, seja por adultério, seja por incesto — ou por uma predileção perigosa pela própria prole em meio ao padrão sucessório e a eliminação obstinada de quaisquer rivais.

O que isso significa é que a acusação de sordidez e imoralidade sexual geralmente feita contra as mulheres da família imperial *talvez* reflita o que elas aprontavam, mas não necessariamente (a maioria das pessoas da época não tinha mais informações confiáveis sobre a vida sexual de Messalina do que temos hoje). Certamente reflete, *sim*, um dos pontos de pressão ideológica da dinastia imperial romana, como em muitas estruturas patriarcais similares: como regular a sexualidade daquelas cujo propósito era gerar herdeiros legítimos, e o receio do imperador (em uma era em que nunca se sabia) de que "seus" filhos talvez não fossem mesmo "seus". Era um ponto de pressão que sofria com mais tensão ainda por nenhum filho biológico ter *de fato* sucedido a um pai em mais de cem anos de reino imperial romano. Vespasiano não só foi o primeiro imperador, segundo o consenso, a morrer por causas naturais, em 79 d.C., como foi também o primeiro imperador cujo filho natural lhe sucedeu.[8]

Essas preocupações permeiam a citação famosa, hoje quase um provérbio, que adaptei para o título deste capítulo, "A esposa de César deve estar acima de qualquer suspeita".[9] Isso advém de um incidente ocorrido no início da carreira de Júlio César, quando ele ainda era um político jovem e ambicioso, a duas décadas de se tornar *dictator* em Roma. Pompeia, sua esposa na época, estava conduzindo um ritual religioso especial, restrito apenas a mulheres, quando, segundo relatos, um homem se infiltrou no grupo. Correram boatos de que isso fora uma travessura entre amantes e que o homem em questão estava tendo um caso com Pompeia. César sustentou que não suspeitava dela, mas mesmo assim se divorciou, pois a esposa de César

devia estar *"acima* de qualquer suspeita".[10] Também há preocupações semelhantes subjacentes, de forma mais ambivalente, às histórias conflitantes
sobre a morte de Augusto. Uma versão sórdida, que já vimos aqui, dizia que
Lívia o matou besuntando veneno nos figos favoritos dele conforme brotavam das árvores ("A propósito, não encoste nos figos", na memorável fala
com que a Lívia da TV avisou o filho Tibério). Outra, contada por Suetônio,
insistia, talvez pesando a mão um pouco demais, quase como paródia, na
devoção conjugal do casal imperial: ele morre beijando a esposa, enquanto
consegue dizer: "Lembra-te sempre do nosso casamento, Lívia, adeus...".[11]

O que aconteceu de fato no leito de morte de Augusto não chegou até nós
(e não há motivos para acreditar em nenhum desses casos mirabolantes). Mas
os relatos contraditórios da cena entre escritores romanos destacam os dilemas sobre morte imperial, sucessão e o papel potencialmente demolidor das
mulheres dentro das estruturas de poder. De certa forma, as representações
de "imperatrizes" na arte oficial romana dialogam com essas preocupações.

Esculturas, grandes e pequenas

Há muitas mulheres da família imperial nas nossas galerias de estátuas romanas, e indícios de muitas outras perdidas (documentadas, por exemplo, em
pedestais que hoje estão sem suas respectivas estátuas). Mas afirmar quem
é quem com exatidão é ainda mais difícil do que no caso de seus maridos, irmãos e filhos. Essas imagens não perdem em teor revolucionário para seus
equivalentes homens, talvez sejam até mais. A nova política do império exerceu uma influência dramática no *estilo* dos retratos dos homens no topo. Contudo, autocracia e dinastias puseram mulheres em evidência no repertório de
esculturas públicas pela primeiríssima vez, de início como parte do diagrama
de poder imperial, e a seguir mais amplamente. Antes dos primeiros anos do
regime de um homem só, não havia uma tradição estabelecida em Roma de
honrar mulheres mortais, da vida real, com estátuas públicas (o caso era diferente com deusas e em outras partes do mundo romano mais amplo).[12] Mas
identificar quem era quem com alguma certeza se mostrou uma tarefa árdua.

A dificuldade básica, assim como no caso dos homens, é que só um punhado de retratos vêm com nome, e não há nenhum método científico para
estabelecer sua identidade. Mas isso é só o começo. Por mais importantes
que fossem as estátuas de mulheres para disseminar a imagem da família reinante de um lado a outro do império, elas existiam em menor quantidade

(a) (b) (c)

7.3. Três mulheres imperiais, de um grupo de treze estátuas remanescentes, em escala um pouco maior do que o tamanho real, que outrora ficavam em um dos edifícios públicos da cidadezinha de Veleia, no Norte da Itália. Há indícios, nas palavras gravadas nos pedestais, de como essas estátuas devem ser identificadas, mas o mais importante é quão semelhantes elas são: (a) Lívia, (b) Agripina, a Velha, e (c) Agripina, a Jovem.

do que estátuas de homens. E ainda são poucas as que sobreviveram: cerca de noventa retratos de Lívia, por exemplo, em uma contagem generosa, versus duzentos e tantos Augustos. Em outras palavras, há menos material para comparar e contrastar.

Além disso, há ainda menos critérios externos para usar como parâmetros. O processo de identificação dos homens pelo cotejo dos retratos com os bustos em moedas ou as descrições dos traços do imperador em Suetônio provou ser espinhoso (é difícil emparelhar uma imagem em miniatura com uma escultura em tamanho real, ou uma descrição vívida de Suetônio com o mármore branco). Mas pelo menos é *alguma coisa* — já no caso das mulheres, mal temos por onde começar. Seus rostos estampam moedas romanas, sim, mas com muito menos frequência do que os próprios imperadores,[13] e Suetônio não descreve de maneira sistemática a aparência das esposas e filhas do mesmo modo como descreve os homens no poder. Contexto e local da descoberta podem ajudar, sobretudo no caso de grupos de retratos imperiais. A representação de Lívia, por exemplo, alguns passos atrás de Augusto, no friso entalhado do famoso "Altar da Paz", em Roma, gera algumas dúvidas.[14] Mas mesmo em alguns desses grupos, os traços clássicos, insípidos, quase idênticos entre as mulheres ainda suscitam debates intermináveis sobre quem exatamente eram para ser. Um trio de damas imperiais em exibição pública na cidade de Veleia, no Norte da Itália, ilustra bem esse ponto. Com base nos pedestais com inscrições encontrados no mesmo sítio, podemos dar por quase certo que estamos lidando com uma Lívia e duas Agripinas, a Velha e a Jovem; mas, para o espectador médio (e não sei se o especialista faz melhor), podem muito bem ser trigêmeas idênticas (Figura 7.3).[15]

Na maioria dos casos, os penteados das mulheres são a orientação mais certeira, pelo menos para a datação da escultura e a possível lista de candidatas. Há muito menos precisão — isso quando há alguma precisão — no design das madeixas, que desempenha um papel tão importante na identificação de seus congêneres homens.[16] É mais uma questão geral de tratamento de cabelo, que muda com o tempo, dos penteados modestos e retinhos do começo do século I aos montículos elaborados setenta anos depois, sob a dinastia flaviana e posteriormente (Figura 7.2). Mas aqui surge outro problema. O fato é que (a menos que um contexto imperial ofereça uma informação clara) talvez seja impossível saber se um retrato em particular é de uma das familiares do imperador, uma cidadã rica com o cabelo no mesmo estilo ou alguém que conscientemente imitou a aparência das "imperatrizes".[17]

A semelhança é a marca registrada das "imperatrizes". Com os homens das dinastias imperiais, havia sempre um equilíbrio representativo entre semelhança e diferença. Os príncipes júlio-claudianos parecidos eram parecidos precisamente para serem o mais indistinguíveis possível do Augusto que estavam marcados para suceder. Contudo, imperadores regentes também precisavam de notoriedade, ou, em alguns casos — como Vespasiano —, precisavam asseverar algum tipo evidente de diferença em relação ao antecessor. Portanto, por mais tênue que por vezes fosse "o visual" deles, havia, e ainda há, expectativas quanto à aparência de um Júlio César, um Augusto ou um Nero. Com as mulheres da dinastia, não era bem assim. Quaisquer que fossem os estereótipos marcados, vívidos e conflituosos das diferentes figuras na literatura antiga, a arte oficial do Império Romano

7.4. Retrato em miniatura de uma mulher, ou camafeu antigo, de pouco menos de sete centímetros de altura (a moldura é uma adição do século XVII). Muito provavelmente foi feito para — e retrata — uma mulher membro da casa reinante, mas há debates em torno de quem ela exatamente é e quem são as crianças. Messalina com o filho e a filha, Britânico e Otávia, é forte candidata.

(toda e qualquer versão *não oficial* dessas mulheres se perdeu para nós) parece, na verdade, ter insistido em uma homogeneidade insípida entre elas, e até — cabelos à parte — em uma permutabilidade.

Não se tratava de uma *falha* por parte das esculturas ou escultores antigos em distinguir entre uma mulher e outra. Quem quer que fossem os artistas das peças concluídas, a probabilidade era que nunca tivessem visto essas mulheres cara a cara (assim como não deviam ter visto os imperadores e príncipes), e que trabalhavam com algum tipo de modelo enviado de Roma. De novo, quem controlava o processo, se é que alguém controlava, é um mistério. Seria implausível, dado o que mais sabemos sobre como funcionavam as coisas no palácio imperial, imaginar que o imperador e seus conselheiros se sentaram e decidiram que todas as mulheres da família deveriam, dali em diante, ser retratadas da mesma forma (ou, como às vezes parece acontecer, sobretudo no futuro império, que os traços das mulheres devessem corresponder aos de seus maridos).[18] Contudo, como quer que tenha sido, a semelhança era a questão. Servia de antídoto para os efeitos potencialmente desestabilizantes das demandas, vontades e deslealdades de cada mulher da hierarquia política que tinha papel de destaque no imaginário literário romano. Essas imagens repetitivas asseveravam o papel delas não como agentes individuais, mas, na verdade, como símbolos genéricos de virtudes imperiais e continuidade dinástica. Isso era sustentado por outros aspectos de seus retratos.

Um desses aspectos está encapsulado em uma imagem em miniatura, em um camafeu romano, que foi parar (junto com uma nova moldura, do século XVII) na coleção dos reis franceses, tendo outrora pertencido a Rubens, que produziu um desenho da imagem (Figura 7.4). A preciosidade e o custo apontam para uma conexão bem próxima entre camafeus como esse e a antiga corte imperial, fossem eles itens de decoração do palácio ou peças de apresentação diplomática (essas peças são, em essência, objetos *da realeza*). Mas o aspecto primoroso de retratos do tipo e a habilidade extraordinária que era exigida para criá-los — envolvendo um processo intrincado de talhar a pedra preciosa para revelar cores diferentes em diferentes partes do design, em uma escala minúscula — podem camuflar algumas das estranhezas e complexidades de sentido.

Para começo de conversa, nós nos deparamos com os mesmos velhos problemas sobre a identidade dos artistas e os modelos que eles usaram (a maioria é desconhecida) e a identidade dos retratados (a maioria é objeto de debate). A mulher em questão já foi identificada como Messalina, Agripina, a Jovem, Cesônia, esposa de Calígula, e Drusila, irmã dele. Contudo, é a lógica do design o que mais conta, não importando quem se destinava a ser, originalmente. Pois, atrás da mulher, uma *cornucópia* (chifre da abundância) não só se encontra cheia de frutas (símbolo comum de riqueza e fecundidade na arte antiga) como, no topo, um pouco incongruente, espreita uma criancinha — provavelmente um menino, ainda que reconfigurações posteriores não permitam ter certeza absoluta disso, mesmo com a ajuda do desenho de Rubens, que talvez não seja de todo preciso. Outra figura, tradicionalmente vista como menina, aninha-se no ombro de outra mulher.[19]

Partindo do princípio de que a criança da cornucópia é menino, é uma asserção de fecundidade, não no sentido de frutos do campo, mas no sentido de gerar um herdeiro para o trono. Talvez não surpreenda que a "imperatriz" seja aclamada como mãe, e há muitos outros exemplos romanos, grandes e pequenos, que exibem exatamente esse papel. Mas é muito provável que esse caso não pare por aí. Suponhamos que a mulher seja *de fato* Messalina (que ainda é o ponto de vista mais comum, embora a identidade da mãe dependa em parte do sexo que decidirmos atribuir às crianças, ou *se* a figura inferior é mesmo uma criança). Se for esse o caso, então a imagem não só está o mais longe imaginável da sátira de "imperatriz como prostituta" como é praticamente uma tentativa de excluir qualquer ideia do tipo, enfatizando, em vez disso, a imagem da mulher imperial como garantia da sucessão masculina: nada mais, nada menos.

É só com o benefício da retrospectiva que nos damos conta de que essa sucessão em particular não daria tão certo quanto prometia. Pois se Messalina for *mesmo* a mãe, então o menino, emergindo da cornucópia como a esperança da dinastia, deve ser Britânico, filho do imperador Cláudio, que convenientemente caiu morto em um jantar no início da adolescência, assegurando assim que não ofereceria nenhuma ameaça ao lugar do meio-irmão Nero no trono. O historiador romano Tácito deu a entender que a tendência era achar que ele tinha morrido de causas naturais, exceto pelo estranho fato de que a pira funerária fora preparada de antemão.[20]

A apresentação de "imperatrizes" em roupagem de deusas era outra forma de inocular o domínio visual contra os supostos perigos de poder, agência e transgressão feminina. Havia todo tipo de sobreposição no imaginário romano entre o poder dos deuses e o poder dos imperadores; e, em um dos elementos da religião antiga mais enigmáticos para o público moderno (referenciado na galeria de pinturas de Carlos I e parodiado na escadaria de Hampton Court), alguns imperadores, bem como algumas de suas parentes, foram oficialmente reconhecidos como *divinos*, com templos, sacerdotes e louvor após sua morte.[21] Contudo, ao longo da vida, os membros masculinos da família costumavam ser mais representados em papéis humanos icônicos (como general, orador e assim por diante). Era muito mais comum para as "imperatrizes" ganhar a aparência de deusas — ou, mais precisamente, suas estátuas costumavam combinar as feições associadas a mulheres imperiais, com vestimentas, atributos e postura de deusas.

(a)   (b)

7.5. Havia uma fronteira difusa entre imagens de deusas e imagens de mulheres da família imperial. Aqui, (a) uma estátua em tamanho real, (provavelmente) de Messalina com uma criança, baseia-se em (b) uma clássica estátua grega da deusa "Paz" segurando seu bebê, "Riqueza" (vista em uma versão romana posterior).

Assim, por exemplo, uma estátua em tamanho real que costuma ser identificada, corretamente ou não, como Messalina, mais uma vez com o bebê Britânico (Figura 7.5), na verdade imita a pose de uma famosa escultura grega do século IV, da deusa Paz (Irene) segurando seu bebê, Riqueza (Pluto) — explorando, em parte, o mesmo conceito que o camafeu, substituindo a prosperidade humana, na forma de uma criança, pela prosperidade material, na forma de dinheiro ou colheitas.[22] Ainda mais impressionante é um painel de mármore do agrupamento mais importante de esculturas romanas desenterradas no século XX. A centenas de quilômetros de Roma, na cidadezinha de Afrodísias, na atual Turquia, esses painéis — dezenas deles — outrora decoravam um edifício erguido por um grupo de figurões locais no século I, em homenagem ao imperador romano e seu poder. Celebravam vários sucessos e momentos dinásticos da história da família júlio-claudiana, e uma das esculturas é geralmente aceita como Agripina, a Jovem, coroando o filho, Nero, imperador (Figura 7.6).[23] O rosto e o penteado se harmonizam bem com os de outras supostas Agripinas. Contudo, a pose e o traje, e a cornucópia, de novo, claramente batiam com representações antigas e conhecidas de Ceres, a deusa que, entre outras coisas, protegia plantações, colheitas e, de modo mais geral, a produtividade.

7.6. Em um monumento do século I que celebrava a família imperial romana, na antiga cidade de Afrodísias, na atual Turquia, um dos diversos painéis esculturais (de mais de 1,5 metro de altura, mas instalado tão alto que, do chão, é difícil observar os detalhes) ilustra Agripina, a Jovem — ou seria a deusa Ceres? — coroando o imperador Nero.

Muitos observadores modernos aceitam sem discutir essa fusão de mulher mortal com deusa imortal, com uma decepcionante falta de espanto. Etiquetas de museus e legendas de fotos tendem a ser lacônicas, dizendo, "Agripina *como* Ceres", ou "Lívia *em uma roupagem de* Vesta", ou algo assim, sem abordar a questão do que "como" ou "em uma roupagem de" de fato significam. Quer dizer que essas imperatrizes estavam vestidas de deusas, adotando um molde artístico conveniente para a exibição pública de uma mulher? Ou que foram imaginadas como figuras sobre-humanas, seja em uma metáfora sutil de poder feminino, seja em uma asserção forte e literal da divindade da imperatriz? Ou seria o contrário? A intenção era que o público enxergasse "Ceres *como* Agripina" e "Vesta, deusa do fogo doméstico, *com a aparência de* Lívia"?[24] São questões de identidade escultural com uma nova abordagem: não se trata de "Esta é Agripina, a Velha, ou Agripina, a Jovem?", mas "Esta é Agripina ou a deusa Ceres?".

Não existe uma única resposta certa. O que é uma metáfora visual sagaz para um observador pode ser uma equivalência insossa entre imperatriz e deusa para outro. Mas essa convenção era mais um meio de anular a individualidade dessas mulheres na família imperial e mitigar o risco de ganharem protagonismo. A vinheta escultural da coroação de Nero mostra como isso funciona. Acreditando ou não nos boatos escandalosos sobre Agripina a armar o caminho de Nero para o trono (incluindo o famoso truque do cogumelo envenenado para se livrar de seu então marido Cláudio), seria impensável, em termos romanos, imaginar uma mulher mortal homenageada publicamente por assegurar a sucessão imperial de seu filho. A figura de Ceres, ao ser sobreposta a Agripina, com efeito encobre qualquer sinal de agência mortal na dinâmica da sucessão, transferindo-a para o âmbito divino (mesmo que alguns cínicos talvez tenham balançado a cabeça). Em termos mais gerais, fundir as figuras de imperatriz e deusa era tanto um gesto de homenagem à mulher imperial em questão quanto, ao mesmo tempo, uma estratégia para apagar sua individualidade e poder terreno.

Mães, matriarcas, vítimas e prostitutas

Essas duas imagens bem diferentes de mulheres imperiais — a falta de individualidade minuciosamente calculada nas artes visuais oficiais, por um lado, e a rica tradição literária, às vezes contracultural, por outro — deixaram sua marca em representações modernas.[25] Em primeiro lugar, provou-se ser quase impossível montar um elenco convincente de Doze "Imperatrizes" para corresponder aos Doze Césares. De fato, há várias familiares ao lado dos imperadores na Sala dos Imperadores dos Museus Capitolinos; e no arranjo geral do Camerino dei Cesari, em Mântua, algumas lacunas dinásticas entre as gerações foram preenchidas com pequenos medalhões com as esposas e mães dos imperadores. Mas não há nenhum Suetônio para definir algo como um conjunto ortodoxo de mulheres imperiais. Mesmo se restringirmos o foco apenas às esposas, há muito mais imperatrizes do que imperadores (quase todo imperador se casou diversas vezes); e, tirando os estilos variáveis de penteado, não há "aparência" antiga para distinguir umas da outras. Os conhecidos grupos modernos de Doze Césares, independentemente de seus contornos difusos, substituições e identificações equivocadas, costumam ser precisamente isso: *Césares apenas*.

De vez em quando, algum artista moderno se aventurava em uma série de imperatrizes para fazer um paralelo com os homens, por um senso de simetria, completude ou talvez um desejo de introduzir um toque erótico ao austero cenário imperial. Mas isso não era tão fácil quando parecia. Os problemas ficam evidentes na série mais famosa e influente do tipo que sobrevive até hoje, das mãos do gravurista Aegidius Sadeler, do início do século XVII. Pois Sadeler não parou nos seus doze imperadores e nos versos — meio amargos, meio descarados — que os acompanhavam. Ele também produziu doze mulheres imperiais correspondentes para compor um conjunto completo de 24, em pares (Figura 7.7).

A fonte de inspiração de Sadeler para tanto é um enigma antigo. Não há artista original creditado nas gravuras das mulheres (ao contrário do reconhecimento de Ticiano como *"inventor"* nas gravuras dos homens — incluindo, erroneamente, Domiciano). Assim, terá sido o próprio Sadeler que as concebeu, para incluir ambos os sexos? Ou, se as copiou, onde estavam, ou estão, as originais? Já sugeriram de tudo. Mas descobertas nos arquivos de Mântua e em outros lugares nos dão quase certeza de que essas figuras, no fim das contas, aludem a um conjunto de *imperatrici* (imperatrizes) pintadas na década de 1580 por um artista local, Theodore Ghisi, para complementar os *Césares*, de Ticiano — e instalado em sua própria sala, a "Camera delle Imperatrici", em algum lugar do palácio.[26] Como era disposto, ou mesmo onde exatamente ficava, e o que aconteceu com as pinturas (ou às versões delas que talvez tenham sido a fonte direta de Sadeler) é, em grande medida, uma questão de achismo. Definitivamente, não há sinal de que em algum momento elas tenham feito parte das negociações que trouxeram as demais "peças de Mântua" à Inglaterra. Tudo o que sabemos delas vem das gravuras.

7.7. No início do século XVII, Aegidius Sadeler produziu gravuras de doze "imperatrizes", para fazer par com seus imperadores. Muito menos conhecidas do que os nomes de praxe, estão na ordem de seus doze maridos imperiais: (a) Pompeia, (b) Lívia, (c) Vipsânia Agripina, (d) Cesônia, (e) Élia Pecina, (f) Messalina, (g) Lépida, (h) Álbia Terência, (i) Petrônia, (j) Domitila, (k) Márcia e (l) Domícia Longina.

Em alguns aspectos, elas apresentavam uma correspondência bem próxima aos imperadores. As mulheres eram igualmente mostradas como figuras em três-quartos, e nas versões de Sadeler também vêm com versos embaixo, ainda que um pouco menos hostis, em geral, do que os que acompanham os próprios césares (algumas das mais famosas vilãs imperiais foram bastante poupadas, retratadas mais como mães trágicas do que como prostitutas).[27] Também foram replicadas, em diversas séries de pinturas a óleo que, na verdade, não são muito dignas de nota, encontradas por toda a Europa, e em outros meios também, com maior apelo. Seus rostos foram incluídos entre os pequenos retratos em esmalte daquela encadernação intrincada de *Vidas dos Doze Césares*, de Suetônio (Figura 5.14); e a imagem do Augusto de Sadeler na xícara de chá real vinha acompanhada de sua Lívia no centro do pires (sendo modestamente oculta, ou categoricamente obliterada, quando a xícara estava em seu lugar) (Figura 7.8). Mas havia diferenças reveladoras também.

Com uma única exceção, todas essas mulheres, em seus vestidos drapeados, parecem ser mais ou menos idênticas, com nem um pouco da individualidade — seja ela em traços ou nos trajes — dos imperadores correspondentes. Seria muito difícil, digamos, distinguir *Petrônia* (esposa de Vitélio) de *Márcia Fúlvia* (esposa de Tito) só pela aparência. Os versos às vezes reforçam a confusão. Em um caso, o autor ficou perdidamente confuso, sem saber quem era a mulher retratada, pelo visto supondo (de forma incorreta) que Pompeia, a segunda esposa de Júlio César, que deveria estar "acima de qualquer suspeita", era filha de Pompeu, inimigo deste.[28] O fato de que em geral havia mais de uma esposa dentre as quais escolher e outras complicações maritais (usando um eufemismo) era mais uma camada de problemas. Essas complicações estão por trás da única figura distinta da seleção. Pois o imperador Otão teve apenas uma esposa, ainda jovem, Popeia, que mais tarde se casou com Nero. Talvez para se esquivar das dificuldades que isso traria ao conjunto, o artista optou por omitir Popeia, para retratar uma esposa posterior de Nero (uma Messalina diferente, mas relacionada), e, no caso de Otão, para pôr sua *mãe* no lugar de uma esposa. Sua aparência se destaca pelo simples fato de que ela é representada como sendo muito mais velha do que as demais.

É quase como se o projeto para construir uma série de doze "imperatrizes" acabasse expondo o fato de ser impossível fazer isso nos mesmos termos que no caso dos homens. Ele ia por água abaixo pela similaridade

7.8. O pires que acompanha a xícara real decorada com o *Augusto* de Sadeler (Figura 5.3) tinha uma imagem, também produzida por ele, de Lívia, esposa do imperador (ainda que, talvez como um comentário sarcástico sobre a invisibilidade feminina, não fosse possível vê-la quando a xícara estava descansando no pires).

habitual entre elas, por confusões simples para divisar quem era quem e pela falta de uma "aparência" antiga distinta, para futuros artistas descobrirem, seguirem ou adaptarem. E as gravuras de Sadeler (ou as pinturas por trás delas) não foram um caso isolado. Dilemas similares são encontrados, em um formato ainda mais gritante, em *Illustrium imagines*, o compêndio de Fulvio de um século antes, com uma série de retratos em estilo numismático acompanhada de uma breve biografia de cada uma de suas celebridades romanas, homens e mulheres. Na entrada sobre Cossúcia (que talvez tenha se casado com Júlio César na juventude dele, empurrando assim Pompeia para o posto de terceira esposa), sua vida se resume a uma única frase, sem uma imagem sequer. Em outras duas — sobre "Plaucila", provável esposa do imperador Caracala, do século III, e "Antônia", provável sobrinha do imperador Augusto —, há uma imagem, mas nenhuma biografia. Sendo ou não propaganda da integridade acadêmica por parte de Fulvio, uma garantia de que ele não preencheria nenhuma lacuna sem as devidas evidências para tanto, ou uma provocação para se completar a coleção (ver p. 156), não é mera coincidência que todas essas lacunas digam respeito a mulheres. É instrutivo que, em uma versão pirata do livro de Fulvio, de pouco tempo depois, um retrato de "Cossúcia" tenha sido encontrado para preencher a página em branco. Mas ela não tem nada a ver com Cossúcia. Na verdade, é um retrato feminizado do imperador Cláudio, que simplesmente foi tomado de empréstimo, sabidamente ou não, para esse propósito. Aqui um homem literalmente faz as vezes de mulher.[29]

Era impossível, para esses artistas modernos, recriar uma seleção autêntica e sistemática dos Doze Césares em forma feminina. Contudo, para além das lacunas, incertezas e semelhanças insossas (e talvez libertados por elas), pelo menos desde a Idade Média artistas ocidentais se deleitaram em reimaginar as histórias vívidas sobre o poder e a falta de poder dessas mulheres. Assim como Alma-Tadema na pintura de Agripina e as cinzas, aproveitaram e florearam antigas anedotas, sátiras e rumores sobre elas para expor a corrupção do império e as tragédias de suas vítimas inocentes. Produziram recriações brilhantes, quando não arrepiantes, das dinâmicas de autocracia romana, através de uma lente feminina, ainda que com um toque um tanto frequente de misoginia. As imperatrizes aparecem em formas diferentes, de predadoras sexuais a heroínas impecáveis.

As versões de Aubrey Beardsley de Messalina como prostituta são tentativas memoráveis do fim do século XIX de reimaginar o vício imperial. Em uma delas, a imperatriz sai noite afora, sua capa preta se fundindo com o breu, atraindo nossa atenção para o chapéu coquete com plumas, a saia rosa ousada e os peitos despidos (ecoando um satirista romano que destacou seus "mamilos dourados", ver Figura 7.9).[30] É uma imagem desconcertante e também um pouco enigmática. Estará Messalina saindo para uma noite no bordel, com seu olhar sombrio — que é partilhado por sua ameaçadora dama de companhia — insinuando uma determinação resoluta por sexo? Ou está ela voltando para casa, para o palácio do corno Cláudio, frustrada por ainda querer mais? De qualquer forma, é uma representação de uma perigosa onívora sexual nas mais altas posições, ao mesmo tempo que expõe ao ridículo essa mulher pateticamente insaciável e, por implicação, o marido inadequado, humilhado.[31]

Nesse estilo art nouveau, que vem com toda uma carga própria de "decadência", Beardsley estava brincando com uma longa tradição de Messalinas

7.9. Desenho de Aubrey Beardsley (1895) de Messalina e sua dama de companhia (ou criada, ou escrava) em uma noitada fora. Com menos de trinta centímetros de altura, a imagem dissolve a acompanhante na noite enquanto atrai toda a atenção para a saia — e os seios — da imperatriz.

caóticas. Ela era a queridinha dos caricaturistas britânicos do século XVIII, James Gillray e outros, para os quais simbolizava, convenientemente, o caráter grotesco do desejo sexual feminino desenfreado. Para ser sincera, às vezes é preciso atentar bem para encontrá-la. Em uma das terríveis gravuras satíricas de Gillray, condenando Lady Strathmore por adultério com os criados, bebedeira, negligência infantil e abandono do marido (nem é preciso dizer que a história tinha outro lado), uma imagem de Messalina se encontra afixada à parede, nos fundos.[32] E ela faz uma ponta mais marcante em uma caricatura que debocha de uma adúltera mais conhecida: Lady Emma Hamilton, que é retratada de camisola, "comicamente" obesa, olhando em desespero pela janela enquanto a frota de navios de Lord Nelson parte rumo à França e seu marido idoso dorme, alheio, na cama atrás dela (Figura 7.10).[33] No chão, há uma seleção feita a dedo da preciosa coleção de antiguidades de Sir William Hamilton — entre elas, o rosto de

7.10. No cartum de James Gillray que ridiculariza Emma Hamilton (amante de Lord Nelson), de 1801, ela aparece vendo a frota de Nelson partir. A cabeça de Messalina, da coleção de antiguidades de seu marido, está no chão, entre um falo e uma estatueta de Vênus. O título acrescenta mais uma camada à (incômoda) piada: "Dido, em Desespero!" evoca a história da rainha de Cartago que, no mito fundador de Roma, se matou ao ser abandonada pelo "herói" Eneias, que saiu navegando rumo a seu destino.

uma suposta Messalina, colocada entre um falo partido (equipado com pés e rabo) e a estatueta de uma Vênus nua, cuja virilha ela aparentemente tenta espiar. De novo, há questões capciosas aqui sobre o que exatamente é alvo de riso (quem é o mais tonto: Emma Hamilton, seu marido ou seu amante, Nelson?). Para aqueles que conheciam a história de Messalina, sua imagem (como a de Vitélio na *Decadência*, de Couture) oferece uma garantia de que a desordem devassa que ela representa terá fim. E é isso que testemunhamos, em uma cena representada com clareza brutal por um artista que fez de mortes antigas célebres sua especialidade: a imperatriz logo foi morta por um dos capangas do marido, no jardim das delícias dele — conforme disse um antigo escritor, feito um "detrito de jardim" (Figura 7.11).[34]

"Para aqueles que conheciam história", claro, é um fator crucial aqui. Algumas das histórias por trás dessas imagens talvez sejam irreconhecíveis para a maioria de nós hoje como as ramificações mais arcanas do

7.11. Georges Antoine Rochegrosse exibe *A morte de Messalina* nessa grande tela (de quase dois metros de extensão) pintada em 1916. Messalina, no vestido escarlate, é agarrada por um soldado, ao passo que, à esquerda, sua mãe (após ter tentado persuadir a filha a, dignamente, tirar a própria vida) não consegue olhar a cena.

7.12. Na pintura *Virgílio lendo a Eneida para Augusto e Otávia* (1788), de Angelica Kauffman, as mulheres são as estrelas da ocasião. Elas estão em destaque no centro da tela (de 1,5 metro de extensão); as duas criadas se encarregam de cuidar de Otávia (que desmaiou, agoniada, ao ouvir a menção ao falecido filho); o imperador e o poeta são postos de lado.

Velho Testamento (e talvez nunca tenham feito parte do repertório de pessoas comuns). Mas basta um pouco de decodificação para perceber como os artistas as usavam, e habilidosamente adaptavam, para trazer aguçadas reflexões sobre o papel das mulheres na hierarquia de poder — e para escancarar a corrupção no coração doméstico do império. Comparar de maneira minuciosa versões diferentes revela como mudanças ínfimas de contexto, foco ou contingente suscitam reações significativamente diferentes.

Uma das histórias mais surpreendentemente influentes do repertório põe o poeta romano Virgílio frente a frente com Augusto e Otávia, irmã do imperador. Extraída de uma biografia um tanto insípida do poeta, escrita no século IV, muito depois de sua morte, e sabe-se lá com que evidências, ela conta como Virgílio foi ao palácio ler trechos de seu poema épico *Eneida*, para dar um gostinho prévio dele ao imperador.

Mas o recital foi interrompido de repente. Quando ele chegou à parte do poema que mencionava o filho de Otávia, Marcelo, que morrera fazia pouco tempo, a mãe ficou tão abalada que desmaiou e mal conseguiram reavivá-la.[35] Era um tema extremamente popular entre pintores dos séculos XVIII e XIX, em parte porque articulava o poder da arte criativa de deslumbrar o público: o desafio era captar, em pintura, o impacto da poesia. Isso é exatamente o que Angelica Kauffman (uma das poucas artistas mulheres que consegui destacar aqui) mostra em *Virgílio lendo a Eneida para Augusto e Otávia* (Figura 7.12), uma bela e sóbria versão do incidente, produzida em 1788. Nela, Otávia encontra-se desmaiada, Virgílio aparenta estar compreensivelmente aborrecido com o efeito que causou, Augusto parece chocado, mas sem saber o que fazer, ao passo que duas competentes criadas — uma das quais está lançando ao poeta um olhar acusatório, de "Veja só o que fizeste" — tomam a frente da situação.[36]

Outros artistas, no entanto, deram um viés muito mais macabro a essa história — sobretudo Jean-Auguste Dominique Ingres, que, ao longo de mais de cinquenta anos, produziu pelo menos cem desenhos da cena, bem como três pinturas. Mas ele fez uma adição importante ao elenco.[37] Pois corriam rumores, em Roma, de que Lívia tinha sido implicada na morte de Marcelo, temendo que o jovem rapaz rivalizasse com seu filho, Tibério, na competição para ser o herdeiro de Augusto. Em cada uma de suas pinturas, começando no início da década de 1810 (Figura 7.13), no lugar das criadas ajuizadas de Kauffman, Ingres apresentou a figura elegante, madura e assustadoramente durona de Lívia, que não é mencionada no relato antigo do incidente. Sua postura denuncia sua culpa. Ela oferece um gesto apenas perfunctório ao sofrimento de Otávia, e em duas das versões ela olha para o nada, como se não tivesse conexão emocional nenhuma com os acontecimentos, ou, no mínimo, tivesse coisas mais importantes em que pensar. Na pintura final, concluída em 1864 com a colorização de uma gravura anterior, o grupo é dominado por uma estátua do próprio Marcelo, e dois velhos cortesãos (presentes também em uma versão anterior) cochicham um com o outro encolhidos em um canto, a par do que está acontecendo, enquanto, do outro lado, cortada pela borda da tela, uma criada leva as mãos ao alto, horrorizada — como provavelmente faria qualquer espectador inocente que lesse a cena de maneira correta.

Aqui, Ingres trabalha, de maneira sagaz, com as diferentes versões dos estereótipos de mulheres imperiais: a vítima inocente em oposição ao poder letal por trás do trono. Mas ele faz mais do que isso. Aponta para uma versão distinta da corrupção da autocracia, que vai muito além, ou mergulha muito mais fundo, do que o deboche bruto da *Decadência*, de Couture. Na recriação que Ingres fez daquilo que, à primeira vista, parece ser uma cena doméstica comum (não muito longe de "vitorianos de toga"), há uma versão profundamente desconfortável do vício. Essa é uma corte imperial romana em que as regras normais da humanidade não mais se aplicam, uma corte em que a assassina embala com frieza a mãe de sua vítima, e apenas a criada parece incomodada.

As Agripinas

É, contudo, na recriação das Agripinas, mãe e filha, que encontramos as reflexões mais fascinantes e perturbadoras sobre a corte romana e a família imperial. Elas foram figuras-chave na transmissão de poder imperial, do começo da primeira dinastia até o fim. Agripina, a Velha, neta natural de Augusto com a segunda esposa, Escribônia, era a única da linhagem que não estava morta ou exilada quando o próprio Augusto morreu, em 14 d.C. Agripina, a Jovem, sua filha, foi a última esposa do imperador Cláudio e mãe do último imperador júlio-claudiano, Nero. Como Madame Mère descobriu às próprias custas, o risco de o espectador moderno tomar uma pela outra é alto (e devia ser alto também entre espectadores antigos, imagino). Uma Agripina pode se parecer muito com sua homônima, estando a viúva sofredora de Germânico sempre em perigo de ser confundida com a filha calculista e assassina.[38]

Alma-Tadema foi apenas um dos muitos artistas a imortalizar Agripina, a Velha. Desde o século XVIII, o tema principal tem sido sua fiel jornada para casa, a partir da Síria, com as cinzas do marido. Isso significava que havia estátuas dela, com um véu, carregando a urna, espalhadas pelos parques e galerias da Europa (ainda que, como já era reconhecido no século XVIII, houvesse uma tendência de ver Agripina em *todas* as estátuas de mulher romana),[39] bem como pinturas narrativas com todo tipo de nuance diferente. Benjamin West, por exemplo, na década de 1760, poucos anos antes da obra *Morte de Wolfe*, focou a chegada dela à Itália — transformando-a em um momento bastante ritualizado e heroico, quase que literalmente lançando uma

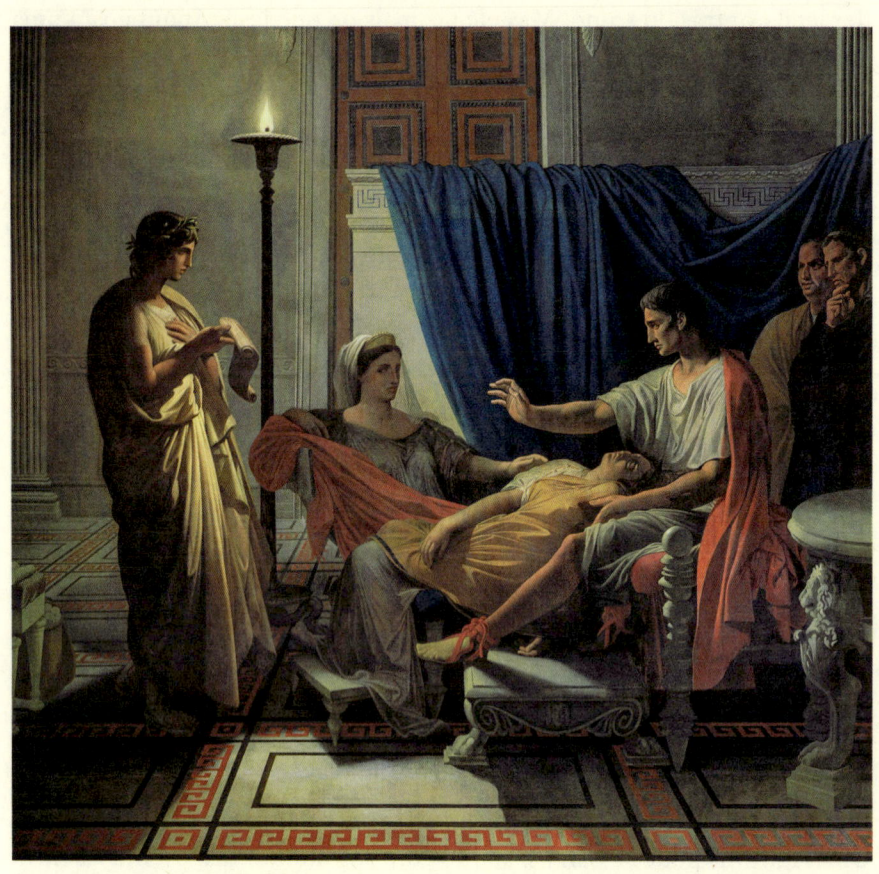

(a)

7.13. Jean-Auguste Dominique Ingres retomou diversas vezes do início do século XIX a 1864, em diferentes formatos e diferentes escalas, a cena em que Virgílio lê seu poema para a família imperial; mas a presença de Lívia, que diziam ter tomado parte na morte de Marcelo, filho de Otávia, dá um toque macabro à cena. Dessa série, três pinturas são: (a) a versão maior, produzida por volta de 1812 e com cerca de três por três metros, em que Augusto embala a irmã, enquanto Lívia olha para o nada; (b) versão posterior, de 1819, um recorte quadrado de cerca de 1,5 metro de lado, de uma pintura maior, feito para enfocar apenas três protagonistas; (c) versão ainda menor (de aproximadamente sessenta por cinquenta centímetros), pintada em 1864, sobre uma gravura anterior, que apresenta uma estátua do próprio Marcelo no centro, enquanto a criada à esquerda reage olhando para a cena.

(b)

(c)

luz sobre a nobre heroína segurando a urna junto ao peito, como se fosse um filho (Figura 7.14).[40] Meio século depois, J. M. W. Turner recriou a mesma cena, mas fez de Agripina e seus filhos um grupo diminuto, que mal se enxerga, às margens do rio Tibre, ofuscado por completo pelos enormes monumentos da Roma Antiga. Essa obra foi originalmente pensada para fazer par com uma pintura das ruínas modernas da cidade — em uma forte insinuação de que a tragédia de Agripina marcava o início da queda de Roma.[41]

Outras partes da história de Agripina também foram captadas. No século XVII, ela foi retratada por Nicholas Poussin, de luto junto ao leito de Germânico, com o jovem Calígula a seu lado,[42] representando tanto uma ameaça quanto uma esperança para o futuro — história que viria a servir de tema para os jovens franceses que competiam na categoria de esculturas do Prix de Rome de 1762, para ser representada em mármore.[43] Existe até uma série de imagens medievais desconfortavelmente realistas (mas não tão desconfortáveis quanto o "humor" dos romanos do século XVII que compuseram

7.14. Representação monumental (de 2,5 metros de largura) que Benjamin West fez de *Agripina chegando a Brindisi com as cinzas de Germânico* (1768). Na cena, Agripina acaba de chegar ao porto de Brindisi, na Itália, com os restos mortais do marido, acompanhada dos filhos e dos criados. Pálidos, porém bem iluminados, os integrantes do grupo são o centro das atenções, e pessoas se aglomeram para vê-los, admirá-los e prantear com eles.

7.15. Esta xilogravura do fim do século XV, de uma edição germânica impressa de *De mulieribus claris* (Mulheres famosas), de Boccaccio, retrata, com roupagem medieval, a punição e a tortura de Agripina. O imperador Tibério, à direita, conduz os procedimentos; à esquerda, Agripina, assustada, é alimentada à força por dois lacaios dele.

a inscrição no pedestal de sua lápide), que mostra a infeliz mulher em exílio, sendo alimentada à força pelos servidores de Tibério para impedir seu martírio, tudo ao estilo medieval da época (Figura 7.15).

Mas, em geral, quaisquer que fossem as acusações de teimosia que talvez houvesse contra ela, nos últimos trezentos e tantos anos Agripina, a Velha, provou ser um encaixe fácil para uma variedade de posições políticas. Para moralistas, ou radicais antimonárquicos, que muitas vezes valorizavam a fidelidade das esposas tanto quanto detestavam a tirania, ela era a combinação perfeita. E tinha utilidade perante a realeza também. A pintura de West, de Agripina chegando a Brindisi, firmou a reputação dele na Inglaterra. Isso se deu em grande parte porque a obra podia ser convenientemente explorada a favor da mãe enviuvada de Jorge III, Augusta, que — quase prenunciando os futuros dilemas de Madame Mère — fora satirizada como uma Agripina, a Jovem, por sua suposta influência controladora sobre o filho.[44] A pintura teve seu papel na restituição da imagem da viúva Augusta como a viúva extremamente leal Agripina, a *Velha*.

Pois um dos problemas com a Agripina mais jovem na narrativa histórica convencionada em Roma (fosse ela precisa ou não) era justamente que, ao que tudo indica, ela exerceu poder demais sobre o filho, Nero. Não é só que, após o casamento com Cláudio, ela conseguiu fazer com que ele chegasse ao trono mais rápido, em 54 d.C., aos dezesseis anos, ultrapassando o desafortunado Britânico, filho natural de Cláudio com Messalina. Rezava a lenda que, no começo do reinado de Nero, ela era mesmo uma grande força política dentro do palácio, amparada pela relação incestuosa a que tinha induzido o menino (retratado com bastante decoro na Figura 7.16, em meio a uma coleção despudorada de proezas sexuais dos Doze Césares, que é praticamente um *soft porn*). Mas não demorou muito até que o filho ficasse saturado e, no fim dos anos 50 d.C. — assim corre a história —, se convencesse de que a única maneira de se livrar das garras de Agripina era o assassinato. A vilã então se tornou vítima.

A primeira tentativa de Nero foi um fracasso quase cômico. Ele mandou fazer um barco desmontável, que se autodestruiu conforme planejado quando Agripina se lançou ao mar — mas o plano não deu certo, porque sua mãe sabia nadar. Então ele recorreu a meios mais convencionais e contratou um grupo de matadores. Escritores romanos se detiveram sobre os detalhes pessoais mais sórdidos e mirabolantes do assassinato. Um deles alega que, em suas últimas palavras, Agripina disse para seus assassinos a golpearem no ventre. Suetônio conta como Nero (com uma bebida em mãos) inspecionou o corpo nu da mãe após a morte dela, elogiando algumas partes, criticando outras.[45]

Imagens modernas de Agripina, a Jovem, são dominadas pela história do assassinato, do momento em que Nero faz uma pausa rápida em um grande

7.16. Um dos livros de arte erótica mais famosos do fim do século XVIII era a obra do "Barão d'Hancarville" (como ele gostava de se referir a si mesmo), que enfocava a vida sexual dos Doze Césares, e mais especificamente de suas esposas: *Monumens de la vie privée des XII Césars* (algo como *Evidências da vida privada dos Doze Césares*). Em comparação com as demais, essa cena de Nero e Agripina é até bastante delicada e casta.

7.17. Nesta pintura de 1878, de mais de 1,5 metro de largura, John William Waterhouse enfoca *O remorso de Nero após o assassinato da mãe*. Chega a ser estranho como a imagem do jovem imperador se assemelha à de um mal-humorado adolescente moderno.

jantar para ordenar o crime à reflexão sobre o que se seguiu a ele, feita por John William Waterhouse (uma tentativa de compreender a psicopatologia do jovem sádico, retomando as alegações de Suetônio de que o imperador era assombrado pela culpa) (Figura 7.17).[46] Mas foi a relação de Nero com o corpo materno nu o tema mais popular. Uma série de imagens voyeurísticas e desconcertantes do fim do século XVII em diante reencenam sua inspeção do cadáver: em alguns casos, ele parece estar procedendo a uma avaliação crítica dos restos mortais; em outros, mal consegue olhar para o que fez; e em outros ainda, de maneira constrangedora, chega bem perto da mulher que foi sua mãe e amante. Seja pelo tapete de pele de leopardo sobre o qual Agripina se encontra morta e estirada em uma pintura, seja pelos seios de *pin-up* e as poses lânguidas em muitas outras, é impossível ignorar o erotismo combinado com violência (Figura 7.18).

Mas o "apelo" do corpo de Agripina remonta à Idade Média, séculos antes, quando imagens repetidas em iluminuras de manuscritos e xilogravuras retratavam Nero não só inspecionando o corpo como supervisionando (ou, em pelo menos um caso, conduzindo) a dissecção. Em uma variedade de cenas horripilantes — as coloridas são as piores —, o abdômen da mulher é cortado, revelando os órgãos. Nem sempre fica claro se a vítima está morta, levantando a questão: seria uma autópsia ou vivissecção (Figura 7.19)?

7.18. A enorme tela de Arturo Montero y Calvo, de 1887, com cinco metros de extensão, mostra *Nero diante do corpo da mãe*. O imperador, à esquerda, fita o corpo seminu de Agripina, enquanto lhe segura a mão. Seus conselheiros, à direita, a esquadrinham com uma curiosidade (para nós) constrangedora.

Ainda que uma série de elementos dessas imagens remonte a relatos antigos do que se seguiu ao assassinato (a taça de vinho de Suetônio, por exemplo, aparece em algumas imagens), a dissecção e seus detalhes não são uma história romana. Todas essas imagens são ilustrações de uma construção medieval muito popular, segundo a qual Nero ordenou que abrissem sua mãe para que ele pudesse ver seu ventre. Essa narrativa se encontra, entre outros lugares, no poema *Roman de la rose*, do século XIII, no "Conto do monge", de *Contos da Cantuária*, de Chaucer, cento e tantos anos depois

("O útero da mãe por ele foi rasgado,/ Para ver o lugar do qual tinha saído"),* e na peça de mistério, sucesso de bilheteria, *Le Mystère de la vengeance de la mort et passion Jesuchrist* (ou, em suma, *A vingança de Jesus Cristo*), do início do século XV. Popularizada em vários manuscritos e versões impressas, em diversos idiomas europeus, a peça dramatizava a punição dos judeus

---

* Geoffrey Chaucer. *Contos da Cantuária*. Trad. José Francisco Botelho. São Paulo: Companhia das Letras, 2013. [N. T.]

7.19. Esta pequena imagem de um manuscrito de *Roman de la rose*, do final do século XV, mostra Nero vestido com um traje medieval vermelho acompanhando a dissecção de sua mãe (com os tornozelos atados, juntos) e a exposição de seu ventre: uma cena de carnificina, praticamente.

pela crucificação de Jesus, culminando na destruição do Templo em Jerusalém, por Vespasiano e Tito, mas com várias narrativas secundárias convergindo no clímax. A dissecção de Agripina é uma delas. Se foi mesmo encenada em palco, ou apenas narrada, não se sabe ao certo. Mas uma versão impressa francesa da peça sugere uma performance da cena, e dá até direções de palco. Agripina parece estar viva ainda, então há de "ser amarrada a um banco, com a barriga virada para cima". Felizmente, indica "um adereço cênico (*fainte*) para abri-la". A intenção era que fosse uma montagem teatral sagaz, não uma cirurgia ao vivo.[47]

Essa história às vezes é vista como um caso evidente do entusiasmo medieval pela violência e por espetáculos extremos, como se escritores, artistas e diretores teatrais tivessem abraçado a oportunidade de acrescentar mais sangue e entranhas a um incidente que por si só já era sanguinolento. E essas imagens posteriores estavam também associadas a debates científicos sobre dissecções (Quão transgressoras e justificáveis eram? Como deviam ser representadas?). Mas ainda mais significativa é a conexão da história com questões sobre o papel da mulher na sucessão imperial e na transmissão de poder. Pois a ideia central preserva uma conexão com o antigo relato que explicava como Agripina mostrara a barriga e pedira aos assassinos que golpeassem seu ventre. Como frisou Chaucer (e o detalhe se repete em outras versões), Nero queria encontrar os órgãos reprodutores da mãe. Isso aponta, claro, para a relação incestuosa entre os dois. Mas, mais do que isso, a história apresenta, explicita e "disseca", tanto literal quanto metaforicamente, o papel da mulher de fazer e conceber imperadores.

Essa interpretação é fundamentada pelo que acontece em seguida em algumas versões da história, entre elas a coleção de "Vidas" de santos conhecida como *Lenda dourada*, do século XIII. Em "Vida de são Pedro", Nero insiste que os médicos que estão dissecando sua mãe *o* engravidem. Como estes sabem que isso é impossível, dão-lhe uma poção em que se esconde um sapinho minúsculo, que cresce no estômago do imperador, por fim lhe causando tanta dor que ele se vê obrigado a dar à luz vomitando — embora fique desolado por ver que tudo que tinha produzido era um sapo esfacelado e ensanguentado. Os médicos o culpam (afinal, ele não esperou que se passassem os nove meses), enquanto o sapo é mantido em segurança, mas trancado em algum lugar, até que, na queda do imperador, a pobre criatura é queimada viva.[48]

De onde veio essa história não se sabe. Pode ou não estar indiretamente relacionada a um caso antigo, em que Nero assume o papel teatral de uma mulher dando à luz, e a outra história antiga, em que reencarna como sapo.[49] A mensagem, contudo, é clara: os homens não só são incapazes de gerar filhos sem mulheres como imperadores, sozinhos, são incapazes de transmitir o poder que detêm. O que parece ser uma fantasia medieval sórdida, com a dissecção, gravidez-fantasma e sapos, na sequência de um matricídio cruel, na verdade aponta direto para as grandes questões em torno do papel da mulher na sucessão dinástica e imperial romana. A história reapresenta, de um jeito surpreendente, os principais debates e ansiedades contidos nas imagens de "imperatrizes" antigas e modernas.

Agripina, a terceira

Essas imagens de Agripina aberta ao meio não poderiam diferir mais em estilo de uma pintura elegante e muito admirada de Rubens, que hoje pende das paredes da Galeria Nacional de Arte, em Washington, produzida no início do século XVII, apenas cerca de cem anos após essas últimas dissecções. A pintura nos leva de volta a Agripina, a Velha, que iniciou este capítulo, um retrato duplo, hoje intitulado *Germânico e Agripina*. A pintura representa o jovem casal fiel e determinado, lado a lado, de perfil — Agripina no primeiro plano, ocultando, em parte, o marido. Outra versão dos mesmos personagens, feita pelo mesmo artista, se encontra no Museu de Arte Ackland, em

(a) (b)

7.20. Duas versões, do início do século XVII, de um retrato imperial duplo, feitas por Rubens (e ambas com mais de 0,5 metro de altura), hoje comumente identificadas como Germânico e sua esposa, Agripina, a Velha: (a) a versão que está na Galeria Nacional de Arte, em Washington; (b) uma versão similar, invertendo as figuras, hoje no Museu de Arte Ackland, em Chapel Hill, Carolina do Norte. Mas a identificação anterior dessas figuras como o imperador Tibério e sua primeira esposa, outra Agripina, não era necessariamente errada.

Chapel Hill, na Carolina do Norte, mas nesse caso, embora o arranjo seja praticamente o mesmo, os planos são invertidos, com o homem na frente da mulher (Figura 7.20). Historiadores da arte vêm debatendo a qualidade relativa de ambas as peças (há quem prefira a versão de Washington, há quem prefira a de Chapel Hill), os motivos por trás do protagonismo diferente do homem e da mulher e a micro-história dos painéis (um palpite, com base na construção do apoio de madeira, é que "Germânico" era um adendo à pintura de Washington, que originalmente tinha sido pensada como um retrato de "Agripina" sozinha). No entanto, sejam quais forem as respostas a essas perguntas, há questões ainda mais intrigantes de identidade, que têm um impacto profundo na nossa interpretação da cena e acrescentam uma nova e inesperada camada ao "problema das Agripinas".[50]

Esse formato de perfil duplo é um exemplo clássico do uso que Rubens fazia de modelos antigos; pois joias e moedas antigas, que, sabe-se, o artista

7.21. O chamado "Camafeu Gonzaga", de quase dezesseis centímetros de altura, talvez seja do século III a.C. (mas isso depende de quem se julgar serem as figuras representadas, podendo datar também de muitos séculos depois). Sua configuração, com dois perfis adjacentes, encontrados em outros camafeus antigos, está por trás do design de Rubens na Figura 7.20.

estudava a fundo, costumavam ter bustos assim retratados. Supõe-se que uma fonte de inspiração em particular, ainda que claramente não seja o modelo exato, é o chamado "Camafeu Gonzaga" (Figura 7.21), uma joia antiga muito admirada por Rubens quando estava trabalhando em Mântua, entre 1600 e 1608, e identificada de diversas formas ao longo da história moderna, como uma representação de Augusto e Lívia, de Alexandre, o Grande, e a mãe, Olímpia, de Germânico e Agripina, a Velha, de Nero e Agripina, a Jovem, de Ptolomeu II do Egito e sua esposa, Arsínoe, e quase todo casal famoso antigo que se puder imaginar.[51] Já houve tentativas ambiciosas, ainda que inconclusivas no fim das contas, de fazer corresponder aspectos particulares do "Germânico" de Rubens a retratos identificados como o príncipe em joias e moedas antigas que o artista conhecia, ou talvez conhecesse.[52] Contudo, ainda que o design geral dessas pinturas reflita um formato antigo, característico, não está nada claro que ele pretendia que fossem Germânico e Agripina.

Assim como os retratos romanos, essas pinturas já receberam diversos nomes ao longo de sua história. De acordo com um catálogo de vendas de 1791 compilado em Paris, acreditava-se, na época, que a versão de Ackland era um retrato do imperador bizantino Constantino VI, do século VIII, com a mãe e corregente, Irene. Durante boa parte do tempo que passou em Chapel Hill, desde 1959, o duo foi cautelosamente intitulado *Casal imperial romano*.[53] A versão de Washington foi comprada no início da década de 1960 de uma coleção de Viena, onde permanecera desde 1710, conhecida como *Tibério e Agripina*.[54] Mas em Washington logo se levantaram questionamentos, e no fim dos anos 1990 ela já tinha sido oficialmente renomeada como *Germânico e Agripina*; o Museu Ackland seguiu há pouco tempo o exemplo, e seu *Casal imperial romano* agora também tem o título de *Germânico e Agripina*. Por quê?

QUADRO 3:
AS "AGRIPINAS"

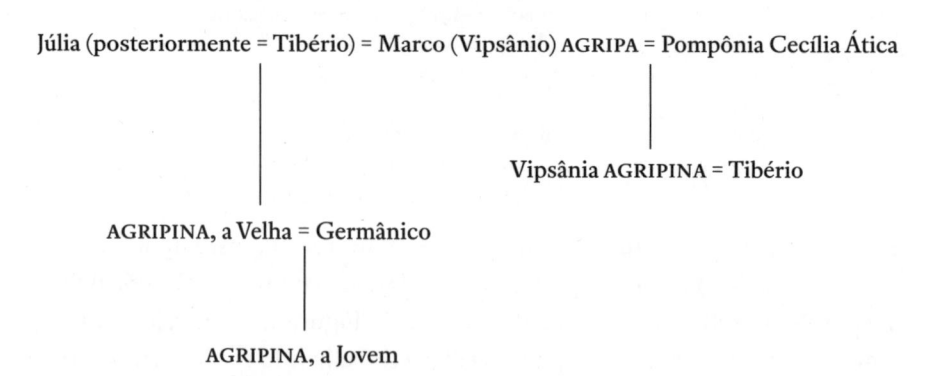

À parte as tentativas em geral traiçoeiras de fazer corresponder a fisionomia da figura masculina a outros supostos Germânicos (a "Agripina" nunca foi parte do jogo), um forte estímulo por trás da mudança de identidade está no fato de que, para quem conhece um pouco da história deles, *Tibério e*

Agripina soa como um par bastante improvável. Por que, não conseguimos deixar de nos perguntar, Rubens colocaria a implacável Agripina junto com seu amargo inimigo Tibério, que ou a matou ou a forçou a se suicidar? Não faz o menor sentido.

A esta altura, preciso apresentar uma nova personagem. Pois não havia apenas duas Agripinas, mas três. Como mostra a árvore genealógica da família (Quadro 3), Agripina, a Velha, era filha da filha de Augusto, Júlia, com seu segundo marido, Marco Vipsânio Agripa, sendo seu nome completo Vipsânia Agripina. Mas Agripa já tinha sido casado e teve uma filha desse casamento, que também era conhecida como Vipsânia Agripina. Hoje chamamos *essa* Vipsânia Agripina de "Vipsânia" apenas, em grande parte para evitar a confusão causada por várias Agripinas no mesmo contexto. Na Antiguidade, e até pelo menos o século XVIII, referiam-se a ela, assim como às demais, como Agripina. Sempre foram três.

A terceira Agripina foi a primeira esposa do futuro imperador Tibério. Ela é retratada assim (sob o nome "Agripina") no conjunto de imperadores de Sadeler (Figura 7.7 c). O catálogo da coleção de Viena se refere a ela explicitamente como esposa de Tibério — e os curadores especializados de Washington que introduziram a nova identificação sabiam bem que Tibério tinha sido casado com "Agripina". Mas, pela visão moderna da história romana, sempre foi difícil vê-los como um par imperial plausível (sem falar na representação inesperadamente idealizadora de "Tibério" nessas pinturas).[55] Essa aparente incongruência significava que o imperador e sua primeira esposa, Vipsânia Agripina, foram simplesmente deixados de lado, e uma nova identidade, encontrada. É provável que jamais venhamos a saber ao certo o que Rubens tinha em mente, mas não há razões fortes para supor que o título tradicional está errado, ao passo que há algumas razões para considerá-lo correto.

Pois o título oferece uma leitura particularmente rica da pintura. Tibério pode até ter uma reputação ruim na literatura antiga e moderna (de hipócrita rabugento, a última escolha de Augusto como herdeiro, apesar de ser filho natural de Lívia), mas, segundo Suetônio, havia uma mulher a quem ele foi devotado por amor verdadeiro. Essa mulher era Vipsânia Agripina. Contudo, o padrasto dele, Augusto, o forçou a se divorciar dela, para que pudesse se casar, por motivos estritamente dinásticos, com Júlia, a própria filha de Augusto (para complicar ainda mais essa intrincada rede marital, Júlia já tinha sido esposa de Marco Vipsânio Agripa, pai de Vipsânia

Agripina). Tibério se opunha de todo à ideia (e na história-padrão, com um toque previsível de misoginia, Júlia mostrou ser um combo de problemas), mas não lhe restava alternativa — e ele nunca superou a questão. De acordo com Suetônio, após o divórcio, quando ainda lamentava a perda de Vipsânia Agripina, em certa ocasião Tibério a avistou pelas ruas de Roma e a seguiu, aos prantos. Aqueles que zelavam por ele tomaram o maior cuidado para que nunca mais a visse.[56]

Talvez a imagem aponte para essa história, com duas pessoas com olhares paralelos, na mesma tela, sem fitar uma à outra. De fato, é difícil pensar em um jeito melhor de captar a relação entre Tibério e *sua* Agripina. Rubens, em outras palavras, deu um sopro de vida ao que antes era praticamente um clichê visual em design de camafeus antigos, ao ampliar essas figuras até ficarem quase em tamanho real, e conferir uma nova história e um novo significado, ao formato visual.

Mais uma vez, vimos a diferença que um nome pode fazer — mesmo quando se trata do mesmo nome.

Posfácio

Em retrospecto

Em dezembro de 1802, uma jovem irlandesa, Catherine Wilmot, estava de passagem por Florença, em meio a uma longa jornada pela Europa. Após uma visita à Galleria degli Uffizi, ela escreveu ao irmão para partilhar os destaques. Verdade seja dita, a galeria, na época, não era esse tesouro todo que é hoje, com inúmeras obras-primas. Boa parte de suas obras de prestígio tinha sido mandada para o Sul do país, em Palermo, em uma tentativa de mantê-las (em vão, ao que parece) longe das garras de Napoleão, que queria tomar posse delas para seu novo Museu do Louvre.[1] Mesmo assim, é impressionante — embora eu espere que, a esta altura, isso já não surpreenda — como, no topo da lista de Wilmot, estava a seleção de bustos de imperadores romanos que se estendia até o século III, a mistura habitual de originais antigos, versões modernas, pastiches e híbridos. "O que agradaria você mais do que tudo", escreveu ela, "seria um arranjo de Imperadores Romanos, de Júlio César a Galiano." Pelos bustos de suas parceiras, contudo, ela não nutria nada além de desdém, desprezando as "imperatrizes pavorosas, com seus sorrisinhos diante deles".[2]

Como já vimos, por centenas de anos após o Renascimento europeu, imagens de imperadores romanos — em prateleiras de museus e muito além — suscitaram paixões intensas. Representados em mármore e bronze, em pinturas e no papel, transformados em cera, prata e tapeçaria, exibidos em espaldares de cadeiras, xícaras de porcelana e vitrais, imperadores eram considerados *importantes*. No diálogo entre presente e passado, rostos e histórias de vida imperiais eram alternadamente — e até ao mesmo tempo — ostentados como legitimadores do poder dinástico moderno, questionados como exemplos ambíguos ou deplorados como emblemas de corrupção. Não muito diferentemente das imagens contestadas na nossa moderna "guerra de esculturas", ofereciam um foco para debates sobre poder e seus descontamentos (e são um lembrete útil de que a função de retratos comemorativos não se atém apenas à celebração). Mas, mais do que isso, tornaram-se um molde para a representação de reis, aristocratas e qualquer um rico o bastante para ser tema de uma pintura ou escultura. Com efeito, o gênero todo de retratos europeus é arraigado naqueles rostinhos minúsculos de imperadores romanos em moedas, bem como em seus bustos ou estátuas de corpo inteiro. Não é por mero modismo que, pelo menos até o século XIX, tantas estátuas de aristocratas, políticos, filósofos, soldados e escritores foram revestidas de togas ou trajes romanos de batalha.

Sempre houve um quê de ousadia nas imagens modernas de imperadores romanos, ocasionalmente à espreita por trás do que hoje pode parecer uma superfície conservadora e sem graça. Um dos meus exemplos favoritos disso — que vale a pena guardar para curtir como um final — é o busto do *Jovem Otaviano* (o futuro imperador Augusto), obra da escultora afro-americana Edmonia Lewis, muito inspirada em uma escultura da mesma figura, da coleção do Vaticano (Figura 8.1). Lewis teve uma carreira extraordinária, minada pelo racismo em seu país, mas por fim alcançando sucesso como artista em Roma, antes de se mudar para Londres, onde morreu em 1907. Essa obra, no entanto — competências técnicas à parte —, pode de fato parecer insípida, amena, quase sentimental, até nos darmos conta de que, enquanto estava criando seu *Otaviano*, Lewis também trabalhava em uma estátua sua muito mais famosa, *A morte de Cleópatra*, exibida pela primeira vez na Exposição Universal de 1876, na Filadélfia (Figura 8.2). A interpretação dessa *Cleópatra* é cerne de intensos debates. Seria uma celebração da rainha africana? Ou estava Lewis separando, intencionalmente, a imagem de sua Cleópatra da imagem de uma mulher afro-americana? Estava ela aludindo aqui à figura do "Velho Faraó" escravocrata de cânticos e sermões afro-americanos? Quaisquer que fossem as respostas, essa representação da rainha foi radicalmente nova. Muitos artistas haviam enfocado os momentos anteriores à sua morte, em 30 a.C., quando ela resolveu tirar a própria vida para não ser exibida como um pedaço de carne, triunfo de seu brutal conquistador romano. Quase nenhum deles tinha retratado, como fez Lewis, a agonia de Cleópatra ao morrer — uma imagem chocante para os primeiros espectadores da estátua. Mas quem era esse conquistador romano brutal? Não era ninguém mais, ninguém menos do que o verdadeiro "jovem Otaviano". O fato de que essas duas peças muito provavelmente estavam sendo moldadas lado a lado em seu estúdio, ao mesmo tempo, sem dúvida subverte a insipidez superficial do busto imperial e compromete sua inocência enjoativa.[3]

Mas essa história tem ainda uma reviravolta, que retoma mais um dos temas importantes deste livro. Quando Lewis produziu sua versão da estátua imperial, na década de 1870, ninguém duvidava que o busto do Vaticano fosse uma imagem extraordinariamente juvenil do imperador Augusto, ainda sob o nome de Otaviano, que ele usara até 27 a.C.; tinha sido descoberto, assim diziam, em escavações no sítio do porto de Roma, em Óstia, no início do século XIX. Agora é conhecido como *Jovem Otaviano* só pelos velhos tempos. Pois ninguém mais acredita que a estátua o representa, com os habituais nomes de seus herdeiros e sucessores em potencial sendo cotados no lugar. Previsivelmente também, há quem sugira que não é sequer uma peça antiga, mas uma versão moderna ou forja — sendo a conexão com Óstia uma ideia fantasiosa ou mesmo invencionice. Uma das reconstruções mais intrigantes sustenta que, na verdade, foi produzida no estúdio de Antonio Canova, e que a leve semelhança com o imperador Napoleão está longe de ser coincidência. Embora os estudos mais atualizados tendam a favorecer uma data antiga (e trabalhos arquivísticos recentes tendem também a defender Óstia como local da descoberta), há uma ironia maravilhosamente anacrônica em imaginar o *Jovem Otaviano* de Lewis como sendo baseado em um busto do início do século XIX, baseado tanto na imagem de Napoleão quanto na imagem de uma antiga figura imperial romana qualquer.[4]

Seja qual for a resposta certa, esses *Jovens Otavianos*, tanto antigos quanto modernos, frisam quão fluidas e mutáveis são as imagens dos césares, sejam doze ou não. Às vezes eles são apresentados como uma categoria rigorosamente fixa, fundada sobre as certezas dinásticas de Roma, e até — como no esquema classificatório da biblioteca de Sir Robert Cotton — servindo de símbolo para a organização definitiva do próprio conhecimento. Mas essa rigidez raramente é o que aparenta. A história das imagens dos césares, desde a Antiguidade, é de identidades construtivamente mutáveis e identificações equivocadas, desafortunadas ou deliberadas: de Calígulas reesculpidos como Cláudios, de Vespasiano confundido com o filho Tito, do rosto de Vitélio na figura do "trinchador" corpulento na Última Ceia ou — no caso das Tazze Aldobrandini — da figura de Domiciano atarraxada à louça errada, para presidir cenas da vida de Tibério. A categoria é tão porosa que, mesmo na biblioteca de Cotton, Faustina e Cleópatra podem ser inseridas na seleção "ortodoxa" dos césares, Ticiano pode interromper sua série no número onze de propósito e do lado de fora do Sheldonian Theatre, em Oxford, treze ou catorze figuras anônimas de pedra se tornaram, provavelmente, o conjunto mais famoso de "imperadores romanos" do Reino Unido. Claro, há muitas ocasiões em que identificar o imperador certo é importante. (Espero ter mostrado que, se deixarmos passar o "Vitélio" letárgico em um amontoado de foliões romanos, talvez não depreendamos o sentido da pintura como um todo.) Mas há de ser um alívio para a maioria de nós saber que dificilmente somos piores em ligar os nomes imperiais corretos aos rostos imperiais do que outras pessoas foram ao longo da história em geral. Na verdade, boa parte da diversão das imagens dos césares, boa parte da razão de sua longevidade, vem dessa dificuldade de defini-los. Eles não são uma classe de fósseis iconográficos.

Imperadores hoje

Ninguém forma uma fila para ver os bustos de imperadores romanos quando entra na Uffizi ou em qualquer outro museu. E — embora continuemos a debater como representar figuras do passado (que diferença faz se *Júlio César*, de Shakespeare, for encenada em togas, gibão e meia-calça ou os uniformes de uma ditadura moderna?) — vestir uma estátua contemporânea com um traje romano hoje passaria um tom lúdico, e nada muito além disso.[5] O figurino da Roma Antiga não parece mais ser, como parecia a Joshua Reynolds, um marcador de atemporalidade, e sim um marcador de traje elegante; é algo que não pertence ao mundo das esculturas comemorativas, mas ao das festas de toga (Figura 8.3).

Imagens de imperadores romanos certamente ainda nos cercam, em propagandas, jornais e cartuns. Mas há quem diga que eles foram reduzidos a abreviações banais, sua gama, reduzida a uns clichês familiares. Nero e sua "lira" é, de longe, o mais comum e reconhecível de imediato, mas hoje já não serve tanto de reflexão sobre o poder, e, sim, mais como um símbolo pronto, usado para criticar qualquer político que não pareça estar concentrado nos problemas reais do momento (Figura 1.18 b). Esses clichês não são muito diferentes do burburinho de jornalistas que preenche os espaços vazios das colunas com especulações acerca de qual imperador romano é mais parecido com certo presidente americano ou primeiro-ministro do Reino Unido. Minha própria resposta, quando me fazem perguntas nessa linha, em geral é "Heliogábalo", nem que seja só para balançar o interlocutor mencionando um imperador de quem ele ainda não ouviu falar — e, como bônus, levá-lo à grande pintura de Alma-Tadema (Figura 6.23).

Isso tudo, todavia, é mais complicado do que uma derrocada final de uma iconografia outrora contestadora do domínio dos clichês visuais. Eu não diria que as imagens dos imperadores romanos são elementos mais cruciais da arte ocidental hoje do que eram duzentos ou trezentos

(a)   (b)

8.1. Versão do jovem Otaviano de Edmonia Lewis em dimensões menores do que o tamanho real (pouco mais de quarenta centímetros de altura), (a) finalizada em 1873, baseada em uma escultura romana do Vaticano (b), que, no século XIX, era uma das imagens mais populares e mais amplamente reproduzidas do imperador.

8.2. Esta estátua de Cleópatra, de autoria de Edmonia Lewis, de dimensões maiores do que o tamanho real (mesmo sentada, a rainha tem mais de 1,5 metro de altura), impressionou seus primeiros espectadores por mostrar o corpo agonizante da rainha (em vez dos momentos que precederam sua morte). A própria escultura tem uma história triste e curiosa. Passou um século "perdida" após sua primeira exibição na Filadélfia, em 1876, e reapareceu em um ferro-velho na década de 1980 (tendo passado parte desse ínterim marcando o túmulo de um cavalo).

8.3. O presidente Franklin D. Roosevelt comemorou seu aniversário
de 52 anos, em janeiro de 1934, com uma festa de toga na Casa
Branca. Fosse ele atormentado ou não pelos mesmos receios que
Andrew Jackson (ver pp. 20-1), dizem que esse tema romano foi uma
piada sarcástica, por parte de sua equipe e de seus amigos, sobre as
alegações de que o presidente estava se tornando um ditador.

anos atrás. Não são. Mas, quando olhamos com mais atenção, vemos que pinturas e esculturas contemporâneas estão muito mais ligadas a esses regentes antigos do que supomos. Salvador Dalí talvez seja um caso extremo, com suas imagens repetitivas de Trajano, conterrâneo espanhol que ele dizia ser seu antepassado — além de fantasiar que havia uma prefiguração da hélice dupla da genética moderna na coluna desse imperador.[6] Outros artistas, contudo, já retornaram inúmeras vezes aos rostos imperiais, como se fossem o marco zero dos retratos ocidentais, fosse Júlia Mameia, mãe de Alexandre Severo (com quem começamos), ou um Augusto caolho, representado de forma assustadora em chocolate (preservado com uma combinação de mármore e acrílico) pelo artista turco Genco Gülan (Figuras 8.4 a, b e c). O *Vitélio* de Grimani também continua a projetar sua sombra, sobretudo no busto brilhantemente exagerado feito por Medardo Rosso em bronze folheado a ouro, na virada do século XIX para o XX, reduzindo o imperador a uma maçaroca de gordura (ou, como informa o catálogo do museu, em palavras mais elegantes, "as feições faciais são características de sua técnica fluida de modelagem").[7]

8.4. Bustos imperiais modernos datados até do século XXI:
(a) *Júlia Mameia*, gravura de cerca de 35 por trinta centímetros, de James Welling (2018).
(b) *Júlia Mameia*, pintura de cerca de 75 por 55 centímetros, de Barbara Friedman (2012).
(c) *Imperador de chocolate* (Augusto), de chocolate, gesso, mármore e
acrílico, sessenta centímetros de altura, de Genco Gülan (2014).
(d) *Imperador Vitélio*, de bronze folheado a ouro, um pouco menor do que
o tamanho real (34 centímetros), de Medardo Rosso (1895).
(e) *Cabeça de Vitélio*, em carvão, aquarela e acrílico, de pouco
mais de um metro de altura, de Jim Dine (1996).

Em contrapartida, a versão de Jim Dine, de cerca de cem anos depois, transformou a estátua de mármore no que aparenta ser um humano plausível, de carne e osso (Figuras 8.4 d e e). Andy Warhol muito provavelmente tinha um investimento nesse *Vitélio* também. Até onde sei, ele nunca usou a face distinta do imperador na própria obra, mas é quase certeza que ela o atraía. Tudo isso para dizer que, quando eu estava em Washington, em 2011, preparando as palestras que foram a base deste livro, entrei por acaso em um antiquário de Georgetown — e fui surpreendida por uma grande e exuberante versão, e um tanto vulgar, de mogno, do *Vitélio* de Grimani, pelo visto datado do século XVIII. Eu o examinava com o que provavelmente parecia ser a atenção de um comprador em potencial quando um atendente se aproximou para comentar que ele outrora pertencera a Warhol. Supondo que seja verdade (e não só uma estratégia sagaz de venda), só nos resta conjecturar se o artista tinha noção de quão central havia sido o rosto do *Vitélio* de Grimani, desde o século XVI, na cultura da *replicação* visual — o que, no fim das contas, era a marca de Warhol.

Mas o que dizer sobre o uso de imagens de imperadores e suas histórias imperiais em debates maiores sobre autocracia e corrupção, ou perante questões mais fundamentais sobre a natureza da representação per se? Sob esse aspecto, artistas ainda estão fazendo intervenções potentes. Em uma colagem aparentemente lúdica, a escultora britânica Alison Wilding, por exemplo, justapõe o nome, quase que ironicamente apropriado, de "Rômulo Augusto" (o adolescente que dizem ter sido o último governante a reinar no Império Romano do Ocidente, no fim do século V), com o nome de "*Saturnia pavonia*", a "*mariposa*-imperador" (Figura 8.5). O ponto-chave, aqui, é que a artista construiu uma imagem geométrica com impressões da mariposa e de uma *moeda* de Rômulo Augústo. Se, em outras palavras, a representação do poder imperial romano foi reconstruída pela primeira vez no Renascimento por meio de moedas, aqui Wilding capta sua destruição final no mesmo formato. Quarenta anos antes, com a tela *Nero pinta*, Anselm Kiefer tinha abordado o conceito de destruição de um jeito bem diferente, usando a ideia de Nero — enquanto imperador e artista — para refletir sobre a devastação nazista do Leste Europeu. Durante as décadas de 1970 e 1980, Kiefer volta e meia trabalhava com a (falta de) capacidade da Alemanha de lidar com seu passado nazista. Nessa pintura, uma paleta paira sobre uma paisagem arrasada, e as pinceladas lançam chamas como se fossem elas próprias os agentes da destruição (Figura 8.6). A obra suscita questões não só sobre a relação entre arte e autocracia (as últimas palavras de Nero foram: "Que artista o mundo está perdendo!"), e sobre o papel de qualquer artista enquanto causa e testemunha de atrocidades (Será que todos os artistas "tocam seus instrumentos enquanto as chamas consomem Roma?"), como também sobre nossa obrigação, por mais

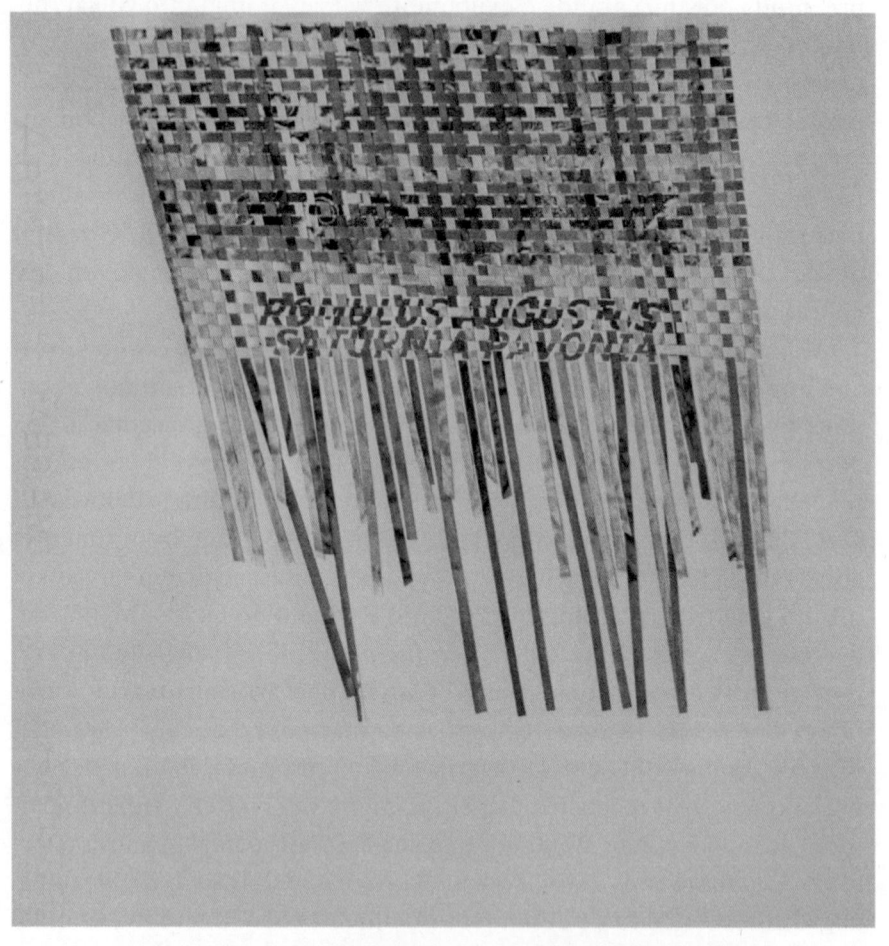

8.5. A colagem de Alison Wilding, de 2017, de cerca de 37 centímetros de lado, não só brinca com a ideia da "mariposa-imperador" das ilhas britânicas (*Saturnia pavonia*) como também olha em retrospecto para a tradição renascentista de imagens numismáticas: a colagem é feita, em parte, de impressões picotadas de uma moeda de Rômulo Augusto (imperador, 475-6).

8.6. Nessa grande tela de 1974, de cerca de dois por três metros, Anselm Kiefer mostra a paleta de um artista sobre uma paisagem desoladora em chamas; intitulada *Nero pinta*, levanta questões, por meio de sua referência ao imperador artista, sobre a relação entre arte, poder e destruição.

desconfortável que possa ser, de compreender o artista/autocrata. Nas famosas palavras de Kiefer, "não me identifico com Nero ou Hitler, mas preciso encenar um pouquinho do que fizeram para entender a loucura".[8]

Mas é na imagem em movimento que, nos últimos cem anos, encontramos os debates mais intensos e mais vistos sobre autocracia romana e sua relação com nossa própria ética e política. A história central deste livro chega ao fim na altura em que o cinema estava se tornando o principal meio de arte e discurso. Qualquer sequência teria de enfocar os filmes, que, no início de sua história, foram moldados por imagens da Roma Antiga, seus excessos, conflitos morais e controvérsias políticas e religiosas.[9] É aqui que vemos um amplo envolvimento com esses antigos dinastas, tiranos e regentes benevolentes que elenquei, não só através de obras de arte mais elitizadas, como também das versões mais baratas de imagens imperiais em placas de produção em massa ou impressões bastante difundidas.

(a)

8.7. As pinturas que Gérôme fez do imperador no anfiteatro captaram o espetáculo do poder imperial. Em *Pollice verso* (literalmente "Polegar virado" ou "Polegares para baixo"), tela de 1,5 metro de extensão, pintada em 1872 (a), o imperador se encontra passivamente sentado em seu camarote à esquerda, enquanto a plateia à direita deixa claro que o gladiador vitorioso deve matar seu rival derrotado. A versão cinematográfica do anfiteatro (b), de Ridley Scott, foi diretamente inspirada nessa pintura (nas palavras de Scott, "Essa imagem me falou do Império Romano em toda a sua glória e perversidade").

Os descendentes diretos do vitral de Poitiers mostrando o imperador Nero a presidir a perseguição dos cristãos são os filmes da metade do século XX — *O manto sagrado* ou *Quo vadis*, por exemplo — que contrapõem o poder temporal do autocrata romano ao poder espiritual da moralidade cristã. A adaptação feita pela BBC, nos anos 1970, do livro *Eu, Cláudio*, de Robert Graves, focou as ideias de corrupção (e decadência) doméstica que havia muito tinham sido exploradas nas pinturas de Couture e Alma-Tadema, ou nas gravuras de Beardsley. Em 2000, *Gladiador*, sucesso de bilheteria de Ridley Scott, apresentou os dilemas políticos do regime autocrata que seriam familiares para os designers das peças de tapeçaria de Henrique VIII, ou mesmo para quem compôs os versos pedregosos e sarcásticos sob as gravuras que Sadeler fez dos imperadores de Ticiano. Nesse caso, havia também uma influência artística direta. As recriações feitas por Scott das cenas no anfiteatro imperial foram estreitamente baseadas nas grandes telas de

(b)

Gérôme, do imperador em seu camarote particular a presidir o espetáculo dos gladiadores (Figura 8.7). Para mim, é inevitável pensar que Gérôme teria apreciado a ideia da imagem em movimento.[10]

Mas essa é outra história, que fica para outro livro.

* * *

Tenho só mais uma ponta para amarrar: que fim teve o suposto caixão de Alexandre Severo com o qual comecei o livro, trazido de Beirute pelo comodoro Jesse D. Elliott? Para tranquilizar os leitores, asseguro que seu par, o caixão de "Júlia Mameia", permanece seguro no claustro do Bryn Mawr College. Mas a história do caixão do próprio Alexandre Severo não é tão simples assim. Ele também está seguro e bem cuidado. Só que agora se encontra entre companhias inusitadas. Em meados dos anos 1980, foi removido da esplanada — onde estava cada vez mais fora de lugar — e transferido para um depósito do Smithsonian Institution em Suitland, Maryland. E é onde reside agora, geralmente embalado em plástico, guardado (por motivos que ainda não consegui entender) no departamento de transportes. Ainda tem o rótulo que comemora a recusa de Andrew Jackson a ser enterrado nele, mas hoje está cercado de carroças vintage, velhas placas de trânsito e carros de corrida ultrapassados (Figura 8.8). Parte de mim vê algo de interessante na justaposição moderna de sarcófago antigo com detritos residuais de comércio e tecnologias modernas que seu ocupante original, imperador ou não, jamais poderia conceber. Ao mesmo tempo, acho um

8.8. O estranho lugar de descanso do caixão em que Andrew Jackson se recusou a ser enterrado. Aqui, temporariamente livre de sua embalagem de plástico, encontra-se na seção de transportes de um depósito do Smithsonian Institution, em Maryland.

pouco triste. Com toda a minha conversa sobre a importância contínua do legado imperial romano, é difícil citar um exemplo melhor de sua queda, da grandiosidade à banalidade ou ao esquecimento.

As pretensões absurdas de Elliott para esse sarcófago, e seu par, jamais serão alcançadas. Nenhum presidente americano jazerá nele. Mas Elliott tinha pretensões mais modestas também. Como ele mesmo disse, tinha "interesse em introduzir entre nós essas antigas relíquias, e estou convicto de que serão apreciadas pelos antiquários e doutos do nosso país".[11] Eu, pessoalmente, me vejo na esperança de que sua confiança seja comprovada, e que um dia esse caixão seja libertado de seu embrulho de plástico e, quem sabe, um espacinho seja reservado para ele na esplanada mais uma vez. Em certos aspectos, é de fato um caixão romano bastante comum. Mas sua história de orgulho, contestação, controvérsia, política e, claro, de identificações equivocadas, das mais gloriosas às mais disparatadas, capta muito dos temas dos meus *Doze Césares*.

Agradecimentos

Este livro levou dez anos, entre idas e vindas, para ser feito. Nesse período, muitos amigos, colegas e instituições generosas me ajudaram e apoiaram. Minhas ideias tomaram forma no Centro de Estudos Avançados em Artes Visuais de Washington, que me recebeu (e disponibilizou um escritório espetacular) enquanto eu ministrava o ciclo de palestras A. W. Mellon de Belas-Artes, em 2011. Meus agradecimentos a todos da instituição, em especial Elizabeth Cropper, Peter Lukehart e Therese O'Malley, bem como Sarah Betzer e Laura Weigert (que me apresentaram à magia da tapeçaria). Também em Washington, aprendi muito e me diverti com Howard Adams, Charles Dempsey, Judy Hallett, Carol Mattusch e Alex Nagel (à época, do Smithsonian Institution).

A pesquisa para o projeto foi iniciada, e uma década depois — por uma bela simetria — concluída na Academia Americana em Roma, que em diversas ocasiões me deu a preciosa chance de fazer meu trabalho nos melhores lugares, com uma biblioteca bem abastecida, comida excelente e companhia especializada. Como a dedicatória deste livro já adianta, de coração agradeço a todos da academia, em especial, na minha última estadia, a Lynne Lancaster e John Ochsendorf, e a Kathleen Christian, por partilhar de seu conhecimento "cesariano". Sou grata também aos amigos e colegas da Universidade Yale. Ali ministrei a Palestra Rostovtzeff em 2016, sobre alguns dos temas tratados neste livro, e em seguida me beneficiei muito de um seminário com Stephen Campbell, Michael Koortbojian, Noel Lenski, Patricia Rubin e (remotamente) Paula Findlen. Depois passei um mês incrivelmente produtivo em Yale, como convidada do Departamento de Estudos Clássicos e do Centro de Artes Britânicas da universidade. Agradeço sobretudo a Emily Greenwood e Matthew Hargraves, e a todos os historiadores da arte e acadêmicos especializados em

Renascimento que, na época (e ao longo deste projeto), aceitaram uma penetra clássica em seu meio.

O livro teria demorado mais para ser finalizado não fosse pela licença de pesquisa, de dois anos, possibilitada por uma bolsa sênior de pesquisa financiada pela Leverhulme Trust. Faltam-me palavras para agradecer a essa organização tão intelectualmente destemida.

Muitas outras pessoas me ajudaram de diversas formas. Sou especialmente grata a Malcolm Baker, Frances Coulter, Frank Dabell, Philip Hardie, Simon Jervis, Thorsten Opper, Richard Ovenden, Michael Reeve, Giovanni Sartori (sobre Sabbioneta), Tim Schroder, Julia Siemon, Alexandra Streikova (pelo auxílio na Eslováquia), Luke Syson, Carrie Vout, Jay Weissberg, Alison Wilding, David Wille e Bill Zachs; e, por me ajudar a garimpar uma imagem de uma moeda romana de chocolate em plena pandemia, a Andrew Brown, Debs Cardwell, Amanda Craven e Eleanor Payne. Como já tinha feito antes, Peter Stothard leu e aprimorou o manuscrito todo; Debbie Whittaker pinçou muitos erros com seus olhos de águia e buscou informações que eu havia descartado como não localizáveis. Robin Cormack e o restante da família me acompanharam em uma série de caças a imperadores e partilharam o próprio conhecimento, fotográfico e além. (Também não foi a primeira vez que pensei nas alegrias e vantagens de ser casada com um historiador da arte!)

Por fim, tenho uma grande dívida com aqueles que gentilmente conduziram o livro finalizado ao mundo: Michelle Komie, Kenny Guay, Terri O'Prey, Jodi Price, Kathryn Stevens, Susannah Stone (que localizou algumas imagens muito difíceis de encontrar), Francis Eave, David Luljak e os revisores anônimos do manuscrito.

Eu não teria conseguido sem vocês todos.

Apêndice: Os versos sob a série de imperadores e imperatrizes de Sadeler

O latim desses versos (dos quais mantive a ortografia original) não é muito elegante em geral, quando não pior, beirando o intraduzível. Minhas traduções não disfarçam essa falta de elegância, usando de uma reprodução bastante literal, ainda que por vezes corrija o que creio serem erros de gramática ou pontuação. Marquei algumas das passagens de Suetônio (e de outras fontes) que ecoam diretamente nos versos.

C(aius) Julius Caesar
Omine discincti metuendus Caesar amictus,
Et mediuū zona non religante latus:
Feralis scelere et vitiatae in nocte parentis,
Maternum visus commaculasse torum.
Tantorum impleuit praesagia dira malorum
Et certam somnum iussit habere fidem.
Legibus hic Vrbem dedit, ordinibusque solutam
Iunctus et infandis cui fuit ille modis.

Caio Júlio César
César, a ser temido por conta do presságio de seu manto desamarrado, e o cinto que não fecha no meio: mortal também pelo crime de violar a mãe à noite, sonhando que tinha poluído seu leito maternal. Ele cumpriu as terríveis profecias de tais grandes calamidades e provou que sonhos [literalmente, "sono"] são fiáveis. Presenteou a cidade arruinada com leis e ordem, a cidade à qual ele também se uniu de formas indescritíveis.

(Vestimenta: *Julius Caesar* 45; Incesto: *Julius Caesar* 7.)

D(ivus) Oct(avianus) Augustus
Dum rata mactati nitor remanere, tuorque
  Acta Patris, dignum tum gero laude nihil;
Nilque quod emineat, supra ac nos euehat istam,
  Quae mihi bellorum laus socianda venit.
Ad famam imperiumque sibi iam Julius armis
  Strauit iter: Trita currere vile via est.
Ista noua, ac maior fuerit mihi gloria, Janum
  Extinctis bellis sub domuisse sera.

O endeusado Otaviano Augusto

Embora eu me esforce para que os decretos de meu pai assassinado sejam valida-dos e eu os resguarde, não conquisto nada digno de glória, e nada que se sobressaia ou nos eleve sobre a glória militar que há de ser atrelada a mim. Júlio abriu caminho para a fama e o poder pela força das armas. É inútil correr pela estrada já trilhada. Para mim será uma glória nova e ainda maior ter domado Jano trancando-o, uma vez que as guerras tenham se extinguido.

(Fechando os portões do Templo de Jano: *Augusto* 22.)

Tiberius Caesar
Iste feros ritus, et plus quam immitia corda
  Firmamenta sui qui ratus imperij est
Dedidicit quas vitali cum sanguine leges
  Vel Natura dedit, vel sibi fecit Amor.
Matrem, atque Vxorem, natosq, nurinq, nepotesq
  Omnes fax habuit pabula saeuitiae.
Odisse hic sese populum, ac sua facta probare
  Nam voluit, laetum reddidit interitu.

Tibério César

Ele, que pensava que ritos selvagens e mais do que sentimentos de rancor eram os alicerces de seu poder, desaprendeu as leis que, com sangue vivificante, ou a natureza ou o amor fizeram para si. Seu fogo (incitação) fez de sua mãe e sua es-posa, seus filhos, sua nora e seus netos, todos eles, o alimento de sua crueldade. Como queria que o povo o odiasse, mas respeitasse seus feitos, deixou-os feliz em sua morte.

(Tratamento de suas relações: *Tibério* 51-4; "Que me detestem": *Tibério* 59.)

C(aius) Caesar Caligula
Laetitiam picto poteris cognoscere vultu
  Vrbi olim quanta hoc regnum ineunte fuit.
Venit ad imperium multo fumantibus aris
  Sanguine, et innumerâ per fora caede boûm.
Principio haud melior quisquam, quo denique peior
  Nemo fuit, cecidit cum sibi gentis amor.
Vnam Romani te, qui truncare cupisti
  Ceruicem populi, factio caedit ouans.

Caio César <u>Calígula</u>
Tu serás capaz de reconhecer, no rosto pintado, alegria, tanto quanto a cidade outrora teve, quando ele adentrou seu reino. Ele chegou ao poder com altares fumegando de tanto sangue e um massacre incalculável de bois pelos fóruns. No princípio ninguém era melhor do que ele, de quem no fim ninguém era pior, quando o amor do povo por ele colapsou. Tu, que quiseste cortar o pescoço único do povo romano, um conluio exultante trucida.

(Sacrifícios pela ascensão: *Calígula* 14; querendo que o povo romano tivesse "um só pescoço": *Calígula* 30.)

D(ivus) Claudius Caesar
Qui miséra tristís nescit imperi mala,
  Et quanta regno insit dolorum copia,
  Angustiarum quantaque hinc vis effluat:
  Me videat, ac dominatui dicat vale.
  Me sors tulit praecelsum ad hoc fastigiū
  Existimantem poenam ad insontem rapi
  Mortis metu trementem, et inde desijt
  Discordiarum nunquam, et insidiarum agens
  Me factiosus tum pauor ciuilium:
  Ac scelus ad extremum abstulit venefici.

O endeusado <u>Cláudio</u> César
Qualquer um que desconheça os terríveis infortúnios de um triste poder e o tanto de mazelas que há em reinar, e as dificuldades arrebatadoras que derivam disso, que olhe para mim e diga adeus à dominação. O acaso me ergueu a este pináculo de poder, e eu achava que, embora inocente, estava sendo levado a punição, tremendo de medo da morte, e dali em diante nunca mais se dissipou o medo partidarista da discórdia e de conluios civis a me perseguir. E por fim o crime do envenenamento se livrou de mim.

(Crente que estava sendo conduzido a punição: *Cláudio* 10; seu medo de conluios: *Cláudio* 36.)

Nero Claudius Caesar

Caesareā Nero progeniem stirps vltima claudens
  Nequitiæ cumulum fecit, et ille modum.
Igne solum patrium, ferroque abolere parentem,
  Et genus omne suum, se quoque nixus erat.
Segnitie euicta potuit se perdere tandem,
  Et matrem, quibus et vita adimenda fuit:
At patriam haud potuit, matremque ex ignibus eius
  Hic nouus Æneas sustulit ante suam.

Nero Cláudio César

Nero, o progênie final da linhagem de césares, fez várias perversidades e ele pôs um fim nisso. Lutou para destruir sua terra natal com fogo, e sua mãe com a espada, e toda a sua espécie, e ele próprio também. Uma vez que tinha superado a preguiça, ele por fim foi capaz de destruir a si mesmo e sua mãe, cujas vidas precisavam ser tiradas. Mas ele não podia destruir sua terra natal, e esse novo Eneias a resgatou, antes da própria mãe, das chamas.

(Comparação com Eneias: *Nero* 39; sua preguiça: *Nero* 49.)

Sergius Galba

Hunc capiti nostro vidit splendere nitorem
  Septima Luna, eadem hoc vidit abisse decus.
Stantem ope nam Fortuna suâ indignata columnā
  Proruit: exitij sed mea caussa fuit.
Nam Capitolina inuidit Venus ipsa monile
  Parui Fortunae Tusculi ab vrbe Deae.
Inde queri visa est noctis mihi moesta p(er) umbrā
  Ereptura datum munere cassa dato.

Sérgio Galba

No sétimo mês esse esplendor reluziu sobre nossas cabeças, e no mesmo mês essa glória se foi. Pois ao ser ofendida, Fortuna derrubou a coluna com seus próprios recursos; mas a culpa da queda era minha. Pois a própria Vênus capitolina invejava por seu colar a deusa Fortuna da cidadezinha de Túsculo. Em seguida, infelizmente, ela [Fortuna] apareceu para mim na sombra da noite para reclamar, prestes a tomar o presente, destituído da recompensa dada.

(O sétimo mês: *Galba* 23; Fortuna e o colar, *Galba* 18 — esse também é o tema da "história" que acompanha o retrato de Galba no Camerino, em Mântua: ver p. 187.)

M(arcus) Sylvius Otho

Ad regnum ingressus fuit hic vt apertus Othoni
Per miseram facta proditione necem:
Hic idem fuit extremus regni exitus. Auli
Vi sibi cum gladijs adueniente super.
Suspector magni et quoniam fuit iste Neronis,
Nomine quem voluit saepe referre Nero,
Rettulit atque fuga: ac manibus tum denique mortem
Persimilem sibi et hic coscijt ipse suis.

Marcos Sálvio <u>Otão</u>

Assim como o ingresso ao reinado de Otão se abriu, pelo terror do assassinato após traição, também deu-se o fim de seu reinado, quando a força de Aulo foi para cima dele com espadas. E posto que ele era um admirador do grande Nero, quem ele buscava replicar em seu nome, como Nero, ele o replicou também em sua fuga; e por meio da violência no fim ele obteve uma morte similar para si próprio e seus seguidores.

(Uso do nome Nero: *Otão* 7; seu suicídio e de seus seguidores: *Otão* 11-2.)

Aullus Vitellius

Si te tam miserum factura haec sarcina tandē,
Aule, fuit regni; quid tibi pulsus Otho est?
Mens hominum euentus, sortisque ignara latentis
Exitiosa boni tincta colore petit.
Quid tam suspecti hoc habuit tum culmē honoris?
Quid non at potius turbinis, atque mali?
Te carcer tulit infelix, laqueusque reuinxit,
Factusque es cribrum, et carnificina miser.

Aulo <u>Vitélio</u>

Se o fardo de reinar aguardava no fim, Aulo, podendo deixá-lo tão miserável, por que Otão foi expulso por ti? A mente dos homens, alheia ao desfecho e destino do que está latente, busca destruição pintada na cor do bem. O que, então, tinha esse pico de honra tão suspeita? Ou, ainda, o que não tinha de agitação e maldade? O cárcere infeliz o manteve preso, na corda amarrado, e tu te tornaste uma peneira e uma mísera vítima de carnificina.

(Assassinato: *Vitélio* 17.)

D(ivus) Vespasianus Augustus
Effigiem iam cerne boni nunc Principis: est quam
Laetior obscuro sol vt ab imbre nitet.
In medium tres, qui inter te, et venere Neronem,
E medio miseris hi periere modis:
Te fatū quoniam iam tunc poscebat, erasque
Principis exemplum sancte future boni.
Augebis laudes, augebis inique triumphos
Ante voles ò qui vertere cumque pium.

O endeusado <u>Vespasiano</u> Augusto
Vê agora a imagem de um bom imperador. Ele é mais bem recebido do que o sol que brilha após a triste chuva. Os três que se entrepuseram entre ti e Nero faleceram de maneiras terríveis. Assim como exigiu o destino, tu foste de fato o modelo de um bom imperador, um deus por vir. Ó quem quer que tu sejas, pessoa injusta, que almejará superar o regente piedoso, tu hás de incrementar a fama dele, hás de incrementar os triunfos dele.

D(ivus) Titus Vespasian(us)
Laudatae soboles stirpis laudatior ipse,
  O Tite, virtutum clara propago Patris.
Delitiae, quo tum viuebas, atq amor, aeui
  Vne voluntates surripuisse sagax.
Vsurpet sine laude qius [sic] o tam nobile nomen?
  Tempora iam quod ad haec obsolet ista minus.
Perdidit, heu, subito quod non te numen amicum.
  Si Tibi res fuerat perdere acerba diem.

O endeusado <u>Tito</u> Vespasiano
Tu que foste o descendente mais célebre de uma linhagem já célebre, ó Tito, famoso rebento das virtudes de teu pai. O deleite e o amor da época em que viveste, tu, sozinho, foste sagaz o bastante para manter em segredo. Quem assumirá um nome tão nobre sem honra, que até estes tempos não desvaneceu? Lamentavelmente, foi um espírito hostil que de repente te destruiu, pois era algo terrível, tu um dia perder.

(Tito contando um dia como "perdido" quando não ajudava ninguém: *Tito* 8.)

Flavius Domitianus

Debueras regimen non tu fecisse bienni
* O fortuna Titi; ast esse perenne magis*
Flauius hunc si post facturus stemma pudendū
* Caesareum vitijs criminibusque fuit.*
Caesaris hic quantum nituit fraterq, paterque
* Nomen inobscurat, commaculatque tholum.*
Admisit sors hoc, quod conspiratio mendum
* Insectans odijs firma abolere parat.*

Flávio <u>Domiciano</u>

Ó fortuna de Tito, tu não devias ter constituído um reinado bienal. Teria sido melhor durar para sempre, uma vez que Flávio depois traria vergonha à linhagem cesariana com seus vícios e crimes. Por mais que o irmão e o pai dele tenham brilhado, ele ofusca o nome de César e macula seu sacrário. Fortuna admitiu essa mácula, que uma poderosa conspiração se prepara para obliterar, perseguindo-o com ódio.

Pompeia Iulii Caes(aris) Vxor

Illa ego sum Patris, sum Coniugis obses amoris
* Nata, marita eadem sumque furoris obex.*
Sed quid nostra virum seu iam retinere parentem
* Vincla valent, regni ius ubi quisque petit?*
Qualis amicitiam patris te Caesar adegit
* Velle amor et nexu sanguinis esse ratam?*
Vt non omne ferus fas non abrumpere posses;
* Et quae prima loco, prima malisque forem.*

Pompeia, a esposa de Júlio César

Sou aquela que nasceu para ser a promessa de amor de meu pai e de meu marido, e enquanto esposa fui também um entrave à loucura. Mas como minhas correntes hão de ser fortes o bastante para conter um marido ou um pai, quando cada um busca o direito de reinar? Que tipo de amor te impeliu, César, a querer a amizade de meu pai, e que fosse ratificada por uma conexão de sangue? Para que, com tua crueldade, não pudesses quebrar o juramento de todo; e eu que era a primeira do pódio fui também a primeira na miséria.

(O autor parece ter confundido a esposa de César, Pompeia, com uma filha de Pompeu, o Grande, ou com Júlia, filha de César e esposa de Pompeu.)

Livia Drusilla D(ivi) Oct(aviani) Augusti Vxor

Imperium placidis aurigabatur habenis
Pax, fera cum quaeuis natio colla daret.
Livia cum charo transmisi laeta marito
Tempora, et Augustis inuidiosa dehinc.
O felix vna ante alias, duplicique beata
Sorte viri: bona quod secla tulere bonum.
Post vitam finis capit hunc tranquilla quietam.
Inter nostra cadens oscula demoritur.

Lívia Drusa, esposa do endeusado Otaviano Augusto
A paz conduzia o império com rédeas gentis, quando toda tribo feroz se entregava até o pescoço. Eu, Lívia, com meu caro marido, leguei tempos felizes, fruto de inveja dos Augustos (imperadores) posteriores. Ah! Eu, sozinha, afortunada diante de outras mulheres, abençoada com a boa sorte dupla de meu marido: o bem que os bons tempos trouxeram. Passada uma vida calma, um fim tranquilo o leva. Ele morre caindo entre nossos beijos.

(Beijos durante a morte do imperador: *Augusto* 99; "*O felix una ante alias*" é uma citação de Virgílio, *Eneida* 3, 321 — referindo-se a Polixena, princesa troiana, sacrificada no túmulo de Aquiles.)

Agrippina Tiberii Vxor

Altius ad viuum nostri persedit Amoris
In Tiberi charos intima plaga sinus.
Iulia nec quamuis tetigit furtiua cubile
Coniugis illa méi, tota potita viro est.
Agrippina animum Tibéri, mentemque tenebat
Atque oculos tenuit post aliquando suos.
Iulia non tenuit, rapuit quae gaudia nobis:
Nam Patris exilium lege, virique tulit.

Agripina, esposa de Tibério
Profundamente depressa, uma aflição por amor a mim alojou-se no âmago do caro peito de Tibério. Embora aquela mulher furtiva tenha tocado o leito de meu marido, Júlia não se apossou do homem de todo. Agripina continuou a deter a mente e o coração de Tibério, e muito tempo depois às vezes detinha seus olhos. Júlia, que tirou de nós a alegria, não os detinha, mas por uma decisão do pai e do marido sofreu exílio.

(Os olhos: *Tibério* 7; ver pp. 305-6.)

Caesonia Caesar(is) Caligulae Vxor
Haec quae Caesareo videnda coetu
  Augustas nitet inter, aureoque
  Ornatu muliebriter renidens
  Nil distat reliquis; recondit audax
  Vultum foemina casside, ac sub armis
  Vires abdidit illa delicatas.
  Haec protectaque parmula rotunda
  Ibat iuxta equitans comes marito;
  Castrensis caligae vnde nuncupato
  Imprimis ea Caesari probata est.

Caesônia, esposa de César Calígula

Ela, que há de ser vista em seu casamento com César, brilha entre as Augustas (imperadoras), e, reluzindo como uma mulher de ornamentação dourada, não é diferente do resto; a mulher audaciosa cobre o rosto com um capacete e oculta sua força delicada sob armas. E ela, protegida por um pequeno escudo redondo, costumava cavalgar com ele, fazendo companhia ao marido; e assim foi especialmente aprovada pelo césar batizado com o nome da bota militar.

(Trajes militares e equitação conjunta: *Calígula* 25.)

Aelia P(a)etina Claudii Vxor
Hanc ego cur sedem vxores sortita tot inter
  Quae numeror de bis Aelia quarta tribus?
Claudius immodice tot quando vxorius arsit
  Nonadamans omnis, dissimilisque fuit.
Culpa quidem nostrum leuis, ac non improba nexū
  Abscidit: ast alias dat scelus esse reas.
Tandem hunc, quae natum cupit Agrippina videre
  Iam dominum, insidijs perdere dicta suis.

Élia Pecina, esposa de Cláudio

Por que ganhei este lugar, entre tantas esposas, Élia, a quarta de seis? Quando Cláudio ardia devota e imoderadamente por inúmeras esposas, não era duro como pedra, muito pelo contrário. Uma falha trivial e não perversa desfez nossa união. Mas o crime faz de outras mulheres culpadas. No fim, dizem que Agripina, que desejava ver o filho como imperador hoje, o destruiu com suas tramas.

(Seis esposas, incluindo duas pretendentes: *Cláudio* 26.)

Statilia Messallina Claudii Neron(is) Vxor
Amplexus Claudi ad dulces Octavia primum
Spreta, ac iussa mori mi patefecit iter.
Deinde Sabina, grauis pulsu quae calcis obiuit
Tam magni nuptam Principis esse dedit.
Cuius quanta fuit non formidasse furorem
Laus mihi, materiam nec tribuisse malo:
Pellice tam doleo Agrippina facta noverca;
Mi socrus, ac mater Coniugis illa mei est.

Estacília Messalina, esposa de Cláudio Nero

Otávia, filha de Cláudio, desdenhada e condenada a morrer primeiro, abriu caminho para mim, para seus doces abraços. Depois Sabina, que morreu devido à força de um calcanhar bruto, permitiu que eu noivasse um imperador assim tão magnífico. Por mais que tenham me louvado por não ter temido sua fúria e não ter oferecido munição a sua maldade, do mesmo jeito me arrependo por ter me tornado madrasta, com Agripina como sua amante. Ela é minha sogra e é mãe de meu marido.

(Morte de Sabina "pelo calcanhar": *Nero* 35. As relações de família evocadas no final da estrofe são insondáveis; o autor talvez tenha confundido a Messalina que era esposa de Nero com a Messalina que era esposa de Cláudio; e/ou talvez tenha confundido os termos *noverca* e *nurus* do latim — "madrasta" e "nora".)

Lepida Sergii Galbae Vxor
Heu, quae tam rigidi potuit vis effera fati
E Sergi charo me rapuisse sinu?
Quem nunquam vinclo excussa Agrippina iugali
Peruicit cineri destituisse fidem:
Et tamen illa suas artes tentauerat omnes,
Nec minus et vim collegerat iste suam.
Inieci desiderium quod amata marito
Ipsa mei, vita caelibe gessit agens.

Lépida, esposa de Sérgio Galba

Ah, que força selvagem de um destino inflexível poderia ter me arrancado dos braços amorosos de Sérgio? Foi ele que Agripina, libertada dos laços do matrimônio, nunca conseguiu convencer a abrir mão da lealdade pelos mortos: e embora ela tenha usado de todas as suas artimanhas, em nenhum momento ele mostrou menos resolução. Porque eu, amada que fui, despertei desejo por mim em meu marido, ele seguiu vivendo nos conformes de uma vida de solteiro.

(Morte prematura de Lépida e a recusa de Agripina por parte de Galba: *Galba* 5.)

Albia Terentia Othonis Mater
Vxoris sedem impleui moestissima mater
Tam nato tristis, quam dulci laeta marito.
Huius spectaui testes probitatis honores
Mansurum decus erecti sibi marmoris; atq hunc
Prosper laudatis tandem tulit exitus actis.
Coniugis ille expers (sed spem dilecta fouebat
Messallina) parum felici claruit ausu
Dum petit imperium caussam sibi mortis acerbae.

Álbia Terência, mãe de Otão
Miserável mãe, ocupei o lugar de uma esposa, tão triste pelo meu filho quanto sou feliz pelo meu querido marido. Assisti às honrarias que foram os testemunhos de sua retidão, a glória duradoura de uma estátua erguida para ele; e por fim uma morte favorável o levou, suas façanhas louvadas. Sem uma esposa (mas a amada Messalina alimenta suas esperanças), ele ficou famoso por uma investida desafortunada enquanto almejava o trono, causa de sua morte trágica.

(As esperanças de Otão com Messalina: *Otão* 10.)

Petronia Vitellii Prima Vxor
Vxor sanguinei non illaetabilis Auli
   Coniugis exitium nil miserata doles.
Nec deiecta doles aduersam coniuge sortem;
   Sors quia nam misero laeta carere viro est.
Vulnerum, et indignae tum post ludibria mortis
   Cumque viro amissi nominis, ac decoris:
Fundo hausit faecem istius Fundana doloris.
   Imperij, ac gaudi pocula prima bibis.

Petrônia, a primeira esposa de Vitélio
Esposa jovial de Aulo, sedento por sangue, embora te se compadeças da morte de teu marido, não lamentas. Tampouco, destituída de teu marido, lamentas uma sina adversa. Pois é uma sina feliz ficar sem um marido atroz. Após os insultos das feridas e uma morte vergonhosa, de um nome e da honra perdidas junto com o marido, foi Fundana quem catou a borra dessa tristeza lá do fundo. Tu sorves os primeiros esboços de poder e alegria.

Flavia Domicilla Vespasiani Vxor

Vidissem nostri meliora reducere quondam
  Tempora Caesareum quae diadema viri;
Et praematuro celerem quae tempore frugem
  Cepissem nati de probitate Titi:
Heu rapidum morior. Mihi ducere longa negatū
  In gaudis tecum fila marite tuis.
Caesareas inter quam tu mirare maritas
  Priuato viuens sum sociata viro.

Flávia Domitila, esposa de Vespasiano

Eu, que adoraria ter visto a coroa cesariana de meu marido trazendo de volta um dia tempos melhores; e adoraria ter apanhado os frutos céleres que advieram precocemente do bom caráter de meu filho Tito: infelizmente, morro depressa. Foi negado a mim, meu marido, desenrolar longos novelos contigo, em tua felicidade. Eu, quem admiras dentre as esposas dos césares, quando estava viva, fui a parceira de um cidadão privado.

Martia Fulvia Titi Vespesian(i) Vxor

Tam bone si cunctis coniux mi diceris esse
  Inuide cur quæso mihi es; quid rogo parce mihi es?
Ipsa quoque heu demens quae sum diuortia passa
  Debueram nodum velle manere tori
Quando vsus natam tuleramus pignora nostri;
  Coniugij ac dulce hoc munus vtrique fuit.
Non me fronte vides dulci gratante marito;
  Nec peramata vides coniugis ora Tito.

Márcia Fúlvia, esposa de Tito Vespasiano

Se dizem que tu, meu marido, és tão bom para todos, por que, suplico, és hostil comigo; por que razão, pergunto, tu és ruim comigo? Eu, que tristemente sofri com o divórcio, só podia querer que o laço matrimonial se mantivesse, uma vez que tivemos uma filha como juramento de nossa união; e essa gratificação do casamento agradava a nós dois. Não me vês com uma expressão doce e um marido contente; tampouco vês o rosto de uma esposa amada por Tito.

(Nascimento da filha e divórcio: *Tito 4*.)

Domitia Longina Domitiani Vxor
Vxor inhumani saevique auuersa mariti
Moribus, esse proba, ac non nisi iusta potes.
Non te rupta fides spretae aut commercia taedae
Participem damnent caedis inesse viri.
Tantam si mundo posses subducere pestem
Laus, quae nunc aliqua est, tunc tua tota foret
Grande tyrannorum quisquis de morte meretur.
Vita tyrannorum non habet illa fidem.

Domícia Longina, esposa de Domiciano
Esposa de um marido desumano e brutal, diferente em teu caráter, hás de ser íntegra e nada que não justa. Fé abalada ou um casamento perdido não a condenariam por se juntar ao assassinato de teu marido. Se pudesses remover uma grande praga do mundo, a glória — da qual agora tu partilhas — caberia toda a ti, que mereces uma grande recompensa pela morte de tiranos. A vida dos tiranos não tem lealdade.

(Divórcio e novo casamento: *Domiciano* 3; o envolvimento dela no conluio contra Domiciano: *Domiciano* 14.)

Notas

1. O imperador na esplanada: Uma introdução [pp. 15-58]

1. Vários detalhes da aquisição (incluindo as datas exatas e como, e de onde os objetos foram adquiridos) permanecem, na melhor das hipóteses, vagos: Mrs. Cornelius Stevenson, "An Ancient Sarcophagus" (*Bulletin of the Pennsylvania Museum*, Filadélfia, v. 12, pp. 1-5, 1914); Charles Warren, "More Odd Byways in American History" (*Proceedings of the Massachusetts Historical Society*, Boston, terceira série, v. 69, pp. 255-61, 1947-50); Wilcomb E. Washburn, "A Roman Sarcophagus in a Museum of American History" (*The Curator*, Tulsa, v. 7, pp. 296-9, 1964). A carreira controversa de Elliott é defendida em Jesse D. Elliott, *Address of Com. Jesse D. Elliott, U.S.N., Delivered in Washington County, Maryland, to His Early Companions at Their Request, on November 24, 1843* (Filadélfia: [s.n.], 1844) (em que ele dá alguns detalhes dos sarcófagos, "Apêndice", pp. 58-9). Uma análise arqueológica moderna: John B. Ward-Perkins, "Four Roman Garland Sarcophagi in America" (*Archaeology*, v. 11, pp. 98-104, 1958).

2. Relatos modernos sobre o reinado: Clifford Ando, *Imperial Rome, AD 193-284* (Edimburgo: Edinburgh University Press, 2012), pp. 68-75; Michael Kulikowski, *The Triumph of Empire: The Roman World from Hadrian to Constantine* (Cambridge, MA: Harvard University Press, 2016), pp. 108-11; Clare Rowan, *Under Divine Auspices: Divine Ideology and the Visualisation of Imperial Power in the Severan Period* (Cambridge: Cambridge University Press, 2012), pp. 219-41 (com foco em moedas). Carlos I: John Peacock, "Image of Charles I as a Roman Emperor", em Ian Atherton e Julie Sanders (Orgs.), *The 1630s: Interdisciplinary Essays on Culture and Politics in the Caroline Era* (Manchester: Manchester University Press, 2006), esp. pp. 62-9. Uma visão geral de seus retratos: Susan E. Wood, *Roman Portrait Sculpture 217-260 AD: The Transformation of an Artistic Tradition* (Leiden: Brill, 1986), pp. 56-8, 124-5. Diferentes motivos para o assassinato: Herodian, *Roman History 6, 9; Augustan History, Alexander Severus 59-68*; Zonaras, *History*, 12, 15.

3. Antonio Lafrery, *Effigies viginti quatuor Romanorum imperatorum*. Roma: [s.n.], *c.* 1570; para Lafrery (ou Lafreri) como editor, ver Peter Parshall, "Antonio Lafreri's *Speculum Romanae Magnificentiae*" (*Print Quarterly*, Londres, v. 23, pp. 3-28, 2006), esp. pp. 3-8. Alexandre não se livra facilmente do número 24; ele aparece, por exemplo, nessa posição em: Alexander Fraser Tytler (século XIX), *Elements of General History, Ancient and Modern* (Londres: A. Scott, 1846), p. 612.

4. A brutalidade de Maximino: Herodian, *Roman History* 6, 8 e 7-,1; *Augustan History*, *The Two Maximini* 1-26; Aurelius Victor, *On the Emperors* (*De Caesaribus*) 25 (analfabetismo). Michael Kulikowski, em *The Triumph of Empire*, op. cit., pp. III-2, faz uma análise sucinta do burburinho em torno desses regentes.

5. Herodian, *Augustan History*, *Alexander Severus* 63.

6. Andrew A. Harwood, "Some Account of the Sarcophagus in the National Museum Now in Charge of the Smithsonian Institution", em *Annual Report of the Board of Regents of the Smithsonian Institution* (Washington, DC: Smithsonian Institution, 1870), p. 385; olhando em retrospecto, para seus primeiros anos servindo, quase trinta anos antes, sob o nome Elliott, o autor — então contra-almirante — sistematicamente desfaz os pontos de conexão entre os sarcófagos e o casal imperial (ainda que o latim da inscrição "Júlia Mameia" o vença).

7. Todos os aspectos dessa história geram controvérsia: se o complexo de túmulos nos arredores de Roma tinha algo a ver com Alexandre Severo, se o sarcófago dos Museus Capitolinos era o sarcófago do imperador e de sua mãe, e se o Vaso de Portland fora mesmo encontrado ali. Discussões céticas: Henry Stuart Jones, "The British School at Rome" (*The Athenaeum*, New Haven, n. 4244, p. 265, 27 fev. 1909) e Nancy Thomson Grummond (Org.), *Encyclopaedia of the History of Classical Archaeology* (Londres: Fitzroy Dearbom, 1996), pp. 919-22. Um olhar menos cético, com uma documentação completa das descobertas: Kenneth Painter e David Whitehouse, "The Discovery of the Vase" (*Journal of Glass Studies*, Corning, v. 32, *The Portland Vase*, pp. 85-102, 1990). Em meados da década de 1840, guias conceituados já alertavam leitores sobre qualquer associação do sarcófago a Alexandre e sua mãe: "Essa ideia é rejeitada pelas autoridades modernas", era a firme declaração de John Murray (Org.) em *Handbook for Travellers in Central Italy: Including the Papal States, Rome, and the Cities of Etruria* (Londres: J. Murray, 1843) em 1843. A complexa história do Vaso de Portland: <www.britishmuseum.org/research/collection_online/collection_object_details.aspx?objectId=466190&partId=1>.

8. A carta de Jackson: Mrs Cornelius Stevenson, "An Ancient Sarcophagus", op. cit.; Charles Warren, "More Odd Byways in American History", op. cit., pp. 255-61. Acusações de "cesarismo" dirigidas a Jackson e outros: Margaret Malamud, *Ancient Rome and Modern America* (Malden, MA: Wiley-Blackwell, 2009), pp. 18-29, Nicholas Cole, "Republicanism, Caesarism, and Political Change", em Miriam Griffin (Org.), *A Companion to Julius Caesar* (Malden, MA: Wiley-Blackwell, 2009); Maria Wyke, *Caesar in the USA* (Berkeley: University of California Press, 2012), pp. 167-202.

9. Sobre a instalação do painel de informações na década de 1960: Wilcomb E. Washburn, "A Roman Sarcophagus in a Museum of American History", op. cit.

10. Alison Stewart, "Woodcuts as Wallpaper: Sebald Beham and Large Prints from Nuremberg", em Larry Silver e Elizabeth Wyckoff (Orgs.), *Grand Scale: Monumental Prints in the Age of Dürer and Titian* (New Haven: Yale University Press, 2008), pp. 76-7 (discutindo uma cama do fim do século XVI, decorada com esse papel imperial). A empresa de decoração Timney Fowler (<www.timneyfowler.com/wallpapers/roman-heads/>) oferece versões modernas.

11. O título dessa seção é tomado de empréstimo de Keith Hopkins, *A World Full of Gods: Pagans, Jews and Christians in the Roman World* (Londres: Phoenix, 1999).

12. Andreas Alföldi, "Tonmodel und Reliefmedaillons aus den Donauländern". In: *Laureae Aquincenses* (*Memoriae Valentini Kuzsinszky dicatae*), *I*. Budapeste: Pázmány Péter

Katolikus Egyetem, 1938; George C. Boon, "A Roman Pastrycook's Mould from Silchester". *The Antiquaries Journal*, Londres, v. 38, n. 3/4, pp. 237-40, 1958. Maria T. Gualandi e Antonio Pinelli, "Un trionfo per due. La matrice di Olbia: un *unicum* iconographico 'fuori contesto'", em Maria Monica Donato e Massimo Ferretti (Orgs.) *"Conosco un ottimo storico dell'arte ...". Per Enrico Castelnuovo: Scritti di allievi e amici pisani* (Pisa: Edizione della Normale, 2012) contestam a ideia de que esses objetos são moldes do tipo, mas não propõem nenhum outro uso plausível.

13. O alcance e a função desses retratos: Jane Fejfer, *Roman Portraits in Context* (Berlim: De Gruyter, 2008), pp. 372-429; Peter Stewart, *The Social History of Roman Art* (Cambridge: Cambridge University Press, 2008), pp. 77-142. Imagens particulares de imperadores eram mais comuns do que se costuma imaginar; para sua possível importância política, ver Duncan Fishwick, *The Imperial Cult in the Latin West: Studies in the Ruler Cult of the Western Provinces of the Roman Empire* (Leiden: Brill, 1991), pp. 532-40.

14. Catálogos completos: Dietrich Boschung, *Die Bildnisse des Augustus* (Berlim: Mann, 1993), pp. 107-94; Elizabeth Bartman, *Portraits of Livia: Imaging the Imperial Woman in Augustan Rome* (Cambridge: Cambridge University Press, 1998), pp. 146-87. Total estimado (muito baseado em quantos provavelmente foram produzidos a cada ano): Michael Pfanner, "Über das Herstellen von Porträts: Ein Beitrag zu Rationalisierungsmassnahmen und Produktionsmechanismen von Massenware im späten Hellenismus und in der Römischen Kaiserzeit" (*Jahrbuch des Deutschen Archäologischen Instituts*, Berlin, v. 104, pp. 178-9, 1989). Um catálogo completo dos retratos remanescentes de Alexandre e Júlia Mameia: Max Wegner, "Macrinus bis Balbinus", em Heinz B. Wiggers e Max Wegner, *Das römische Herrscherbild* (Berlim: Mann, 1971), pp. 177-99, 200-17. Ver pp. 81-91.

15. Augustus, *Autobiography* (*Res Gestae*) 24: "Havia estátuas minhas de prata, a pé, a cavalo e em carruagens, pela cidade, cerca de oitenta. Essas eu mesmo derrubei". Os romanos às vezes viam estátuas de metais preciosos como perigosamente extravagantes, mas a pretensão de transformar uma homenagem a si próprio em uma homenagem a um deus era típica da autopromoção de Augusto, modéstia à parte.

16. Susan Walker e Morris Bierbrier, *Ancient Faces: Mummy Portraits from Roman Egypt* (Londres: British Museum, 1997) é uma boa introdução ao tema.

17. Sobre a pintura de Septímio Severo e sua família: Thomas F. Mathews e Norman E. Muller, *Dawn of Christian Art in Panel Paintings and Icons* (Los Angeles: The J. Paul Getty Museum, 2016), pp. 74-83. O texto do inventário, com discussões em torno dele, encontra-se publicado em *POxy* 12, 1449, e algumas linhas-chave estão traduzidas com precisão em Jane Rowlandson (Org.), *Women and Society in Greek and Roman Egypt: A Sourcebook* (Cambridge: Cambridge University Press, 2009), p. 44. A pintura também é debatida em *Dawn of Christian Art*, op. cit., pp. 80-3, que sustenta que a imagem remanescente de Septímio com Caracala e Júlia Domna é uma das imagens listadas no inventário (embora a ideia de que o papiro aponta para 4 mil painéis de pintura do imperador Caracala seja baseada em uma combinação de fantasia e tradução imprecisa). Os comentários do tutor de Marco Aurélio: Frontão, *Correspondence* (*Ad Marcum Caesarem*) 4, 12, 4. O texto em latim contém detalhes imprecisos, mas as linhas gerais são claras (embora há quem sugira que ele está "beijando" os retratos, e não "rindo" deles). Outros retratos pintados perdidos: Elizabeth Bartman, *Portraits of Livia: Imaging the Imperial Woman in Augustan Rome*, op. cit., p. 12, com Catálogo Epigráfico 45 e 52. O epitáfio

do século II de um homem descrito como "pintor de imperadores e todas as melhores pessoas" (*CIL* II, 7126, reproduzido em Jane Fejfer, *Roman Portraits in Context*, op. cit., p. 420) pode apontar para a um retratista especializado em figuras imperiais e de classe alta; mas é mais provável que se refira a um pintor *contratado* pela casa imperial e pelas tais "melhores pessoas".

18. O vitral de Poitiers: Anne Granboulan, "Longing for the Heavens: Romanesque Stained Glass in the Plantagenet Domain", em Elizabeth Carson Pasten e Brigitte Kurmann-Schwarz (Orgs.), *Investigations in Medieval Stained Glass: Materials, Methods, and Expressions* (Leiden: Brill, 2019), pp. 41-2 (para Nero em particular, ver nota 24, abaixo). A Cruz de Lotário e os problemas em torno de tal reutilização (O camafeu foi reconhecido como o imperador? Foi criativamente reinterpretado e cristianizado?): Norbert Wibiral, "Augustus patrem figurat: Zu den Betrachtungsweisen des Zentralsteines am Lotharkreuz im Domschatz zu Aachen" (*Aachener Kunstblätter*, Heidelberg, v. 60, pp. 105-30, 1994); Dale Kinney, "Ancient Gems in the Middle Ages: Riches and Ready-Mades", em Richard Brilliant e Dale Kinney (Orgs.), *Reuse Value: Spolia and Appropriation in Art and Architecture from Constantine to Sherrie Levine* (Farnham: Ashgate, 2011), pp. 113-4 (na cruz); e em linhas mais gerais Salvatore Settis, "Collecting Ancient Sculpture: The Beginnings", em Nicholas Penny e Eike D. Schmidt (Orgs.), *Collecting Sculpture in Early Modern Europe* (New Haven: Yale University Press, 2008). Um paralelo posterior, uma cruz do século XVI, da catedral de Minden, na Alemanha, incorporando um antigo camafeu de Nero, levanta questões similares: ele não era reconhecido, ou seria um gesto de triunfalismo cristão? Michael Fiedrowicz, "Die Christenverfolgung nach dem Brand Roms in Jahr 64". In: Rheinisches Landesmuseum Trier, Museum am dom Trier e Städtisches Museum Trier, *Nero: Kaiser, Künstler und Tyrann*. Stuttgart: Theiss, 2016, pp. 250-1.

19. Sobre os césares em Versailles: Alexandre Maral, "Vraies et fausses antiques", em Alexandre Maral e Nicolas Milovanovic (Orgs.), *Versailles et l'Antique* (Paris: Artlys, 2012), pp. 104-7 (e pp. 110-1, sobre um par ainda mais suntuoso de bustos imperiais, com cabeças de bronze e panejamento dourado); Patrick Michel, *Mazarin, prince des collectionneurs: Les collections et l'ameublement du Cardinal Mazarin (1602-1661). Histoire et analyse* (Paris: Réunion des musées nationaux, 1999), pp. 315-8 (sobre as peças adquiridas da coleção do cardeal Mazarin); Philippe Malgouyres (Org.), *Porphyre: La Pierre Poupre des Ptolémées aux Bonaparte* (Paris: Réunion des musées nationaux, 2003), pp. 130-5. Sobre a série de imperadores em Powis: Tim Knox, "Long Gallery at Powis Castle" (*Country Life*, Londres, v. 203, n. 22, pp. 86-9, 2009), com os comentários do século XVIII em C. Bruyn Andrews (Org.), *Torrington Diaries: Containing the Tours through England and Wales of the Hon. John Byng (Later Fifth Viscount Torrington) between the Years 1781 and 1794* (Londres: Eyre & Spottiswoode, 1936), p. 293. A fonte de Bolsover: Lucy Worsley, "The 'Artisan Mannerist' Style" in British Sculpture: A Bawdy Fountain at Bolsover Castle" (*Renaissance Studies*, Oxford, v. 19, n. 1, pp. 83-109, 2005).

20. Um tratado influente é Giovanni Paolo Lomazzo, *Trattato dell'arte della pittura, scoltura et architettura* (Milão: Paolo Gottardo Pontio, 1584), pp. 629-31 (as instruções sobre como imperadores deveriam ser representados dependem muito, mas não de todo, das descrições deles nas biografias de Suetônio e na *História augusta*).

21. Decorações temporárias: ver pp. 143-4 e 155. Sobre as cadeiras alemãs do século XVI: *Splendor of Dresden: Five Centuries of Art Collecting*, n. 95 (Nova York: The Metropolitan Museum of Art, 1978) (ilustrando a cadeira de Júlio César); Barbara Marx, "Wandering

Objects, Migrating Artists: The Appropriation of Italian Renaissance Art by German Courts in the Sixteenth Century", em Herman Roodenburg (Org.), *Forging European Identities, 1400-1700* (Cambridge: Cambridge University Press, 2007), pp. 206-7. Sobre tapeçaria, ver pp. 226-38.

22. Sobre o colar do oficial espanhol: Robert Sténuit, *Treasures of the Armada* (Londres: David & Charles, 1972), pp. 206-7, 256, 265 (sobre a descoberta, embora identifique as figuras retratadas equivocadamente como bizantinas); Laurence Flanagan, *Ireland's Armada Legacy* (Gloucester: Sutton, 1988), pp. 185, 198; Museu Nacional Ulster on-line (<www.nmni.com/collections/history/world-cultures/armada-shipwrecks>). Sobre a obra de Minghetti: Nicoletta Barberini e Matilde Conti, *Ceramiche artistiche Minghetti: Bologna* (Sasso Marconi: Bolelli, 1994) (para saber mais da exposição de quatro de seus imperadores na exibição internacional de Milão, em 1881, ver *Guida del visitatore alla esposizione industriale italiana del 1881 in Milano* (Milão: E. Sonzogno, 1881), p. 157. Esse conjunto de césares hoje está espalhado pelo mundo, incluindo: um Tibério, um Calígula e um Domiciano no Museu Victoria and Albert, em Londres; um Júlio César e um Nero no Museu Nacional da Irlanda, em Dublin; e encontrei outros nove em Genebra, Lisboa, Bolonha e coleções particulares ou galerias comerciais ou leilões. Além do total de césares localizados (catorze), o fato de que há um Júlio César em Dublin e outro em uma galeria comercial na Austrália, bem como um Tito duplicado, indica que estamos lidando com mais do que uma única linha de doze.

23. Cynthia S. Dessen, "Eighteenth-Century Imitation of Persius, *Satire* 1" põe o Nero de Hogarth no contexto de outras alusões contemporâneas ao imperador. Sobre a caricatura: Ettore Napione, "Tornare a Julius von Schlosser: I palazzi scaligeri, la 'sala grande dipinta' e il primo umanesimo", em Serena Romano e Denise Zaru (Orgs.), *Arte di corte in Italia del nord: Programmi, modelli, artisti (1330-1402 ca.)* (Roma: Viella, 2013), p. 185 (para a série de Verona em geral, ver pp. 118, 360, n. 35.

24. Tradições medievais francesas envolvendo Nero e Pedro e Paulo (incluindo o vitral de Poitiers): George Henderson, "The Damnation of Nero and Related Themes", em Alan Borg e Andrew Martindale (Orgs.), *The Vanishing Past: Studies of Medieval Art, Liturgy and Metrology Presented to Christopher Hohler* (Oxford: British Archaeological Reports, 1981), pp. 39-51; Christine M. Thomas, *The Acts of Peter, Gospel Literature and the Ancient Novel: Rewriting the Past* (Oxford: Oxford University Press, 2003), pp. 51-4; Glynnis M. Cropp, "Nero, Emperor and Tyrant, in the Medieval French Tradition" (*Florilegium*, Ottawa, v. 24, n. 1, pp. 30-3, 2007). Nero nas portas de São Pedro: Robert Glass, "Filarete's Renovation of the Porta Argentea at Old Saint Peter's", em Rosamond Mckitterick et al. (Orgs.), *Old Saint Peter's, Rome* (Cambridge: Cambridge University Press, 2013), associando a iconografia também ao uso da basílica para a coroação do sacro imperador romano; mais detalhes em Ursula Nilgen, "Der Streit über den Ort der Kreuzigung Petri: Filarete und die zeitgenössische Kontroverse", em Hannes Hubach et al. (Orgs.), *Reibungspunkte: Ordnung und Umbruch in Architektur und Kunst* (Petersberg: [s.n.], 2008).

25. A essência da história, com o oráculo de Delfos, em vez da Sibila, remonta ao século VI, talvez até antes (John Malalas, *Chronicle* 10, 5), e conta com muitas versões diferentes: Anthony Cutler, "Octavian and the Sibyl in Christian Hands" (*Vergilius*, Chapel Hill, v. 11, pp. 22-32, 1965); Cynthia White, "The Vision of Augustus: Pilgrims' Guide or Papal Pulpit?" (*Classica et Mediaevalia*, Copenhague, v. 55, pp. 247-77, 2005); Robin Raybould, *The Sibyl Series of the Fifteenth Century* (Leiden: Brill, 2016), pp. 37-8;

Kerry Boeye e Nandini B. Pandey, "Augustus as Visionary: The Legend of the Augustan Altar in S. Maria in Aracoeli, Rome", em Penelope J. Goodman (Org.), *Afterlives of Augustus, AD 14-2014* (Cambridge: Cambridge University Press, 2018). Outras confecções, hoje ainda menos conhecidas, tentam alinhar a história imperial à história cristã: o mito, por exemplo, de Faustina (esposa do imperador Magêncio, século IV) visitando Santa Catarina de Alexandria na prisão foi representado por muitos artistas, entre os quais Tintoretto (no Palácio Patriarcal de Veneza) e Mattia Preti (hoje no Dayton Art Institute, Dayton, Ohio).

26. Estátuas de imperadores na obra de Fellini (sinalizando a equivalência de vícios entre a Roma Antiga e a moderna): Donald P. Costello, *Fellini's Road* (Notre Dame: University of Notre Dame, 1983), p. 61; Pier Marco De Santi, *La dolce vita: Scandalo a Roma, Palma d'oro a Cannes* (Pisa: ETS, 2004), pp. 157-63; Eckhard Leuschner, "Roman Virtue, Dynastic Succession and the Re-Use of Images: Constructing Authority in Sixteenth- and Seventeenth-Century Portraiture" (*Studia Rudolphina*, Praga, v. 6, p. 18, 2006). A identificação de alguns dos bustos imperiais (modernos) que aparecem em *A doce vida*: Laura Buccino, "Le antichità del marchese Vincenzo Giustiniani nel Palazzo di Bassano Romano" (*Bollettino d'arte*, Roma, v. 96, p. 55, 2006).

27. Sobre esse ciclo de retroalimentação entre representações modernas e nossa compreensão das próprias evidências antigas: Olivier Hekster, "Emperors and Empire, Marcus Aurelius and Commodus", em Aloys Winterling (Org.), *Zwischen Strukturgeschichte und Biographie* (Munique: De Gruyter, 2011), pp. 317-28.

28. Johann Joachim Winckelmann, *Anmerkungen über die Geschichte der Kunst des Alterthums*, citação em Adolf. H. Borbein e Max Kunze (Mainz: P. von Zabern, 2008), p. 9 (*"das neue vom alten, und das wahre von den Zusätzen zu unterschieden"*); ver Inga Gesche, "Bemerkungen zum Problem der Antikenergänzungen und seiner Bedeutung bei J. J. Winckelmann", em Herbert Beck e Peter C. Bol (Orgs.), *Forschungen zur Villa Albani* (Berlim: Mann, 1982), pp. 445-6.

29. Descrição do século XVI sobre sua ascensão ao Getty: "Acquisitions/1992" (*The J. Paul Getty Museum Journal*, Los Angeles, v. 21, p. 147, 1993); Carolyn Miner e Jens Daehner, "Emperor in the Arena" (*Apollo*, Londres, v. 171, n. 573, pp. 36-41, fev. 2010) (com uma discussão mais aprofundada, argumentando a favor de uma datação na década de 180). A exibição de 2008-9 está documentada on-line (com detalhes da análise da superfície) em <www.getty.edu/art/exhibitions/commodus/index.html>.

30. Bartolomeo Cavaceppi, *Raccolta d'antiche statue*, em Susanne Adina Meyer e Chiara Piva (Orgs.), *L'arte di ben restaurare: La "Raccolta d'antiche statue" (1768-1772) di Bartolomeo Cavaceppi* (Florença: Nardini, 2011), v. 2, p. 129; a frase *"chi le osserva con le orecchie"* é tomada de empréstimo de Giovanni Baglione, *Le vite de' pittori, scultori et architetti* (Roma: Andrea Fei, 1642), p. 139, que a usava para se referir aos clientes de seu rival, Caravaggio. A ingenuidade inglesa suscitou muitos comentários incisivos por parte dos próprios ingleses: o mercado de antiguidades em Roma está "há tanto tempo exaurido de relíquias valiosas que foi necessário instituir uma manufatura para a fabricação dessas quinquilharias que metade da nação inglesa vai buscar todo ano", observou E. D. Clarke em 1792, conforme William Otter, *The Life and Remains of Edward Daniel Clarke* (Londres: J. F. Dove, 1824), p. 100. Mas era sempre uma questão de ponto de vista do autor. A regra básica era que outras pessoas eram tolas e ingênuas, e o próprio autor, um conhecedor letrado. Ilaria Bignamini e Clare Hornsby, *Digging and Dealing in Eighteenth-Century*

Rome (New Haven: Yale University Press, 2010) é uma introdução detalhada ao mercado da arte nos primórdios da Roma moderna.

31. A linha tênue entre uma falsificação, uma cópia e um original: Crispin Sartwell, "Aesthetics of the Spurious" (*British Journal of Aesthetics*, Londres, v. 28, n. 4, pp. 360-2, 1988) (postulando 21 estágios entre autenticidade e inautenticidade!); James Elkins, "From Original to Copy and Back Again" (*British Journal of Aesthetics*, Londres, v. 33, n. 2, pp. 113-20, 1993); Christopher S. Wood, *Forgery, Replica, Fiction: Temporalities of German Renaissance Art* (Chicago: University of Chicago Press, 2008); Pascale Mounier e Colette Nativel (Orgs.), *Copier et Contrefaire à la Renaissance: Faux et usage de faux* (Paris: Honoré Champion, 2014). Sobre as moedas paduanas: Andrew Burnett, "Coin Faking in the Renaissance", em Mark Jones (Org.), *Why Fakes Matter: Essays on Problems of Authenticity* (Londres: British Museum, 1992), pp. 136-9; Stephen K. Scher (Org.), *The Currency of Fame: Portrait Medals of the Renaissance* (Nova York: H. N. Abrams, 1994), pp. 182-3; Luke Syson e Dora Thornton, *Objects of Virtue: Art in Renaissance Italy* (Londres: British Museum, 2001), pp. 122-5.

32. Francesco Carradori, *Elementary Instructions for Students of Sculpture*, trad. de Matti Kalevi Auvinen (Los Angeles: J. Paul Getty Museum, 2002), p. 40.

33. A história de sua refação: Susan Walker, "Clytie: A False Woman?", em Mark Jones (Org.), *Why Fakes Matter: Essays on Problems of Authenticity*, op. cit., pp. 32-3 (a ninfa Clície é a identificação rival da escultura).

34. Bartolomeo Cavaceppi, *Raccolta d'antiche statue*, op. cit., pp. 123-30, com uma discussão sobre as teorias da arte de Cavaceppi em Susanne Adina Meyer e Chiara Piva (Orgs.), *L'arte di ben restaurare: La "Raccolta d'antiche statue" (1768-1772) di Bartolomeo Cavaceppi*, op. cit., pp. 26-53.

35. Documentação completa: Didier G. J. Bodart, "Cérémonies et monuments romains à la mémoire d'Alexandre Farnèse, duc de Parme et de Plaisance" (*Bulletin de l'Institut historique belge de Rome*, Bruxelas, v. 37, pp. 121-36, 1966). O fato de que o homem que fez o tributo e em cujo jardim ficava a estátua de se César chamava Cesarini não pode ter sido coincidência (sobre a coleção de Cesarini, ver Kathleen Wren Christian, *Empire without End: Antiquities Collections in Renaissance Rome, c. 1350-1527*), pp. 295-9; com efeito, o nome talvez esteja por trás da identificação (otimista) da estátua original como Júlio César. Sobre a carreira de *Il Gran Capitano*: Riccardo Lattuada (Org.), *Alessandro Farnese: A Miniature Portrait of the Great General* (Milão: Biffi Arte, 2016). Um panorama de seus memoriais (incluindo a estátua): Minou Schraven, *Festive Funerals in Early Modern Italy: The Art and Culture of Conspicuous Commemoration* (Farnham: Ashgate, 2014), pp. 226-8. Outras esculturas híbridas como essa (incluindo pelo menos uma na mesma sala de *Il Gran Capitano*): Eckhard Leuschner, "Roman Virtue, Dynastic Succession and the Re-Use of Images: Constructing Authority in Sixteenth- and Seventeenth-Century Portraiture" (*Studia Rudolphina*, Praga, v. 6, pp. 6-7, 2006).

36. Statius, *Occasional Verses (Silvae)* 1, 1, 84-7 é a única evidência disso; mas há outros exemplos de práticas similares (por exemplo, o rosto do imperador Augusto sobreposto ao rosto de Alexandre em duas pinturas: Plínio, o Velho, *História natural* 35, 93-4).

37. Francis Haskell e Nicholas Penny, *Taste and the Antique*. New Haven: Yale University Press, 1981, pp. 133-4.

38. A julgar por uma carta que ele escreveu em 1806, para Quatremère de Quincy, Canova acreditava (ou achava prudente alegar) que a escultura original representava Agripina, a

Velha; ver Antoine C. Quatremère de Quincy, *Canova et ses ouvrages, ou, Mémoires historiques sur la vie et les travaux de ce célèbre artiste* (Adrien le Clere, 1836), p. 143, onde ele também, talvez muito energicamente e antes mesmo de ter terminado, repudia as acusações de plágio (vale notar que, entre seus demais trabalhos, pouquíssimos são assim tão parecidos com um original antigo). Sobre a controvérsia em torno da obra, o possível papel da própria Madame Mère ao selecionar "Agripina" como modelo, e as intenções políticas de Canova: Christopher M. S. Johns, "Subversion through Historical Association: Canova's *Madame Mère* and the Politics of Napoleonic Portraiture" (*Word & Image*, Londres, v. 13, n. 1, pp. 43-57, 1997) e *Antonio Canova and the Politics of Patronage and Napoleonic Europe* (Berkeley: University of California Press, 1998), pp. 112-5; James David Draper em James David Draper e Guilhem Scherf (Orgs.), *Playing with Fire: European Terracotta Models, 1740-1840* (Nova York: The Metropolitan Museum of Art, 2003), pp. 106-8 (minimizando as intenções subversivas de Canova).

39. William G. S. Cavendish (Sixth Duke of Devonshire), *Handbook of Chatsworth and Hardwick* (Londres: ed. do autor, 1845), p. 34 (visitas noturnas); p. 95 (as queixas de Madame Mère). Sobre a formação da coleção de Chatsworth, incluindo essa peça: Alison Yarrington, "'Under Italian Skies', the 6th Duke of Devonshire, Canova and the Formation of the Sculpture Gallery at Chatsworth House" (*Journal of Anglo-Italian Studies*, Msida, v. 10, pp. 41-62, 2009). Texto de uma carta posterior do duque, em que ele descreve Madame Mère ralhando "em alto e bom som sobre a estátua que ela diz que as autoridades francesas não tinham o direito de vender, nem eu de comprar": Devonshire, Duchess of, *Treasures of Chatsworth: A Private View* (Londres: Constable, 1991), p. 80 (reimprimindo também algumas passagens do raro *Handbook of Chatsworth*); Timothy Clifford et al., *The Three Graces: Antonio Canova* (Edimburgo: National Gallery of Scotland, 1995), p. 93.

40. Paul Barolsky, *Ovid and the Metamorphoses of Modern Art from Botticelli to Picasso* (New Haven: Yale University Press, 2014) é um estudo recente que destaca esse aspecto.

41. Edith Hall e Henry Stead, *People's History of Classics: Class and Greco-Roman Antiquity in Britain 1689-1939*. Nova York: Routledge, Taylor & Francis, 2020.

42. Xavier Salomon, *Veronese*. Londres: National Gallery Company, 2014, pp. 17-22; Philipp Fehl, "Veronese and the Inquisition: A Study of the Subject Matter of the So-called 'Feast in the House of Levi'" (*Gazette des Beaux-Arts*, Nova York, v. 103, pp. 325-54, 1961) (incluindo o texto do interrogatório de Veronese pela Inquisição, em que ele descreveu a figura como *"un scalco, ilqual ho finto ch(e)l sia uenuto p(er) suo diporto a ueder, come uanno le cose della tola"* (um trinchador que imaginei ter aparecido para se entreter, para ver como andava o serviço à mesa).

43. A história do *Vitélio* de Grimani e outras versões dele na arte moderna são discutidas a seguir, ver pp. 93-4, 247-55.

44. Flávio Josefo, *Antiguidades dos judeus contra Apion* 18, 89.

45. Sobre a vida e obra de Suetônio: Andrew Wallace-Hadrill, *Suetonius: The Scholar and His Caesars* (Londres: Duckworth, 1983); Tristan Power e Roy K. Gibson, *Suetonius the Biographer: Studies in Roman Lives* (Oxford: Oxford University Press, 2014).

46. Sobre a popularidade de Suetônio no Renascimento, inclusive com Petrarca: Gian Biagio Conte, *Latin Literature: A History*, trad. de Joseph B. Solodow (Baltimore: Johns Hopkins University Press, 1994), p. 550. Sobre os manuscritos medievais: Michael D. Reeve, "Suetonius", em Leighton D. Reynolds e Nigel G. Wilson (Orgs.), *Texts and Transmission:*

A Survey of the Latin Classics (Oxford: Clarendon Press, 1983), pp. 399-406. Sobre o número de edições impressas: Peter Burke, "Survey of the Popularity of Ancient Historians, 1450-1700" (*History and Theory*, Middletown, CT, v. 5, n. 2, pp. 135-52, 1966).

47. Esculturas de família imperial: C. Brian Rose, *Dynastic Commemoration and Imperial Portraiture in the Julio-Claudian Period* (Cambridge: Cambridge University Press, 1997). Outras linhas temáticas de outras figuras, em diferentes meios: Olivier Hekster, *Emperors and Ancestors: Roman Rulers and the Constraints of Tradition* (Oxford: Oxford University Press, 2015) (por exemplo, pp. 221-4, sobre o imperador Décio, do século III, mostrando uma série de "bons" antecessores em suas moedas); Carol C. Mattusch, *The Villa dei Papyri at Herculaneum: Life and Afterlife of a Sculpture Collection* (Los Angeles: J. Paul Getty Museum, 2005).

48. Justifico essa visão cáustica das *Meditações* do imperador com mais profundidade em "Was He Quite Ordinary?" (*London Review of Books*, Londres, pp. 8-9, 23 jul. 2009).

49. Assim como no caso das Agripinas, há um número confuso de damas imperiais com o nome Faustina. Esta é conhecida como "a Jovem", para distinguir de "a Velha", esposa do imperador Antonino Pio. São bem diferentes da esposa de Magêncio (acima, nota 25).

50. Imagens modernas de Júlia Mameia: ver Figuras 8.4 a e b.

51. Um breve panorama dos problemas da *História augusta* (incluindo quem escreveu, quando e por quê): Gian Biagio Conte, *Latin Literature: A History*, op. cit., pp. 650-2. A carreira de Heliogábalo: Clifford Ando, *Imperial Rome, AD 193-284* (Edimburgo: Edinburgh University Press, 2012), pp. 66-8; Michael Kulikowski, *Triumph of Empire: The Roman World from Hadrian to Constantine* (Cambridge, MA: Harvard University Press, 2016), pp. 104-8.

52. Por exemplo, em Francis Haskell e Nicholas Penny, *Taste and the Antique*, op. cit., de um catálogo de 95 peças, há apenas quatro retratos imperiais (Caracala, Cômodo e duas versões de Marco Aurélio), bem como uma dama imperial ("Agripina"), um príncipe (Germânico) e três esculturas que são atribuídas ao namorado de Adriano, Antínoo. Em Leonard Barkan, *Unearthing the Past: Archaeology and Aesthetics in the Making of Renaissance Culture* (New Haven: Yale University Press, 1999), das 199 imagens, apenas seis são remotamente "imperiais" (entre as quais desenhos das pernas do cavalo de Marco Aurélio). Compare com Ulisse Aldrovandi, "Delle statue antiche, che per tutta Roma in diversi luoghi, e case si veggono", em Lucio Mauro, *Le antichità de la città di Roma* (Veneza: Giorddano Ziletti, 1556), pp. 115-316 (ver p. 70), que lista, literalmente, centenas de bustos imperiais que ele viu à mostra na Roma do século XVI.

53. Sobre a "fragmentalidade" dessa imagem, ver Linda Nochlin, *Body in Pieces: The Fragment as a Metaphor of Modernity* (Londres: Thames & Hudson, 1994), pp. 7-8; o referente clássico é explicado em Catharine Edwards, *Writing Rome: Textual Approaches to the City* (Cambridge: Cambridge University Press, 1996), p. 15.

54. A *anacronia* é o fio condutor de Christopher S. Wood, *Forgery, Replica, Fiction: Temporalities of German Renaissance Art*, op. cit., para citar um exemplo.

55. Ver pp. 317-9.

56. Dentre os diversos estudos dignos de nota sobre a construção de poder régio, dinástico ou de elite: David Cannadine, "The Context, Performance and Meaning of Ritual: The British Monarchy and the 'Invention of Tradition' *c.* 1820-1977" em Eric Hobsbawm e Terence Ranger (Orgs.), *The Invention of Tradition* (Cambridge: Cambridge University Press, 1983), pp. 101-64; David Cannadine e Simon Price, *Rituals of Royalty: Power and*

Ceremonial in Traditional Societies (Cambridge: Cambridge University Press, 1993) (com grande foco em sociedades tradicionais); Peter Burke, *The Fabrication of Louis XIV* (New Haven: Yale University Press, 1984); Jeroen Duindam, *Dynasties: A Global History of Power, 1300-1800* (Cambridge: Cambridge University Press, 2016) (incluindo discussões de teor mais cerimonial e discussões de teor mais estritamente político). "Autorrefinamento" é um termo que surrupiei de Stephen Greenblatt, *Renaissance Self-Fashioning: From More to Shakespeare* (Chicago: University of Chicago Press, 2012) e outros textos.

2. Quem é quem nos Doze Césares [pp. 59-96]

1. Sobre a descoberta e a identificação: Luc Long, "Le Regard de César: Le Rhône restitue un portrait du fondateur de la colonie d'Arles", no catálogo da exposição, Luc Long e Pascale Picard (Orgs.), *César: Le Rhône pour mémoire: Vingt ans de fouilles dans le fleuve à Arles* (Arles: Musée départemental Arles antique, 2009), pp. 58-77. A reação de Luc Long à aparição da cabeça é relatada, por exemplo, no documentário disponível em <www.ledauphine.com/vaucluse/2010/08/16/cesar-le-rhone-pour-memoire-20-ans-de-fouilles-dans-le-fleuve>; "Le buste de Jules César" foi feito pela Eclectic Production em 2009. Outro documentário ligado à exposição, "César, le Rhône pour mémoire", foi feito pela rede francesa Tv-Sud em 2010.

2. Críticas incluem: Paul Zanker (por exemplo, <www.sueddeutsche.de/wissen/caesars-bueste-der-echte-war-energischer-distanzierter-ironischer-1.207937>); Michael Koortbojian, *Divinization of Caesar and Augustus: Precedents, Consequences, Implications* (Cambridge: Cambridge University Press, 2013), pp. 108-9 (argumentando que o conjunto de bustos, como esse, em pilares ou "hermas" eram exclusivamente associados a monumentos privados, em vez de públicos). Flemming S. Johansen, "Les portraits de César", em Luc Long e Pascale Picard (Orgs.), *César: Le Rhône pour mémoire: Vingt ans de fouilles dans le fleuve à Arles*, op. cit., pp. 78-83, chega perto de "abraçar os dois lados", ao destacar sobreposições com alguns outros retratos cesarianos, e insistir que devemos estar "abertos" a novas variações em seus retratos (p. 81).

3. Dale Kinney, "The Horse, the King and the Cuckoo: Medieval Narrations of the Statue of Marcus Aurelius". *Word & Image*, Londres, v. 18, pp. 372-98, 2002; Stewart, "Equestrian Statue of Marcus Aurelius". In: Marcel Van Ackeren (Org.), *A Companion to Marcus Aurelius*. Chichester: Wiley-Blackwell, 2012, pp. 264-77.

4. A identificação das figuras imperiais individuais no camafeu ainda é contestada: Marie-Louise Vollenweider e Mathilde Avisseau-Brouset, *Camées et intailles* (Paris: Bibliothèque nationale, 2003), v. 2: *Les Portraits romains du Cabinet de médailles*, pp. 217-20; Luca Giuliani e Gerhard Schmidt, *Ein Geschenk für den Kaisar: Das Geheimnis des Grossen Kameo* (Munique: Beck, 2010); e, por alto, Mary Beard e John Henderson, *Classical Art: From Greece to Rome* (Oxford: Oxford University Press, 2001), pp. 195-7. Rubens, sobre essa e outras joias: Nancy Thomson de Grummond, *Rubens and Antique Coins and Gems* (Chapel Hill: University of North Carolina); texto mais recente e breve, Marcia Pointon, "The Importance of Gems in the Work of Peter Paul Rubens, 1577-1640", em Ben J. L. van den Bercken; e Vivian C. P. Baan (Orgs.), *Engraved Gems: From Antiquity to the Present* (Leiden: Sidestone, 2017), pp. 99-111.

5. Johann Joachim Winckelmann, *Geschichte der Kunst des Alterthums* (Dresden: *Walthersche Hofbuchhandlung*, 1764), parte 2, p. 383, traduzido por H. F. Mallgrave, *History of the*

Art of Antiquity (Los Angeles: The Getty Research Institute, 2006) p. 329 ("o cardeal Alessandro Albani, o mais experiente dos conhecedores de antiguidades, o mais augusto dos cardeais, duvida que tenha sobrevivido alguma cabeça genuína de César").

6. A carreira de Júlio César: Mary Beard, *SPQR: A History of Ancient Rome* (Londres: Profile, 2015), pp. 278-96; e, em mais detalhes, Miriam Griffin (Org.), *A Companion to Julius Caesar*, op. cit. "Crimes de guerra": Plínio, o Velho, *História natural* 7, 92; Plutarco, *Cato de Útica* 51. A história da "ditadura" (e o precedente de Sula, do século I): Andrew Lintott, *Constitution of the Roman Republic* (Oxford: Oxford University Press, 1999), pp. 109-13; Arthur Keaveney, *Sulla: The Last Republican* (Londres: Routledge, 2005).

7. A questão de quem contava como "primeiro imperador": Olivier Hekster, *Emperors and Ancestors: Roman Rulers and the Constraints of Tradition*, op. cit., pp.162-77. As implicações do título *princeps*: Andrew Wallace-Hadrill, "Civilis princeps: Between Citizen and King" (*Journal of Roman Studies*, Londres, v. 72, pp. 32-48, 1982).

8. Os precedentes gregos: Peter Thonemann, *Hellenistic World: Using Coins as Sources* (Cambridge: Cambridge University Press, 2015), esp. pp. 145-68 (costumam ser mais duvidosos do que parecem à primeira vista, sendo a cabeça de um regente vivo difícil de distinguir da imagem do falecido Alexandre, ou a cabeça de Alexandre, do lendário Hércules). Fora de Roma (sendo *fora* aqui o termo-chave), duas cidades do Mediterrâneo oriental parecem ter brasonado suas moedas com o rosto de Pompeu, rival de César, já na década de 50 a.C., Gilbert Kenneth Jenkins, "Recent Acquisitions of Greek Coins by the British Museum" (*Numismatic Chronicle*, Londres, v. 19, p. 32, 1959); Michael H. Crawford, "Hamlet without the Prince" (*Journal of Roman Studies*, Londres, v. 66, p. 216, 1976). É um sinal que mostra em que direção soprava o vento.

9. O papel social dos retratos romanos: Peter Stewart, *The Social History of Roman Art*, op. cit., pp. 77-107. Prática funerária e comemorativa: Harriet Flower, *Ancestor Masks and Aristocratic Power in Roman Culture* (Oxford: Clarendon, 1996).

10. O poema de Joseph Brodsky: *Collected Poems in English* (Nova York: Farrar, Straus & Giroux, 2000), pp. 282-5; aparecendo primeiro em inglês em *New York Review of Books*, 25 de junho de 1987, relembra um encontro entre o poeta e um busto do imperador e reflete em parte sobre a história da autocracia, antiga e moderna, e em parte sobre as maneiras ambivalentes como cabeças de mármore mediam passado e presente — temas desenvolvidos no ensaio de Brodsky motivado pela estátua de bronze de Marco Aurélio nos Museus Capitolinos, "Homage to Marcus Aurelius", em *On Grief and Reason: Essays* (Nova York: Farrar, Straus & Giroux, 1995). Retratos em *bustos* como distintivamente romanos: Mary Beard e John Henderson, *Classical Art: From Greece to Rome*, op. cit., p. 207 (no âmbito de reflexões mais gerais sobre retratos, pp. 205-38). Uma alusão romana às cabeças de mármore como "decapitação" e presságio de assassinato: Plínio, o Velho, *História natural* 37, 15-16.

11. Dion Cássio, *História romana* 44, 4; Suetônio, *Júlio César* 76. Panoramas modernos de retratos cesarianos e uma análise de peças fundamentais: Paul Zanker, "The Irritating Statues and Contradictory Portraits of Julius Caesar", em Miriam Griffin (Org.), *A Companion to Julius Caesar*, op. cit.; Michael Koortbojian, *Divinization of Caesar and Augustus: Precedents, Consequences, Implications*, op. cit., pp. 94-128. Uma decisão minuciosamente detalhada: Matteo Cadario, "Le statue di Cesare a Roma tra il 46 e il 44 a.C." (*Annali della Facoltà di lettere e filosofia dell'Università degli Studi di Milano*, Milão, v. 59, pp. 25-70, 2006).

12. Pedestais na Grécia e na Turquia: Antony E. Raubitschek, "Epigraphical Notes on Julius Caesar" (*Journal of Roman Studies*, Londres, v. 44, pp. 65-75, 1954). Na Itália: Munk Højte, *Roman Imperial Statue Bases: From Augustus to Commodus* (Aarhus: Aarhus Universitet Press, 2005), p. 97.

13. Suetônio, *Júlio César* 45.

14. Um retrato imaginário do mítico rei romano Anco Márcio, cunhado em 56 a.C., apresentando traços "cesarianos": *RRC* 425/1. Uma imagem bem diferente de César em moedas, cunhada no leste do Mediterrâneo, em 47/6: *RPC* I, 2026.

15. A grande maioria dos (provavelmente *todos* os) "retratos" antigos de clássicas figuras culturais, gregas e romanas, se constitui de imagens de "tipo", que não têm nenhuma relação com os "retratados"; tema discutido de forma proveitosa em: Sheila Dillon, *Ancient Greek Portrait Sculpture: Contexts, Subjects and Styles* (Cambridge: Cambridge University Press, 2006), pp. 2-12.

16. Questões mais amplas relacionadas às tentativas de comparar as descrições de Suetônio com esculturas imperiais em geral: Jennifer Trimble, "Corpore enormi: The Rhetoric of Physical Appearance in Suetonius and Imperial Portrait Statuary", em Jaś Elsner e Michel Meyer (Orgs.), *Art and Rhetoric in Roman Culture* (Cambridge: Cambridge University Press, 2014), pp. 115-54.

17. Johann Joachim Winckelmann, *Geschichte der Kunst des Alterthums*, op. cit., parte 2, p. 383, traduzido por H. F. Mallgrave, *History of the Art of Antiquity*, op. cit., p. 329. Ennio Quirino Visconti, no catálogo de parte da coleção do Vaticano (*Il Museo Pio-Clementino*, p. 178) (Milão: Bettoni, 1821), comentando um busto que acreditam ser de Júlio César, escreveu: "A incerteza de sua imagem em moedas, não delineada muito bem no bronze por falta de esmero artístico, tampouco suficientemente distinta por conta de seu tamanho pequeno em prata e ouro, foi um prato cheio para aqueles que já chegam com nomes [literalmente "batizadores", *battezzatori*], prontos para reconhecer César em diversos bustos e cabeças que não se parecem com ele, salvo por alguns aspectos gerais de sua aparência".

18. É consenso que é difícil datar joias, e a maioria que representa César hoje é considerada moderna. Um dos candidatos antigos mais plausíveis: Marie-Louise Vollenweider, "Die Gemmenbildnisse Cäsars" (*Antike Kunst*, Basileia, v. 3, n. 2, pp. 81-8, 1960), pp. 81-2, placa 12: 1, 2 e 4; Flemming S. Johansen, "Antichi ritratti di Gaio Giulio Cesare nella scultura" (*Analecta Romana Instituti Danici*, Roma, v. 4, pp. 7-68, 1967), p. 12 (ambos com outros exemplos). Um fragmento bastante desgastado de cerâmica antiga, da ilha grega de Delos, com uma cabeça moldada, lida como César: Gérard Siebert, "Un Portrait de Jules César sur une coupe à médaillon de Délos" (*Bulletin de correspondance hellénique*, Paris, v. 104, n. 1, pp. 189-96, 1980).

19. A descoberta foi noticiada no *New York Times*, em 13 de janeiro de 1925. Uma discussão mais cética: Arvid Andrén, "Greek and Roman Marbles in the Carl Milles Collection" (*Opuscula Romana*, Roma, v. 23, pp. 75-117, 1965), p. 108, nota 31.

20. Thomas Schäfer, "Drei Porträts aus Pantelleria: Caesar, Antonia Minor und Titus". In: Rainer-Maria Weiss, Thomas Schäfer e Massimo Osanna (Orgs.), *Caesar ist in der Stadt: Die neu entdeckten Marmorbildnisse aus Pantelleria*. Hamburgo: Helms-Museum, 2004, pp. 20-3. O impacto da descoberta (que deixou a cabeça do Ródano em segundo lugar): Maria Wyke, *Caesar in the USA*, op. cit., p. 1.

21. Diferentes estudiosos calculam diferentes quantidades totais de retratos cesarianos remanescentes, a depender não só do material disponível para eles e novas descobertas

como também do rigor de seus critérios. Cento e cinquenta é um total generoso, considerando todos os meios. Em 1882, Johann J. Bernoulli, em *Römische Ikonographie* (Stuttgart: W. Spemann, 1882), o primeiro empenho sistemático na compilação de um catálogo abrangente, contou sessenta retratos em bustos. O número subiu e desceu desde então. Em 1903, o catálogo entusiasmado e reconhecidamente amador de Frank Scott em *Portraitures of Julius Caesar* (Nova York: Longmans, Green, 1903) cravou 84 (embora ele tenha incluído alguns sobre os quais ele próprio nutria fortes dúvidas, e outros que só conhecia indiretamente). O catálogo mais recente e sóbrio aparou a conta e chegou mais perto de vinte: Flemming S. Johansen "Antichi ritratti di Gaio Giulio Cesare nella scultura", op. cit., e "The Portraits in Marble of Gaius Julius Caesar: A Review", op. cit. — mais tarde, em "Portraits de César", em Luc Long e Pascale Picard (Orgs.), *César: Le Rhône pour mémoire: Vingt ans de fouilles dans le fleuve à Arles*, op. cit., aceitando, com cautela, o "César" de Arles.

22. As diferentes sugestões para o César do rio Hudson: Andrén, "Greek and Roman Marbles in the Carl Milles Collection", op. cit. A arqueologia do "César verde": Jeffrey Spier, "Julius Caesar", em Timothy Potts Spier e Sara E. Cole (Orgs.), *Beyond the Nile: Egypt and the Classical World* (Los Angeles: J. Paul Getty Museum, 2018), pp. 198-9, com bibliografia adicional. Algumas das diferentes identificações: Diana E. E. Kleiner, *Cleopatra and Rome* (Cambridge, MA: Harvard University Press, 2005), pp. 130-1, sobre a estátua de Cleópatra, desenvolvendo sugestões de Fishwick, em "The Temple of Caesar", embora a própria Kleiner seja mais cautelosa em *Roman Sculpture* (New Haven: Yale University Press, 1992), p. 45; Paul Zanker, "The Irritating Statues and Contradictory Portraits of Julius Caesar", em Miriam Griffin (Org.), *A Companion to Julius Caesar*, op. cit., p. 307 ("um dos admiradores de César, do Nilo"); Flemming S. Johansen, "Antichi ritratti di Gaio Giulio Cesare nella scultura", op. cit., pp. 49-50 (artigo moderno).

23. Ulisse Aldrovandi, "Delle statue antiche, che per tutta Roma in diversi luoghi, e case si veggono", em Lucio Mauro, *Le antichità de la città di Roma*, op. cit., p. 200, descrevendo-o como posse de Marco Casale, herança do pai. O contexto da lista de Aldrovandi: Daniela Gallo, "Ulisse Aldrovandi: Le statue di Roma e i marmi romani" (*Mélanges de l'Ecole française de Rome: Italie et Méditerranée*, Roma, v. 104, n. 2, pp. 479-90, 1992). Diferentes pontos de vista sobre o César que hoje está na coleção Casali: Flemming S. Johansen, "Antichi ritratti di Gaio Giulio Cesare nella scultura", op. cit., 45 (Renascimento); Rita Santolini Giordani, *Antichità Casali: La collezione di Villa Casali a Roma* (Roma: L'Erma di Bretschneider, 1989), pp. 111-2 (em grande parte romano). Meu palpite (e não passa disso) é que a forma de apresentação da estátua relatada por Aldrovandi é tanto uma reflexão sobre seu status especial de celebridade quanto um medo de roubo, como Barbara Furlotti, *Antiquities in Motion: From Excavation Sites to Renaissance Collections* (Los Angeles: The Getty Research Institute, 2019), p. 190, sugere.

24. A história da escultura: Henry Stuart Jones (Org.), *A Catalogue of the Ancient Sculptures Preserved in the Municipal Collections of Rome: The Sculptures of the Palazzo dei Conservatori* (Oxford: Clarendon, 1926), pp. 1-2, e Margherita Albertoni, "Le statue di Giulio Cesare e del Navarca" (*Bullettino della Commissione Archeologica Comunale di Roma*, Roma, v. 95, n. 1, pp. 175-83, 1993) (ambos concordam que seu núcleo é antigo, provavelmente do século II); Flemming S. Johansen, "The Portraits in Marble of Gaius Julius Caesar: A Review", op. cit., p. 28 (revisando sugestões de uma datação do século XVII); Ennio Quirino Visconti, *Museo Pio-Clementino* (Milão: Bettoni, 1821), p. 179 (tomando-o como

um dos únicos dois césares efetivos que ele conhece). O esboço vencedor por Giovannantonio Dosio, no século XVI: Christian Hülsen, *Das Skizzenbuch des Giovannantonio Dosio* (Berlim: O. Schloss, 1933), p. 32 (embora Dosio tenha intitulado seu esboço "Otaviano", sucessor de Júlio César). A escultura também parece corresponder à descrição de uma estátua de César no guia de Aldrovandi, do século XVI, "Delle statue antiche, che per tutta Roma in diversi luoghi, e case si veggono", em Lucio Mauro, *Le antichità de la città di Roma*, op. cit., p. 180.

25. César como marca registrada de Mussolini: Ray Laurence, "Tourism, Town Planning and *Romanitas*: Rimini's Roman Heritage", em Michael Biddiss e Maria Wyke (Orgs.), *The Uses and Abuses of Antiquity* (Berna: Peter Land, 1999) (sobre a estátua de Rimini, pp. 190-2); Jan Nelis, "Constructing Fascist Identity: Benito Mussolini and the Myth of *Romanità*" (*Classical World*, Baltimore, v. 100, n. 4, pp. 391-415, 2007) (com bibliografia completa); Jane Dunnett, "The Rhetoric of Romanità: Representations of Caesar in Fascist Theatre", em Maria Wyke (Org.), *Julius Caesar in Western Culture* (Malden, MA: Blackwell, 2006), pp. 244-65.

26. Florence Le Bars-Tosi, "James Millingen (1774-1845), le 'Nestor de l'archéologie moderne'". In: Manuel Royo et al. (Orgs.), *Du Voyage savant aux territoires de l'archéologie: Voyageurs, amateurs et savants à l'origine de l'archéologie moderne*. Paris: Boccard, 2011, pp. 171-86.

27. O histórico da escultura no museu e sua identificação inconstante podem ser delineados pelo catálogo e guias sucessivos do museu: *Synopsis of the Contents of the British Museum*, 48. ed. (Londres: G. Woodfall & Son, 1845), p. 92 ("uma cabeça desconhecida. Adquirida em 1818"); *Synopsis of the Contents of The British Museum*, 49 ed. (Londres: G. Woodfall & Son, 1846), p. 92 ("um Busto de Júlio César. Adquirido em 1818"). Frank Scott, *Portraitures of Julius Caesar*, op. cit., pp. 164-5 relata (equivocadamente: ele interpretou mal sua fonte) que outrora fazia parte da coleção Ludovisi, em Roma.

28. Sabine Baring-Gould, *The Tragedy of the Caesars: A Study of the Character of the Caesars of the Julian and Claudian Houses*. Londres: Methuen, 1892, v. 1, pp. 114-5.

29. Thomas Rice Holmes, *Caesar's Conquest of Gaul: An Historical Narrative* [1899], 2. ed. emend. Londres: Macmillan, 1903, p. XXVI. Para ser justa com Rice Holmes, seu ensaio introdutório sobre "The Busts of Julius Caesar" (pp. XXII-XXVII) começa com a plena admissão de que a identificação de qualquer um desses bustos é arriscada, ele critica respeitosamente Baring-Gould por ver seu "ideal [de César], ou forçar sua visão, em seus bustos favoritos" e avalia outros fortes candidatos (muitos deles já quase esquecidos de todo) à imagem mais autêntica de César que sobrevive até hoje. Mas, no fim, ele simplesmente não consegue resistir ao busto no British Museum.

30. John Buchan, *Julius Caesar*. Londres: Davies, 1932, p. 11.

31. Taylor Combe et al., *A Description of the Collection of Ancient Marbles in the British Museum*, parte II (Londres: Nicol, 1861), pp. 39-41 (citação p. 39); é possível que a frase um pouco resguardada "Cabeça que supostamente representa Júlio César", em *The Synopsis of Contents of the British Museum*, 62. ed. (Londres: Woodfall & Kinder, 1855), p. 88 já reflita um grau de hesitação quanto à identificação.

32. Adolf Furtwängler, *Neuere Fälschungen von Antiken* (Berlim: Giesecke & Devrient, 1899), p. 14 ("*eine modern Arbeit mit künstlich imitierter Korrosion*").

33. Robert W. Chambers, *Man's Unconquerable Mind Mind: Studies of English Writers, from Bede to A. E. Housman and W. P. Ker* [1939] (Londres: Jonathan Cape, 1964), p. 27 (de uma

palestra ministrada em 27 de maio de 1936). Ele explicou que gostava de fazer uma pausa no trabalho na biblioteca e visitar a fileira de retratos de imperadores romanos, "terminando diante do busto de Júlio César. Eis as feições, eu dizia a mim mesmo, do homem mais importante do mundo inteiro [...]. E retomava meu trabalho revigorado". Sobre a frase "A esposa de César deve estar acima de qualquer suspeita", ver p. 271.

34. Bernard Ashmole, *Forgeries of Ancient Sculpture, Creation and Detection*. Oxford: Holywell, 1961, pp. 4-8; Mark Jones (Org.), *Fake? The Art of Deception* (Londres: British Museum, 1990), p. 144, comemora seu protagonismo em uma exibição de "falsificações", de 1990; a peça já tinha feito parte de uma exposição no British Museum, Forjas e Cópias Enganosas, em 1961. Thorsten Opper apontou para mim a similaridade entre essa peça e o *Júlio César* da coleção Farnésio, que foi restaurado pelo escultor Carlo Albacini no fim do século XVIII — sugerindo que Albacini talvez fosse o criador do retrato do British Museum, usando de sua forte familiaridade com o *César* da coleção Farnésio (hoje em Nápoles). Se for esse caso, aqueles que o catalogaram no British Museum como uma "cabeça desconhecida" deixaram passar a semelhança.

35. A história da coleção tusculana de Bonaparte: Paolo Liverani, "La collezione di antichità classiche e gli scavi di Tusculum e Musignano", em Marina Natoli (Org.), *Luciano Bonaparte: Le sue collezioni d'arte, le sue residenze a Roma, nel Lazio, in Italia (1804-1840)* (Roma: Istituto Poligrafico e Zecca dello Stato, 1995), pp. 49-79 (incluindo sua dispersão, em parte para a casa real de Saboia, família proprietária do Castello d'Aglié). Sobre as escavações em Túsculo: Anna Pasqualini, "Gli scavi di Luciano Bonaparte alla Rufinella e la scoperta dell'antica Tusculum" (*Xenia Antiqua*, Roma, v. 1, pp. 161-86, 1992). Ao escrever *Descrizione dell'antico Tusculo* (Roma: Canina, 1841), em torno de 1840, Luigi Canina identifica a cabeça apenas como um velho homem anônimo (p. 150).

36. Maurizio Borda, "Il ritratto Tuscolano di Giulio Cesare". *Atti della Pontificia accademia romana di archeologia. Rendiconti*, Roma, v. 20, pp. 347-82, 1943-4. "Realismo psicológico" etc.: Paul Zanker, "Irritating Statues and Contradictory Portraits of Julius Caesar", em Miriam Griffin (Org.), *A Companion to Julius Caesar*, op. cit., p. 303 (um momento inusitadamente efusivo em meio a um ensaio sóbrio).

37. Uma reconstrução um tanto rudimentar e desgrenhada do rosto de César — colaboração entre o arqueólogo Tom Buijtendorp e a antropóloga física Maja d'Hollosy, baseada em grande parte na cabeça de Túsculo — foi colocada à mostra no Museu Nacional de Antiguidades em Leiden: <www.rmo.nl/en/news-press/news/a-new-look-at-julius-caesar/>; *Daily Mail*, 25 de junho de 2018 ("Júlio César tinha uma 'baita de uma protuberância' na cabeça desde que fora prensada durante o parto, revela nova reconstrução 3-D"). Mais atenção "científica" voltada para a cabeça de Túsculo: Amelia Carolina Sparavigna, "The Profiles of Caesar's Heads Given by Tusculum and Pantelleria Marbles": <DOI: 10.5281/zenodo.1314696>; Francesco Carotta, "Il Cesare incognito: Sulla postura del ritratto tusculano di Giulio Cesare" (*Numismatica e antichità classiche*, Milão, v. 45, pp. 129-79, 2016) (usando a cabeça para sustentar a crença de que Júlio César era Jesus Cristo!).

38. Sobre esse César enquanto *único* retrato remanescente seu em vida: Erika Simon, "Das Cäsarporträt im Castello di Aglie" (*Archäologischer Anzeiger*, Berlim, v. 67, pp. 123-38, 1952), p. 134; Kleiner, *Roman Sculpture*, op. cit., p. 45; e (restringindo um pouco suas apostas) John Pollini, *From Republic to Empire: Rhetoric, Religion, and Power in the Visual Culture of Ancient Rome* (Norman: University of Oklahoma Press, 2012), p. 52. Discussão

sobre a máscara mortuária: Luc Long, "Le regard de César: Le Rhône restitue un portrait du fondateur de la colonie d'Arles", em Luc Long e Pascale Picard (Orgs.), *César: Le Rhône pour mémoire: Vingt ans de fouilles dans le fleuve à Arles*, op. cit., p. 73. Uma imagem de César em cera, usada para provocar a multidão em seu velório, chegou a ser registrada por um historiador que escrevia no século II (Apiano, *Guerras civis*, 2, 147), mas duvido muito que o corpo de César estivesse em um bom estado para fazerem uma máscara mortuária, no sentido estrito do termo.

39. Essa é uma tática comum em estudos de retratos romanos, que tende a agrupar as esculturas de "César" que *de fato* sobrevivem por "tipo" e classificá-las de acordo com um protótipo imaginado, com sorte baseado no modelo vivo, o que *não* é o caso. Esse método fundamenta Flemming S. Johansen, "Antichi ritratti di Gaio Giulio Cesare nella scultura", op. cit. e, em menor proporção, Paul Zanker, "Irritating Statues and Contradictory Portraits of Julius Caesar", em Miriam Griffin (Org.), *A Companion to Julius Caesar*, op. cit.

40. Uma "cópia medíocre": Luc Long, "Le regard de César: Le Rhône restitue un portrait du fondateur de la colonie d'Arles", em Luc Long e Pascale Picard (Orgs.), *César: Le Rhône pour mémoire: Vingt ans de fouilles dans le fleuve à Arles*, op. cit., p. 67. Reações extasiadas ao César de Arles nas redes sociais foram reportadas no *Télérama*, 13 de março de 2010: <www.telerama.fr/art/ne-ratez-pas-le-buste,53355.php> (não mais no ar); o entusiasmo do Twitter perdura (*"toucher la tête de César a été un plaisir indéfinissable"*, 24 de abril de 2020).

41. Bernard Ashmole, *Forgeries of Ancient Sculpture, Creation and Detection*, op. cit., p. 5 constata as perfurações, mas basicamente as ignora. Colegas do Centro de Artes Britânicas de Yale sugeriram que os furos poderiam ter sido "originalmente" preenchidos e ocultados com gesso (o que é verdade, mas acho que não faz muita diferença para o argumento de base).

42. Sobre a identificação desse "César": Francesco Caglioti, "Desiderio da Settignano: Profiles of Heroes and Heroines of the Ancient World", em Marc Bormand et al. (Orgs.), *Desiderio da Settignano: Sculptor of Renaissance Florence* (Washington, DC: National Gallery of Art, 2007, pp. 87-101), esp. pp. 87-90; Maria Grazia Vaccari, "Desiderio's Reliefs", em Marc Bormand et al. (Orgs.), *Desiderio da Settignano: Sculptor of Renaissance Florence*, op. cit., pp. 188-91. Um breve panorama de seu contexto: Francesco Caglioti, "Fifteenth--Century Reliefs of Ancient Emperors and Empresses in Florence: Production and Collecting" em Nicholas Penny e Eike D. Schmidt (Orgs.), *Collecting Sculpture in Early Modern Europe* (New Haven: Yale University Press, 2008), pp. 70-1. Ver pp. 152-3.

43. O papel dos "retratos" modernos, não tidos mais como imagens antigas de César, no estabelecimento da iconografia cesariana convencional: Susanne Pieper, "The Artist's Contribution to the Rediscovery of the Caesar Iconography", em Jane Fejfer et al. (Orgs.), *The Rediscovery of Antiquity: The Role of the Artist* (Copenhague: Museum Tusculanum Press, 2003), pp. 123-45.

44. Os catálogos de exposições incluem: Filippo Coarelli (Org.), *Divus Vespasianus: Il bimillenario dei Flavi* (Roma: Quasar, 2009); Marina Sapelli Ragni (Org.), *Anzio e Nerone: Tesori dal British Museum e dai Musei Capitolini* (Roma: Gangemi, 2009); Maria Antonietta Tomei e Rossella Rea (Orgs.), *Nerone* (Milão: Electa, 2011); Eugenio La Rocca et al. (Orgs.), *Augusto* (Milão: Electa, 2013); Filippo Coarelli e Giuseppina Ghini (Orgs.), *Caligola: La trasgressione al potere* (Roma: Gangemi, 2013) (pp. 343-6 para o novo "Calígula"); *Nero:*

Kaiser, Künstler und Tyrann (Stuttgart: Theiss, 2016). Relatos entusiasmados e por vezes escandalosos do "Calígula": *The Guardian*, 17 de janeiro de 2011; *Daily Mail*, 19 de janeiro de 2011 (*"the debauched tyrant"* [o tirano debochado]), *The Daily Telegraph*, 12 de julho de 2011 (*"a crazed and power-hungry sex maniac"* [um maníaco sexual doido, com sede de poder]). A versão italiana "oficial": Giuseppina Ghini et al. (Orgs.), *Sulle tracce di Caligola: Storie di grandi recuperi della Guardia di Finanza al lago di Nemi* (Roma: Gangemi, 2014).

45. Joseph Addison, *Dialogues upon the Usefulness of Ancient Medals* [1726]. Nova York: Garland, 1976, pp. 1, 22.

46. As diversas identidades propostas desde 1822: Grete Stefani, "Le statue del *Macellum* di Pompei" (*Ostraka*, Perúgia, v. 15, n. 1, pp. 195-230, 2006) (concluindo que são Júlia, filha do imperador Tito, e Britânico, filho de Cláudio); mais brevemente, Hartmut Döhl e Paul Zanker, "La scultura", em Fausto Zevi (Org.), *Pompei 79* (Nápoles: Macchiaroli, 1979) p. 194 (os fundadores locais do edifício); Alastair Small, "The Shrine of the Imperial Family in the Macellum at Pompeii", em Alastair Small (Org.), *Subject and Ruler: The Cult of the Ruling Power in Classical Antiquity* (*Journal of Roman Archaeology*, Ann Arbor, supl. 17, pp. 115-36, 1996), pp. 118-21, 126-30 (Agripina, a Jovem, e Britânico).

47. Sobre os nomes inscritos (Cláudio e Nero) em uma importante série de imagens imperiais de Afrodísias, atual Turquia: Roland R. R. Smith, "The Imperial Reliefs from the Sebasteion at Aphrodisias" (*Journal of Roman Studies*, Londres, v. 77, pp. 88-138, 1987), esp. pp. 115-20. Mesmo sem um rótulo explícito, ninguém contestaria que a figura repetida do imperador na coluna de Trajano era o próprio Trajano.

48. Munk Højte, *Roman Imperial Statue Bases: From Augustus to Commodus*, op. cit., pp. 229-63.

49. Os detalhes desses penteados já foram debatidos à exaustão, e a linguagem dos debates às vezes reverbera a hipérbole das reações às estátuas de César. Uma discussão equilibrada, porém crítica, sobre o método: Roland R. R. Smith, "Typology and Diversity in the Portraits of Augustus" (*Journal of Roman Archaeology*, Ann Arbor, v. 9, pp. 30-47, 1996), respondendo a Dietrich Boschung, *Bildnisse des Augustus* (Berlim: Mann, 1993). Uma contestação às preconcepções do método: Caroline Vout, "Antinous, Archaeology and History" (*Journal of Roman Studies*, Londres, v. 95, pp. 80-96, 2005), seguida de uma resposta levemente rabugenta em Klaus Fittschen, "The Portraits of Roman Emperors and Their Families: Controversial Positions and Unsolved Problems", em Björn C. Ewald e Carlos F. Noreña (Orgs.), *The Emperor and Rome: Space, Representation, and Ritual* (Cambridge: Cambridge University Press, 2010, pp. 221-46); Andrew Burnett, "The Augustan Revolution Seen from the Mints of the Provinces" (*Journal of Roman Studies*, Londres, v. 101, pp. 1-30, 2011), esp. pp. 29-30.

50. Mary Beard, *SPQR: A History of Ancient Rome*, op. cit., pp. 337-85; Jonathan Edmondson (Org.), *Augustus*. Edimburgo: Edinburgh University Press, 2009. "Velha cobra traiçoeira" foi uma piada do imperador Juliano, do século IV (*Caesars* 309).

51. A importância das imagens de (e na era de) Augusto: Paul Zanker, *The Power of Images in the Age of Augustus* (Ann Arbor: University of Michigan Press, 1988) (relato clássico); Mary Beard e John Henderson, *Classical Art: From Greece to Rome*, op. cit., pp. 214-25; Tonio Hölscher, *Visual Power in Ancient Greece and Rome: Between Art and Social Reality* (Berkeley: University of California Press, 2018), pp. 176-83. O papel dos retratos dos imperadores, em termos mais gerais, como "suplentes" do imperador: Clifford Ando, *Imperial Ideology and Provincial Loyalty in the Roman Empire* (Berkeley: University of California Press, 2000), pp. 206-73.

52. Sobre as diferentes identificações dessas peças: John Pollini, *The Portraiture of Gaius and Lucius Caesar* (Nova York: Fordham University Press, 1987), pp. 100, 101; ver também pp. 8-17 para mais detalhes das mechas de cabelo e critérios de identificação em geral. Sobre o hábito de "retocar" cabeças imperiais para alterar sua identidade: Eric R. Varner, *Mutilation and Transformation:* Damnatio Memoriae *and Roman Imperial Portraiture* (Leiden: Brill, 2004).

53. A carreira e imagem política de Vespasiano: Barbara Levick, *Vespasian* (Londres: Routledge, 1999) (o imposto sobre urina: Suetônio, *Vespasiano* 23). Sobre os retratos e a ideologia por trás deles: Filippo Coarelli (Org.), *Divus Vespasianus: Il bimillenario dei Flavi*, op. cit. (esp. Paul Zanker, "Da Vespasiano a Domiziano"; e pp. 402-3 discutindo minha Figura 2.12).

54. Introdução a essas questões: Richard Brilliant, *Portraiture* (Londres: Reaktion, 1991), Joanna Woodall (Org.), *Portraiture: Facing the Subject* (Manchester: Manchester University Press, 1997), Shearer West, *Portraiture* (Oxford: Oxford University Press, 2004).

55. *Mementoes, Historical and Classical, of a Tour through Part of France, Switzerland, and Italy, in the Years 1821 and 1822*. Londres: Baldwin, Cradock & Joy, 1824, p. 34.

56. O papel das imagens durante essa guerra civil: Tácito, *Histórias* 1, 36; 1, 55; 2, 55; 3, 7 (ref. imagens de Galba em "cidades", em vez de apenas contextos militares). Os retratos de Galba: Emanuela Fabbricotti, *Galba* (Roma: L'Erma di Bretschneider, 1976). O dito "Ano dos Quatro Imperadores", em termos gerais: Gwyn Morgan, *69 AD: The Year of Four Emperors* (Oxford: Oxford University Press, 2005).

57. Suetônio, *Otão*, 12; *Galba*, 21.

58. A incrível difusão de versões dessa estátua em pintura e escultura: Stephen Bailey, "Metamorphoses of the Grimani 'Vitellius'" (*The J. Paul Getty Museum Journal*, Los Angeles, v. 5, pp. 105-22, 1977) e "Metamorphoses of the Grimani 'Vitellius': Addenda and Corrigenda" (*The J. Paul Getty Museum Journal*, Los Angeles, v. 8, pp. 207-8, 1980); Annie Nicolette Zadoks-Josephus Jitta, "Creative Misunderstanding" (*Netherlands Yearbook for History of Art*, Leiden, v. 23, pp. 3-12, 1972); Klaus Fittschen, *Die Bildnisgalerie in Herrenhausen bei Hannover: Zur Rezeptions- und Sammlungsgeschichte antiker Porträts* (Göttingen: Vandenhoeck & Ruprecht, 2006, pp. 186-234) e "Sul ruolo del ritratto antico nell'arte italiana", em Salvatore Settis (Org.), *Memoria dell'antico nell'arte italiana* (Turim: Einaudi, 1985), pp. 404-5, 409; *D'après l'antique* (Paris: [s.n.], 2000), pp. 298-311; Lorenzo Principi, "Filippo Parodi's *Vitellius*: Style, Iconography and Date", em Davide Gambino e Lorenzo Principi, *Filippo Parodi 1630-1702, Genoa's Bernini: A Bust of Vitellius* (Gênova: Bacarelli & Botticelli, 2016) (esp. pp. 59-61, documentando as diversas versões esculturais modernas só de Gênova); Bianca Maria Giannattasio, "Una testa di Vitellio in Genova" (*Xenia*, Roma, v. 12, pp. 63-70, 1985) (sobre o "Gênio da Escultura"); *Gérôme* (Paris: [s.n.], 2010), pp. 126-9 e Emily Beeny, "Blood Spectacle: Gérôme in the Arena", em Scott Allan e Mary Morton (Orgs.), *Reconsidering Gérôme* (Los Angeles: J. Paul Getty Museum, 2010), pp. 42-5 (sobre *Ave Caesar!*); com mais exemplos, ver pp. 247-55. A história da coleção Grimani: Marilyn Perry, "Cardinal Domenico Grimani's Legacy of Ancient Art to Venice" (*Journal of the Warburg and Courtauld Institutes*, Londres, v. 41, pp. 215-44, 1978); Toto Bergamo Rossi, *Domus Grimani: The Collection of Classical Sculptures Reassembled in Its Original Setting after 400 Years* (Veneza: Marsilio, 2019).

59. Fisiognomonia: Martin Porter, *Windows of the Soul: Physiognomy in European Culture, 1470-1780* (Oxford: Oxford University Press, 2005) (história do início do período

moderno); Tamsyn Barton, *Power and Knowledge: Astrology, Physiognomics, and Medicine under the Roman Empire* (Ann Arbor: University of Michigan Press, 1994), pp. 95-131 (no mundo clássico). Frenologia: James Poskett, *Materials of the Mind: Phrenology, Race and the Global History of Science, 1815-1920* (Chicago: The University of Chicago Press, 2019).

60. Giambattista Della Porta, *De humana physiognomonia*. Nápoles: Vico Equense, 1586, v. II, p. 29. Rubens foi influenciado pelo trabalho de Della Porta, ao retratar os imperadores e outros: Elizabeth McGrath, "'Not Even a Fly': Rubens and the Mad Emperors" (*Burlington Magazine*, Londres, v. 133, pp. 699-703, 1991), p. 699; Tine Meganck, "Rubens on the Human Figure: Theory, Practice and Metaphysics", em Arnout Balis e Joost van der Auwera (Orgs.), *Rubens, a Genius at Work: The Works of Peter Paul Rubens in the Royal Museums of Fine Arts of Belgium Reconsidered* (Tielt: Lannoo, 2007), pp. 57-9; Koenraad Jonckheere, *Portraits after Existing Prototypes* (Londres: Harvey Miller, 2016), pp. 35-7.

61. Benjamin Robert Haydon, *Lectures on Painting and Design*. Londres: Longman, Brown, Green & Longmans, 1844, pp. 64-5.

62. *Manchester Times and Gazette,* 13 de fevereiro de 1841. A autobiografia de David George Goyder, *My Battle for Life: The Autobiography of a Phrenologist* (Londres: Simpkin, Marshall, 1857), pp. 296-334, apresenta o texto de sua palestra convencional, embora Caracala seja substituído por Vitélio.

63. Diversas opiniões diferentes sobre a data: Bailey, "Metamorphoses of the Grimani 'Vitellius'", op. cit., pp. 105-7, com discussão mais a fundo em Daniela D'Amico, *Sullo Pseudo-Vitellio* (Veneza: Università Ca' Foscari, 2012-3).

3. Moedas e retratos, antigos e modernos [pp. 97-137]

1. Sobre a identificação do modelo e interpretação da moeda romana: Hilde Lobelle-Caluwé, "Portrait d'un homme avec une monnaie", em Maximilian P. J. Martens (Org.), *Bruges et la Renaissance: De Memling à Pourbus. Notices* (Bruges: Ludion, 1998), p. 17 (o primeiro a propor Bembo); Till-Holger Borchert (Org.), *Memling's Portraits* (Stuttgart: Belser, 2005), p. 160; Lorne Campbell et al., *Renaissance Faces: Van Eyck to Titian* (Londres: National Gallery, 2008), pp. 102-5 (citação sobre "fama mundial", p. 105); Barbara Lane, *Hans Memling: Master Painter in Fifteenth-Century Bruges* (Turnhout: Harvey Miller, 2009), pp. 205-7, 213-4; Keith Christiansen e Stefan Weppelmann (Orgs.), *The Renaissance Portrait: From Donatello to Bellini* (Nova York: The Metropolitan Museum of Art, 2011), pp. 330-2; Susan Nalezyty, *Pietro Bembo and the Intellectual Pleasures of a Renaissance Writer and Art Collector* (New Haven: Yale University Press, 2017) pp. 33-7. Enea Vico, *Discorsi sopra le medaglie de gli antichi* (Veneza: Giolito De Ferrari, 1555), v. I, p. 53 escreve que as moedas de Nero (junto com as de Calígula e Cláudio) "excedem as demais em beleza"; ver também John Cunnally, *Images of the Illustrious: The Numismatic Presence in the Renaissance* (Princeton: Princerton University Press, 1999), p. 160.

2. Ronald Lightbown, *Sandro Botticelli*. Londres: Paul Elek, 1978, v. I: *Life and Work*, p. 38; Nicoletta Pons, "Portrait of a Man with the Medal of Cosimo the Elder, *c.* 1475". In: Daniel Arasse et al. (Orgs.), *Botticelli: From Lorenzo the Magnificent to Savonarola*. Milão: Skira, 2003, pp. 102-5. A resposta direta ao retrato de Memling: Paula Nuttall, "Memling and the European Renaissance Portrait", em Till-Holger Borchert (Org.), *Memling's Portraits* (Madri: Ludion, 2005), pp. 78-80.

3. O recente estudo de Dirk Jacob Jansen, *Jacopo Strada and Cultural Patronage at the Imperial Court* (Leiden: Brill, 2019), agora é o ponto central de referência para todos os aspectos da carreira de Strada, com bibliografia completa (com uma visão positiva sobre o retrato de Ticiano, pp. 1-8, 868-73). Discussões iniciais sobre Ticiano e Strada: Luba Freedman, "Titian's *Jacopo da Strada*: A Portrait of an 'antiquario'" (*Renaissance Studies*, Oxford, v. 13, n. 1, pp. 15-39, 1999); David Jaffé (Org.), *Titian* (Londres: National Gallery, 2003), pp. 168-9; Caroline Vout, *Classical Art: A Life History from Antiquity to the Present* (Princeton: Princeton University Press, 2018), pp. 107-8 (apontando para as insinuações eróticas do colecionador e da escultura). A frase de "dois glutões" (*"doi giotti a un tagliero"*) é da correspondência de Niccolò Stop[p]io, mencionada e discutida por Dirk Jacob Jansen, *Jacopo Strada and Cultural Patronage at the Imperial Court*, op. cit., pp. 605, 871-2 (os documentos originais estão em Munique, Hauptstaatsarchiv, *Libri Antiquitatum* 4852, fols. 153-4).

4. Mais detalhes: *Jacopo Tintoretto* (Milão: Electa, 1994), pp. 136-7; Duncan Bull et al., "Les portraits de Jacopo et Ottavio Strada par Titien et Tintoret", em Vincent Delieuvin e Jean Habert (Orgs.), *Titien, Tintoret, Véronèse: Rivalités à Venise* (Paris: Hazan, 2009) (comparando os dois retratos, argumentando, de maneira convincente, contra a ideia de que o retrato de Ottavio era obra da filha de Tintoretto, e incluindo evidências em raio X de mudanças em ambas as composições ao longo do processo do trabalho). "Torrente de moedas" (*"perenni vena scaturiunt"*) é uma expressão de Gerolamo Bologni, na edição crítica por Fabio D'Alessi (Org.), *Hieronymi Bononii tarvisini antiquarii libri duo* (Veneza: Istituto veneto di scienze, lettere ed arti, 1995), p. 8. Sobre a ubiquidade das moedas, em termos mais gerais: John Cunnally, *Images of the Illustrious: The Numismatic Presence in the Renaissance*, op. cit., pp. 3-11. Note-se, contudo, que uma figura semelhante de Fortuna (cega) entornando moedas de uma cornucópia — no livro emblemático, mais ou menos contemporâneo e bastante traduzido de Cesare Ripa — é um símbolo da "prodigalidade" feminina, apontando para uma possível contranarrativa. *Iconologia* (Siena: Matteo Florimi, 1613), p. 163.

5. Francis Haskell, *History and Its Images: Art and the Interpretation of the Past* (New Haven: Yale University Press, 1993), pp. 13-79 (cujas ideias inevitavelmente estão por trás deste capítulo, ainda que meu enfoque seja bem diferente). Logo adiante, referencio Haskell só para chamar a atenção para discussões de relevância para meus temas em particular.

6. William Shakespeare, *Love's Labours Lost*, em *The Oxford Shakespeare: The Complete Works*, org. de Stanley Wells e Gary Taylor (Oxford: Oxford University Press, 1988), ato 5, cena 2, verso 607 (e, como Raffaella Sero apontou para mim, a referência a Júlio César como "o sujeito de nariz adunco de Roma" em *2 Henry IV*, ato 4, cena 2, verso 40, poderia ser uma alusão à imagem de uma moeda). Panorama das estimativas da total produção de moedas: Carlos F. Noreña, *Imperial Ideals in the Roman West: Representation, Circulation, Power* (Cambridge: Cambridge University Press, 2011), p. 193.

7. Petrarca e Carlos IV: Francesco Petrarch, *Letters on Familiar Matters* [1975-85], trad. de Aldo S. Bernardo (Nova York: Italica, 2005), pp. 19, 3. Ciríaco: Francesco Scalamonti, *Vita viri clarissimi et famosissimi Kyriaci Anconitani* [1464], org. e trad. de Charles Mitchell e Edward W. Bodnar (Filadélfia: American Philosophical Society, 1996), pp. 66-7; Robert Glass, "Filarete and the Invention of the Renaissance Medal" (*The Medal*, Londres, v. 66, pp. 26-37, 2015), pp. 34-5. Mais exemplos: Beverly Louis Brown, "Portraiture at the Courts of Italy", em Keith Christiansen e Stefan Weppelmann (Orgs.), *Renaissance*

Portrait: From Donatello to Bellini, op. cit., p. 26. Um presente, sugerindo uma conexão entre imperadores romanos e lições de moral, posteriormente foi feito para Desiderio Erasmus, em 1522, por um de seus correspondentes: "quatro moedas de ouro, de imperadores *virtuosos (bonorum)*", mencionadas em *The Correspondence of Erasmus, 1252-1355*, trad. de R. A. B. Mynors (Toronto: University of Toronto Press, 1989), n. 1272 (itálico meu); publicado pela primeira vez em Erasmus, *De puritate tabernaculi sive ecclesiae christianae* (Basileia: Officina Frobeniana, 1536), pp. 97-8.

8. Francesco Petrarch, *Letters on Familiar Matters*, op. cit., pp. 19, 3.

9. As interações complexas, e riquíssimas, entre Petrarca e Carlos IV: Albert R. Ascoli, *A Local Habitation and a Name: Imagining Histories in the Italian Renaissance* (Nova York: Fordham University Press, 2011), pp. 132-4, 144-5; Susan Gaylard, *Hollow Men: Writing, Objects and Public Image in Renaissance Italy* (Nova York: Fordham University Press, 2013), pp. 5-6. A importância de Petrarca para a numismática: Gareth D. Williams, *Pietro Bembo on Etna: The Ascent of a Venetian Humanist* (Oxford: Oxford University Press, 2017), pp. 279-80. O César que Carlos deu em troca: Francesco Petrarch, *Letters on Familiar Matters*, op. cit., pp. 19, 13 (quase certeza que é uma moeda, mas o latim [*efigiem*] é *de fato* um pouco vago). Sendo mais generosa com Carlos, ele talvez estivesse apontando para o uso que Petrarca fazia, em parte de sua escrita, de Júlio César como outro modelo para governantes modernos; ver Maria Wyke (Org.), *Julius Caesar in Western Culture*, op. cit., pp.132-3; Thomas James Dandelet, *The Renaissance of Empire in Early Modern Europe* (Cambridge: Cambridge University Press, 2014), pp. 20-6.

10. O proponente mais ativo da "tese do medalhão" era Sebastiano Erizzo, em *Discorso sopra le medaglie antiche* (Veneza: Nella bottega Valgrisiana, 1559), pp. 1-112. Notórios partidários do outro lado, o correto, incluem Enea Vico (em seu *Discorsi sopra le medaglie de gli antichi*, v. 1, op. cit., pp. 28-34; confusamente, as páginas 28, 29 e 32 levam os números errados de 36, 37 e 40 na primeira edição); Antonio Agustín, em *Dialogos de medallas, inscriciones y otras antiguedades* (Tarragona: F. Mey, 1587), I, pp. 1-25). Discussões modernas: Federica Missere Fontana, "La controversia 'monete o medaglie': Nuovi documenti su Enea Vico e Sebastiano Erizzo" (*Atti dell'Istituto veneto di scienze, lettere ed arti*, Veneza, v. 153, pp. 61-103, 1994-5) (levando o debate ao século XVIII); mais brevemente, John Cunnally, *Images of the Illustrious: The Numismatic Presence in the Renaissance*, op. cit., pp. 136-8.

11. Filarete, *Filarete's Treatise on Architecture*. Trad. de John R. Spencer. New Haven: Yale University Press, 1965, v. I, p. 316 (manuscrito original: Lib. XXIV, *Magl*, fol. 185r).

12. Enea Vico, *Discorsi sopra le medaglie de gli antichi*, v. 1, op. cit., p. 52. Morte de Vico: Giulio Bodon, *Enea Vico fra memoria e miraggio della classicità* (Roma: L'Erma di Bretschneider, 1997), p. 45.

13. Enea Vico, *Discorsi sopra le medaglie de gli antichi*, v. 1, op. cit., p. 48; Joseph Addison, *Dialogues upon the Usefulness of Ancient Medals*, pp. 1, 21.

14. A dita "cscassez": Roberto Weiss, *The Renaissance Discovery of Classical Antiquity* (Oxford: Blackwell, 1969), p. 171. Preço: John Cunnally, *Images of the Illustrious*, op. cit., pp. 37-9.

15. Hubert Goltzius, *C. Iulius Caesar*. Bruges: Goltzius, 1563. Sobre sua vida e obra: Francis Haskell, *History and Its Images: Art and the Interpretation of the Past*, op. cit., pp. 16-9; John Cunnally, *Images of the Illustrious*, op. cit., pp. 190-5. Em sua carta dedicatória a *Vivae ... imagines* (fol. 3r), Goltzius ecoa bem as palavras de Vico sobre a importância histórica das moedas, em oposição a relatos literários.

16. A lista de agradecimentos, e a popularidade das coleções de moedas: John Cunnally, *Images of the Illustrious*, op. cit., pp. 41-6; François de Callatay, "La Controverse 'imitateurs/faussaires' ou les riches fantaisies monétaires de la Renaissance", em Pascale Mounier e Colette Nativel (Orgs.), *Copier et Contrefaire à la Renaissance: Faux et usage de faux* (Paris: Honoré Champion, 2014), pp. 269-72. Ambos levantam questões sobre a precisão dos nomes — algumas anomalias suspeitas são investigadas em detalhes por Christian Dekesel, "Hubert Goltzius in Douai (5.11.1560-14.11.1560)" (*Revue belge de numismatique*, Bruxelas, v. 127, pp. 117-25, 1981). Callatay também observa que a ideologia da veracidade histórica nem sempre casa facilmente com o fato de que alguns exemplares eram "falsos", e no caso de Goltzius, e outros, alguns desenhos e descrições foram, no mínimo, "aperfeiçoados".

17. A ostentação da princesa: Maria Kroll (Org.), *Letters from Liselotte: Elisabeth Charlotte, Princess Palatine and Duchess of Orléans, "Madame", 1652-1722* (Londres: Gollancz, 1970), p. 133; original em alemão, Carl Künzel, *Die Briefe der Liselotte von der Pfalz, Herzogin von Orleans* [1914] (Hamburgo: Severus, 2013), p. 291 (ela alega ter um total de 410 moedas em sua coleção). Embora os dados primários sejam inconsistentes, a coleção pertencente a Lorenzo de' Medici (1449-92) decerto passava de um total de 2 mil; evidências: Laurie Fusco e Gino Corti, *Lorenzo de' Medici: Collector and Antiquarian* (Cambridge: Cambridge University Press, 2006), pp. 83-92.

18. Plaquetas: Anthony Hobson, *Humanists and Bookbinders: The Origins and Diffusion of Humanistic Bookbinding, 1459-1559* (Cambridge: Cambridge University Press, 1989), pp. 140-2. O porta-joias: Sabine Haag (Org.), *All'Antica: Götter und Helden auf Schloss Ambras* (Viena: Wien Kunsthistorisches Museum, 2011), p. 238 (seguido, na p. 239, por uma tigela folheada a ouro, com moedas romanas originais incrustadas). Para o cálice: *Tesori gotici dalla Slovacchia: L'arte del Tardo Medioevo in Slovacchia* (Roma: [s.n.], 2016), n. 29. (Meus sinceros agradecimentos a Frank Dabell e Jay Weissberg por me apresentarem a essa peça extraordinária.)

19. Madeleine Viljoen, "Paper Value: Marcantonio Raimondi's 'Medaglie Contraffatte'". *Memoirs of the American Academy in Rome*, Ann Arbor, v. 48, pp. 211-3, 2003.

20. John Cunnally, "Of Mauss and (Renaissance) Men: Numismatics, Prestation and the Genesis of Visual Literacy", em Alan M. Stahl (Org.), *The Rebirth of Antiquity: Numismatics, Archaeology and Classical Studies in the Culture of the Renaissance* (Princeton: Princeton University Press, 2009), pp. 27-47, esp. pp. 30-2, que, com razão, salienta que a visão renascentista de arte antiga era "numocêntrica" ("centrada em moedas"), em contraste com a nossa visão "marmocêntrica" ("centrada em mármore").

21. Um panorama de representações e adaptações de moedas romanas no Renascimento, e mais exemplos: Klaus Fittschen, "Sul ruolo del ritratto antico nell'arte italiana", em Salvatore Settis (Org.), *Memoria dell'antico nell'arte italiana* (Turim: Einaudi, 1985), pp. 388-94; Francis Haskell, *History and Its Images: Art and the Interpretation of the Past*, op. cit., esp. pp. 26-36; Francesca Maria Bacci, "Ritratti di imperatori nella scultura italiana del Quattrocento", em Antonella Nesi (Org.), *Ritratti di imperatori e profili all'antica: Scultura del Quattrocento nel Museo Stefano Bardini* (Florença: Centro Di, 2012), pp. 21-97.

22. Fermo, Biblioteca comunale, MS 81. Discussão com mais referências: Patricia Fortini Brown, *Venice and Antiquity: The Venetian Sense of the Past* (New Haven: Yale University Press, 1996), pp. 66-8; Annegrit Schmitt, "Zur Wiederbelebung der Antike im Trecento. Petrarcas Rom-Idee in ihrer Wirkung auf die Paduaner Malerei:

Die methodische Einbeziehung des römischen Münzbildnisses in die Ikonographie 'Berühmter Männer'" (*Mitteilungen des Kunsthistorischen Institutes in Florenz*, Zurique, v. 18, n. 2, pp. 167-218, 1974).

23. Existem três manuscritos dessa obra: um no Vaticano (Biblioteca Apostolica Vaticana, Chig. I VII 259), uma cópia autografada, mas falta uma parte no início (começando com o reinado de Septímio Severo); um em Verona (Biblioteca comunale, Cod CCIV), com muito menos ilustrações finalizadas; e uma versão muito mais fragmentada em Roma (Biblioteca Vallicelliana, Cod. D 13). Uma breve discussão: Roberto Weiss, *The Renaissance Discovery of Classical Antiquity*, op. cit., pp. 22-4. Estudo detalhado das conexões com moedas: Schmitt, "Zur Wiederbelebung der Antike im Trecento. Petrarcas Rom--Idee in ihrer Wirkung auf die Paduaner Malerei: Die methodische Einbeziehung des römischen Münzbildnisses in die Ikonographie 'Berühmter Männer'", op. cit.; Luisa Capoduro, "Effigi di imperatori romani nel manoscritto Chig. J VII 259 della Biblioteca Vaticana: Origini e diffusione di un'iconografia" (*Storia dell'arte*, Roma, v. 79, pp. 286-325, 1993); Giulio Bodon, *Veneranda Antiquitas: Studi sull'eredità dell'antico nella Rinascenza veneta* (Berna: *Lang*, 2005), pp. 203-17 (mostrando que a série começava com Júlio César, e não Augusto, como se costumava pensar).

24. Paris, BNF, MS lat. 5814. Discussão: Jonathan J. G. Alexander (Org.), *Painted Page: Italian Renaissance Book Illumination, 1450-1550* (Londres: Royal Academy of Arts, 1994), pp. 157-8. Os argumentos quase esmagadores para ver Bernardo Bembo como o responsável pela encomenda: Susan Nalezyty, *Pietro Bembo and the Intellectual Pleasures of a Renaissance Writer and Art Collector*, op. cit., p. 53.

25. Andrea Fulvio, *Illustrium imagines*. Roma: Iacobum Mazochium, 1517. Breve introdução: Roberto Weiss, *The Renaissance Discovery of Classical Antiquity*, op. cit., pp. 178-9; Francis Haskell, *History and Its Images: Art and the Interpretation of the Past*, op. cit., pp. 28-30; ver pp. 188, 284-5.

26. Impressões de Raimondi: Madeleine Viljoen, "Paper Value: Marcantonio Raimondi's 'Medaglie Contraffatte'", op. cit. (os Doze dele não são exatamente os mesmos do conjunto de Suetônio, tendo Trajano como substituto de Calígula; ver pp. 153-5. Os relevos florentinos: Francesco Caglioti, "Fifteenth-Century Reliefs of Ancient Emperors and Empresses in Florence: Production and Collecting", em Nicholas Penny e Eike D. Schmidt (Orgs.), *Collecting Sculpture in Early Modern Europe* (New Haven: Yale University Press, 2008), pp. 67-109; Francesca Maria Bacci, "Ritratti di imperatori nella scultura italiana del Quattrocento", em Antonella Nesi (Org.), *Ritratti di imperatori e profili all'antica: Scultura del Quattrocento nel Museo Stefano Bardini*, op. cit., pp. 30-47.

27. Os imperadores no projeto geral de Camera Picta: Keith Christiansen, *The Genius of Andrea Mantegna* (New Haven: Yale University Press, 2009), pp. 27-38; Stephen J. Campbell, *Andrea Mantegna: Humanist Aesthetics, Faith, and the Force of Images* (Londres: Harvey Miller, 2020), pp. 203-11; ver p. 194, com nota 40.

28. Diferentes perspectivas sobre os retratos de Certosa: Andrew Burnett e Richard Schofield, "The Medallions of the *Basamento* of the Certosa di Pavia: Sources and Influence" (*Arte lombarda*, Milão, v. 120, pp. 5-28, 1997); Charles R. Morscheck, "The Certosa Medallions in Perspective" (*Arte lombarda*, Milão, v. 123, n. 2, pp. 5-10, 1998). Os medalhões de Horton: <heritagerecords.nationaltrust.org.uk/HBSMR/MonRecord.aspx?uid=MNA165052>; Jane Harcourt e Tony Harcourt, "The Loggia Roundels", em *The Development of Horton Court: An Architectural Survey* (Swindon: National Trust

Report, 2009), Apêndice 9, pp. 87-90. A quarta peça do conjunto representa Aníbal. O César, o Nero e o Átila estão todos conectados pela iconografia, bem como pelos nomes, a medalhões de La Certosa (Andrew Burnett e Richard Schofield, "The Medallions of the *Basamento* of the Certosa di Pavia: Sources and Influence", op. cit., nᵒˢ17, 33 e 18); no caso da imagem de Átila, em ambos os locais o design e a inscrição em latim remontam a medalhões de metal mais antigos (Patricia Fortini Brown, *Venice and Antiquity: The Venetian Sense of the Past*, op. cit., p. 146; Francesca Maria Bacci, "Catalogo", em Antonella Nesi (Org.), *Ritratti di imperatori e profili all'antica: Scultura del Quattrocento nel Museo Stefano Bardini* (Florença: Centro Di, 2012), pp. 180-3).

29. Beverly Louise Brown, "Corroborative Detail: Titian's 'Christ and the Adulteress'" (*Artibus et Historiae*, Veneza, v. 28, n. 56, pp. 73-105, 2007), p. 91; Pierfabio Panazza, "Profili all'antica: da Foppa alle architetture bresciane del primo rinascimento" (*Commentari dell' Ateneo di Brescia*, Bréscia, v. 215, pp. 211-85, 2018), pp. 224-5 (embora Brown acredite que os imperadores sem nome sejam Júlio César e Augusto, e Panazza acredite que sejam Cláudio e Tibério, para mim parecem mais consistentes com o pareamento de Augusto e Tibério). Compare com a pintura de Ticiano de *A coroa de espinhos* (hoje no Louvre), em que um busto, claramente rotulado como "Tibério", imperador à época da crucificação, preside a cena.

30. Beverly Louise Brown, "Corroborative Detail: Titian's 'Christ and the Adulteress'", op. cit.

31. Guillaume Rouillé, *Promptuaire des Medalles des plus renommées personnes qui ont esté depuis le commencement du monde*. Lyon: Roville, 1553, 1, A4v. A fronteira frágil entre verdade, falsificação e fantasia, nesse caso e mais amplamente: Stephen Perkinson, "From an '*Art de Memoire*' to the Art of Portraiture: Printed Effigy Books of the Sixteenth Century" (*Sixteenth Century Journal*, Kirksville, v. 33, n. 3, pp. 687-723, 2002), esp. pp. 700-7. Ver pp. 118-9.

32. A confusão com Caracala e Marco Aurélio: Luisa Capoduro, "Effigi di imperatori romani nel manoscritto Chig. J VII 259 della Biblioteca Vaticana: Origini e diffusione di un'iconografia", op. cit., pp. 292-5 e 308-9. Os nomes completos de Vespasiano e Tito, pai e filho imperiais, eram quase idênticos — é compreensível o equívoco de Raimondi.

33. Ver p. 153.

34. Andrew Burnett e Richard Schofield, "The Medallions of the *Basamento* of the Certosa di Pavia: Sources and Influence", op. cit., p. 6.

35. As conexões entre Il Mansionario e essas pinturas: Luisa Capoduro, "Effigi di imperatori romani nel manoscritto Chig. J VII 259 della Biblioteca Vaticana: Origini e diffusione di un'iconografia", op. cit.; Ettore Napione, "I sottarchi di Altichiero e la numismatica: Il ruolo delle imperatrici" (*Arte veneta: Rivista di storia dell'arte*, Milão, v. 69, pp. 23-39, 2012). O esquema completo: John Richards, *Altichiero: An Artist and His Patrons in the Italian Trecento* (Cambridge: Cambridge University Press, 2000), pp. 35-75.

36. Essa imagem do deus estava estampada em uma moeda cunhada sob a autoridade de Catão (*RRC* 462/2), ou — uma correspondência ainda mais próxima — em uma moeda cunhada por um familiar mais velho com o mesmo nome (*RRC* 343/2 a e b). Fulvio, ou seu projetista, deve ter tomado uma dessas imagens das moedas, com "Catão" escrito em torno delas, como retrato do próprio.

37. John Cunnally, *Images of the Illustrious*, op. cit., pp. 96-102; Francis Haskell, *History and Its Images: Art and the Interpretation of the Past*, op. cit., pp. 30-2.

38. Para a fonte dessa imagem, ver acima, nota 28.

39. Pietro Aretino, *La humanità di Christo* [1535]. In: Giulio Ferroni (Org.), *Pietro Aretino*. Roma: Istituto Poligrafico e Zecca dello Stato, 2002, pp. 466-7. A influência que esse livro exerceu sobre Ticiano: Raymond B. Waddington, "Aretino, Titian, and *La Humanità di Cristo*", em Abigail Brundin e Matthew Treherne, *Forms of Faith in Sixteenth-Century Italy* (Aldershot: Ashgate, 2009), pp. 171-98. Esse texto oferece uma ótima explicação para o fato de o busto em *A coroa de espinhos*, de Ticiano (nota 29, acima) se assemelhar a imagens de Nero, apesar de claramente ter sido rotulado como Tibério: Tommaso Casini, "Cristo e i manigoldi nell'*Incoronazione di spine* di Tiziano" (*Venezia Cinquecento*, Roma, v. 3, pp. 97-118, 1993), p. 113.

40. O termo *all'antica* foi usado pela primeira vez no inglês no começo do século XVII (*Oxford English Dictionary*). Discussões introdutórias que levam a expressão a sério: Philip Ayres, *Classical Culture and the Idea of Rome in the Eighteenth Century England* (Cambridge: Cambridge University Press, 1997), pp. 63-75; Luke Syson e Dora Thornton, *Objects of Virtue: Art in Renaissance Italy* (Londres: British Museum, 2001), pp. 78-134; Malcolm Baker, *The Marble Index: Roubiliac and Sculptural Portaiture in Eighteenth-Century Britain* (New Haven: Yale University Press, 2014), esp. pp. 34-5, 77-87, 92-105.

41. Sobre a encomenda das estátuas (em agradecimento pelas doações reais à universidade): Robert Willis, *The Architectural History of the University of Cambridge and of the Colleges of Cambridge and Eton*, org. de John Willis Clark (Cambridge: Cambridge University Press, 1886), pp. 55-7, 59-60. A crítica mordaz pode ser encontrada nos comentários (18 de janeiro de 2012) de um blog que escrevi sobre o assunto: <www.the-tls.co.uk/king-georges-leave-the-university-library/> (não mais no ar).

42. A seguir, ofereço uma visão necessariamente ampla dessa tradição. Discussão detalhada sobre as diferenças pequenas, mas significativas, entre as esculturas de mármore, com um olhar atento às ligeiras mudanças cronológicas e funcionais: Matthew Craske, *The Silent Rhetoric of the Body* (New Haven: Yale University Press, 2007) e Malcolm Baker, *The Marble Index: Roubiliac and Sculptural Portaiture in Eighteenth-Century Britain*, op. cit. (que observa muito bem que é possível ler o "Jorge" de Wilton como uma leve paródia de Rysbrack: p. 106).

43. A estátua de Pitt ficava, originalmente, em um cenotáfio para o primeiro-ministro no National Debt Redemption Office: Gillian Darley, *John Soane: An Accidental Romantic* (New Haven: Yale University Press, 1999), pp. 253-4. Sobre sua história e transferência para Pembroke: Philip Ward-Jackson, *Public Sculpture of Historic Westminster* (Liverpool: Liverpool University Press, 2011), pp. 60-1.

44. Malcolm Baker, *Marble Index: Roubiliac and Sculptural Portaiture in Eighteenth-Century Britain*, op. cit., p. 79; id., "'A Sort of Corporate Company': Approaching the Portrait Bust in Its Setting". In: Penelope Curtis et al., *Return to Life: A New Look at the Portrait Bust*. Leeds: Henry Moore Institute, 2000, pp. 26-8. "Mesca" é o termo escolhido por Baker, que nota que o modelo, Daniel Finch, tinha pinturas de cenas da vida de César em sua casa de campo, em Burley-on-the-Hill, Rutland.

45. Ver Bruce Redford, *Dilettanti: The Antic and the Antique in Eighteenth-Century England* (Los Angeles: J. Paul Getty Museum, 2008, pp. 19-29, com "'Seria Ludo': George Knapton's Portraits of the Society of Dilettanti" (*British Art Journal*, Londres, v. 3, n. 1, pp. 56-68, 2001), uma versão anterior da mesma discussão. O texto explicativo sobre a pintura (aparecendo aqui sozinha) deixa claro que cabe a nós pensar que Sackville é

mostrado como apareceu no Carnaval ("Saturnália") em Florença, *sub persona consulis Romani ab exercitu redeuntis*" (personificando [literalmente, "sob a máscara de"] um cônsul romano regressando do Exército). Há referências aos imperadores de Ticiano em outros retratos da série de Knapton (sobretudo no retrato de William Denny, que remonta ao Cláudio de Ticiano).

46. Ver Jeremy Wood, "Van Dyck's 'Cabinet de Titien': The Contents and Dispersal of His Collection" (*Burlington Magazine*, Londres, v. 132, pp. 680-95, 1990), p. 680; Antony Griffiths, *The Print in Stuart Britain: 1603-1689* (Londres: British Museum, 1998), pp. 84-6; a pintura é discutida em Arthur K. Wheelock et al., *Anthony van Dyck* (Washington, DC: National Gallery of Art, 1990), pp. 294-5 (sem referência à fonte). As imagens imperiais de Carlos I em geral: John Peacock, "The Image of Charles I as a Roman Emperor" em Ian Atherton e Julie Sanders (Orgs.) *The 1630s: Interdisciplinary Essays on Culture and Politics in the Caroline Era* (Manchester: Manchester University Press, 2006), pp. 50-73.

47. Sobre a disposição original e a coleção: Elizabeth Angelicoussis, "Walpole's Roman Legion: Antique Sculpture at Houghton Hall" (*Apollo*, Londres, v. 169, n. 562, pp. 24-31, fev. 2009). Entre os seis "imperadores" e duas damas imperiais (alguns decerto identificados erroneamente), os dois bustos antigos mais célebres são Cômodo e Septímio Severo: <collection.beta.fitz.ms/id/object/209386> e <collection.beta.fitz.ms/id/object/209387>. Sobre o contexto arquitetônico presente: David Cholmondeley e Andrew Moore, *Houghton Hall: Portrait of an English Country House* (Nova York: Skira Rizzoli, 2014), pp. 78-83.

48. Suetônio, *Augusto* 29.

49. RCIN 51661: <www.rct.uk/collection/51661/dish>. Os imperadores retratados são César, Augusto, Galba, Filipo, Hostiliano, Probo, Maximiano e Licínio. A versão antiga mais conhecida da história de Scaevola: Tito Lívio, *História de Roma*, 2, 12-3. O artista (Elias Jäger) adotou a iconografia da cena central e o desenho dos rostos imperiais das ilustrações de Gottfried, *Historische Chronica*.

50. A estátua é baseada em uma estátua do século V a.C. do deus Zeus, em seu templo em Olímpia; a ênfase na "liberdade" republicana, na inscrição da estátua, não apaga a questão embaraçosa de que Washington foi retratado aqui como divino. Sobre o tanto que já escreveram acerca dessa estátua vilipendiada: Garry Wills, "Washington's Citizen Virtue: Greenough and Houdon" (*Critical Inquiry*, Chicago, v. 10, n. 3, pp. 420-41, 1984) e *Cincinnatus: George Washington and the Enlightenment* (Garden City: Doubleday, 1984), pp. 55-84; H. Nichols B. Clark, "An Icon Preserved: Continuity in the Sculptural Images of Washington", em Barbara J. Mitnick et al., *George Washington: American Symbol* (Nova York: Hudson Hills, 1999), pp. 39-53; Kirk Savage, *Monument Wars: Washington, D.C., the National Mall, and the Transformation of the Memorial Landscape* (Berkeley: University of California Press, 2009, pp. 49-52. As dúvidas de Washington sobre "uma aderência servil ao garbo da Antiguidade": John C. Fitzpatrick, *The Writings of George Washington, 1745-1799* (Washington, DC: United States Government Printing Office, 1938), p. 504 (uma carta para Thomas Jefferson); Alan McNairn, *Behold the Hero: General Wolfe and the Arts in the Eighteenth Century* (Montreal: McGill-Queen's University Press, 1997), p. 135.

51. Malcolm Baker (*Marble Index: Roubiliac and Sculptural Portaiture in Eighteenth-Century Britain*, op. cit., pp. 92-5) reconhece o problema em representar imagens republicanas em mármore moderno, mas, a meu ver, as subestima. "A autoidentificação da elite dominante britânica com os ideais políticos da República romana" (p. 92) decerto se embasava

em textos literários importantes do século I a.C., sobretudo nas obras de Cícero; mas não havia ampla correspondência possível para tanto nas obras de arte remanescentes. Em outras fontes, "Attending to the Veristic Sculptural Portrait in the Eighteenth Century", em Baker e Andrew Hemingway (Orgs.), *Art as Worldmaking: Critical Essays on Realism and Naturalism* (Manchester: Manchester University Press, 2018) pp. 53-69, Baker analisa com cuidado o estilo "sem retoques" dos retratos antigos — que acadêmicos modernos tendem a associar mais com o período republicano do que com o período moderno — e pondera sobre como foi adotado na produção de imagens do século XVIII. Mas esse estilo é infinitamente menos comum do que a versão imperial, e Baker conclui (p. 57) que costuma ser usado com retratados que, particularmente, se interessavam por antiguidades (isto é, parecia ter uma importância mais cultural do que política).

52. Sobre o uso que Hollis faz do quepe e dos punhais em outros lugares para apregoar seu comprometimento com a liberdade: James Holly Hanford, "'Ut spargam': Thomas Hollis Books at Princeton" (*The Princeton University Library Chronicle*, Princeton, v. 20, p. 171, 1959) (sobre capas de livros radicais); Linda Ayres (Org.), *Harvard Divided* (Cambridge, MA: Fogg Art Museum), pp. 154-5. A moeda romana original (*RRC* 508.3) foi adotada em inúmeras campanhas modernas contra a tirania; ver Howard Burns et al., *Valerio Belli Vicentino: 1468 c.-1546* (Vicenza: Pozza, 2000), p. 369; Ross M. R. Bresler, *Between Ancient and* All'Antica*: The Imitation of Roman Coins in the Renaissance* (Boston: Boston University, 2002), p. 151.

53. Jonathan Marsden (Org.), *Victoria and Albert: Art and Love.* Londres: Royal Collection Enterprises, 2010, pp. 70-1.

54. Citação de Jules David Prown, "Benjamin West and the Use of Antiquity" (*American Art*, Chicago, v. 10, n. 2, pp. 28-49, 1996), p. 31.

55. Alan McNairn, *Behold the Hero: General Wolfe and the Arts in the Eighteenth Century*, op. cit., pp. 91-108; Morton D. Paley, "George Romney's *Death of General Wolfe*". *Journal for the Study of Romanticisms*, Aarhus, v. 6, n. 1, pp. 51-62, 2017. A pintura de Romney (1763) se perdeu, a pintura de Penny (também 1763) está no Ashmolean Museum, em Oxford, e conta com uma versão menor em Petworth House, "frágil de doer", segundo Simon Schama, *Dead Certainties (Unwarranted Speculations)* (Londres: Granta, 1991), p. 28. O contraste entre trajes romanos modernos já tinha sido uma questão em outros retratos de mármore feitos por Rysbrack, no início do século XVIII, do arquiteto James Gibbs: Malcolm Baker, *Marble Index: Roubiliac and Sculptural Portaiture in Eighteenth--Century Britain*, op. cit., pp. 92-4.

56. O contexto da pintura de West, e diferentes reações (de Pitt a Reynolds): Simon Schama, *Dead Certainties (Unwarranted Speculations)*, op. cit., pp. 1-39; Alan McNairn, *Behold the Hero: General Wolfe and the Arts in the Eighteenth Century*, op. cit., pp. 125-43 (Pitt, p. 127); Stephen Miller, *Three Deaths and Enlightenment Thought: Hume, Johnson, Marat* (Lewisburg, PA: Bucknell University Press, 2001), pp. 40-3 (Pitt, p. 42).

57. John Galt, *The Life, Studies and Works of Benjamin West, Esq.* Londres: T. Cadell & W. Davies, 1820, pp. 45-51.

58. Voltaire, *Letters Concerning the English Nation.* Londres: C. Davis & A. Lyon, 1733, p. 51. Esse é o principal tema de Philip Ayres, *Classical Culture and the Idea of Rome in the Eighteenth Century England*, op. cit.

59. Princeton University, MS Kane 44. Discussão mais a fundo: J. Wilson Ferguson, "The Iconography of the Kane Suetonius" (*The Princeton University Library Chronicle*, Princeton,

v. 19, n. 1, pp. 34-45, 1957); Patricia Stirnemann, "Inquiries Prompted by the Kane Suetonius (Kane MS 44)", em Colum Hourihane (Org.), *Manuscripta Illuminata: Approaches to Understanding Medieval and Renaissance Manuscripts* (Princeton: Princeton University Press, 2014) pp. 145-60.

60. Havia diversos tipos de variações sobre esse tema. Um dos mais intrigantes diz respeito à "Academia Romana" de humanistas, liderados por Pomponio Leto, que elevavam a admiração e a imitação da cultura antiga a ponto de se vestirem como romanos e celebrarem festivais pagãos romanos: Susanna de Beer, "The Roman 'Academy' of Pomponio Leto: From an Informal Humanist Network to the Institution of a Literary Society", em Arjan van Dixhoorn e Susie Speakman Sutch, *The Reach of the Republic of Letters: Literary and Learned Societies in Late Medieval and Early Modern Europe* (Leiden: Brill, 2008) pp. 181-218.

61. Análises frutíferas e atuais da evolução dos retratos renascentistas: Luke Syson, "Witnessing Faces, Remembering Souls", em Lorne Campbell et al., *Renaissance Faces: Van Eyck to Titian* (Londres: National Gallery, 2008) pp. 14-31; Patricia Lee Rubin, "Understanding Renaissance Portraiture", em Keith Christiansen e Stefan Weppelmann (Orgs.), *The Renaissance Portrait: From Donatello to Bellini* (Nova York: The Metropolitan Museum of Art, 2011), pp. 2-25.

62. Sobre os retratos de Giovanni e Piero: Luke Syson, "Witnessing Faces, Remembering Souls", em Lorne Campbell et al., *Renaissance Faces: Van Eyck to Titian*, op. cit., pp. 13-5 e 166-8 no mesmo catálogo, Keith Christiansen e Stefan Weppelmann (Orgs.), *The Renaissance Portrait: From Donatello to Bellini*, op. cit.; e *Eredità del Magnifico* (Florença: SPES, 1992), pp. 44-6. O contexto da produção geral do artista: Francesco Caglioti, "Mino da Fiesole, Mino del Reame, Mino da Montemignaio: Un caso chiarito di sdoppiamento d'identità artistica" (*Bollettino d'arte*, Roma, v. 67, pp. 19-86, 1991).

63. Introdução à medalha renascentista: Stephen K. Scher (Org.), *The Currency of Fame: Portrait Medals of the Renaissance* (Nova York: H. N. Abrams, 1994) (com ilustrações lindíssimas); mais breve, e com foco na Itália, Luke Syson e Dora Thornton, *Objects of Virtue: Art in Renaissance Italy*, op. cit., pp. 111-22. Entre os grandes catálogos estão Philip Attwood, *Italian Medals c. 1530-1600* (Londres: British Museum, 2003); John Graham Pollard, *Renaissance Medals* (Washington, DC: National Gallery of Art, 2007).

64. A carta para Leonello d'Este foi escrita em 1446 pelo humanista Flavio Biondo, Bartolomeo Nogara, *Scritti inediti e rari di Biondo Flavio* (Roma: Tipografia Poliglotta Vaticana, 1927), pp. 159-60; breves comentários por Luke Syson e Dora Thornton, *Objects of Virtue: Art in Renaissance Italy*, op. cit., pp. 113-4. Reflexões de Filarete: *Filarete's Treatise on Architecture*, op. cit., v. 1, p. 45 (manuscrito original: Lib. IV, *Magl.*, fol. 25v) com discussão mais ampla sobre a prática em Berthold Hub, "Founding an Ideal City in Filarete's *Libro architettonico*", em Maarten Delbeke e Minou Schraven (Orgs.), *Foundation, Dedication and Consecration in Early Modern Europe* (Leiden: Brill, 2012), pp. 32-9.

4. Os Doze Césares, mais ou menos [pp. 139-73]

1. A melhor discussão sobre essas *tazze* (com referências completas a estudos anteriores) é a coletânea de textos em Julia Siemon (Org.), *The Silver Caesars: A Renaissance Mystery* (Nova York: The Metropolitan Museum of Art, 2017). O dourado não é original, foi acrescentado no século XIX: Ellenor Alcorn e Timothy Schroder, "The Nineteenth- and

Twentieth-Century History of the Tazze", em Julia Siemon (Org.), *The Silver Caesars: A Renaissance Mystery*, op. cit., p. 154.

2. Celebrações triunfais como elementos centrais do poder e prestígio políticos em Roma, imitadas por dinastas e artistas da Renascença: Mary Beard, *The Roman Triumph* (Cambridge, MA: Harvard University Press, 2007). A consistência da inserção de cenas triunfais na posição final de todas as séries é um claro indício do design sistemático por trás das *tazze*: id., "Suetonius, the Silver Caesars, and Mistaken Identities, em Julia Siemon (Org.). *Silver Caesars: A Renaissance Mystery*, op. cit., pp. 41-2.

3. Suetônio, *Galba* 4.

4. Id., *Nero* 25; *Júlio César* 37.

5. Julia Siemon, "Renaissance Intellectual Culture". In: Id. (Org.), *The Silver Caesars: A Renaissance Mystery*, op. cit., pp.46-50. As versões mais nítidas das gravuras relevantes de Ligorio estão inclusas no álbum de Giulio de' Musi, *Speculum Romanae Magnificentiae* (Veneza: [s.n.], 1554).

6. *BMCRE* I, 245, nº 236.

7. Excelente discussão recente sobre os "Doze Césares": Kathleen Wren Christian, "Caesars, Twelve", em Anthony Grafton et al. (Orgs.), *Harvard Encyclopedia of the Classical Tradition* (Cambridge, MA: Harvard University Press, 2010) pp. 155-6, com mais bibliografia. Importantes estudos anteriores, aos quais recorro: Heinz Ladendorf, *Antikenstudium und Antikenkopie* (Berlim: Akademie, 1953); Reinhard Stupperich, "Die zwölf Caesaren Suetons: Zur Verwendung von Kaiserporträt-Galerien in der Neuzeit", em id., *Lebendige Anike. Rezeptionen der Antike in Politik, Kunst und Wissenschaft der Neuzeit* (Mannheim: Llux, 1995), pp. 39-58; Max Wegner, "Bildnisreihen der Zwölf Caesaren Suetons", em Hans-Joachim Drexhage e Julia Sünskes (Orgs.), *Migratio et commutatio: Studien zur alten Geschichte und deren Nachleben* (St Katharinen: Scripta Mercaturae, 1989), pp. 280-5; Klaus Fittschen, *Die Bildnisgalerie in Herrenhausen bei Hannover: Zur Rezeptions- und Sammlungsgeschichte antiker Porträts*, op. cit., pp. 65-85.

8. John Rupert Martin, *The Decorations for the Pompa Introitus Ferdinandi*. Londres: Phaidon, 1972, pp. 100-31. Uma inspiração para o design foi Jan Casper Gevartius, que estava compondo uma versão moderna de Suetônio para os Habsburgo (p. 107) e produziu um registro ilustrado da ocasião. Discussão mais recente: Anna C. Knaap e Michael C. J. Putnam (Orgs.), *Art, Music, and Spectacle in the Age of Rubens: The Pompa Introitus Ferdinandi* (Turnhout: Brepols, 2013).

9. Os primeiros protótipos esculturais do século XV: ver pp. 152-3.

10. O cardeal Grimani parece ter juntado um grupo de imperadores (ainda que não fossem os Doze de Suetônio) que acreditava serem exemplares antigos, do qual seu famoso "Vitélio" fazia parte: Marilyn Perry, "Cardinal Domenico Grimani's Legacy of Ancient Art to Venice", op. cit., pp. 234-8.

11. Klaus Fittschen, *Die Bildnisgalerie in Herrenhausen bei Hannover: Zur Rezeptions- und Sammlungsgeschichte antiker Porträts*, op. cit., p. 64 (*"Aus England sind mir Zwölf-Kaiser--Serien bisher nicht bekannt worden"*, e ele se pergunta se a lacuna não seria consequência do ódio inglês pelo absolutismo). Na verdade, existem (ou existiam) vários conjuntos: por exemplo, na Theobalds House, em Hertfordshire, onde, no século XVI e no início do XVII, a decoração incluía pinturas e dois jogos de bustos dos Doze Césares: G. W. Groos (Org.), *The Diary of Baron Waldstein: A Traveller in Elizabethan England* (Londres: Thames & Hudson, 1981), pp. 81-7; Paul Hentzner, *Paul Hentzner's Travels in England,*

during the Reign of Queen Elizabeth, Translated by Horace, Late Earl of Orford (Londres: E. Jeffrey, 1797), p. 38; Emily Cole, "Theobalds, Hertfordshire: The Plan and Interiors of an Elizabethan Country House" (*Architectural History*, Nova York, v. 60, pp. 71-116, 2017), esp. pp. 102-3; Richard L. Williams, "Collecting and Religion in Late Sixteenth--Century England, em Edward Chaney (Org.), *The Evolution of English Collecting: The Reception of Italian Art in the Tudor and Stuart Period* (New Haven: Yale University Press, 2003), pp. 171-2; no Goodnestone Park, em Kent, com seus "bustos colossais dos Doze Césares" no jardim: John Preston Neale, *Views of the Seats of Noblemen and Gentlemen, in England, Wales, Scotland, and Ireland* (Londres: Sherwood, Jones, 1825); e na abadia de Anglesey, em Cambridgeshire (ver p. 147). O Castelo de Bolsover é outro bom exemplo (ver p. 29), mas apenas com oito césares, bem como o conjunto adquirido para Euston Hall (ver p. 149). Outras escalações imperiais são desenterradas por Catherine Daunt em sua tese de doutorado, *Portrait Sets in Tudor and Jacobean England* (Brighton: University of Sussex, 2015), pp. 40-1, 47-9. Sobre a proeminência dos césares na Inglaterra renascentista: Lisa Hopkins, *The Cultural Uses of the Caesars on the English Renaissance Stage* (Farnham: Ashgate, 2008), pp. 1-2.

12. O conjunto do século XVII na Villa Borghese, originalmente no Palazzo Borghese, no centro de Roma, se mudou para a Villa na década de 1830: Paolo Moreno e Chiara Stefani, *Borghese Gallery* (Milão: Touring Club Italiano, 2000), p. 129. Sobre os bustos Della Porta, adquiridos pela família Borghese em 1609: Giovanna Ioele, *Prima di Bernini: Giovanni Battista Della Porta, scultore (1542-1597)* (Roma: Edizioni di Storia e Letteratura, 2016), pp. 16-23, 194-5 (tentando também desemaranhar os diferentes conjuntos de césares feitos na oficina Della Porta); Paolo Moreno e Chiara Stefani, *Borghese Gallery*, op. cit., p. 59. Sobre os bustos imperiais no Palácio Farnésio: Bertrand Jestaz, *L'Inventaire du palais et des propriétés Farnèse à Rome en 1644* (Roma: École française de Rome, 1994), v. 3, p. 185; Christina Riebesell, "Guglielmo della Porta", em Francesco Buranelli (Org.). *Palazzo Farnèse: Dalle collezioni rinascimentali ad Ambasciata di Francia* (Roma: Giunti, 2010), pp. 255-61; as cópias que Carracci fez dos imperadores de Ticiano, emparelhadas com os bustos imperiais: Bertrand Jestaz, *L'Inventaire du palais et des propriétés Farnèse à Rome en 1644*, op. cit., v. 3, p. 132; Clare Robertson, "The Artistic Patronage of Cardinal Odoardo Farnese", em André Chastel, *Les Carrache et les décors profanes* (Roma: École française de Rome, 1988), pp. 369-70. Uma seleção adicional de exemplos italianos: Anne-Elise Desmas e Francesco Freddolini, "Sculpture in the Palace: Narratives of Comparison, Legacy and Unity, em Gail Feigenbaum (Org.), *Display of Art in the Roman Palace, 1550-1750* (Los Angeles: The Getty Research Institute, 2014), pp. 271-2.

13. *The Archdukes Albert and Isabella Visiting the Collection of Pierre Roose*. Disponível em: <art.thewalters.org/detail/14623/the-archdukes-albert-and-isabella-visiting-a-collectors-cabinet/>. Meus agradecimentos a Julia Siemon, por me conduzir a essa pintura.

14. Rotraud Bauer e Herbert Haupt, "Das Kunstkammerinventar Kaiser Rudolfs II. 1607-1611" (*Jahrbuch der Kunsthistorischen Sammlungen in Wien*, Viena, v. 72, 1976), nos 1745, 1763.

15. *Figures Of Twelve Busts Of Roman Emperors, At Emperor's Walk, At Anglesey Abbey, Quy Road*, disponível em: <historicengland.org.uk/listing/the-list/list-entry/1127092>.

16. Jacopo Strada, *Imperatorum Romanorum omnium orientalium et occidentalium verissimae imagines ex antiquis numismatis quam fidelissime delineatae* (Zurique: Andreae Gesneri, 1559), introdução pelo editor, Andreas Gesner (recomendando-o para "aqueles que, por conta da idade ou vista ruim, se sentem repelidos por imagens menores"). Essa edição

(que tinha pirateado o texto de Strada) se estende para além dos Doze Césares para incluir 118 governantes, de Júlio César a Carlos V.

17. Ian Wardropper (com Julia Day), *Limoges Enamels at the Frick Collection.* Nova York: The Frick Collection, 2015, pp. 38-9. Restaurações mudaram a formação do porta-joias; hoje, por exemplo, há três imagens de Vitélio, reduplicadas no século XIX.

18. "Middling Class": carta para Thomas Bentley, 23 de agosto de 1772 (Wedgwood Museum Archive, E 25-18392, disponível em: <www.wedgwoodmuseum.org.uk/archives/ search-the-archive-collections-online/archive/to-mr-bentley-mrs-wedgwood-worse- -dr-darwin-sent -for-transcript-page-1-of-5>). Sobre os métodos comerciais de Wedgwood: Neil McKendrick, "Josiah Wedgwood: An Eighteenth-Century Entrepreneur in Salesmanship and Marketing Techniques" (*Economic History Review*, Londres, v. 12, pp. 408-43, 1960), esp. pp. 427-30; "Josiah Wedgwood and the Commercialization of the Potteries", em id. et al., *The Birth of Consumer Society: The Commercialization of Eighteenth-Century England* (Londres: Europa, 1982), pp. 100-45. As placas propriamente ditas: Robin Reilly e George Savage, *Wedgwood: The Portrait Medallions* (Londres: Barrie & Jenkins, 1973).

19. Johanna Lessmann e Susanne König-Lein, *Wachsarbeiten des 16. bis 20. Jahrhunderts.* Braunschweig: Herzog Anton Ulrich-Museum, 2002, pp. 76-88. Um antídoto para minha visão, talvez injustamente negativa, sobre arte em cera: Roberta Panzanelli (Org.), *Ephemeral Bodies: Wax Sculpture and the Human Figure* (Los Angeles: The Getty Research Institute, 2008).

20. Sir John Finch encomendando césares para seu mecenas, o conde de Arlington: Jacobsen, *Luxury and Power*, 125, dos documentos do National Archive, State Papers 98/10, FO 40; 98/11, FO 173 (1669 e 1670). Jacobsen também cita a reação desfavorável do diarista John Evelyn aos bustos — reação nada injusta, a julgar pelo par remanescente do conjunto, exposto no Ancient House Museum, em Thetford. (Meus agradecimentos a Oliver Bone, dos museus de Thetford e King's Lynn, por dar detalhes da intensa história local deles, incluindo um período junto às portas do teatro da cidade, dando boas- -vindas ao público.)

21. Kathleen Wren Christian, "Caesars, Twelve", em Anthony Grafton et al. (Orgs.), *Harvard Encyclopedia of the Classical Tradition*, op. cit., pp. 155-6.

22. Kevin Sharpe, *Sir Robert Cotton, 1586-1631: History and Politics in Early Modern England.* Oxford: Oxford University Press, 1979, pp. 48-83; Colin G. C. Tite, *The Manuscript Library of Sir Robert Cotton.* Londres: British Library, 1994; Matt Kuhns, *Cotton's Library: The Many Perils of Preserving History.* Lakewood, OH: Lyon Hall, 2014.

23. Carole Paul, *The Borghese Collections and the Display of Art in the Age of the Grand Tour.* Aldershot: Ashgate, 2008, p. 24.

24. Os 24 bustos são obras do século XIX, de Leone Clerici (doze gregos, mais doze romanos, dos quais sete são imperadores, bons e ruins): *Handbook to the New York Public Library: Astor, Lenox and Tilden Foundations* (Nova York: New York Public Library, 1900), pp. 16-7. (Meus agradecimentos a Deirdre E. Donohue e Vincenzo Rutigliano da Biblioteca Pública de Nova York por encontrar essa informação para mim.)

25. Colin G. C. Tite, *The Manuscript Library of Sir Robert Cotton*, op. cit., p. 92, figura 33.

26. Ulrich Middeldorf, "Die zwölf Caesaren von Desiderio da Settignano" (*Mitteilungen des Kunsthistorischen Institutes in Florenz*, Munique, v. 23, n. 3, pp. 297-312, 1979); Francesco Caglioti, "Fifteenth-Century Reliefs of Ancient Emperors and Empresses in Florence:

Production and Collecting", em Nicholas Penny e Eike D. Schmidt (Orgs.), *Collecting Sculpture in Early Modern Europe*, op. cit. (corrigindo algumas conclusões de Middledorf e mencionando os documentos relevantes do século XV); mais brevemente, Klaus Fittschen, *Bildnisgalerie in Herrenhausen bei Hannover: Zur Rezeptions- und Sammlungsgeschichte antiker Porträts*, op. cit., p. 65. Ainda que não seja do formato de uma moeda, presume-se que o *Júlio César* de Desiderio (Figura 2.4 f) originalmente fazia parte de uma série de doze, embora os indícios sejam fracos.

27. Erros, por exemplo, no Metropolitan Museum, Nova York, e no Rijksmuseum, em Amsterdam: <www.metmuseum.org/art/collection/search/345691; www.rijksmuseum.nl/nl/collectie/RP-P-OB-76.860>.

28. Johanna Lessmann e Susanne König-Lein, *Wachsarbeiten des 16. bis 20. Jahrhunderts*, op. cit., p. 76.

29. Johann Boch, *Descriptio publicae gratulationis, spectaculorum et ludorum, in aduentu sereniss. Principis Ernesti Archiducis Austriae, ... an. 1594* (Antuérpia: Ex Officina Plantiniana, 1595), pp. 124-8, disponível em: <www.bl.uk/treasures/festivalbooks/BookDetails.aspx?strFest=0137>; James Mulryne et al. (Orgs.), *Europa Triumphans: Court and Civic Festivals in Early Modern Europe* (Farnham: MHRA, 2004), pp. 492-571, esp. pp. 564-6.

30. As "lacunas" de Fulvio: ver pp. 284-5.

31. Rudolf Oldenbourg, "Die niederländischen Imperatorenbilder im Königlichen Schlosse zu Berlin". *Jahrbuch der Königlich Preussischen Kunstsammlungen*, Berlim, v. 38, pp. 203-12, 1917; Koenraad Jonckheere, *Portraits after Existing Prototypes*, op. cit., pp. 115-8. O Vitélio é obra de Hendrick Goltzius, sem nenhuma relação com Hubert; o artista de Otão é desconhecido (Gerard van Honthorst e Abraham Bloemaert já foram cotados).

32. Wolfram Koeppe (Org.), *Art of the Royal Court: Treasures in Pietre Dure from the Palaces of Europe*. New Haven: Yale University Press, 2008, pp. 260-1.

33. A planta dessa disposição, que data do fim do século XVIII: *I Borghese e l'antico* (Milão: Skira, 2011), pp. 204-5.

34. Klaus Fittschen, *Die Bildnisgalerie in Herrenhausen bei Hannover: Zur Rezeptions- und Sammlungsgeschichte antiker Porträts*, op. cit., esp. pp.17-39. Foi por um processo similar de "trabalho em andamento" que o porta-joias de Limoges acabou com três imagens de Vitélio entre seus Doze Césares (Figura 4.5, com nota 17, acima).

35. Sobre a datação e autenticidade das peças individuais: Henry Stuart Jones (Org.), *A Catalogue of Ancient Sculptures Preserved in the Municipal Collections of Rome: The Sculptures of the Museo Capitolino* (Oxford: Clarendon, 1912), pp. 186-214; Klaus Fittschen e Paul Zanker, *Katalog der römischen Porträts in den Capitolinischen Museen und den anderen kommunalen Sammlungen der Stadt Rom. I. Kaiser- und Prinzenbildnisse* (Mainz: P. von Zabern, 1985) (mais atual, mas os retratos da sala estão espalhados pelo catálogo, em vez de serem compilados em um único capítulo).

36. A origem e o início da história do museu: Francesco Paolo Arata, "La nascita del Museo Capitolino", em Maria Elisa Tittoni (Org.), *Il Palazzo dei Conservatori e il Palazzo Nuovo in Campidoglio: Momenti di storia urbana a Roma* (Pisa: Pacini, 1996), pp. 75-81; Simona Benedetti, *Il Palazzo Nuovo nella Piazza del Campidoglio dalla sua edificazione alla trasformazione in museo* (Roma: Quasar, 2001); Claudio Parisi Presicce, "Nascita e fortuna del Museo Capitolino", em Carolina Brook e Valter Curzi (Orgs.), *Roma e l'Antico: Realtà e visione nel '700* (Milão: Skira, 2010), pp. 91-8; Heather Hyde Minor, *The Culture of Architecture in Enlightenment Rome* (State College, PA: The Pennsylvania State University

Press, 2010), pp. 190-215; Carole Paul, "Capitoline Museum, Rome: Civic Identity and Personal Cultivation", em id. (Org.), *The First Modern Museums of Art: The Birth of an Institution in 18th- and Early 19th-Century Europe* (Los Angeles: J. Paul Getty Museum, 2012), pp. 21-45; Jeffrey Collins, "A Nation of Statues: Museums and Identity in Eighteenth--Century Rome", em Denise Amy Baxter e Meredith Martin (Orgs.), *Architectural Space in Eighteenth-Century Europe: Constructing Identities and Interiors* (Londres: Routledge, 2010), pp. 189-98. O papel de Capponi está documentado em seu diário: Michele Franceschini e Valerio Vernesi (Orgs.), *Statue di Campidoglio: Diario di Alessandro Gregorio Capponi (1733-1746)* (Roma: Edimond, 2005). A definição do propósito do museu está escrita no contrato de compra das esculturas, de 1733, citado em Carole Paul, "Capitoline Museum, Rome: Civic Identity and Personal Cultivation", em id. (Org.), *The First Modern Museums of Art: The Birth of an Institution in 18th- and Early 19th-Century Europe*, op. cit., p. 24.

37. Giovanni Gaetano Bottari e Nicolao Foggini, *Museo Capitolino* (Milão: Destefanis A. S. Zeno, 1820) (publicado originalmente em 1748; minha descrição tem como base a edição de 1820).

38. A comparação entre Trajano e Washington: Francis Griffin (Org.), *Remains of the Rev. Edmund D. Griffin* (Nova York: G. & C. & H. Carvill, 1831), p. 353. A linha tênue entre arte e poder: *Mementoes, Historical and Classical, of a Tour through Part of France, Switzerland, and Italy, in the Years 1821 and 1822*, op. cit., p. 34. Sobre a identificação equivocada de Agripina: James Wilson, *A Journal of Two Successive Tours upon the Continent in the Years 1816, 1817 and 1818* (Londres: T. Cadell & W. Davies, 1820), p. 33.

39. Elizabeth Marlowe, *Shaky Ground: Context, Connoisseurship and the History of Roman Art* (Londres: Bloomsbury Academic, 2013), p. 15: "uma cápsula do tempo de uma construção do passado de outra era".

40. Sobre os conflitos: Michele Franceschini e Valerio Vernesi (Orgs.), *Statue di Campidoglio: Diario di Alessandro Gregorio Capponi (1733-1746)*, op. cit., pp. 40-1 (Cláudio); p. 50 (Pompeu).

41. A composição mutável da sala pode ser delineada até o início do século XX, através de: Giambattista Gaddi, *Roma nobilitata* (Roma: De Rossi, 1736), pp. 194-6; Giampetro Locatelli, *Museo Capitolino, osia descrizione delle statue* ... (Roma: [s.n.], 1750), pp. 45-53; John Murray, *Handbook for Travellers in Central Italy: Including the Papal States, Rome, and the Cities of Etruria* (Londres: J. Murray, 1843), p. 433; id., *Handbook for Travellers in Central Italy: Part II, Rome and its Environs* (Londres: J. Murray, 1853), p. 200; id., *Handbook of Rome and the Campagna* (Londres: J. Murray, 1904), p. 51; Henry Stuart Jones (Org.), *Catalogue of Ancient Sculptures Preserved in the Municipal Collections of Rome: The Sculptures of the Museo Capitolino*, op. cit., pp. 186-214 (com os pormenores dos retratos nas prateleiras em torno de 1910). Minhas próprias observações sobre o museu confirmam a ideia de fluxo contínuo. Em 2017, os painéis de informação para ajudar o visitante a distinguir quem é quem, oferecendo uma chave para cada cabeça, provaram ser um guia traiçoeiro. Em alguns pontos cruciais, a chave não batia com o arranjo em vigor: onde, por exemplo, deveria estar Lívia, havia um busto de Augusto.

42. Em 1736, Giambattista Gaddi, *Roma nobilitata*, op. cit., p. 194, descreveu sua posição como "à vista da entrada" (*nell'prospetto dell'ingresso*), então provavelmente era uma posição central; em 1750, Giampetro Locatelli, *Museo Capitolino, osia descrizione delle statue* ..., op. cit., p. 46 posicionou-a "entre as duas janelas" (*fra le due finestre*); Henry

Stuart Jones (Org.), *Catalogue of Ancient Sculptures Preserved in the Municipal Collections of Rome: The Sculptures of the Museo Capitolino*, op. cit., p. 276 comenta que permaneceu na Sala dos Imperadores até 1817.

43. Essa figura hoje é identificada como um atleta anônimo, ou um homem jovem, apoiando o pé em uma pedra: ibid., p. 288. Está "no meio da sala" (*nel mezzo della stanza*), conforme descrito por Giamptro Locatelli, *Museo Capitolino, osia descrizione delle statue …*, op. cit., p. 47. A identificação dessas estátuas, que vive mudando, gera muita confusão. Heather Hyde Minor, *The Culture of Architecture in Enlightenment Rome*, op. cit., pp. 202, 206-8, confunde o Antínoo da Sala dos Imperadores com o Antínoo Capitolino, que hoje é muito mais famoso, e interpreta erroneamente um desenho de 1780 de acordo (p. 206). Contudo, para deixar a história ainda mais confusa, parece que o Antínoo Capitolino tinha passado um breve período na Sala dos Imperadores, antes de ser transferido, por Capponi, para o Salão Nobre; ver Giambattista Gaddi, *Roma nobilitata*, op. cit., p. 194; Michele Franceschini e Valerio Vernesi (Orgs.), *Statue di Campidoglio: Diario di Alessandro Gregorio Capponi (1733-1746)*, op. cit., p. 124.

44. Sobre a Vênus: Francis Haskell e Nicholas Penny, *Taste and the Antique*, op. cit., pp. 318-20. A Vênus substituindo "Antínoo", seguida por "Agripina": Henry Stuart Jones (Org.), *Catalogue of Ancient Sculptures Preserved in the Municipal Collections of Rome: The Sculptures of the Museo Capitolino*, op. cit., pp. 288, 215.

45. Sobre o teatro: Ann Marie Borys, *Vincenzo Scamozzi and the Chorography of Early Modern Architecture* (Farnham: Ashgate, 2014), pp. 160-7. O contexto cultural de Sabbioneta e seu teatro: Paola Besutti, "Musiche e scene ducali ai tempi di Vespasiano Gonzaga: Le feste, Pallavicino, il teatro", em Giancarlo Malacarne (Org.), *Non solo Sabbioneta* (Sabbioneta: Associazione Pro Loco, 2016), pp. 137-51, e abaixo, p. 206.

46. A história desses imperadores e as localizações atuais das peças remanescentes das primeiras séries estão sendo investigadas por um grupo de pesquisa de Oxford: <www.geog.ox.ac.uk/research/landscape/projects/heritageheads/index.html>.

47. Max Beerbohm, *Zuleika Dobson, or, An Oxford Love Story* [1911] (Harmondsworth: Penguin, 1952); em uma paródia de Sydney Castle Roberts, *Zuleika in Cambridge* (Cambridge: Heffer, 1941), ela acha Cambridge mais resistente a seus encantos.

48. Max Beerbohm, *Zuleika Dobson, or, An Oxford Love Story*, op. cit., pp. 9-10.

49. *The Times*, 19 de fevereiro de 2019 (carta de Will Wyatt, citando o escultor Michael Black — que curtia uma piada).

50. Julia Siemon (Org.), *The Silver Caesars: A Renaissance Mystery*, op. cit.: esp. Siemon, "Tracing the Origin"; Xavier F. Salomon, "The *Dodici Tazzoni Grandi* in the Aldobrandini Collection". In: Julia Siemon (Org.). *Silver Caesars: A Renaissance Mystery*, op. cit., pp. 140-7; Ellenor Alcorn e Timothy Schroder, "The Nineteenth- and Twentieth-Century History of the Tazze". In: Julia Siemon (Org.), *The Silver Caesars: A Renaissance Mystery*, op. cit.

51. As identificações errôneas em mais detalhes: Mary Beard, "Suetonius, the Silver Caesars, and Mistaken Identities", em Julia Siemon (Org.), *Silver Caesars: A Renaissance Mystery*, op. cit. As cenas foram seguramente identificadas como "domiciânicas" desde pelo menos o fim do século XIX: Alfred Darcel (Org.), *La Collection Spitzer: Antiquité, Moyen Age, Renaissance* (Paris: [s.n.], 1891), p. 24 (embora um "VESPASIANO" rabiscado na base sugira que algumas pessoas, a certa altura, pensavam de maneira diferente).

52. Suetônio, *Tibério* 20.

53. Id., *Tibério* 6, 48 e 9.

54. Id., *Calígula* 19; *Domiciano* 1.

55. David McFadden, "An Aldobrandini Tazza: A Preliminary Study" (*Minneapolis Institute of Arts Bulletin*, Minneapolis, v. 63, pp. 43-56, 1976-7): "Uma ação cooperativa por parte de três museus [...] restaurou as figuras em seus devidos pratos" (p. 51); <collections. vam.ac.uk/item/O91721/the-aldobrandini-tazza-tazza-unknown/>.

5. Os césares mais famosos de todos [pp. 175-213]

1. Ao trabalhar neste capítulo, me senti muito grata pelas trocas e discussões com Frances Coulter, que está preparando um estudo mais extenso sobre os Césares de Ticiano e, com muita generosidade, compartilhou comigo seu vasto conhecimento. Sobre a coleção de Darby e Brett: Philip Cottrell, "Art Treasures of the United Kingdom and the United States: The George Scharf Papers" (*Art Bulletin*, Londres, v. 94, n. 4, pp. 618-40, 2012), com referências a Wellington, pp. 633 e 640. Cottrell recorre às notas de Brett no Catálogo Privado da Coleção Darby, do qual há uma cópia no Ironbridge Gorge Museum Archive (E 1980. 1202); na seção dos Césares de Ticiano, Brett faz uma propaganda exagerada da qualidade das seis pinturas ("Essas Nobres Pinturas são [...] obras de Arte imbatíveis"). Meus agradecimentos a Georgina Grant, do Ironbridge Gorge Museum, por providenciar para mim uma cópia das seções relevantes do Catálogo Privado. Como eles se relacionam com os seis césares que Brett supostamente vendeu ao finado rei da Holanda (*The Daily News*, 2 de abril de 1864, p. 2) não está claro para mim! Mas a confusão é endêmica em torno dessas pinturas: Harold E. Wethey, *Paintings of Titian: Complete Edition* (Londres: Phaidon, 1975), p. 239, seguindo Joseph Archer Crowe e Giovanni Battista Cavalcaselle, *Titian: His Life and Times* (Londres: Murray, 1877), p. 423 identificam o proprietário como Abraham Hume, e não Abraham Darby.

2. Discussões recentes fundamentais sobre essas pinturas: Harold E. Wethey, *Paintings of Titian: Complete Edition*, op. cit., pp. 235-40; em muito mais detalhes, Lisa Zeitz, *Tizian, Teurer Freund: Tizian und Federico Gonzaga, Kunstpatronage in Mantua im 16. Jahrhundert* (Petersberg: M. Imhof, 2000), pp. 59-103. Sobre o incêndio do Alcázar: Jules Stewart, *Madrid: The History* (Londres: I. B. Tauris, 2012), pp. 81-2 (um relato breve, porém arrepiante: "Só um punhado de servos do palácio morreu nas chamas"), com Yves Bottineau, "L'Alcázar de Madrid et l'inventaire de 1686: Aspects de la cour d'Espagne au XVIIe siècle (suite, 3e article)" (*Bulletin Hispanique*, Bordeaux, v. 60, pp. 145-79, 1958), p. 150 (citando o testemunho ainda mais breve do pintor francês Jean Ranc, em cujo estúdio do palácio começou o incêndio).

3. *The Literary Gazette*, 20 de março de 1841, pp. 187-8; com Brett no Catálogo Privado, nota 1, acima.

4. *National Review*, "The Manchester Exhibition", v. 5, pp. 197-222, julho de 1857, citação p. 202 (George Richmond, escrevendo anonimamente).

5. A venda da Christie's, 8 de julho de 1867, lotes 127-32, sob o título: "As seguintes imagens foram exibidas em Manchester, em 1857". Uma das peças do jogo, *Tibério*, comprada por quatro guinéus por James Carnegie em 1867, foi revendida na casa Christie's, em 2014, como "baseada em Tiziano Vecellio": <www.christies.com/lotfinder/Lot/after-tiziano-vecellio-called-titian-portrait-of-5851119-details.aspx>.

6. *Morning Post*, p. 3, 6 de novembro de 1829; *North Wales Chronicle*, p. 2, 12 de novembro de 1829; *Caledonian Mercury*, p. 2, 14 de novembro de 1829, e em outras fontes. As 8 mil libras: James Northcote, *The Life of Titian: With Anecdotes of the Distinguished Persons of His Time* (Londres: H. Colburn & R. Bentley, 1830), p. 171.

7. Havia outras fantasias em torno da sobrevivência delas fora do Reino Unido. Uma ideia errônea do século XX sustentava que versões em Munique (também cópias) eram na verdade os originais: Manuel Wielandt, "Die verschollenen Imperatoren-Bilder Tizians in der Königlichen Residenz zu München" (*Zeitschrift für bildende Kunst*, Leipzig, v. 19, pp. 101-8, 1908) (propondo a ideia), descartada por Harold E. Wethey, *Paintings of Titian: Complete Edition*, op. cit., p. 238, e outros.

8. Seu maior rival provavelmente é o conjunto de *Doze Césares a cavalo* (1596), de Antonio Tempesta, que não só eram muito populares em gravuras como foram copiados em diferentes meios; John Peacock, *The Stage Designs of Inigo Jones: The European Context* (Cambridge: Cambridge University Press, 1995), pp. 281-2, observando como eram inspirados em algumas das peças de figurino teatral de Inigo Jones; quatro cópias em pintura na abadia de Anglesey, no Leste da Inglaterra: <www.nationaltrustcollections.org.uk/object/515497—/515500>. A carreira de Tempesta: Eckhard Leuschner, *Antonio Tempesta: Ein Bahnbrecher des römischen Barock und seine europäische Wirkung* (Petersberg: M. Imhof, 2005).

9. Geoffrey de Bellaigue, *French Porcelain in the Collection of Her Majesty the Queen* (Londres: Royal Collection, 2009), nº 361.

10. Leva diversos títulos modernos, incluindo também "Gabinetto dei Cesari" e "Sala dei Cesari".

11. Sobre a reforma: Clinio Cottafavi, "Cronaca delle Belle Arti" (*Bollettino d'arte*, Roma, pp. 616-23, jun. 1928), pp. 622-3. Sobre as cópias: Stefano L'Occaso, *Museo di Palazzo Ducale di Mantova. Catalogo generale delle collezioni inventariate: Dipinti fino al XIX secolo* (Mântua: Paolini, 2011), pp. 231-3.

12. Introduções úteis à construção do Palácio Ducal, em Mântua, à "Suíte Troiana" e ao mecenato de Federico (entre uma vasta bibliografia): David Chambers e Jane Martineau (Orgs.), *Splendours of the Gonzaga* (Londres: Victoria and Albert Museum, 1981); Barbara Furlotti e Guido Rebecchini, *The Art of Mantua: Power and Patronage in the Renaissance* (Los Angeles: J. Paul Getty Museum, 2008). Nas notas a seguir sou, necessariamente, bastante seletiva ao destacar discussões importantes e pontos de partida úteis para alguns temas mantuanos em particular.

13. Sobre a coleção Gonzaga de antiguidades: Clifford M. Brown e Leandro Ventura, "Le raccolte di antichità dei duchi di Mantova e dei rami cadetti di Guastalla e Sabbioneta" em Raffaella Morselli (Org.), *Gonzaga. La Celeste Galeria: L'esercizio del collezionismo* (Milão: Skira, 2002), pp. 53-65; Federico Rausa, "'Li disegni delle statue et busti sono rotolate drento le stampe': L'arredo di sculture antiche delle residenze dei Gonzaga nei disegni seicenteschi della Royal Library a Windsor Castle", em Raffaella Morselli (Org.), *Gonzaga. La Celeste Galeria: L'esercizio del collezionismo*, op. cit., pp. 67-91. Para saber mais de uma antiga estátua de "Faustina", objeto de disputa entre Isabella d'Este e Mantegna, ver p. 267.

14. Lodovico Dolce, *Dialogo della pittura* (Veneza: [s.n.], 1557), p. 59: "*I veri Cesari e non pitture*" (também diz que uma quantidade imensa de pessoas ia a Mântua só para vê-las).

15. Lisa Zeitz, *Tizian, Teurer Freund: Tizian und Federico Gonzaga, Kunstpatronage in Mantua im 16. Jahrhundert*, op. cit., pp. 78-9.

16. "*Molto belle, e belle in modo* [ou *di sorte*] *che non si puo far più nè tanto*" (Muito bela, e bela de um jeito que não há como superar ou igualar); citado por ib., *Tizian, Teurer Freund: Tizian und Federico Gonzaga, Kunstpatronage in Mantua im 16. Jahrhundert*, op. cit., p. 101, com o contexto em Giovanna Perini (Org.), *Gli scritti dei Carracci: Ludovico, Annibale, Agostino, Antonio, Giovanni Antonio* (Bolonha: Nuova Alfa, 1990), p. 162. A história desses comentários e a questão que é de autoria de Carracci: Charles Dempsey, "The Carracci *Postille* to Vasari's *Lives*" (*Art Bulletin*, Londres, v. 68, n. 1, pp. 72-6, 1986); Maria H Loh, *Still Lives: Death, Desire, and the Portrait of the Old Master* (Princeton: Princeton University Press, 2015), pp. 28-9, 239, n. 64 (chegando a diferentes conclusões).

17. Sobre a disposição da sala: Jérémie Koering, "Le Prince et ses modèles: Le Gabinetto dei Cesari au palais ducal de Mantoue", em Philippe Morel (Org.), *Le Miroir et l'espace du prince dans l'art italien de la Renaissance* (Tours: Presses universitaires François-Rabelais, 2012), pp. 165-94, e *Le Prince en representation: Histoire des décors du palais ducal de Mantoue au XVIᵉ siècle* (Arles: Actes Sud, 2013), pp. 282-95, além de Lisa Zeitz, *Tizian, Teurer Freund: Tizian und Federico Gonzaga, Kunstpatronage in Mantua im 16. Jahrhundert*, op. cit., pp. 65-100. As excelentes reconstruções digitais de Frances Coulter podem ser encontradas em <ucdarthistoryma.wordpress.com/2016/11/24/journey-of-a-thesis-titians-roman-emperors-for-the-gabinetto-dei-cesari-mantua/> com Coulter, "Supporting Titian's Emperors: Giulio Romano's Narrative Framework in the *Gabinetto dei Cesari*" (no prelo) (uma análise do arranjo em geral); e versões em papel, incluindo uma planta útil, em Renato Berzaghi, "Nota per il gabinetto dei Cesari", em Francesca Mattei (Org.), *Federico II Gonzaga e le arti* (Roma: Bulzoni, 2016), pp. 243-58, esp. pp. 255-8. John Shearman, *The Early Italian Pictures* (*The Pictures in the Collection of Her Majesty the Queen*) (Cambridge: Cambridge University Press, 1983), pp. 124-6 ainda é um bom resumo em inglês.

18. A carreira de Giulio Romano: Frederick Hartt, *Giulio Romano* (New Haven: Yale University Press, 1958), com ensaios no catálogo da exposição *Giulio Romano*. William Shakespeare: *Winter's Tale*, em *The Oxford Shakespeare: The Complete Works*, org. de Stanley Wells e Gary Taylor, op. cit., ato 5, cena 2, verso 96.

19. "*Messer Tiziano, mio amico carissimo*" de Federico a Ticiano, 26 de março de 1537. As cartas estão reunidas e são discutidas em Diane H. Bodart, *Tiziano e Federico II Gonzaga: Storia di un rapporto di committenza* (Roma: Bulzoni, 1998), pp. 149-56, com os documentos nᵒˢ 253-304; e Lisa Zeitz, *Tizian, Teurer Freund: Tizian und Federico Gonzaga, Kunstpatronage in Mantua im 16. Jahrhundert*, op. cit., pp. 61-5, com os documentos nᵒˢ 252-306.

20. Discussões recentes em torno da identificação dos homens a cavalo como imperadores: Renato Berzaghi, "Nota per il gabinetto dei Cesari", em Francesca Mattei (Org.), *Federico II Gonzaga e le arti*, op. cit., pp. 246-7; Frances Coulter, "Supporting Titian's Emperors: Giulio Romano's Narrative Framework in the *Gabinetto dei Cesari*", op. cit.

21. Sobre os painéis de Hamtpon Court: John Shearman, *The Early Italian Pictures* (*The Pictures in the Collection of Her Majesty the Queen*), op. cit., nᵒˢ 117 e 118; Lucy Whitaker e Martin Clayton, *The Art of Italy in the Royal Collection: Renaissance and Baroque* (Londres: Royal Collection, 2007), nᵒ 39 (que chamou a atenção, entre outras coisas, para sinais de uma execução apressada). Outra cena em Hampton Court, do sacrifício de um bode (com um desenho preliminar relacionado na Galeria Nacional de Washington, 1973.47.1),

parece ter uma relação com o Camerino, mas (ver pp. 190-1 e n. 33) é difícil saber onde exatamente teria se encaixado: John Shearman, *The Early Italian Pictures* (*The Pictures in the Collection of Her Majesty the Queen*), op. cit., nº 119. Sobre a pintura do Louvre: Frederick Hartt, *Giulio Romano*, op. cit., pp. 174-5.

22. Sobre o par em Hampton Court: John Shearman, *The Early Italian Pictures* (*The Pictures in the Collection of Her Majesty the Queen*), op. cit., nºˢ 120 e 121; Lucy Whitaker e Martin Clayton, *The Art of Italy in the Royal Collection: Renaissance and Baroque*, op. cit., nº 39. Sobre o trio em Marselha: *Peintures Italiennes du Musée des Beaux-Arts de Marseille* (Marselha: Palais Longchamp, 1984), nº 73. Stefania Lapenta e Raffaella Morselli (Orgs.), *Le collezioni Gonzaga: La quadreria nell'elenco dei beni del 1626-1627* (Milão: Silvana, 2006), pp. 189-92 discutem e ilustram todos, exceto pelo cavaleiro e Vitória em Narford Hall, cujos proprietários atuais confirmaram seu paradeiro. Meus agradecimentos a Alfred Cohen da Trafalgar Gallery, de Londres, por fornecer todos os detalhes do cavaleiro da galeria.

23. O inventário dos Gonzaga: Alessandro Luzio, *La galleria dei Gonzaga, venduta all'Inghilterra nel 1627-28* (Milão: Cogliati, 1913), pp. 89-136; Raffaella Morselli (Org.), *Le collezioni Gonzaga: L'elenco dei beni del 1626-1627* (Milão: Silvana, 2000), pp. 237-508, com ilustrações e mais comentários em Stefania Lapenta e Raffaella Morselli (Orgs.), *Le collezioni Gonzaga*, op. cit. O inventário da propriedade de Carlos I: Oliver Millar (Org.), *Abraham van der Doort's Catalogue of the Collections of Charles I* ([s.l.]: [s.n.], 1958-60) e *Inventories and Valuations of the King's Goods, 1649-1651* (Glasgow: R. Maclehose, 1970-2). (Ambos os inventários de Carlos I, com comentários frutíferos, podem ser acessados em <lostcollection.rct.uk/>).

24. O inventário, compilado por Johann-Baptist Fickler, tutor diligente de um dos sucessores de Albrecht: Peter Diemer (Org.), *Das Inventar der Münchner herzoglichen Kunstkammer von 1598* (Munique: Beck, 2004); com Frederick Hartt, *Giulio Romano*, op. cit., pp. 170-6; Dorothea Diemer et al. (Orgs.), *Die Münchner Kunstkammer* (Munique: Beck, 2008), v. 2, nºˢ 2600, 2610, 2618, 2626, 2632, 2639, 2646, 2653, 2660, 2667, 2678, 2683. Sobre a ideia de uma "Mântua em miniatura": Dorothea Diemer e Peter Diemer, "Mantua in Bayern? Eine Planungsepisode der Münchner Kunstkammer", em Dorothea Diemer et al. (Orgs.), *Die Münchner Kunsthammer*, op. cit.; Dirk Jacob Jansen, *Jacopo Strada and Cultural Patronage at the Imperial Court*, op. cit., pp. 611-3. O papel do Kunstkammer: Katharina Pilaski Kaliardos, *The Munich Kunstkammer: Art, Nature and the Representation of Knowledge in Courtly Contexts* (Tübingen: Mohr Siebeck, 2013).

25. A controversa atribuição de autoria a esses desenhos: Egon Verheyen, "Jacopo Strada's Mantuan Drawings of 1567-1568" (*Art Bulletin*, Londres, v. 49, pp. 62-70, 1967) (considerando-os obra do próprio Strada); Renate von Busch, *Studien zu deutschen Antikensammlungen des 16. Jahrhunderts* (Tübingen: Eberhard Karls Universität Tübingen, 1973), pp. 204-5, 342, n. 90 (o primeiro a atribuí-los a Andreasi). A carreira de Andreasi: Richard Harprath, "Ippolito Andreasi as a Draughtsman" (*Master Drawings*, Nova York, v. 22, n. 1, pp. 3-28, 89-114, 1984). Dirk Jacob Jansen, *Jacopo Strada and Cultural Patronage at the Imperial Court*, op. cit., esp. pp. 701-8 deixa claro que o interesse de Strada pela arte e pela arquitetura de Gonzaga se estendia para muito além do Camerino.

26. Suetônio, *Tibério* 27. O British Museum contém um esboço preliminar de mais uma "história", acompanhando o retrato de Calígula (inv. 1959,1214.1): Jérémie Koering *Le Prince en representation: Histoire des décors du palais ducal de Mantoue au XVIᵉ siècle*, op. cit., pp. 287-8 e Renato Berzaghi, "Nota per il gabinetto dei Cesari", em Francesca Mattei (Org.),

Federico II Gonzaga e le arti, op. cit., pp. 245-6 (oferecendo diferentes pontos de vista sobre qual passagem de Suetônio está por trás).

27. O fato de que, em muitos relatos, a orientação concedida é equivocada aponta para a confusão em torno da decoração dessa sala. Estou usando os direcionamentos corretos, em vez dos convencionais, seguindo Koering e Coulter.

28. Sobre a estatueta de Viena: Frederick Hartt, *Giulio Romano*, op. cit., p. 403. É difícil detectar um tema aqui. Na parede oposta (leste), todavia, as estatuetas de Paris, herói troiano, com Vênus, Minerva e Juno, compõem um *Julgamento de Paris*: Jérémie Koering, *Le Prince en representation: Histoire des décors du palais ducal de Mantoue au XVI⁶ siècle*, op. cit., pp. 285-6.

29. Dos cavaleiros, a figura à extrema esquerda corresponde à figura na Trafalgar Gallery, em Londres; a figura à extrema direita corresponde a uma das figuras em Hampton Court.

30. A visão mais aceita é que as ilustrações do livro de Fulvio eram obra do artista Ugo da Carpi, e foram muito copiadas depois: Luigi Servolini, "Ugo da Carpi: Illustratore del libro" (*Gutenberg-Jahrbuch*, Mainz, pp. 196-202, 1950).

31. A série de imperadores na parede oeste apresenta-se da seguinte forma. Patamar superior, da esquerda para a direita: (1) "Ti(berius) Claudius Caesar Aug(ustus) P(ontifex) M(aximus) P(ater) P(atriae)" (Tibério Cláudio César Augusto, padre pontífice máximo de seu país), isto é, o imperador Cláudio; acadêmicos que fazem referência a esse medalhão tendem a ler equivocadamente "AUG PM" como um "AUDEM" sem sentido, e a entrada em Raffaella Morselli (Org.), *Gonzaga. La Celeste Galeria: Le raccolte* (Milão: Skira, 2002), p. 173 presume, erroneamente, que o texto identifica o cavaleiro, e não a figura no medalhão; (2) "Domitius Neronis Imp(eratoris) Pater" (Domício, pai do imperador Nero); (3) "L(ucius) Silvius Otho Vthonis Imper(atoris) Pater" (Lúcio Sílvio Otão, pai do imperador Otão), substituindo o "V" errôneo por "O" na fonte original; (4) "L(ucius) Vitellius Vitellii Imp(eratoris) Pater" (Lúcio Vitélio, pai do imperador Vitélio). Patamar inferior, da esquerda para a direita: (1) não decifrável de todo, embora "uxor" (esposa) seja legível; a correspondência mais próxima seria "Lívia Medulina", noiva de Cláudio, que, no entanto, morreu no dia do casamento; (2) em branco; (3) "Albia Terentia Othonis Imp(eratoris) Mater" (Álbia Terência, mãe do imperador Otão); (4) "Sextilia A(uli) Vitellii Imp(eratoris) Mater" (Sextília, mãe do imperador Aulo Vitélio).

32. Abaixo, a formação completa sob Augusto. Patamar superior, da esquerda para a direita: (1) "Livia Drusilla Augusti Uxor" (Lívia Drusa, esposa de Augusto); (2) "Tiberius Nero Tiberii Imper(atoris) Pater" (Tibério Nero, pai do imperador Tibério). Patamar inferior, da esquerda para a direita: (1) "... Scribonia F Agripp[a]e Ux(or)", originalmente "Iulia Augus(ti) ex Scribonia F(ilia) Agripp[a]e Ux(or)" (Júlia, filha de Augusto com Escribônia, esposa de Agripa), por Lisa Zeitz, *Tizian, Teurer Freund: Tizian und Federico Gonzaga, Kunstpatronage in Mantua im 16. Jahrhundert*, op. cit., p. 98, e Jérémie Koering, *Le Prince en representation: Histoire des décors du palais ducal de Mantoue au XVI⁶ siècle*, op. cit., p. 286; (2) "Livilla Drusi Tiberii F(ilii) Uxor" (Lívila, esposa de Druso, filho de Tibério). A morte de Druso: Tacitus, *Annals* 4, 3-8. O fim sombrio de Lívila: Dion Cássio, *História romana* 58, 11, 7.

33. A cena do *Triunfo* tem 1,7 m de largura; os cavaleiros, cerca de 0,5 m cada; e o sacrifício de um bode, interpretado como mais uma das "histórias" (acima, nota 21), 0,66 m. Se acrescentássemos a eles a "história" (perdida) que acompanha Vitélio e as margens entre cada pintura, seria necessária uma extensão total de mais de cinco metros. A esta

altura, não há nada que possamos fazer além de especular. O fato de que os pais de Vitélio estão em medalhões na parede adjacente talvez sugira que, apesar das notas de Strada (abaixo, nota 35) e das implicações do inventário de Munique, não havia cavaleiro sob Vitélio, ou não havia "história" para acompanhar Vitélio. Ou, possivelmente, a pintura remanescente do sacrifício de um bode, de Hampton Court, geralmente associada à vida de Domiciano (Frederick Hartt, *Giulio Romano*, op. cit., p. 175) não pertencia à sala (onde não havia retrato de Domiciano). A melhor análise recente desses enigmas, e várias soluções possíveis: Renato Berzaghi, "Nota per il gabinetto dei Cesari", em Francesca Mattei (Org.), *Federico II Gonzaga e le arti*, op. cit.

34. Cláudio identificado como César: Oliver Millar (Org.), *Abraham van der Doort's Catalogue of the Collections of Charles I*, op. cit., p. 43, e *Inventories and Valuations of the King's Goods, 1649-1651*, op. cit., p. 328. A história do "prefeito" advém de Tácito, *Anais* 6, 11, 3. Os inventários mostram que, pelo menos em 1598, as histórias "erradas" foram emparelhadas com os imperadores "errados".

35. Notas de Strada: Munich, Hauptstaatsarchiv, *Libri Antiquitatum*, 4852, fol. 167; publicado em Egon Verheyen, "Jacopo Strada's Mantuan Drawings of 1567-1568", op. cit., p. 64: "Dodici *imperadori, sopradetti, a cavallo*" (*Doze* imperadores supracitados, a cavalo) (grifo meu), citado por Verheyen como *Libri Antiquitatum*, v. 2). O inventário de 1627: Alessandro Luzio, *La galleria dei Gonzaga venduta all'Inghilterra nel 1627-28*, op. cit., p. 92; Raffaella Morselli (Org.), *Le collezioni Gonzaga*, op. cit., p. 269: "Dieci *altri quadri dipintovi un Imperator per quadro a cavallo*" (*Dez* outros painéis, retratando um imperador por painel, a cavalo) (grifo meu). Os *onze* no inventário da propriedade de Carlos I: Oliver Millar (Org.), *Inventories and Valuations of the King's Goods, 1649-1651*, op. cit., p. 270. Um único "imperador montado", mencionado em outro lugar, nos inventários de Gonzaga, ainda que não atribuídos a Giulio Romano — Alessandro Luzio, *La galleria dei Gonzaga venduta all'Inghilterra nel 1627-28*, op. cit., p. 97; Raffaella Morselli (Org.), *Le collezioni Gonzaga*, op. cit., p. 278 — pode ou não ajudar a resolver parte da discrepância. Exatamente como a figura de Vitória é para ser computada aqui é ainda mais uma complicação.

36. Giorgio Vasari, *Le vite de' più eccellenti pittori, scultori ed architetti*, org. de Luciano Bellosi e Aldo Rossi (Turim: Einaudi, 1986), p. 834 ("os doze retratos de imperadores que Ticiano pintou"). Strada (ver nota 35) também faz referência a "doze" imperadores. Os inventários diferem entre si: Oliver Millar (Org.), *Inventories and Valuations of the King's Goods, 1649-1651*, op. cit., p. 270 registra "doze" (embora uma emenda de uma cópia manuscrita tenha retificado o número, tratando de "onze": British Library, Harley MS 4898, f 502); o inventário de 1627, feito em Mântua, corretamente aponta para "onze" — Alessandro Luzio, *La galleria dei Gonzaga venduta all'Inghilterra nel 1627-28*, op. cit., p. 89; Raffaella Morselli (Org.), *Le collezioni Gonzaga*, op. cit., p. 268; a correspondência ligada à venda para os agentes de Carlos I é inconsistente, entre "doze" e "onze mais um" (Alessandro Luzio, *La galleria dei Gonzaga venduta all'Inghilterra nel 1627-28*, op. cit., p. 139).

37. Frederick Hartt, *Giulio Romano*, op. cit., pp. 170, 176-7.

38. Sobre o Domiciano de "Giulio Romano": Alessandro Luzio, *La galleria dei Gonzaga venduta all'Inghilterra nel 1627-28*, op. cit., p. 90; Raffaella Morselli (Org.), *Le collezioni Gonzaga*, op. cit., p. 268 ("outra pintura similar, com a figura de um imperador, pelas mãos de Giulio Romano"). Sobre o Domiciano de Fetti: Raffaella Morselli em Eduard A. Safarik (Org.), *Domenico Fetti: 1588/9-1623* (Milão: Electra, 1996), pp. 260, 264-5. Toda série de cópias incluía um Domiciano, fossem novas invenções ou cópias de cópias; ver Figura 5.10.

39. Júlio César (Suetônio, *Júlio César* 7): Dorothea Diemer et al. (Orgs.), *Die Münchner Kunstkammer*, op. cit., v. 2, n° 2632; Frederick Hartt, *Giulio Romano*, op. cit., pp. 170, 174 (identificando a cena equivocadamente). Augusto (Suetônio, *Augusto* 94): Frederick Hartt, *Giulio Romano*, op. cit., pp. 171-2; Dorothea Diemer et al. (Orgs.), *Münchner Kunstkammer*, op. cit., v. 2, n° 2610; metade de um esboço preliminar encontra-se na Windsor Royal Library, e a outra metade, na Albertina, Viena: David Chambers and Jane Martineau (Orgs.), *Splendours of the Gonzaga*, op. cit., p. 191.

40. Nisso estou com Jérémie Koering, *Le Prince en representation: Histoire des décors du palais ducal de Mantoue au XVIe siècle*, op. cit., p. 285. Daniel Arasse, *Décors italiens de la Renaissance* (Paris: Hazan, 2009), pp. 249-50, n. 163 faz uma observação semelhante sobre os oito imperadores de Mantegna na Camera Picta.

41. John G. A. Pocock, *Barbarism and Religion*. Cambridge: Cambridge University Press, 2003, pp. 127-50.

42. Larry Silver, *Marketing Maximilian: The Visual Ideology of a Holy Roman Emperor* (Princeton: Princeton University Press, 2008), esp. caps. 2 e 3; Christopher S. Wood, *Forgery, Replica, Fiction: Temporalities of German Renaissance Art*, op. cit., pp. 306-22.

43. Onofrio Panvinio, *Fasti et triumphi Rom(ani) a Romulo rege usque ad Carolum V Caes(arem) Aug(ustum)*. Veneza: Jacobi Stradæ, 1557. O *"bootleg"*: William McCuaig, *Carlo Sigonio: The Changing World of the Late Renaissance* (Princeton: Princeton University Press, 2014), pp. 30-3; e, mais favorável a Strada (sendo a noção de "pirataria" mais fluida do que hoje; ver cap. 4, nota 16): Stefan Bauer, *The Invention of Papal History: Onofrio Panvinio between Renaissance and Catholic Reform* (Oxford: Oxford University Press, 2019), pp. 52-3; Dirk Jacob Jansen, *Jacopo Strada and Cultural Patronage at the Imperial Court*, op. cit., pp. 196-9. Outros esforços que conectam a história romana antiga à moderna incluem Fulvio, *Illustrium imagines*, op. cit., que começou com Jano e terminou com o sacro imperador romano Conrado, que morreu em 918 d.C., e o projeto de Konrad Peutinger para publicar um compêndio de imperadores, de Júlio César ao próprio Maximiliano: Larry Silver, *Marketing Maximilian: The Visual Ideology of a Holy Roman Emperor*, op. cit., pp. 77-8; Gregory Jecmen e Freyda Spira, *Imperial Augsburg: Renaissance Prints and Drawings, 1475-1540* (Washington, DC: National Gallery of Art, 2012), pp. 49-51.

44. Federico como modelo de Augusto: Lisa Zeitz, *Tizian, Teurer Freund: Tizian und Federico Gonzaga, Kunstpatronage in Mantua im 16. Jahrhundert*, op. cit., pp. 94-100. Ver, contudo, por exemplo, *RRC* 494, 529, mostrando um Otaviano barbado, o que bate com (as cópias de) o Augusto de Ticiano.

45. Jérémie Koering, *Le Prince en representation: Histoire des décors du palais ducal de Mantoue au XVIe siècle*, op. cit., pp. 273-82 (notando a rima); mais por alto, Frederick Hartt, *Giulio Romano*, op. cit., pp. 178-9.

46. Daniela Ferrari (Org.), *Le collezioni Gonzaga: L'inventario dei beni del 1540-1542* (Milão: Silvana, 2003) (o Camerino: p. 189).

47. Diane H. Bodart, *Tiziano e Federico II Gonzaga: Storia di un rapporto di committenza*, op. cit., documento n° 304; Lisa Zeitz, *Tizian, Teurer Freund: Tizian und Federico Gonzaga, Kunstpatronage in Mantua im 16. Jahrhundert*, op. cit., documento n° 306.

48. As circunstâncias e contexto da aquisição: Alessandro Luzio, *Galleria dei Gonzaga venduta all'Inghilterra nel 1627-28*, op. cit.; Jerry Brotton, *The Sale of the Late King's Goods: Charles I and His Art Collection* (Oxford: Pan, 2006), pp. 107-44; Christina M. Anderson,

The Flemish Merchant of Venice: Daniel Nijs and the Sale of the Gonzaga Art Collection (New Haven: Yale University Press, 2015).

49. A história do "Logion Serato": Barbara Furlotti e Guido Rebecchini, *The Art of Mantua: Power and Patronage in the Renaissance*, op. cit., pp. 236-40 (é equivocadamente interpretado por John Shearman, *The Early Italian Pictures (The Pictures in the Collection of Her Majesty the Queen)*, op. cit., p. 125 como um novo nome para o Camerino). Sobre a dispersão das pinturas pelo Palácio Ducal: Alessandro Luzio, *La galleria dei Gonzaga*, op. cit., pp. 89-90, 92, 97, 115; Raffaella Morselli (Org.), *Le collezioni Gonzaga*, op. cit., pp. 268-9, 278, 295.

50. Christina M. Anderson, *The Flemish Merchant of Venice: Daniel Nijs and the Sale of the Gonzaga Art Collection*, op. cit., procura traçar um panorama de Nys com mais nuances. Sobre os danos por mercúrio: Michael I. Wilson, *Nicholas Lanier: Master of the King's Musick* (Farnham: Ashgate, 1994), pp. 130-1.

51. Os "resquícios" do século XVIII: John George Keysler, *Travels through Germany, Hungary, Bohemia, Switzerland, Italy and Lorrain* (Londres: A. Linde, 1758), pp. 116-7. A alegação bizarra da destruição das pinturas: Jean Paul Richter (Org.), *Lives of the Most Eminent Painters, Sculptors, and Architects: Translated from the Italian of Giorgio Vasari* (Londres: G. Bell, 1859), p. 47 (sendo "a sra. Jonathan Foster" responsável pelas notas). É possível que algumas das "histórias" de Giulio Romano não tenham ido parar na Inglaterra, posto que nem todas podem ser rastreadas nos inventários da coleção de Carlos I.

52. Sobre os corretivos: R. Symonds, British Library, Egerton MS 1636, fol. 30, citação de Michael I. Wilson, *Nicholas Lanier Master of the King's Musick*, op. cit., p. 131. Sobre a pintura danificada: Oliver Millar (Org.), *Abraham van der Doort's Catalogue of the Collections of Charles I*, op. cit., p. 174 (está listada, em meio a uma série de pinturas de Mântua danificadas, como "completamente arruinada por mercúrio").

53. O documento original (The National Archive, Kew, Surrey, LC 5/132 f. 306) encontra-se em: <jordaensvandyck.org/archive/warrant-to-pay-van-dyck-280-for-royal-portraits-15--july-1632/>.

54. Jean Puget de la Serre, *Histoire de l'Entrée de la Reyne-Mère... dans la Grande-Bretaigne* (Londres: G. Thomason & O. Pullen, 1639) (não paginado); a passagem relevante é citada por Timothy Wilks, "'Paying Special Attention to the Adorning of a Most Beautiful Gallery': The Pictures in St. James's Palace, 1609-49" (*The Court Historian*, Londres, v. 10, n. 2, pp. 149-72, 2005), pp. 158-9. Mais uma vez, a documentação não bate. Puget de la Serre dá a entender que os imperadores ficavam todos juntos em um só lugar, mas isso claramente se contradiz por outros indícios, entre os quais os inventários mais ou menos da mesma época.

55. Otão: Oliver Millar (Org.), *Abraham van der Doort's Catalogue of the Collections of Charles I*, op. cit., p. 194; id. (Org.), *Inventories and Valuations of the King's Goods, 1649-1651*, op. cit., p. 66.

56. Id. (Org.), *Abraham van der Doort's Catalogue of the Collections of Charles I*, op. cit., pp. 226-7 (um inventário publicado aqui como apêndice, mas não pelas mãos do próprio Van der Doort).

57. Sobre Hércules e Carlos: ibid. (Org.), pp. 226-7.

58. As fontes diretas dessa imagem: Gudrun Raatschen, "Van Dyck's *Charles I on Horseback with M. de St Antoine*", em Hans Vlieghe (Org.), *Van Dyck 1599-1999: Conjectures and*

Refutations (Turnhout: Brepols, 2001) pp. 139-50; David Howarth, *Images of Rule: Art and Politics in the English Renaissance, 1485-1649* (Basingstoke: Macmillan, 1997), pp. 141-5.

59. A reconstrução precisa da galeria envolve conjectura. Mas Timothy Wilks, "Paying Special Attention to the Adorning of a Most Beautiful Gallery': The Pictures in St. James's Palace, 1609-49", op. cit., confirma, com segurança, a articulação básica da galeria e a posição dos imperadores de Ticiano, contra David Howarth, *Images of Rule: Art and Politics in the English Renaissance, 1485-1649*, op. cit., p. 141, que imagina o enfileirado culminando no retrato de Carlos.

60. As conexões entre as alegações de sanção divina por parte de Carlos e o papel de Hércules nessa galeria e em outros lugares: Insa Christiane Hennen, *"Karl zu Pferde": Ikonologische Studien zu Anton van Dycks Reiterporträts Karls I. von England* (Frankfurt: Lang, 1995), pp. 47, 83; Timothy Wilks, "Paying Special Attention to the Adorning of a Most Beautiful Gallery': The Pictures in St. James's Palace, 1609-49", op. cit., pp. 159-60.

61. Sobre o descarte dos "bens do rei": Jerry Brotton, *The Sale of the Late King's Goods: Charles I and His Art Collection*, op. cit., pp. 210-312; Francis Haskell, *King's Pictures* (New Haven: Yale University Press, 2013), pp. 137-69.

62. A venda, e subsequente sina, dos cavaleiros: John Shearman, *The Early Italian Pictures (The Pictures in the Collection of Her Majesty the Queen)*, op. cit., pp. 123-4 (com informações similares sobre as "histórias" de Giulio Romano, das quais algumas foram devolvidas à coleção real, ainda que o painel de *Otão* tenha, depois, se perdido de novo, pp. 125-6). A "campanha de restauração", em linhas gerais: Jerry Brotton, *The Sale of the Late King's Goods: Charles I and His Art Collection*, op. cit., pp. 313-51; Francis Haskell, *King's Pictures*, op. cit., pp. 171-93.

63. Sobre as negociações complexas: Jonathan Brown e John H. Elliott (Orgs.), *The Sale of the Century: Artistic Relations between Spain and Great Britain, 1604-1655* (New Haven: Yale University Press, 2002), com alguns documentos importantes traduzidos e discutidos por Jerry Brotton e David McGrath, "The Spanish Acquisition of King Charles I's Art Collection: The Letters of Alonso de Cárdenas, 1649-51" (*Journal of the History of Collections*, Oxford, v. 20, n. 1, pp. 1-16, 2008).

64. A primeira avaliação mais negativa: Jonathan Brown e John H. Elliott (Orgs.), *The Sale of the Century: Artistic Relations between Spain and Great Britain, 1604-1655*, op. cit., pp. 285-6 (reimprimindo um memorando de 8 de agosto de 1651 em Archivo de la Casa de Alba, Caja 182-195: "Os Doze imperadores pelas mãos de Ticiano [...] seis dos quais estão em péssimas condições. E a figura do imperador Vitélio está completamente perdida [...]"). A visão mudada se reflete em uma carta de 24 de novembro de 1651, do mesmo arquivo (Caja 182-176), traduzida em Jerry Brotton e David McGrath, "The Spanish Acquisition of King Charles I's Art Collection: The Letters of Alonso de Cárdenas, 1649-51", op. cit., p. 13, com o texto original em espanhol em Jonathan Brown e John H. Elliott (Orgs.), *The Sale of the Century: Artistic Relations between Spain and Great Britain, 1604-1655*, op. cit., p. 282.

65. A história do palácio: id. e id., *A Palace for a King: The Buen Retiro and the Court of Philip IV* (New Haven: Yale University Press, 1980) (com discussões sobre os quadros encomendados para ele, pp. 105-40); Barbara von Barghahn, *Philip IV and the "Golden House" of the Buen Retiro: In the Tradition of Caesar* (Nova York: Garland, 1986), pp. 151-401 (reconstruindo, em detalhes, a disposição das pinturas). Quase nada do Buen Retiro sobreviveu; algumas salas remanescentes fazem parte do complexo do Museu do Prado.

66. A disposição da galeria: Yves Bottineau, "L'Alcázar de Madrid et l'inventaire de 1686: Aspects de la cour d'Espagne au XVIIᵉ siècle (suite, 3ᵉ article)", op. cit., publicando o inventário de 1686 (esp. pp. 150-1, para os "Ticianos"); Steven N. Orso, *Philip IV and the Decoration of the Alcázar of Madrid* (Princeton: Princeton University Press, 1986), pp. 144-53; Margarita-Ana Vázquez-Manassero, "Twelve Caesars' Representations from Titian to the End of 17th Century: Military Triumph Images of the Spanish Monarchy", em Svetlana V. Maltseva et al. (Orgs.), *Actual Problems of Theory and History of Art* (São Petersburgo: [s.n.], 2015), pp. 655-63, esp. pp. 656-8.

67. Não existe uma lista completa e precisa das cópias, mas existe um registro útil de muitas delas, com documentação essencial em Harold E. Wethey, *Paintings of Titian: Complete Edition*, op. cit., pp. 237-40; Jürgen Zimmer, "Aus den Sammlungen Rudolfs II: 'Die Zwölff Heidnischen Kayser sambt Iren Weibern' mit einem Exkurs: Giovanni de Monte" (*Studia Rudolphina*, Praga, v. 10, pp. 12-6, 26-7, 2010). Para saber mais sobre "rostos", literalmente, ver o conjunto de doze cópias de imperadores, do fim do século XVI, da coleção do Schloss Ambras, na Áustria, que recorta as figuras em três-quartos de Ticiano para "rostos apenas": Sabine Haag (Org.), *All'Antica: Götter und Helden auf Schloss Ambras* (Viena: Wien Kunsthistorisches Museum, 2011), pp. 214-7.

68. Alessandro Lamo, *Discorso... intorno alla scoltura e pittura... dall'Eccell. & Nobile M. Bernardino Campo* (Cremona: Christoforo Draconi, 1581), p. 77 ("*offerendo tutti i dodici ritratti al Marchese*" — grifo meu), que também comenta o estilo. Sobre a obra de Campi e a família estendida: *I Campi e la cultura artistica cremonese del Cinquecento* (Milão: Electa, 1985).

69. Frances Coulter, "Drawing Titian's 'Caesars': A Rediscovered Album by Bernardino Campi" (*Burlington Magazine*, Londres, v. 161, n. 1396, pp. 562-71, 2019); foram vistos um século e meio antes, e publicados, em parte, em Carlo Morbio, "Notizie intorno a Bernardino Campi ed a Gaudenzio Ferraro" (*Il Saggiatore: Giornale romano di storia, belle arti e letteratura*, Roma, v. 2, pp. 314-9, 1845). Decerto se relacionam, de alguma forma — ainda que não esteja claro como —, com um conjunto muito similar, porém adaptado para quadrados no processo de cópia, de seis desenhos dos imperadores de Ticiano: *Júlio César, Cláudio, Nero, Galba, Otão* e *Vitélio*; esses imperadores não tiveram comprador no leilão em Gros & Delettrez, Paris, 18 de maio de 2009, lotes 29 A-C (atribuídos à oficina de Giulio Romano).

70. Sobre Fernando e as coleções espanholas: Alessandro Lamo, *Discorso... intorno alla scoltura e pittura... dall'Eccell. & Nobile M. Bernardino Campo*, op. cit., p. 78. Sobre as pinturas (perdidas) dos ramos mais jovens da família Gonzaga: Giovanni Sartori, "La copia dei Cesari di Tiziano per Sabbioneta", em Gianluca Bocchi e Giovanni Sartori (Orgs.), *La Sala degli Imperatori di Palazzo Ducale a Sabbioneta* (Sabbioneta: Rotary Casalmaggiore Viadana Sabbioneta, 2015), pp. 15-28. Parte da documentação encontra-se reunida em Amadio Ronchini, "Bernardino Campi in Guastalla" (*Atti e memorie delle RR Deputazioni di storia patria per le provincie dell'Emilia*, Módena, n. 3, pp. 67-91, 1878), esp. pp. 71-2 — embora suscite alguns problemas comuns (Por que, por exemplo, Ferrante II de Guastalla orientou Campi a usar os *Imperadores* de Sabbioneta como modelo, se havia sido o próprio Campi que os pintara, e ele tinha seus próprios moldes?). Os rostos de uma série remanescente de imperadores, pintada por Campi e sua oficina no Palazzo Giardino, em Sabbioneta, certamente refletem as feições dos membros da série de Ticiano, ainda que em corpos diferentes e às vezes acoplando as cabeças "erradas" a imperadores

"errados"; Giovanni Sartori, "La copia dei Cesari di Tiziano per Sabbioneta", em Gianluca Bocchi e Giovanni Sartori (Orgs.), *La Sala degli Imperatori di Palazzo Ducale a Sabbioneta*, op. cit., pp. 21-4.

71. As diversas cópias em Mântua: Guido Rebecchini, *Private Collectors in Mantua, 1500-1630* (Roma: Edizioni di Storia e Letteratura, 2002), com a publicação de testamentos e inventários locais, em que pinturas dos "Doze Césares" estão listadas, às vezes explicitamente atribuídas a Ticiano (ver Ap. 4, I, 139; 4, II, 34; 6, II; 6, III, 11; 6, V, 1; 6, V, 210; 6, VI, 1). As evidências do conjunto encomendado a Pérez, pelo duque Guglielmo: Alessandro Luzio, *La galleria dei Gonzaga*, op. cit., p. 89.

72. Sobre o conjunto encomendado por Maximiliano II: Jürgen Zimmer, "Aus den Sammlungen Rudolfs II: 'Die Zwölff Heidnischen Kayser sambt Iren Weibern' mit einem Exkurs: Giovanni de Monte", op. cit., pp. 20, 43-7. Para saber mais do inventário do Palácio Farnésio, ver Bertrand Jestaz, *L'Inventaire du palais et des propriétés Farnèse à Rome en 1644*, op. cit., v. 3, p. 132. Possível fonte dessas pinturas, datando do século XVI: Clare Robertson, "Artistic Patronage of Cardinal Odoardo Farnese", em André Chastel, *Les Carrache et les décors profanes*, op. cit., p. 370.

73. Isso é atestado em uma carta de Daniel Nys, de 2 de outubro de 1627 (publicada em Alessandro Luzio, *La galleria dei Gonzaga*, op. cit., p. 147), com Christina M. Anderson, *The Flemish Merchant of Venice: Daniel Nijs and the Sale of the Gonzaga Art Collection*, op. cit., pp. 130-1. Nys relata que o duque "quer enviar um pintor para copiar as pinturas da galeria" (*voel mandare un pittore a posta per copiare li quadri della galleria*), mas insiste que há bons artistas em Veneza que ele pode contratar para fazer o trabalho.

74. O texto da carta: Hans von Voltelini, "Urkunden und Regesten aus dem k. u. k. Haus-, Hof- und Staats-Archiv in Wien" (*Jahrbuch der Kunsthistorischen Sammlungen des Allerhöchsten Kaiserhauses*, Viena, v. 13, pp. 26-174, 1892), nº 9433 (*"porque ya tiene otros duplicados, que le embiaron de Roma"*). Mais contexto para a coleção: Angela Delaforce, "The Collection of Antonio Pérez, Secretary of State to Philip II" (*Burlington Magazine*, Londres, v. 124, n. 957, pp. 742-53, 1982), esp. p. 752.

75. Sobre as peças da coleção d'Avalos: *I Campi e la cultura artistica cremonese del Cinquecento*, op. cit., p. 160 e *I tesori dei d'Avalos: Committenza e collezionismo di una grande famiglia napoletana* (Nápoles: Fausto Fiorentino, 1994), pp. 50-3. As peças que estão na coleção particular têm sua história documentada em Mântua, e estão no Reino Unido desde o final da década de 1970. A relação entre o conjunto de cópias feitas por "il Padovanino", registradas em um inventário do Palácio Ducal, Mântua, de 1712, e as cópias feitas para o Gonzaga, enquanto as pinturas aguardavam seu despacho em Veneza, é uma incógnita: Martin Eidelberg e Eliot W. Rowlands, "The Dispersal of the Last Duke of Mantua's Paintings" (*Gazette des Beaux-Arts*, Nova York, série 6, v. 123, pp. 207-87, 1994), esp. pp. 214 e 267, n. 53. As réplicas que hoje estão no lugar dos originais no Camerino são bastante distintas, adquiridas em 1924 (ver acima, nota 11).

76. A história do conjunto de Munique é previsivelmente obscura. Strada é famoso por ter pintado cópias dos principais elementos do Camerino de Mântua (bem como dos esboços de Andreasi); mas ele devia estar ciente de que já havia um conjunto de imperadores em Munique, posto que, da formação completa de imperadores, ele solicitou apenas um Domiciano (provavelmente achava que o conjunto de Munique era composto apenas pelos onze originais de Ticiano — um equívoco, ao que parece, uma vez que o inventário de Fickler [ver acima, nota 24] registra *dois* Domicianos na coleção de Munique).

A documentação disso, com implicações complexas: Egon Verheyen, "Jacopo Strada's Mantuan Drawings of 1567-1568", op. cit., p. 64 (com nota 35, acima); Dorothea Diemer et al. (Orgs.), *Münchner Kunstkammer*, op. cit., v. 2, nᵒˢ 2682, 3212; Jürgen Zimmer, "Aus den Sammlungen Rudolfs II: 'Die Zwölff Heidnischen Kayser sambt Iren Weibern' mit einem Exkurs: Giovanni de Monte", op. cit., pp. 12-4.

77. Há enigmas impossíveis aqui também. Como ibid., pp. 19-20 observa, a carta relevante (acima, nota 74) faz parecer improvável que Rodolfo estivesse no mercado, interessado nos Césares de Pérez. Mas por que estavam sendo cotados, para começo de conversa, se ele já tinha herdado um conjunto com a morte do pai, em 1576?

78. A carreira de Sadeler: Dorothy Limouze, "Aegidius Sadeler, Imperial Printmaker" (*Philadelphia Museum of Art Bulletin*, Londres, v. 85, n. 1, pp. 3-24, 1989); id., *Aegidius Sadeler (c. 1570-1629): Drawings, Prints and Art Theory* (Princeton: Princeton University, 1990). Essas foram, de longe, as versões impressas mais populares dos imperadores de Ticiano, mas houve muitas outras: por exemplo, as de Balthasar Moncornet, do início e de meados do século XVII; as de Georg Augustus Wolfgang, do fim do século XVII; e as de Thomas Bakewell e Louis-Jacques Cathelin, do século XVIII. Algumas dessas cópias eram baseadas nas obras de Sadeler. Já outras foram baseadas, independentemente, em cópias pintadas das obras de Ticiano. O *Domiciano* de Sadeler, por exemplo, não era baseado no de Campi (outra indicação clara de que Rodolfo II não tinha uma coleção de Campi; ver Figura 5.10). Wolfgang baseia, sim, uma de suas figuras no *Domiciano* de Campi, mas — em mais um caso de identificação equivocada — o transforma em um *Tibério*. (Ver British Museum, inv. 1950,0211.189.)

79. George Vertue, *Vertue's Note Book, A.g.* (*British Museum Add. MS 23,070*). Londres: Dawson, 1931-2, p. 52. O fato de que, na Inglaterra, as séries de Ticiano foram guardadas separadamente torna improvável a ideia de que foram copiadas como uma coleção.

80. Lucy Worsley, "The 'Artisan Mannerist' Style in British Sculpture: A Bawdy Fountain at Bolsover Castle", op. cit., pp. 91-2 enxerga uma conexão entre esses césares e o interesse da família na Itália; mas, diretamente atreladas a Sadeler, não implicam nenhum conhecimento dos originais ou da Itália (ilustrações: <www.artuk.org/visit/venues/english-heritage-bolsover-castle-3510>).

81. Detalhes do livro disponíveis em: <www.sothebys.com/en/auctions/ecatalogue/2011/music-and-continental-books manuscripts-l11402/lot.11.html>. Sou muito grata a Bill Zachs por compartilhar isso comigo e pela informação de que a encadernação foi encomendada por Robert Thornton (1759-1826) e de que se assemelha, em termos de estilo, ao trabalho de Roger Payne ou Henry Walther. Sobre os escudos: *Schatzkammer der Residenz München*, 3. ed. (Munique: Bayer, Verwaltung d. Staatl, Schlösser, Gärten u. Seen, 1970), p. 282.

82. Theodor Fontane, *Effi Briest*. Oxford: Oxford University Press, 2015, p. 166.

83. Willy Halsema-Kubes, "Bartholomeus Eggers' keizers- en keizerinnenbusten voor keurvorst Friedrich Wilhelm van Brandenburg". *Bulletin van het Rijksmuseum*, Amsterdam, v. 36, pp. 44-53, 1988. Foram originalmente concebidas para outro palácio real em Oranienburg, e os mesmos modelos foram usados de novo para os quatro bustos de chumbo que hoje estão no Rijksmuseum, em Amsterdam (Figura 5.15); "fantasias imaginativas" (phastasievollen ... Dekor): Klaus Fittschen, *Die Bildnisgalerie Bildnisgalerie in Herrenhausen bei Hannover: Zur Rezeptions- und Sammlungsgeschichte antiker Porträts*, op. cit., pp. 54-5.

84. *Daily Mail*: cap. 2, nota 44. Os souvenirs modernos estão disponíveis em: <fineartame-rica.com>.

85. Joseph Archer Crowe e Giovanni Battista Cavalcaselle, *Titian: His Life and Times*, op. cit., p. 424.

86. A citação: Diego de Saavedro Fajardo, *Idea de un príncipe político christiano* (Munique: Nicolao Enrico, 1640), p. 14 ("*No a de aver [...] Estatua, ni Pintura, que no cie en el pecho del Principe gloriosa emulacion*"), traduzido por J. Astry como *The Royal Politician Represented in One Hundred Emblems* (Londres: Matt. Gylliflower, 1700), pp. 15-6. Essas teorias, sobre as imagens de imperadores antigos junto à monarquia espanhola: Margarita-Ana Vázquez-Manassero, "Twelve Caesars' Representations from Titian to the End of 17th Century: Military Triumph Images of the Spanish Monarchy", em Svetlana V. Maltseva et al. (Orgs.), *Actual Problems of Theory and History of Art*, op. cit., p. 658.

87. Antonio Agustìn, *Dialogos de medallas, inscriciones y otras antiguedades*, op. cit., pp. 18-9 (com um interesse particular pela figura de Nero enquanto perseguidor de Pedro e Paulo).

88. Jérémie Koering, *Le Prince en representation: Histoire des décors du palais ducal de Mantoue au XVIᵉ siècle*, op. cit., pp. 155-60 (observando como uma das "histórias" de Giulio Romano no Camerino, a mostrar Júlio César inspirado pela estátua de Alexandre, o Grande, expressa o princípio de "exemplaridade" como um todo); Diane H. Bodart, *Tiziano e Federico II Gonzaga: Storia di un rapporto di committenza*, op. cit., p. 158; Maria F. Maurer, *Gender, Space and Experience at the Renaissance Court: Performance and Practice at the Palazzo Te* (Amsterdam: Amsterdam University Press, 2019), pp. 93-7 (mais sobre as obras de Mântua, e gênero, contexto). "Exemplos", em termos mais gerais: John D. Lyons, *Exemplum: The Rhetoric of Example in Early Modern France and Italy* (Princeton: Princeton University Press, 1990).

6. Sátira, subversão e assassinato [pp. 215-64]

1. Sobre o veredito do século XIX, como "floreada": *The Visitor's Hand-Book to Richmond, Kew Gardens, and Hampton Court; ...* (Londres: Cradock, 1848), p. 46. Pior ("cor espalhafatosa, desenho péssimo e composição sem sentido"): Edwar Dutton Cook, *Art in England: Notes and Studies* (Londres: Sampson Low, Son & Marston, 1869), p. 22, citando também a famosa piada de Horace Walpole, que dizia que era como se o artista "a tivesse estragado por princípio".

2. Um relato brando sobre Verrio e seu trabalho: Cécile Brett, "Antonio Verrio (*c.* 1636-1707): His Career and Surviving Work (*British Art Journal*, Londres, v. 10, n. 3, pp. 4-17, 2009-10); Richard Johns, "'Those Wilder Sorts of Painting': The Painted Interior in the Age of Antonio Verrio", em Dana Arnold e David Peters Corbett (Orgs.), *A Companion to British Art: 1600 to the Present* (Chichester: Wiley-Blackwell, 2013), pp. 77-104. Sobre seu trabalho em Hampton Court, em particular: Brett Dolman, "Antonio Verrio and the Royal Image at Hampton Court" (*British Art Journal*, Londres, v. 10, n. 3, pp. 18-28, 2009-10).

3. O artigo revolucionário: Edgar Wind, "Julian the Apostate at Hampton Court" (*Journal of the Warburg and Courtauld Institutes*, Londres, v. 3, pp. 127-37, 1939-40); com Brett Dolman, "Antonio Verrio and the Royal Image at Hampton Court", op. cit., pp. 22-4. O próprio imperador: Glen W. Bowersock, *Julian the Apostate* (Cambridge, MA: Harvard University Press, 1978).

4. Id., "Emperor Julian on his Predecessors". *Yale Classical Studies*, New Haven, v. 27, pp. 159-72, 1982; Joel Relihan, "Late Arrivals: Julian and Boethius". In: Kirk Freudenburg (Org.), *The Cambridge Companion to Roman Satire*. Cambridge: Cambridge University Press, 2005, pp. 109-22, 114-6.

5. Sobre a identificação: Edgar Wind, "Julian the Apostate at Hampton Court", op. cit., pp. 127-8.

6. Uma interpretação religiosa/política detalhada: ibid., pp. 129-32. "Ensaio interativo": Brett Dolman, "Antonio Verrio and the Royal Image at Hampton Court", op. cit., p. 24.

7. A punição de Bruto e Cássio: Dante, *Inferno* 34, 55-67. McLaughlin, "Empire, Eloquence" oferece um bom panorama das discórdias do Renascimento em torno de César. O debate entre Poggio e Guarino, com os textos: Davide Canfora (Org.), *La controversia di Poggio Bracciolini e Guarino Veronese su Cesare e Scipione* (Florença: Leo S. Olschki, 2001); uma tradução em inglês de um excerto da contribuição de Poggio, e a contribuição completa de Guarino, com uma discussão mais aprofundada, podem ser encontradas em Nigel Mortimer, *Medieval and Early Modern Portrayals of Julius Caesar* (Oxford: Oxford University Press, 2020), pp. 318-75.

8. Maria Wyke, *Caesar: A Life in Western Culture*. Londres: Granta, 2007, p. 155.

9. Geoffrey de Bellaigue, *French Porcelain in the Collection of Her Majesty the Queen*, op. cit., nº 305. Os outros imperadores representados são Augusto, Trajano, Septímio Severo, Constantino (além dos republicanos Cipião e Pompeu; dos gregos Temístocles, Milcíades, Péricles e Alexandre; e dos inimigos romanos Aníbal e Mitrídates).

10. Antigas críticas a César: cap. 2, nota 6. A escultura de Deare: Tomas Macsotay, "Struggle and the Memorial Relief: John Deare's Caesar Invading Britain", em id. (Org.), *Rome, Travel and the Sculpture Capital, c. 1770-1825* (Nova York: Routledge, 2017), pp. 197-224.

11. A pintura foi discutida recentemente por Maria F. Maurer, *Gender, Space and Experience at the Renaissance Court: Performance and Practice at the Palazzo Te*, op. cit., pp. 113-5. Essa antiga anedota é contada, por exemplo, por Plínio, o Velho, *História natural* 7, 94; Dion Cássio, *História romana* 41, 63, 5; sobre esse tema geral na literatura antiga, ver Joseph A. Howley, "Book-Burning and the Uses of Writing in Ancient Rome: Destructive Practice between Literature and Document" (*Journal of Roman Studies*, Londres, v. 107, pp. 213-36, 2017), esp. pp. 221-2.

12. Plutarco, *Pompeu* 80 faz referência ao horror de César à cabeça (embora seja seu anel de sinete que arranque lágrimas); Lucano, *Farsália* 9, 1055-6 é mais cínico. César recebendo a cabeça de Pompeu é uma cena representada (com diferentes graus de repugnância) em pinturas, gravuras e maiólica, por Louis-Jean François Lagrenée, Antonio Pellegrini, Sebastiano Ricci e Giovanni Battista Tiepolo, entre outros.

13. Andrew Martindale, *The "Triumphs of Caesar" by Andrea Mantegna, in the Collection of Her Majesty the Queen at Hampton Court* (Londres: H. Miller, 1979) (obra bibliográfica ainda considerada padrão); Stephen J. Campbell, "Mantegna's Triumph: The Cultural Politics of Imitation 'all'antica' at the Court of Mantua, 1490-1530", em id. (Org.), *Artists at Court: Image-Making and Identity, 1300-1550* (Boston, MA: Isabella Stewart Gardner Museum, 2004), pp. 91-105 e *Andrea Mantegna: Humanist Aesthetics, Faith, and the Force of Images*, op. cit., pp. 254-72 (partilhando da minha percepção sobre o lado mais obscuro dessas pinturas); Paola Tosetti Grandi, *I trionfi di Cesare di Andrea Mantegna: Fonti umanistiche e cultura antiquaria alla corte dei Gonzaga*. Mântua: Sometti, 2008; Barbara Furlotti e Guido, "'Rare and Unique in this World': Mantegna's Triumph and the

Gonzaga Collection". In: *Charles I: King and Collector*. Londres: Royal Academy of Arts, 2018, pp. 54-9.

14. Andrew Martindale, *The "Triumphs of Caesar" by Andrea Mantegna, in the Collection of Her Majesty the Queen at Hampton Court*, op. cit., pp. 117-8.

15. O rosto de César encontra-se bastante restaurado, mas é fortemente baseado em uma cópia que está em Viena: ibid., p. 157.

16. Uma análise minuciosa dessa tradição do escravo: Mary Beard, *The Roman Triumph*, op. cit., pp. 85-92.

17. O tema da *invidia* na obra do pintor: Stephen J. Campbell, "Mantegna's Triumph: The Cultural Politics of Imitation 'all'antica' at the Court of Mantua, 1490-1530", em id. (Org.), *Artists at Court: Image-Making and Identity, 1300-1550*, op. cit., p. 96 (ilustrando também o design do selo pessoal de Mantegna: uma possível cabeça de César). Michael Vickers, "The Intended Setting of Mantegna's 'Triumph of Cæsar', 'Battle of the Sea Gods' and 'Bacchanals'" (*Burlington Magazine*, Londres, v. 120, n. 903, pp. 360, 365-71, 1978) capta a ideia da frase em latim, mas suas conclusões são extravagantes.

18. O estudo-chave sobre essas peças de tapeçaria: Thomas [P.] Campbell, "New Light on a Set of *History of Julius Caesar* Tapestries in Henry VIII's Collection" (*Studies in the Decorative Arts*, Nova York, v. 5, n. 2, pp. 2-39, 1998), com Lorraine Karafel, "The Story of Julius Caesar", em Elizabeth Cleland (Org.), *Grand Design: Pieter Coecke van Aelst and Renaissance Tapestry* (Nova York: The Metropolitan Museum of Art, 2014) pp. 254-61. Discussões sobre os conjuntos de César e Abraham: Thomas [P.] Campbell, *Henry VIII and the Art of Majesty: Tapestries at the Tudor Court* (New Haven: Yale University Press, 2007), pp. 277-97. As entradas relevantes do inventário: David Starkey (Org.), *The Inventory of King Henry VIII* (Londres: H. Miller, 1998), nº 11967 (com dimensões completas); Oliver Millar (Org.), *Inventories and Valuations of the King's Goods, 1649-1651*, op. cit., p. 158.

19. A história, a importância e as várias sinas da tapeçaria: Thomas [P.] Campbell (Org.), *Tapestry in the Renaissance: Art and Magnificence* (Nova York: The Metropolitan Museum of Art, 2002), pp. 3-11; Marina Belozerskaya, *Luxury Arts of the Renaissance* (Los Angeles: J. Paul Getty Museum, 2005), pp. 89-133.

20. A história das aparições: Thomas [P.] Campbell, "New Light on a Set of *History of Julius Caesar* Tapestries in Henry VIII's Collection", op. cit., pp. 2-3. "confeccionadas [...] prestes a ganhar vida": G. W. Groos (Org.), *The Diary of Baron Waldstein: A Traveller in Elizabethan England*, op. cit., p. 149. A aquarela, por Charles Wild, está na Royal Collection (RCIN 922151).

21. Falo em *originais* de Henrique seguindo o pressuposto geral de que ele foi o primeiro a encomendá-las; definitivamente, não há indícios de jogos anteriores.

22. Lorraine Karafel, "The Story of Julius Caesar", em Elizabeth Cleland (Org.), *Grand Design: Pieter Coecke van Aelst and Renaissance Tapestry*, op. cit., nºs 61 e 62 (ainda que o objeto preciso da cena esteja erroneamente identificado aqui; ver p. 237).

23. Sobre o assassinato de César: Clare Williams (Org.), *Thomas Platter's Travels in England, 1599* (Londres: J. Cape, 1937), p. 202; de Pompeu: G. W. Groos (Org.), *The Diary of Baron Waldstein: A Traveller in Elizabethan England*, op. cit., p. 149.

24. Thomas [P.] Campbell, "New Light on a Set of *History of Julius Caesar* Tapestries in Henry VIII's Collection", op. cit., p. 37 (citando os documentos relevantes, do Archivio di Stato de Roma). Discussão recente sobre a imagem nessa peça de tapeçaria: John H.

385

Astington, *Stage and Picture in the English Renaissance: The Mirror up to Nature* (Cambridge: Cambridge University Press, 2017), pp. 31-3.

25. Suetônio, *Júlio César* 81 (sem o nome); Plutarco, *Júlio César* 65 (adaptado por Shakespeare, *Julius Caesar*, ato 2, cena 3; ato 3, cena 1).

26. Thomas [P.] Campbell, "New Light on a Set of *History of Julius Caesar* Tapestries in Henry VIII's Collection", op. cit., p. 35, e Daphné Cassandra Raes, *De Brusselse Julius Caesar wandtapijtreeksen (ca. 1550-1700): Een stilistiche en iconografische studie* (Leuven: KU Leuven, 2016), p. 12, a descrevem como "moralizante". A legenda completa da tapeçaria diz: *"Datus libellus Cesari conjurationem continens/ Quo non lecto venit in curia ibi in curuli sedentem/ Senatus invasit tribusq et viginti vulneribus/ Conodit sic ille qu terrarum orbem civili sanguine/ Inpleverat tandem ipse saguine [sic] suo curiam implevit"* (Um panfleto foi entregue a César, com detalhes da conspiração. Ele não leu, mas compareceu ao senado; lá, sentado em sua cadeira oficial, o senado o atacou e [matou] com 23 golpes. Assim, o homem que costumava encher o mundo todo do sangue de seus concidadãos acabou enchendo o senado de seu próprio sangue). Isso é fortemente baseado em Floro, *Epítome* 2, 13, 94-5: "[...] *libellus etiam Caesari datus.* [...] *Venit in curiam.* [...] *Ibi in curuli sedentem cum senatus invasit, tribusque et viginti volneribus.* [...] *Sic ille, qui terrarum orbem civili sanguine impleverat, tandem ipse sanguine suo curiam implevit".*

27. Os argumentos técnicos que sustentam a conexão entre a peça do Vaticano e o jogo de Henrique: Thomas [P.] Campbell, "New Light on a Set of *History of Julius Caesar* Tapestries in Henry VIII's Collection", op. cit., pp. 5-6, 10-2. Há duas peças posteriores adaptando o mesmo design: uma delas, de paradeiro desconhecido, foi leiloada em Drouot, Paris, em 2 de dezembro de 1988, lote 158; a outra hoje está no Musée National de la Renaissance, inv. D2014.1.1.

28. Plutarco, *Júlio César* 35; Lucano, *Farsália* 3, 154-6, 165-8.

29. Meus relatos intencionalmente simplificados desviam de histórias paralelas, complexidades e outros prováveis descendentes. Cristina levou suas peças de tapeçaria (herdadas do tio-avô, Érico XIV, que morreu em 1577) para Roma quando abdicou, em 1654, e após a sua morte foram adquiridas por Don Livio Odescalchi, que fez o inventário (do qual consultei uma cópia na Biblioteca Hertziana, em Roma). O inventário de Alexandre Farnésio: Giuseppe Bertini, "La Collection Farnèse d'après les archives", em *La Tapisserie au XVIIe siècle et les collections européennes: Actes du Colloque International de Chambourd* (Paris: Editions du patrimoine, 1999), pp. 134-5. Para quem quiser ir atrás de outras versões: uma cena similar (com margens e legenda removidas, e identificada equivocadamente como uma história bíblica) foi vendida na casa Christie's de Nova York, em 11 de janeiro de 1994, lote 216; outra aparece em Xavier Barbier de Montault, "Inventaire descriptif des tapisseries de haute-lisse conservées à Rome" (*Mémoires de l'Académie des Sciences, Lettres et Arts d'Arras*, Arras, segunda série, v. 10, pp. 175-284, 1878), uma lista de tapeçarias em Roma (sem mais especificações de localização), compilada no fim do século XIX, pp. 261-2 — mas esse exemplo (que não veio à tona) tem uma legenda mais curta: *"Aurum putat Caesar"* (César pensa no ouro); ver também Daphné Cassandra Raes, *De Brusselse Julius Caesar wandtapijtreeksen (ca. 1550-1700): Een stilistiche en iconografische studie*, op. cit., pp. 86-7.

30. Nello Forti Grazzini, "Catalogo". In: Giuseppe Bertini e id. (Orgs.), *Gli arazzi dei Farnese e dei Borbone: Le collezioni dei secoli XVI-XVIII*. Milão: Electa, 1998, pp. 93-216;

Lorraine Karafel, "The Story of Julius Caesar", em Elizabeth Cleland (Org.), *Grand Design: Pieter Coecke van Aelst and Renaissance Tapestry*, op. cit., pp. 256-8. O conjunto pertence a Margarida de Parma, mãe de Alexandre: Giuseppe Bertini, "La Collection Farnèse d'après les archives", em *La Tapisserie au XVIIe siècle et les collections européennes: Actes du Colloque International de Chambourd*, op. cit., p. 128.

31. Sotheby's New York, 17 de outubro de 2000, lote 117.

32. A tapeçaria passou a figurar em uma notícia falsa, popular, segundo a qual talvez fosse uma das peças do jogo original de Henrique VIII (ver, por exemplo, *The Times*, 26 de dezembro de 2016); não há dúvida, em parte pelo design das bordas, de que se trata de uma das confecções posteriores.

33. Suetônio, *Júlio César* 81; Plutarco, *Júlio César* 63; Shakespeare, *Julius Caesar*, ato 1, cena 2. O paradeiro atual da tapeçaria com a legenda nomeando Spurina é desconhecido; a peça aparece ilustrada em um catálogo de vendas, em Thomas [P.] Campbell, "New Light on a Set of *History of Julius Caesar* Tapestries in Henry VIII's Collection", op. cit., Figura 18.

34. Sobre essas tecnicalidades na produção de tapeçaria: ibid. O repertório das cenas documentas inclui: César cruzando o Rubicão; César invadindo o tesouro; César marchando rumo a Brindisi; César montado em um cavalo com um prisioneiro; o sacrifício de um touro; Spurina prevendo o futuro (mas ver pp. 235-6); a partida da esposa de Pompeu no começo da guerra (mas ver pp. 237-8); "César lutando com um gigante" (mas ver p. 236); a batalha de Farsalos; Pompeu e sua esposa a bordo de um navio; o assassinato de Pompeu; o assassinato de César.

35. Helen Wyld, que estudou, pela National Trust, os descendentes dessa série, datados do século XVII, no Castelo de Powis, foi quem mais chegou perto de perceber que as identificações-padrão não têm como ser corretas. Disponível em: <www.nationaltrustcollections.org.uk/object/1181080.1>.

36. O único outro *ciclo* de imagens baseadas em Lucano — que eu saiba — é uma série de meados do século XVI, que se encontra em Chateau Ancy-le-Franc, mas foca por completo a batalha de Farsalos propriamente dita: Phillip John Usher, *Epic Arts in Renaissance France* (Oxford: Oxford University Press, 2014), pp. 60-73. Cenas e personagens de *Farsália*, contudo, especialmente Erictho (ver pp. 235-6), aparecem em outras pinturas.

37. Waldstein talvez tenha se dado conta disso quando descreveu o conjunto de Henrique VIII como "a história de Júlio César *e Pompeu*" (grifo meu): G. W. Groos (Org.), *Diary of Baron Waldstein: A Traveller in Elizabethan England*, op. cit., p. 149.

38. Lê-se: "*Queritur ex saga quidnam de Caesare fi/ ad. Medium marti bella cavere monet*" ("Indaga-se à bruxa o que viria a acontecer com César. Ela o aconselha a tomar cuidado com uma batalha em meio a uma guerra" [?]); o outro "*Julius hic furiam Caesar fugitat furientem/ cognoscens subito bestia quod fuerat*" (Júlio César aqui foge da furiosa fúria, dando-se conta de repente do que era a besta [?]).

39. O "a" final no nome talvez seja em parte responsável pela confusão moderna: geralmente é associado ao gênero feminino, mas *nem sempre*.

40. Lucano, *Farsália*, 6, 413-830.

41. Esse design claramente fazia parte do jogo de tapeçarias de Alexandre Farnésio: as primeiras três palavras das legendas de duas das variantes — "Julius hic Caesar *gigantem interficit amplum*" (*Aqui Júlio César* mata um gigante colossal) são usadas para identificar as peças dos Farnésio (Giuseppe Bertini, "La Collection Farnèse d'après les archives",

em *La Tapisserie au XVIIe siècle et les collections européennes: Actes du Colloque International de Chambourd*, op. cit., p. 135). O título *A Guerra na Germânia*, em um inventário da coleção do papa Júlio talvez faça alusão a esse design também.

42. Lucano, *Farsália* 6, 140-262 (citação, linha 148); Suetônio, *Júlio César* 68 faz referência a isso, *sem* os detalhes berrantes, distintivos.

43. Lucano, *Farsália* 3, 114-68; 1, 183-227; 8, 536-691.

44. A peça de tapeçaria com a legenda "correta" foi vendida em leilão, Drouot Richelieu, Paris, 18 de outubro de 1993; paradeiro atual desconhecido (ilustrada por Thomas [P] Campbell, "New Light on a Set of *History of Julius Caesar* Tapestries in Henry VIII's Collection", op. cit., Figura 9). Campbell está tão convencido de que a peça mostra César e sua esposa que tenta forçar a legenda ("*Castra petit Magnus maerens Cornelia Lesbum* […]") a caber no contexto, sustentando que tanto César quanto Pompeu tinham uma esposa chamada Cornélia (ainda que a Cornélia de César já estivesse morta fazia muito tempo, na época da guerra civil), e que tanto César quanto Pompeu talvez fossem chamados de "Grande" ou "Magno" (embora fosse o título-padrão de Pompeu). O logo "SPQR" é visível em uma versão no Castelo de Powis. A discussão de Wyld sobre o assunto (<www.nationaltrustcollections.org.uk/object/1181080.4>) em geral é muito certeira.

45. A tapeçaria faz parte da coleção da catedral de Lisboa (ilustrada por Thomas [P.] Campbell, "New Light on a Set of *History of Julius Caesar* Tapestries in Henry VIII's Collection", op. cit., Figura 6). A legenda na cena de "Spurina", referindo-se à "bruxa" (nota 38), talvez reflita também uma identificação correta da cena como Erictho.

46. Interpretações medievais: Gabrielle Spiegel, *Romancing the Past: The Rise of Vernacular Prose Historiography in Thirteenth-Century France* (Berkeley: University of California Press, 1993), pp. 152-202; Silvère Menegaldo, "César 'd'ire enflamaz et espris' (v. 1696) dans le Roman de Jules César de Jean de Thuin" (*Cahiers de recherches médiévales*, Paris, v. 13, pp. 59-76, 2006) (deixando claro que "a leitura favorável" simplesmente não era favorável a César). Renascimento e interpretações políticas posteriores: Philip Hardie, "Lucan in the English Renaissance", em Paolo Asso (Org.), *Brill's Companion to Lucan* (Leiden: Brill, 2011), pp. 491-506; Edward Paleit, *War, Liberty, and Caesar: Responses to Lucan's Bellum Ciuile, ca. 1580-1650* (Oxford: Oxford University Press, 2013).

47. Thomas [P.] Campbell, *Henry VIII and the Art of Majesty: Tapestries at the Tudor Court*, op. cit., pp. 278-80.

48. A carreira de Van der Straet: Alessandra Baroni e Manfred Sellink (Orgs.), *Stradanus, 1523-1605: Court Artist of the Medici* (Turnhout: Brepols, 2012). O latim dos versos é um pouco melhor do que o latim sob os *Césares* de Sadeler (sobre Augusto: "*cum* […] *teque audes conferre Deo, te Livia sortis/ dicitur humanae misto admonuisse veneno*").

49. O Banquete: Suetônio, *Augusto* 70. Sobre os figos envenenados: Dion Cássio, *História romana* 54, 30. As brincadeiras de Domiciano com as moscas: Suetônio, *Domiciano* 3. Há semelhanças marcantes o bastante entre cenas das gravuras e cenas das Tazze Aldobrandini para sugerir que serviram de fonte para o designer das peças de louça (Siemon, "Renaissance Intellectual Culture", em Julia Siemon, *The Silver Caesars: A Renaissance Mystery*, op. cit., pp. 70-4). Se for esse caso, mostram como elementos visuais quase idênticos podem ser usados para construir uma imagem com um viés ideológico totalmente diferente.

50. Sobre essas séries imperiais: Michael Jaffé, "Rubens's Roman Emperors" (*Burlington Magazine*, Londres, v. 113, pp. 297-8, 300-1, 303, 1971); Koenraad Jonckheere, *Portraits after Existing Prototypes*, op. cit., pp. 84-115.

51. Elizabeth McGrath, "'Not Even a Fly': Rubens and the Mad Emperors", op. cit.; Koenraad Jonckheere, *Portraits after Existing Prototypes*, op. cit., pp. 125-7. Em segundo lugar no quesito irreverência, logo atrás do primeiro, vem o desenho que Parmigianino de Nero (como o deus Apolo de uma moeda romana), com um pênis enorme: David Ekserdjian, *Parmigianino*. (New Haven: Yale University Press, 2006), p. 20.

52. Suetônio, *Vespasiano* 4; *Domiciano* 3.

53. Essa hierarquia de gêneros ortodoxa foi estabelecida no fim do século XVII pelo teórico da arte André Felibien. Sobre a ideia de *exemplum virtutis* nesse contexto, e a história complicada e contestada da "história da pintura": David Green e Peter Seddon (Orgs.), *History Painting Reassessed: The Representation of History in Contemporary Art* (Manchester: Manchester University Press, 2000); Stephen Bann, "Questions of Genre in Early Nineteenth-Century French Painting" (*New Literary History*, Baltimore, v. 34, pp. 501-11, 2003) (e abaixo, nota 73).

54. William Makepeace Thackeray, *Paris Sketch Book* (Londres: Smith, Elder, 1870), pp. 56-84 ("On the French School of Painting").

55. O título completo é *Siècle d'Auguste: Naissance de N.-S. Jésus-Christ* (A era de Augusto: nascimento de Nosso Senhor Jesus Cristo). A pintura no contexto de outras obras de Gérôme: John House, "History without Values? Gérôme's History Paintings" (*Journal of the Warburg and Courtauld Institutes*, Londres, v. 71, pp. 261-76, 2008); *Gérôme*, op. cit., pp. 70-3 (discutindo uma pintura preliminar menor que hoje está no Getty Museum). Os dilemas: Théophile Gautier, *Les Beaux-Arts en Europe, 1855* (Paris: Michel Lévy, 1855), pp. 217-29. Havia uma longa tradição artística e literária de fazer uma conexão entre a era de Augusto e o nascimento de Jesus. Mas parte da inspiração de Gérôme para o tema veio de um trabalho mais recente, do teólogo Jacques-Bénigne Bossuet, do século XVII: Peter Benson Miller, "Gérôme and Ethnographic Realism at the Salon of 1857", em Scott Allan e Mary Morton (Orgs.), *Reconsidering Gérôme*, op. cit., pp. 109-11; *Gérôme*, op. cit., pp. 70, 72.

56. A história e a recepção dessas pinturas: Jean Seznec, "Diderot and 'The Justice of Trajan'" (*Journal of the Warburg and Courtauld Institutes*, Londres, v. 20, pp. 106-11, 1957) e Yvonne Rickert, *Herrscherbild im Widerstreit: Die Place Louis XV in Paris: Ein Königsplatz im Zeitalter der Aufklärung* (Hildesheim: Georg Olms, 2018), pp. 129-32. Os comentários de Diderot: Denis Diderot, *Oeuvres complètes*, org. de Jules Assézat (Paris: Garnier, 1876), p. 239 (*"Cela, un empereur!"*) e p. 265. Uma quarta pintura, do imperador Tito, foi encomendada, mas jamais produzida.

57. A pintura ainda é bastante debatida, quando não admirada: David Weir, *Decadence: A Very Short Introduction* (Oxford: Oxford University Press, 2018), pp. 35-7 (uma introdução útil); Michael Fried, "Thomas Couture and the Theatricalization of Action in 19th-Century French Painting" (*Art Forum*, Nova York, v. 8, 1970); Albert Boime, *Thomas Couture and the Eclectic Vision* (New Haven: Yale University Press, 1980), pp. 131-88 (um relato completo da história da pintura). A comparação com o sermão e uma recomendação escolar: Frederick Wellington Ruckstall (Petronius Arbiter), "A Great Ethical Work of Art: *The Romans of the Decadence*" (*The Art World*, Nova York, v. 2, n. 6, pp. 533-5, 1917), esp. pp. 534-5.

58. Um indício por vezes ignorado ao se ler essa figura (cuja identidade "verdadeira", ou pretendida, como de praxe, é desconhecida) simplesmente como a figura reprovadora do republicano "Bruto"; como, por exemplo, em *Le Constitutionnel*, p. 1, 23 de março de 1847.

59. Ainda há debates em torno das visões políticas de Couture e da mensagem precisa da pintura à época. Compare, por exemplo, Albert Boime, *Thomas Couture and the Eclectic Vision*, op. cit., pp. 183-7, e Michael Fried, *Manet's Modernism, or, The Face of Painting in the 1860s* (Chicago: University of Chicago Press, 1996), pp. 112-23. O impacto se espalhou para além das fronteiras da França (ver *The Daily News*, p. 3, 6 de abril de 1847: "[...] um protesto potente contra as tendências materiais da época").

60. *Les Guêpes*, n. 22, pp. 22-3, março de 1847; Patricia Mainardi, *Art and Politics of the Second Empire: The Universal Expositions of 1855 and 1867* (New Haven: Yale University Press, 1987), p. 80 observa o ataque de Napoleão contra a pintura em 1855, por representar o povo francês como "Romanos da Decadência".

61. O poema, por George Olivier: *Journal des Artistes*, n. 201, 1847 ("Gloire au seul Vitellius César").

62. Apropriadamente, no Salon, que foi realizado no Louvre, a obra *Romanos da Decadência* foi temporariamente exposta no lugar de outra pintura de Veronese, *Banquete de casamento em Cana:* Théophile Gautier, *Salon de 1847* (Paris: J. Hetzel, Warnod, 1847), p. 9; há associações com Veronese na resenha do Salon feita por Théophile Thoré, *Salons de T. Thoré 1844, 1845, 1846, 1847, 1848* (Paris: Librairie internationale, 1870), p. 415, por *Le Constitutionnel*, p. 1, 23 de março de 1847, por *L'Artiste*, p. 240, nov./dez. 1846-jan./fev. 1847 ("*nous avons enfin notre Paul Véronèse*"), e outros.

63. Alain Pougetoux, *Georges Rouget (1783-1869): Élève de Louis David* (Paris: Paris musées, 1995), pp. 27-8, 123 (no contexto mais amplo da obra do artista); *Rome, Romains et romanité dans la peinture historique des XVIIIᵉ et XIXᵉ siècles*. Narbonne: Musée de Narbonne, 2002, pp. 38-9. Seu *Vitélio* também foi satirizado em *Les Guêpes*, n. 22, p. 26, março de 1847 (transformando o imperador em um personagem divertido de desenho).

64. Comentários contemporâneos: "s..." [Charles Bruno], *Iconoclaste: Souvenir du Salon de 1847* (Paris: P. Baudouin, 1847), pp. 6-7 ("Trois têtes, et c'est fait"); Jean-Pierre Thénot em *Écho de la littérature et des beaux-arts*, p. 130, 1848.

65. Breves introduções ao prêmio: Albert Boime, "Prix de Rome: Images of Authority and Threshold of Official Success" (*Art Journal*, Nova York, v. 44, n. 3, pp. 281-9), 1984, e Philippe Grunchec, *Le Grand Prix de Rome: Paintings from the École des Beaux-Arts 1797-1863* (Washington, DC: International Exhibitions Foundation, 1984), pp. 23-8. Um relato mais completo: id., *Grand Prix de Peinture: Les concours des Prix de Rome de 1797 à 1863* (Paris: École nationale supérieure des beaux arts, 1983), pp. 55-121.

66. Ibid., pp. 254-6, oferece uma documentação da competição do ano e ilustrações dos envios.

67. Delécluze escreveu na publicação *Journal des débats*, p. 3, 23 de setembro de 1847. Dissecções por outros críticos: *Journal des Artistes*, pp. 105-7, 1847; *Le Constitutionnel*, p. 3, 29 de setembro de 1847 (Théophile Thoré).

68. Os temas "malsucedidos" eram uma história bíblica e um incidente da vida de Sófocles, dramaturgo grego (Philippe Grunchec, *Grand Prix de Peinture*, op. cit., p.255).

69. Alain Bonnet et al., *Devenir peintre au XIXᵉ siècle: Baudry, Bouguereau, Lenepveu*. Lyon: Fage, 2007, p. 90.

70. Gülru Çakmak, "The Salon of 1859 and Caesar: The Limits of Painting", em Scott Allan e Mary Morton (Orgs.). *Reconsidering Gérôme*, op. cit. (focando também uma pintura de

Gérôme perdida, em que predomina o corpo encoberto do ditador morto); Nina Lübbren, "Crime, Time, and the Death of Caesar". In: Scott Allan e Mary Morton (Orgs.). *Reconsidering Gérôme*, op. cit.; *Gérôme*, op. cit., pp. 122-5. Os cenários: John Ripley, *Julius Caesar on Stage in England and America, 1599-1973* (Cambridge: Cambridge University Press, 1980), pp. 123-5, 185.

71. *Rome, Romains et romanité dans la peinture historique des XVIIIᵉ et XIXᵉ siècles*, op. cit., pp. 74-5; *Jean-Paul Laurens 1838-1921: Peintre d'histoire* (Paris: Réunion des musées nationaux, 1997), pp. 78-9 (dentro do contexto da carreira mais ampla do pintor). Diferentes versões dos antigos rumores: Tácito, *Anais* 6, 50; Suetônio, *Calígula* 12.

72. Flávio Josefo, *Antiguidades dos judeus contra Apion* 19, 162-6; Suetônio, *Cláudio* 10; Dion Cássio, *História romana* 60, 1.

73. Boas introduções a sua carreira: Elizabeth Prettejohn et al. (Orgs.), *Sir Lawrence Alma-Tadema* (Amsterdam: *Amsterdam Van Gogh Museum*, 1996); Rosemary Barrow, *Lawrence Alma-Tadema* (Londres: Phaidon, 2001). As críticas ferrenhas de Fry: *The Nation*, pp. 666-7, 18 de janeiro de 1913, reimpresso em Christopher Reed (Org.), *A Roger Fry Reader* (Chicago: University of Chicago Press, 1996), pp. 147-9. Algumas das questões complexas sobre o lugar que Alma-Tadema ocupa na "história da pintura": Elizabeth Prettejohn, "Recreating Rome in Victorian Painting: From History to Genre", em Michael Liversidge e Catharine Edwards (Orgs.), *Imagining Rome: British Artists and Rome in the Nineteenth Century* (Londres: Merrell Holberton, 1996), pp. 54-69.

74. Em contraste com o julgamento de Fry, um dos temas de Helen Zimmern, *Sir Lawrence Alma Tadema R. A.* (Londres: George Bell & Sons, 1902) é a *dificuldade* de algumas de suas pinturas.

75. Essa e as outras versões: Elizabeth Prettejohn et al. (Orgs.), *Sir Lawrence Alma-Tadema*, op. cit., pp. 27, 29, 164-6; Rosemary Barrow, *Lawrence Alma-Tadema*, op. cit., pp. 37, 61-3. "Chronicle", em *Journal of the Royal Institute of British Architects*, 1906, compara as versões do personagem da Guarda Pretoriana de cada uma das três pinturas. Uma versão ainda mais arrepiante da cena é *Cláudio nomeado imperador*, de Jean-Paul Raphaël Sinibaldi, discutida em *Rome, Romains et romanité dans la peinture historique des XVIIIᵉ et XIXᵉ siècles*, op. cit., pp. 76-7.

76. Por exemplo, John Ruskin, "Notes on Some of the Principal Pictures Exhibited in the Rooms of the Royal Academy: 1875", em Edward Tyas Cook e Alexander Wedderburn (Orgs.), *The Works of John Ruskin* (Londres: George Allen, 1904), pp. 271-3 (chamando o pintor de "republicano moderno", ao passo que deplorava a trivialidade do tema).

77. Olga Postnikova, "Historismus in Russland". In: Hermann Fillitz (Org.), *Der Traum vom Glück: Die Kunst des Historismus in Europa.* Viena: Künstlerhaus, 1996, pp. 103-11; Dieter Marcos, "Vom Monster zur Marke: Neros Karriere in der Kunst". In: Rheinisches Landesmuseum Trier, Museum am dom Trier e Städtisches Museum Trier. *Nero: Kaiser, Künstler und Tyrann.* Stuttgart: Theiss, 2016, p. 366.

78. Suetônio, *Nero* 47-50.

79. Plínio, o Velho, *História natural* 34, 84 (meus agradecimentos a Federica Rossi por me lembrar disso).

80. N. N. Mamontova, "Vasily Sergeevich Smirnov, Pensioner of the Academy of Arts". In: *Russian Art of Modern Times: Research and Materials.* Moscou: [s.n.], 2006. v. 10: *Imperial Academy of Arts: Cases and People*, p. 245.

7. A Esposa de César... acima de qualquer suspeita? [pp. 265-306]

1. Rosemary Barrow, *Lawrence Alma-Tadema*, op. cit., p. 34 (ainda que a pintura não seja proeminente nos estudos de Alma-Tadema).
2. Tácito, *Anais* 2, 53-83; Suetônio, *Calígula* 1-7. A carreira de Agripina: David A. A. Shotter, "Agrippina the Elder: A Woman in a Man's World" (*Historia: Zeitschrift für Alte Geschichte*, Stuttgart, v. 49, n. 3, pp. 341-57, 2000).
3. Jasper Griffin e Miriam Griffin, "Show Us You Care, Ma'am". *New York Review of Books*, Nova York, p. 29, 9 de outubro de 1997.
4. Os eventos que culminaram na morte de Agripina: Tácito, *Anais* 4, 52-4; 6, 25-6; Suetônio, *Tibério* 53. A recuperação das cinzas por Calígula: Suetônio, *Calígula* 15; CIL 6, 886 (a lápide). A conversão para a unidade de medida de grãos: Arnold Esch, "On the Reuse of Antiquity: The Perspectives of the Archaeologist and of the Historian", em Richard Brilliant e Dale Kinney (Orgs.), *Reuse Value: Spolia and Appropriation in Art and Architecture from Constantine to Sherrie Levine*, op. cit., pp. 22-4.
5. Opiniões diferentes sobre a identificação: Lyttleton em David Chambers e Jane Martineau (Orgs.), *Splendours of the Gonzaga*, op. cit., 170; Brown em Frederick Hartt, *Giulio Romano*, op. cit., p. 314. A disputa: Keith Christiansen, *Genius of Andrea Mantegna*, op. cit., p. 6.
6. "Romana princeps" (o equivalente feminino de "princeps"): *Consolatio ad Liviam* 356; discutido por Nicholas Purcell, "Livia and the Womanhood of Rome" (*Proceedings of the Cambridge Philological Society*, Cambridge, n. 32, pp. 78-105, 1986) ("hipérbole absurda", p. 78). A carreira de Lívia: Anthony Barrett, *Livia: First Lady of Imperial Rome* (New Haven: Yale University Press, 2002) (pp. 307-8 para o nome dela).
7. Essa defesa é feita por Dion Cássio, *História romana* 53, 19.
8. Uma discussão mais ampla sobre essas questões: Jeroen Duindam, *Dynasties: A Global History of Power, 1300-1800* (Cambridge: Cambridge University Press, 2016), pp. 87-155.
9. Plutarco, *Júlio César* 10.
10. W. Jeffrey Tatum, *The Patrician Tribune: Publius Clodius Pulcher*. Chapel Hill: University of North Carolina Press, 1999, pp. 62-86.
11. Os figos envenenados: Figura 6.14 a (a fala sobre figos em *I, Claudius* foi invenção do roteirista e não tinha nada a ver com o livro de Robert Graves). A cena afetuosa no leito de morte: Suetônio, *Augusto* 99.
12. O início dessa tradução (e seus esparsos precedentes republicanos, sobretudo a famosa estátua *Cornelia, Mother of the Gracchi*): Marleen B. Flory, "Livia and the History of Public Honorific Statues for Women in Rome" (*Transactions of the American Philological Association*, Nova York, v. 123, pp. 287-308, 1993). Análises proveitosas de retratos femininos (imperiais e de elite): Susan E. Wood, *Imperial Women: A Study in Public Images, 40 BC-AD 68* (Leiden; Brill, 2001); Jane Fejfer, *Roman Portraits in Context*, op. cit., pp. 331-69; Olivier Hekster, *Emperors and Ancestors*, op. cit., pp. 111-59. Retratos femininos na Grécia oriental: Dillon, *The Female Portrait Statue in the Greek World* (Cambridge: Cambridge University Press, 2010).
13. Imagens de Lívia em moedas: Tracene Harvey, *Julia Augusta: Images of Rome's First Empress on Coins of the Roman Empire* (Nova York: Routledge, 2020), com algumas discussões mais amplas sobre mulheres em moedas imperiais.

14. Elizabeth Bartman, *Portraits of Livia: Imaging the Imperial Woman in Augustan Rome*, op. cit., pp. 88-90 (livro que analisa todos os retratos dela, confirmados e supostos). Mesmo no caso de um monumento bem contextualizado como o Altar da Paz, pairam incertezas acerca da identificação de várias figuras femininas da família imperial: C. Brian Rose, *Dynastic Commemoration and Imperial Portraiture in the Julio-Claudian Period*, op. cit., pp. 103-4.

15. O grupo todo de dezessete estátuas imperiais, de diferentes fases: ibid., pp. 121-6.

16. Uma tentativa sistemática de se fazer uma análise assim minuciosa: Rolf Winkes, *Livia, Octavia, Iulia: Porträts und Darstellungen* (Providence: Brown University, 1995).

17. Jane Fejfer, *Roman Portraits in Context*, op. cit., pp. 339-40, 351-7.

18. Susan E. Wood, "Subject and Artist: Studies in Roman Portraiture of the Third Century". *American Journal of Archaeology*, Boston, v. 85, pp. 59-68, 1981; Roland R. R. Smith, "Roman Portraits: Honours, Empresses and Late Emperors". *Journal of Roman Studies*, Londres, v. 75, pp. 214-5, 1985.

19. O camafeu e as diferentes identificações: Susan E. Wood, "Messalina Wife of Claudius: Propaganda Successes and Failures of his Reign" (*Journal of Roman Archaeology*, Ann Arbor, v. 5, pp. 230-1, 1992); Judith Ginsburg, *Representing Agrippina: Constructions of Female Power in the Early Roman Empire* (Oxford: Oxford University Press, 2006), pp. 136-8, ambos baseados em estudos que veem a figura central como Agripina e a "criança" à esquerda (que pode, ou não, ter sido uma cornucópia, originalmente) como a deusa "Roma"; Dietrich Boschung, "Die Bildnistypen der iulisch-claudischen Kaiserfamilie: Ein kritischer Forschungsbericht" (*Journal of Roman Archaeology*, Ann Arbor, v. 6, pp. 39-79, 1993), esp. p. 72. A conexão com Rubens: Marjon van der Meulen, *Rubens Copies after the Antique* (Londres: H. Miller, 1994), pp. 139, 191, 197 e 199; Elizabeth McGrath, "Rubens's Infant-Cornucopia" (*Journal of the Warburg and Courtauld Institutes*, Londres, v. 40, pp. 315-8, 1977), p. 317.

20. Tácito, *Anais* 13, 16-7.

21. Mary Beard, John North e Simon Price, *Religions of Rome* (Cambridge: Cambridge University Press, 1998), pp. 206-10, 348-63; ver pp. 199-201.

22. Susan E. Wood, "Messalina Wife of Claudius: Propaganda Successes and Failures of his Reign", op. cit., esp. pp.219-30 (também revisando identificações alternativas); Amy C. Smith, *Polis and Personification in Classical Athenian Art* (Leiden: Brill, 2011), pp. 110-2 (para o modelo grego).

23. Roland R. R. Smith, "The Imperial Reliefs from the Sebasteion at Aphrodisias", op. cit., pp. 127-32, sobre esse painel; id., *The Marble Reliefs from the Julio-Claudian Sebasteion* (Mainz: Von Zaber, 2013), pp. 74-8, sobre esse painel, identificando a figura divina como a deusa "Fortuna", mas com as mesmas implicações gerais. Sobre Ceres: Judith Ginsburg, *Representing Agrippina: Constructions of Female Power in the Early Roman Empire*, op. cit., pp. 131-2.

24. Apesar dos trabalhos importantes sobre o viés de gênero dessas estátuas e seus atributos divinos, por exemplo, Glenys Davies, "Portrait Statues as Models for Gender Roles in Roman Society" (*Memoirs of the American Academy at Rome*, Nova York, v. supl. 7: *Role Models in the Roman World. Identity and Assimilation*, pp. 207-20, 2008), os problemas de equivalência entre imperatrizes e divindades costumam ser ofuscados por uma ênfase em tipologia (tanto no caso de mulheres imperiais quanto não imperiais): "tipo Ceres", "tipo Pudica", e assim por diante. Essa tipologia em ação: id., "Honorific vs Funerary

Statues of Women: Essentially the Same or Fundamentally Different?", em Emily Hemelrijk e Greg Woolf (Orgs.), *Women and the Roman City in the Latin West* (Leiden: Brill, 2013), pp. 171-99; Jane Fejfer, "Statues of Roman Women and Cultural Transmission: Understanding the So-called Ceres Statue as a Roman Portrait Carrier", em id., Mette Moltesen e Annette Rathje (Orgs.), *Tradition: Transmission of Culture in the Ancient World* (Copenhague: Museum Tusculanum Press, 2015), pp. 85-116.

25. O título dessa seção foi tomado de empréstimo e adaptado de Sarah B. Pomeroy, *Goddesses, Whores, Wives and Slaves* (Nova York: Schocken, 1975).

26. Jürgen Zimmer, "Aus den Sammlungen Rudolfs II: 'Die Zwölff Heidnischen Kayser sambt Iren Weibern' mit einem Exkurs: Giovanni de Monte", op. cit., esp. pp. 8-10 e 19 (sobre os originais de Mântua, sugerindo que, pela falta de evidências posteriores, provavelmente foram destruídos durante o saqueamento da cidade em 1630, ou foram enviados para longe antes), pp. 21-2 (sobre a possibilidade de as gravuras de Sadeler terem sido feitas com base nos originais que talvez foram parar em Praga, ou nas cópias encomendadas por Rodolfo II), pp. 29-30 (sobre as fontes e a influência das imperatrizes). Não há dúvida de que a velha ideia ortodoxa (Harold E. Wethey, *Paintings of Titian: Complete Edition*, op. cit., pp. 236-7) de que eram uma invenção de Sadeler está incorreta. Alguns dos principais documentos de arquivo sobre as "imperatrizes": Elena Venturini. *Le collezioni Gonzaga: Il carteggio tra la corte Cesarea e Mantova (1559-1636)* (Milão: Silvana, 2002), pp. 46-50 (com os documentos n.ºs 303, 306, 307, 310, 314).

27. Texto completo no Apêndice.

28. Talvez haja ainda mais camadas de confusão aqui. Quando começa o verso (nas palavras de Pompeia) "Sou aquela que nasceu para ser a promessa de amor de meu pai e de meu marido", parece que o autor tem em mente a figura de Júlia, filha de César que era casada com Pompeu, e que parece ter sido um fator importante — até morrer — para manter a paz entre os dois homens.

29. O papel das lacunas em Fulvio: Sean Kellen, "Exemplary Metals: Classical Numismatics and the Commerce of Humanism" (*Word & Image*, Londres, v. 18, pp. 282-94, 2002), esp. pp.285-7; Stephen Orgel, *Spectacular Performances: Essays on Theatre, Imagery, Books and Selves in Early Modern England* (Manchester: Manchester University Press, 2011), pp. 173-9 (ilustrando o papel de uma imagem de Cláudio como "substituto" de Cossúcia na edição do livro de 1524, de Lyons).

30. Juvenal, *Sátiras* 6, 122-3 ("*papillis* [...] *auratis*").

31. Richard Warren, *Art Nouveau and the Classical Tradition* (Londres: Bloomsbury, 2017), p. 133 (ainda que imaginar Messalina seja o único intuito da "sagacidade sexual"). Assim como *Messalina e sua companheira*, o título também está registrado como *Messalina voltando para casa*, mas a intenção de Beardsley não fica clara.

32. A gravura é intitulada "The Injured Count ... S" (*c.* 1786); Anna Clark, *Scandal: The Sexual Politics of the British Constitution*. Princeton: Princeton University Press, 2003, pp. 68-9.

33. Bruce Redford, *Dilettanti: The Antic and the Antique in Eighteenth-Century England*. Los Angeles: J. Paul Getty Museum, 2008, pp. 135-6.

34. A expressão "detrito de jardim" é uma adaptação de Tácito, *Anais* 11, 32 ("*purgamenta hortorum*"). Georges-Antoine Rochegrosse (1859-1938), pintor "sado-histórico", também produziu cenas mais ou menos grotescas das mortes do imperador Vitélio, Júlio César, a mítica Andrômaca, o rei sírio Sardanapalo e outros, recentemente discutidos

por Pierre Sérié, "Theatricality versus Anti-Theatricality: Narrative Techniques in French History Painting (1850-1900)", em Peter Cooke e Nina Lübbren (Orgs.), *Painting and Narrative in France, from Poussin to Gauguin* (Londres: Routledge, 2016), pp. 160-75, 167-72.

35. Élio Donato, *Vida de Virgílio* 32, que talvez seja baseado na *Vida* perdida do poeta, por Suetônio.

36. Wendy Wassyng Roworth, "Angelica Kauffman's Place in Rome". In: Paula Findlen; id. e Catherine M. Sama (Orgs.), *Italy's Eighteenth Century: Gender and Culture in the Age of the Grand Tour*. Redwood City: Stanford University Press, 2009; Nicole Horejsi, *Novel Cleopatras: Romance Historiography and the Dido Tradition in English Fiction, 1688-1785* (Toronto: University of Toronto Press, 2019), pp. 154-5 (no contexto das representações ficcionais de Otávia). O marido de Kauffman, Antonio Zucchi, também pintou uma versão da cena, hoje em Nostell Priory, Yorkshire, Inglaterra.

37. Patricia Condon et al. (Orgs.), *Ingres. In Pursuit of Perfection: The Art of J.-A.-D. Ingres*. Louisville, KY: J. B. Speed Art Museum, 1983, pp. 52-9, 160-6; Susan L. Siegfried, *Ingres: Painting Reimagined* (New Haven: Yale University Press, 2009), pp. 56-64, reformulando, em parte, seu texto "Ingres' Reading: The Undoing of Narrative" (*Art History*, Londres, v. 23, n. 5, pp. 666-72, 2000). A versão mais recente, 1864: Marjorie B. Cohn, "Introduction", em id. et al. (Orgs.), *Ingres. In Pursuit of Perfection: The Art of J.-A.-D. Ingres* (Louisville, KY: J. B. Speed Art Museum, 1983), pp. 10-33, 28-30; <www.christies.com/features/Deconstructed-Ingres-Virgil-reading-from-the-Aeneid-9121-1.aspx>.

38. A carreira de Agripina, a Velha: acima, nota 2. A Jovem: Anthony Barrett, *Agrippina: First Lady of Imperial Rome*, op. cit. (uma biografia "direta"); Judith Ginsburg, *Representing Agrippina: Constructions of Female Power in the Early Roman Empire*, op. cit. (focando as densas representações ideológicas dela).

39. "É um costume muito conveniente dar o nome de Agripina a toda e qualquer estátua de uma romana cujo papel ou título não pode ser definido": *Critical Review*, v. 27, pp. 558, 1799.

40. Jules David Prown, "Benjamin West and the Use of Antiquity", op. cit., pp. 38-41; Anthony D. Smith, *The Nation Made Real: Art and National Identity in Western Europe, 1600-1850*. Oxford: Oxford University Press, 2013, pp. 143-5. De uma perspectiva crítica diferente: Alexander Nemerov, "Ashes of Germanicus and the Skin of Painting: Sublimation and Money in Benjamin West's *Agrippina*" (*The Yale Journal of Criticism*, Baltimore, v. 11, n. 1, pp. 11-27, 1998). É o tema de uma excelente palestra on-line ministrada por John Walsh para a Yale University Art Gallery, disponível em: <www.youtube.com/watch?v=qAr5YJyawSA>. A versão menor da cena na Filadélfia, de West: Allen Staley, "The Landing of Agrippina at Brundisium with the Ashes of Germanicus (*Philadelphia Museum of Art Bulletin*, Filadélfia, v. 61, pp. 10-9, 1965-6).

41. Michael Liversidge, "Representing Rome". In: id. e Catharine Edwards (Orgs.), *Imagining Rome: British Artists and Rome in the Nineteenth Century*. Londres: Merrell Holberton, 1996, pp. 70-124, esp. 83-6; <www.tate.org.uk/art/artworks/turner-ancient-rome-agrippina-landing-with-the-ashes-of-germanicus-n00523>.

42. Ann Sutherland Harris, *Seventeenth-Century Art and Architecture*. Londres: King, 2005, pp. 274-5; Pierre Rosenberg em *Nicolas Poussin, 1594-1665* (Paris: Réunion des musées nationaux, 1994), pp. 156-9; Charles Dempsey, "Nicolas Poussin between Italy and France: Poussin's *Death of Germanicus* and the Invention of the Tableau", em Max Seidel (Org.),

L'Europa e l'arte italiana: Per cento anni dalla fondazione del Kunsthistorisches Institut in Florenz. Veneza: Marsilio, 2000, pp. 321-35.

43. O vencedor foi Louis-Simon Boizot: Robert Rosenblum, *Transformations in Late Eighteenth Century Art* (Princeton: Princeton University Press, 1969), pp. 31-2 (refletindo sobre a versão de Poussin).

44. Philip Hicks, "The Roman Matron in Britain: Female Political Influence and Republican Response, 1750-1800". *Journal of Modern History*, Chicago, v. 77, n. 1, pp. 45-7, 2005.

45. Tácito, *Anais* 14, 1-12 (com as instruções para golpear seu ventre); Suetônio, *Nero* 34; Dion Cássio, *História romana* 61, 11-4.

46. Elizabeth Prettejohn, "Recreating Rome in Victorian Painting: From History to Genre", em Michael Liversidge e Catharine Edwards (Orgs.), *Imagining Rome: British Artists and Rome in the Nineteenth Century*, op. cit., pp. 60-1.

47. *Roman de la rose*, 6164-76, discutido em detalhe por Gianmario Raimondi, "Lectio Boethiana: L'example' di Nerone e Seneca nel *Roman de la rose*" (*Romania*, Paris, v. 120, n. 477, pp. 63-98, 2002), esp. pp. 71-7; "Monks Tale", 3669-84. A tradição complexa, e muitas formas diferentes, escritas e visuais, de *Vingança*: Laura Weigert, *French Visual Culture and the Making of Medieval Theater* (Cambridge: Cambridge University Press, 2015), pp. 161-88 (mencionando as direções de palco, p. 251 , n. 30). O papel de Nero na Idade Média francesa, em termos mais gerais: Glynnis Cropp, "Nero, Emperor and Tyrant, in the Medieval French Tradition", op. cit.

48. Jacobus de Voragine, *The Golden Legend: Readings on the Saints*. Princeton: Princeton University Press, 2012, pp. 347-8.

49. A performance de Nero como Cânace: Suetônio, *Nero* 21. A reencarnação dele: Plutarco, *On God's Slowness to Punish* 567 E-F. Discussão: Richard M Frazer, "Nero, the Singing Animal" (*Arethusa*, Buffalo, v. 4, pp. 215-9, 1971); Edward Champlin, *Nero* (Cambridge, MA: Harvard University Press, 2003), pp. 25-6, 277.

50. Os detalhes técnicos do painel de Washington (incluindo argumentos para a inclusão posterior de Germânico): Arthur K. Wheelock, *Flemish Paintings of the Seventeenth Century* (Washington, DC: National Gallery of Art, 2005), p. 160. Algumas das questões de qualidade: Anke A. van Wagenberg-Ter Hoeven, "Matter of Mistaken Identity: In Search of a New Title for Rubens's 'Tiberius and Agrippina'" (*Artibus et Historiae*, Cracóvia, v. 26, n. 52, pp. 113-27, 2005), p. 116.

51. Para acrescentar ainda mais uma camada de complexidade, foram levantadas dúvidas quanto ao Camafeu Gonzaga, se se trata mesmo do camafeu que pertencia à família Gonzaga e era admirado por Rubens: Nancy Thomson de Grummond, "The Real Gonzaga Cameo" (*American Journal of Archaeology*, Boston, v. 78, n. 4, pp. 427-9, 1974). As diferentes identificações propostas: Erika Zwierlein-Diehl, *Antike Gemmen und ihr Nachleben* (Berlim: De Gruyter, 2007), pp. 62-5.

52. Seguindo a tradição de "comparar e contrastar", a tese de De Grummond (*Rubens and Antique Coins and Gems*, op. cit., pp. 205-26) procura ligar outros camafeus e joias identificados como "Germânico" a essa imagem — com todos os perigos de praxe.

53. O catálogo da venda da Coleção Lebrun em 1791: *ibid.*, p. 206.

54. Arthur K. Wheelock, *Flemish Paintings of the Seventeenth Century*, op. cit., pp. 160, 165, n. 3.

55. Ibidem, p. 162, é um bom exemplo da contorção: Rubens, argumenta ele, não teria deixado Tibério com uma aparência assim tão idealizada, e era "improvável" que o tivesse

emparelhado com sua primeira esposa. Similarmente: Anke A. van Wagenberg-Ter Hoeven, "Matter of Mistaken Identity: In Search of a New Title for Rubens's 'Tiberius and Agrippina'", op. cit.

56. Suetônio, *Tibério* 7.

Posfácio [pp. 307-20]

1. Chiara Pasquinelli, *La galleria in esilio: Il trasferimento delle opere d'arte da Firenze a Palermo a cura del Cavalier Tommaso Puccini (1800-1803)*. Pisa: ETS, 2008.

2. Thomas U. Sadleir (Org.), *An Irish Peer on the Continent (1801-1803): Being a Narrative of the Tour of Stephen, 2nd Earl Mount Cashell, through France, Italy etc., as Related by Catherine Wilmot* (Londres: Williams and Norgate, 1920), pp. 126-7, relato estritamente baseado nas cartas de Wilmot para casa. No que diz respeito às imperatrizes, ela segue argumentando que a relação delas com os imperadores é "como os tête-à-têtes de uma revista", referindo-se a uma coluna de fofocas (ou indecências) em *Town and Country Magazine*, no fim do século XVIII, com um diálogo imaginário entre um homem e uma mulher: Eleanor Drake Mitchell, "The Tête-à-Têtes in the 'Town and Country Magazine' (1769-1793)" (*Interpretations*, West Lafayette, v. 9, n. 1, pp. 12-21, 1977).

3. A carreira de Lewis: Romare Bearden e Harry Henderson, *A History of African-American Artists: From 1792 to the Present* (Nova York: Pantheon, 1993), pp. 54-77; Kirsten Pai Buick, *Child of the Fire: Mary Edmonia Lewis and the Problem of Art History's Black and Indian Subject* (Durham, NC: Duke University Press, 2010) (pp. 186-207 sobre o assunto e outras Cleópatras). *A morte de Cleópatra*: Naurice Frank Woods, "An African Queen at the Philadelphia Centennial Exposition 1876: Edmonia Lewis's 'The Death of Cleopatra' (*Meridians*, Durham, v. 9, n. 1, pp. 62-82, 2009); Charmaine A. Nelson, *The Color of Stone: Sculpting the Black Female Subject in Nineteenth-Century America* (Minneapolis: University of Minnesota Press, 2007), pp. 159-78; Susanna W. Gold, "The Death of Cleopatra/The Birth of Freedom: Edmonia Lewis at the New World's Fair" (*Biography*, Honolulu, v. 35, n. 2, pp. 318-41, 2012). O *Jovem Otaviano* atraiu poucos comentários; mas vale ver <americanart.si.edu/artwork/young-octavian-14633>. A redescoberta do túmulo de Lewis: <hyperallergic.com/434881/edmonia-lewis-grave/>.

4. Avaliações da data e identificações debatidas: John Pollini, *Portraiture of Gaius and Lucius Caesar*, op. cit., pp. 45-53, 96; Katharina Lorenz, "Die römische Porträtforschung und der Fall des sogennanten Ottaviano Giovinetto im Vatikan: Die Authentizitätsdiskussion als Spiegel des Methodenwandels", em Sascha Kansteiner (Org.), *Pseudoantike Skulptur I: Fallstudien zu antiken Skulpturen und ihren Imitationen* (Berlim: De Gruyter, 2016), pp. 73-90. A atribuição a Canova: Paolino Mingazzini, "La datazione del ritratto di Augusto Giovinetto al Vaticano" (*Bullettino della Commissione archeologica comunale di Roma*, Roma, v. 73, pp. 255-9, 1949-50). A proveniência de Óstia: Ilaria Bignamini, "I marmi Fagan in Vaticano: La vendita del 1804 e altre acquisizioni" (*Bollettino dei monumenti, musei e gallerie pontificie*, Cidade do Vaticano, v. 16, pp. 331-94, 1996), esp. pp. 369-70.

5. Um exemplo é a estátua feita por Khalil Bendib, em 1994, do palestino-americano Alex Odeh, assassinado em Santa Ana, Califórnia. Não fica claro de imediato se Odeh está usando uma túnica árabe ou uma toga romana, mas em minha própria correspondência com Bendib ele se refere ao traje como uma toga.

6. O fascínio de Dalí por Trajano: Elliott King, "*Ten Recipes for Immortality*: A Study in Da-línian Science and Paranoiac Fictions", em Gavin Parkinson (Org.), *Surrealism, Science Fiction and Comics* (Liverpool: Liverpool University Press, 2015), pp. 213-32; <www.wnyc.org/story/salvador-dali-four-conversations/>.

7. *The Emperor Vitellius*, disponível em: <collections.vam.ac.uk/item/O92994/the-empe-ror-vitellius-sculpture-rosso-medardo/>. Versões posteriores do texto on-line estranha-mente trocaram "fluida" por "lúcida".

8. Mark Rosenthal, *Anselm Kiefer* (Chicago: The Art Institute of Chicago, 1987), p. 60 (ci-tação, p. 17, de uma entrevista, junho de 1980, em *Art: Das Kunstmagazin*); Lisa Saltz-man, *Anselm Kiefer and Art after Auschwitz* (Cambridge: Cambridge University Press, 1999), pp. 63-4.

9. Maria Wyke, *Projecting the Past: Ancient Rome, Cinema and History* (Nova York: Routledge, 1997) (ainda estudo clássico); Sandra Joshel et al. (Orgs.), *Imperial Projections: Ancient Rome in Popular Culture.* Baltimore: Johns Hopkins University Press, 2001.

10. Diana Landau (Org.), *Gladiator: The Making of the Ridley Scott Epic* (Nova York: New-market, 2000) (sobre Gérôme, pp. 22-6, 49); Martin M. Winkler (Org.), *Gladiator: Film and History.* Malden, MA: Blackwell, 2004.

11. Jesse D. Elliott, *Address of Com. Jesse D. Elliott, U.S.N., Delivered in Washington County, Maryland, to His Early Companions at Their Request, on November 24, 1843*, op. cit., Apên-dice 59.

Bibliografia

Todos os textos referidos neste livro encontram-se disponíveis nos originais em grego e em latim, com traduções em inglês, na Loeb Classical Library (Cambridge, MA: Harvard University Press, 2017), exceto por Aurelius Victor, *On the Emperors* (*De Caesaribus*), que está disponível em Franz Pichlmayr e Roland Gründel, *Sexti Aurelii Victoris Liber de Caesaribus* (Leipzig: Teubner, 1961), tradução em inglês de Harry W. Bird (*Translated Texts for Historians*, Liverpool, v. 17, 1994). A edição de Donatus, *Life of Virgil*, da Loeb, foi publicada junto com Suetonius, *Lives of the Poets*. Muitas dessas obras estão disponíveis no idioma original e em traduções. Dois sites particularmente úteis são: <www.perseus.tufts.edu> e <http://penelope.uchicago.edu/Thayer/E/Roman/home.html>.

Sobre os textos do início da Idade Média: Geoffrey Chaucer, "Monk's Tale" é extraído da edição de Walter W. Skeat (Org.), *The Complete Works of Geoffrey Chaucer*, 2. ed. (Oxford: Oxford University Press, 1900), v. 4 [Ed. bras.: *Contos da Cantuária*. Trad. de José Francisco Botelho. São Paulo: Companhia das Letras, 2013]; *Roman de la rose*, de Félix Lecoy (Org.), *Le Roman de la rose par Guillaume de Lorris et Jean de Meun* (Paris: H. Champion, 1965-70), 3 v., tradução em inglês de Frances Horgan, *The Romance of the rose* (Oxford: Oxford University Press, 1999); Dante, *Inferno* (*Hell*), de Georgio Petrocchi (Org.), *Dante Alighieri, La Commedia secondo l'antica vulgata* (Milão: Mondadori, 1966-7), tradução em inglês de Robin Kirkpatrick (Londres: Penguin, 2006-7); John Malalas, *Chronicle*, de Johannes Thurn (Org.), *Ioannis Malalae Chronographia* (Berlim: De Gruyter, 2000), tradução em inglês de Elizabeth Jeffreys et al., *The Chronicle of John Malalas* (Melbourne: Australian Association for Byzantine Studies, 1986). Partes importantes de *History*, de Zonaras, obra escrita no século XII, fortemente inspirada em autores anteriores, encontram-se disponíveis em traduções em inglês de Thomas M. Banchich e Eugene N. Lane (Nova York: Routledge, 2009).

Coleções de antigos documentos, inscrições e moedas citadas:

BMCRE: Harold B. Mattingly e Robert A. G. Carson (Orgs.), *Coins of the Roman Empire in the British Museum* (Londres: The Trustees of the British Museum, 1923-62).

CIL: *Corpus Inscriptionum Latinarum* (Berlim, 1863). Disponível em: <cil.bbaw.de> e <arachne.uni-koeln.de/drupal/?q=en/node/291>.

POxy: *The Oxyrhynchus Papyri* (Londres, 1898). Disponível em: <www.papyrology.ox.ac.uk/POxy/ees/ees.html>.

RPC: *Roman Provincial Coinage* (Londres e Paris, 1992) Disponível em: <rpc.ashmus.ox.ac.uk>.

RRC: Michael H. Crawford (Org.), *Roman Republican Coinage* (Cambridge: Cambridge University Press, 1974). Disponível em: <numismatics.org/crro>.

Versões digitais de vários dos jornais e revistas citados encontram-se disponíveis em:

<www.gale.com/primary-sources/historical-newspapers> (serviço por assinatura) e <gallica. bnf.fr> (para publicações francesas). *Oxford English Dictionary* encontra-se disponível em: <www.oed.com> (serviço por assinatura).

"ACQUISITIONS/1992". *The J. Paul Getty Museum Journal*, Los Angeles, v. 21, pp. 101-63, 1993.

ADDISON, Joseph. *Dialogues upon the Usefulness of Ancient Medals* [1726]. Nova York: Garland, 1976.

AGUSTÍN, Antonio. *Dialogos de medallas, inscriciones y otras antiguedades*. Tarragona: F. Mey, 1587.

ALBERTONI, Margherita. "Le statue di Giulio Cesare e del Navarca". *Bullettino della Commissione Archeologica Comunale di Roma*, Roma, v. 95, n. 1, pp. 175-83, 1993.

ALCORN, Ellenor; SCHRODER, Timothy. "The Nineteenth- and Twentieth-Century History of the Tazze". In: SIEMON, Julia (Org.). *The Silver Caesars: A Renaissance Mystery*. Nova York: The Metropolitan Museum of Art, 2017. pp. 148-57.

ALDROVANDI, Ulisse. "Delle statue antiche, che per tutta Roma in diversi luoghi, e case si veggono". In: MAURO, Lucio. *Le antichità de la città di Roma*. Veneza: Giorddano Ziletti, 1556. pp. 115-316.

ALEXANDER, Jonathan J. G. (Org.). *The Painted Page: Italian Renaissance Book Illumination, 1450-1550*. Londres: Royal Academy of Arts, 1994. Catálogo de exposição.

ALFÖLDI, Andreas. "Tonmodel und Reliefmedaillons aus den Donauländern". In: *Laureae Aquincenses (Memoriae Valentini Kuzsinszky dicatae), I*. Budapeste: Pázmány Péter Katolikus Egyetem, 1938. pp. 312-41. (Dissertationes Pannonicae, 10).

ALLAN, Scott; MORTON, Mary (Orgs.). *Reconsidering Gérôme*. Los Angeles: J. Paul Getty Museum, 2010.

ANDERSON, Christina M. *The Flemish Merchant of Venice: Daniel Nijs and the Sale of the Gonzaga Art Collection*. New Haven: Yale University Press, 2015.

ANDO, Clifford. *Imperial Ideology and Provincial Loyalty in the Roman Empire*. Berkeley: University of California Press, 2000.

_____. *Imperial Rome, AD 193-284*. Edimburgo: Edinburgh University Press, 2012.

ANDRÉN, Arvid. "Greek and Roman Marbles in the Carl Milles Collection". *Opuscula Romana*, Roma, v. 23, pp. 75-117, 1965.

ANDREWS, C. Bruyn (Org.). *The Torrington Diaries: Containing the Tours through England and Wales of the Hon. John Byng (Later Fifth Viscount Torrington) between the Years 1781 and 1794*. Londres: Eyre & Spottiswoode, 1936. v. 3.

ANGELICOUSSIS, Elizabeth. "Walpole's Roman Legion: Antique Sculpture at Houghton Hall". *Apollo*, Londres, v. 169, n. 562, pp. 24-31, fev. 2009.

ARASSE, Daniel. *Décors italiens de la Renaissance*. Paris: Hazan, 2009.

ARATA, Francesco Paolo. "La nascita del Museo Capitolino". In: TITTONI, Maria Elisa (Org.). *Il Palazzo dei Conservatori e il Palazzo Nuovo in Campidoglio: Momenti di storia urbana a Roma*. Pisa: Pacini, 1996. pp. 75-81.

ARETINO, Pietro. *La humanità di Christo* [1535]. In: FERRONI, Giulio (Org.). *Pietro Aretino*. Roma: Istituto Poligrafico e Zecca dello Stato, 2002.

ASCOLI, Albert R. *A Local Habitation and a Name: Imagining Histories in the Italian Renaissance*. Nova York: Fordham University Press, 2011.

ASHMOLE, Bernard. *Forgeries of Ancient Sculpture, Creation and Detection*. Oxford: Holywell, 1961. (The J. L. Myres Memorial Lecture 1.)

ASTINGTON, John, H. *Stage and Picture in the English Renaissance: The Mirror up to Nature.* Cambridge: Cambridge University Press, 2017.

ATTWOOD, Philip. *Italian Medals c. 1530-1600.* Londres: British Museum, 2003. 2 v.

AYRES, Linda (Org.). *Harvard Divided.* Cambridge, MA: Fogg Art Museum, 1976. Catálogo de exposição.

AYRES, Philip. *Classical Culture and the Idea of Rome in the Eighteenth Century England.* Cambridge: Cambridge University Press, 1997.

BACCI, Francesca Maria. "Catalogo". In: NESI, Antonella (Org.). *Ritratti di imperatori e profili all'antica: Scultura del Quattrocento nel Museo Stefano Bardini.* Florença: Centro Di, 2012. pp. 158-89.

_____. "Ritratti di imperatori nella scultura italiana del Quattrocento". In: NESI, Antonella (Org.). *Ritratti di imperatori e profili all'antica: Scultura del Quattrocento nel Museo Stefano Bardini.* Florença: Centro Di, 2012. pp. 21-97.

BAGLIONE, Giovanni. *Le vite de' pittori, scultori et architetti.* Roma: Andrea Fei, 1642.

BAILEY, Stephen. "Metamorphoses of the Grimani 'Vitellius'". *The J. Paul Getty Museum Journal,* Los Angeles, v. 5, pp. 105-22, 1977.

_____. "Metamorphoses of the Grimani 'Vitellius': Addenda and Corrigenda". *The J. Paul Getty Museum Journal,* Los Angeles, v. 8, pp. 207-8, 1980.

BAKER, Malcolm. "'A Sort of Corporate Company': Approaching the Portrait Bust in Its Setting". In: CURTIS, Penelope et al. *Return to Life: A New Look at the Portrait Bust.* Leeds: Henry Moore Institute, 2000. pp. 20-35. Catálogo de exposição.

_____. *The Marble Index: Roubiliac and Sculptural Portaiture in Eighteenth-Century Britain.* New Haven: Yale University Press, 2014.

_____. "Attending to the Veristic Sculptural Portrait in the Eighteenth Century". In: _____; HEMINGWAY, Andrew (Orgs.). *Art as Worldmaking: Critical Essays on Realism and Naturalism.* Manchester: Manchester University Press, 2018. pp. 53-69.

BANN, Stephen. "Questions of Genre in Early Nineteenth-Century French Painting". *New Literary History,* Baltimore, v. 34, pp. 501-11, 2003.

BARBERINI, Nicoletta; CONTI, Matilde. *Ceramiche artistiche Minghetti: Bologna.* Sasso Marconi: Bolelli, 1994.

BARBIER DE MONTAULT, Xavier. "Inventaire descriptif des tapisseries de haute-lisse conservées à Rome". *Mémoires de l'Académie des Sciences, Lettres et Arts d'Arras,* Arras, segunda série, v. 10, pp. 175-284, 1878.

BARGHAHN, Barbara von. *Philip IV and the "Golden House" of the Buen Retiro: In the Tradition of Caesar.* Nova York: Garland, 1986. v. 1.

BARING-GOULD, Sabine. *The Tragedy of the Caesars: A Study of the Character of the Caesars of the Julian and Claudian Houses.* Londres: Methuen, 1892. 2 v.

BARKAN, Leonard. *Unearthing the Past: Archaeology and Aesthetics in the Making of Renaissance Culture.* New Haven: Yale University Press, 1999.

BAROLSKY, Paul. *Ovid and the Metamorphoses of Modern Art from Botticelli to Picasso.* New Haven: Yale University Press, 2014.

BARONI, Alessandra; SELLINK, Manfred. *Stradanus, 1523-1605: Court Artist of the Medici.* Turnhout: Brepols, 2012.

BARRETT, Anthony. *Agrippina: Sex, Power and Politics in the Early Empire.* New Haven: Yale University Press, 1996.

_____. *Livia: First Lady of Imperial Rome.* New Haven: Yale University Press, 2002.

BARROW, Rosemary. *Lawrence Alma-Tadema.* Londres: Phaidon, 2001.

BARTMAN, Elizabeth. *Portraits of Livia: Imaging the Imperial Woman in Augustan Rome*. Cambridge: Cambridge University Press, 1998.

BARTON, Tamsyn. *Power and Knowledge: Astrology, Physiognomics, and Medicine under the Roman Empire*. Ann Arbor: University of Michigan Press, 1994.

BAUER, Rotraud; HAUPT, Herbert. "Das Kunstkammerinventar Kaiser Rudolfs II. 1607-1611". *Jahrbuch der Kunsthistorischen Sammlungen in Wien*, Viena, v. 72, 1976.

BAUER, Stefan. *The Invention of Papal History: Onofrio Panvinio between Renaissance and Catholic Reform*. Oxford: Oxford University Press, 2019.

BEARD, Mary. *The Roman Triumph*. Cambridge, MA: Harvard University Press, 2007.

_____. "Was He Quite Ordinary?". *London Review of Books*, Londres, pp. 8-9, 23 jul. 2009.

_____. *SPQR: A History of Ancient Rome*. Londres: Profile, 2015. [Ed. bras.: *SPQR: Uma história da Roma Antiga*. Trad. de Luis Reyes Gil. São Paulo: Planeta, 2017.]

_____. "Suetonius, the Silver Caesars, and Mistaken Identities". In: SIEMON, Julia (Org.). *Silver Caesars: A Renaissance Mystery*. Nova York: The Metropolitan Museum of Art, 2017. pp. 32-45.

_____ ; HENDERSON, John. *Classical Art: From Greece to Rome*. Oxford: Oxford University Press, 2001.

_____; NORTH, John; PRICE, Simon. *Religions of Rome*. Cambridge: Cambridge University Press, 1998. v. 1.

BEARDEN, Romare; HENDERSON, Harry. *A History of African-American Artists: From 1792 to the Present*. Nova York: Pantheon, 1993.

BEENY, Emily. "Blood Spectacle: Gérôme in the Arena". In: ALLAN, Scott; MORTON, Mary (Orgs.). *Reconsidering Gérôme*. Los Angeles: J. Paul Getty Museum, 2010. pp. 40-53.

BEER, Susanna de. "The Roman 'Academy' of Pomponio Leto: From an Informal Humanist Network to the Institution of a Literary Society". In: DIXHOORN, Arjan van; SUTCH, Susie Speakman. *The Reach of the Republic of Letters: Literary and Learned Societies in Late Medieval and Early Modern Europe*. Leiden: Brill, 2008. pp. 181-218.

BEERBOHM, Max. *Zuleika Dobson, or, An Oxford Love Story* [1911]. Harmondsworth: Penguin, 1952.

BELOZERSKAYA, Marina. *Luxury Arts of the Renaissance*. Los Angeles: J. Paul Getty Museum, 2005.

BENEDETTI, Simona. *Il Palazzo Nuovo nella Piazza del Campidoglio dalla sua edificazione alla trasformazione in museo*. Roma: Quasar, 2001.

BERNOULLI, Johann J. *Römische Ikonographie*. Stuttgart: W. Spemann, 1882. v. 1: *Die Bildnisse berühmter Römer*.

BERTINI, Giuseppe. "La Collection Farnèse d'après les archives". In: *La Tapisserie au XVIIᵉ siècle et les collections européennes: Actes du Colloque International de Chambourd*. Paris: Editions du patrimoine, 1999. pp. 127-40.

BERZAGHI, Renato. "Nota per il gabinetto dei Cesari". In: MATTEI, Francesca (Org.). *Federico II Gonzaga e le arti*. Roma: Bulzoni, 2016. pp. 243-58.

BESUTTI, Paola. "Musiche e scene ducali ai tempi di Vespasiano Gonzaga: Le feste, Pallavicino, il teatro". In: MALACARNE, Giancarlo (Org.). *Non solo Sabbioneta*. Sabioneta: Associazione Pro Loco, 2016. pp. 137-51.

BIGNAMINI, Ilaria. "I marmi Fagan in Vaticano: La vendita del 1804 e altre acquisizioni". *Bollettino dei monumenti, musei e gallerie pontificie*, Cidade do Vaticano, v. 16, pp. 331-94, 1996.

_____ ; HORNSBY, Clare. *Digging and Dealing in Eighteenth-Century Rome*. New Haven: Yale University Press, 2010. 2 v.

BOCH, Johann. *Descriptio publicae gratulationis, spectaculorum et ludorum, in aduentu sereniss. Principis Ernesti Archiducis Austriae, ... an. 1594*. Antuérpia: Ex Officina Plantiniana, 1595.

BODART, Diane H. *Tiziano e Federico II Gonzaga: Storia di un rapporto di committenza*. Roma: Bulzoni, 1998.

BODART, Didier G. J. "Cérémonies et monuments romains à la mémoire d'Alexandre Farnèse, duc de Parme et de Plaisance". *Bulletin de l'Institut historique belge de Rome*, Bruxelas, v. 37, pp. 121-36, 1966.

BODON, Giulio. *Enea Vico fra memoria e miraggio della classicità*. Roma: L'Erma di Bretschneider, 1997.

_____. *Veneranda Antiquitas: Studi sull'eredità dell'antico nella Rinascenza veneta*. Berna: Lang, 2005.

BOEYE, Kerry; PANDEY, Nandini B. "Augustus as Visionary: The Legend of the Augustan Altar in S. Maria in Aracoeli, Rome". In: GOODMAN, Penelope J. (Org.). *Afterlives of Augustus, AD 14-2014*. Cambridge: Cambridge University Press, 2018. pp. 152-77.

BOIME, Albert. *Thomas Couture and the Eclectic Vision*. New Haven: Yale University Press, 1980.

_____. "The Prix de Rome: Images of Authority and Threshold of Official Success". *Art Journal*, Nova York, v. 44, n. 3, pp. 281-9, 1984.

BONNET, Alain et al. *Devenir peintre au XIXᵉ siècle: Baudry, Bouguereau, Lenepveu*. Lyon: Fage, 2007. Catálogo de exposição.

BOON, George C. "A Roman Pastrycook's Mould from Silchester". *The Antiquaries Journal*, Londres, v. 38, n. 3/4, pp. 237-40, 1958.

BORCHERT, Till-Holger (Org.). *Memling's Portraits*. Stuttgart: Belser, 2005. Catálogo de exposição.

BORDA, Maurizio. "Il ritratto Tuscolano di Giulio Cesare". *Atti della Pontificia accademia romana di archeologia. Rendiconti*, Roma, v. 20, pp. 347-82, 1943-4.

BORMAND, Marc et al. (Orgs.). *Desiderio da Settignano: Sculptor of Renaissance Florence*. Washington, DC: National Gallery of Art, 2007. Catálogo de exposição.

BORYS, Ann Marie. *Vincenzo Scamozzi and the Chorography of Early Modern Architecture*. Farnham: Ashgate, 2014.

BOSCHUNG, Dietrich. *Die Bildnisse des Augustus*. Berlim: Mann, 1993. (Das Römische Herrscherbild, I, 2.)

_____. "Die Bildnistypen der iulisch-claudischen Kaiserfamilie: Ein kritischer Forschungsbericht". *Journal of Roman Archaeology*, Ann Arbor, v. 6, pp. 39-79, 1993.

BOTTARI, Giovanni Gaetano; FOGGINI, Nicolao. *Il Museo Capitolino* [1748]. Milão: Destefanis A. S. Zeno, 1820. v. 2.

BOTTINEAU, Yves. "L'Alcázar de Madrid et l'inventaire de 1686: Aspects de la cour d'Espagne au XVIIᵉ siècle (suite, 3ᵉ article)". *Bulletin Hispanique*, Bordeaux, v. 60, pp. 145-79, 1958.

BOWERSOCK, Glen W. *Julian the Apostate*. Cambridge, MA: Harvard University Press, 1978.

_____. "The Emperor Julian on His Predecessors". *Yale Classical Studies*, New Haven, v. 27, pp. 159-72, 1982.

BRESLER, Ross M. R. *Between Ancient and All'Antica: The Imitation of Roman Coins in the Renaissance*. Boston: Boston University, 2002. Tese (Doutorado em Filosofia).

BRETT, Cécile. "Antonio Verrio (*c*. 1636-1707): His Career and Surviving Work". *British Art Journal*, Londres, v. 10, n. 3, pp. 4-17, 2009-10.

BRILLIANT, Richard. *Portraiture*. Londres: Reaktion, 1991.

_____; KINNEY, Dale (Orgs.). *Reuse Value: Spolia and Appropriation in Art and Architecture from Constantine to Sherrie Levine*. Farnham: Ashgate, 2011.

BRODSKY, Joseph. "Homage to Marcus Aurelius". In: *On Grief and Reason: Essays*. Nova York: Farrar, Straus & Giroux, 1995.

_____. *Collected Poems in English*. Nova York: Farrar, Straus & Giroux, 2000.

BROTTON, Jerry. *The Sale of the Late King's Goods: Charles I and His Art Collection*. Oxford: Pan, 2006.

_____; MCGRATH, David. "The Spanish Acquisition of King Charles I's Art Collection: The Letters of Alonso de Cárdenas, 1649-51". *Journal of the History of Collections*, Oxford, v. 20, n. 1, pp. 1-16, 2008.

BROWN, Beverly Louise. "Corroborative Detail: Titian's 'Christ and the Adulteress'". *Artibus et Historiae*, Veneza, v. 28, n. 56, pp. 73-105, 2007.

_____. "Portraiture at the Courts of Italy". In: CHRISTIANSEN, Keith; WEPPELMANN, Stefan (Orgs.). *Renaissance Portrait: From Donatello to Bellini*. Nova York: The Metropolitan Museum of Art, 2011. pp. 26-47. Catálogo de exposição.

BROWN, Clifford M.; VENTURA, Leandro. "Le raccolte di antichità dei duchi di Mantova e dei rami cadetti di Guastalla e Sabbioneta". In: MORSELLI, Raffaella (Org.). *Gonzaga. La Celeste Galeria: L'esercizio del collezionismo*. Milão: Skira, 2002. pp. 53-65.

BROWN, Jonathan; ELLIOTT, John H. *A Palace for a King: The Buen Retiro and the Court of Philip IV*. New Haven: Yale University Press, 1980.

_____ (Orgs.). *The Sale of the Century: Artistic Relations between Spain and Great Britain, 1604-1655*. New Haven: Yale University Press, 2002. Catálogo de exposição.

BROWN, Patricia Fortini. *Venice and Antiquity: The Venetian Sense of the Past*. New Haven: Yale University Press, 1996.

BUCCINO, Laura. "Le antichità del marchese Vincenzo Giustiniani nel Palazzo di Bassano Romano". *Bollettino d'arte*, Roma, v. 96, pp. 35-76, 2006.

BUCHAN, John. *Julius Caesar*. Londres: Davies, 1932.

BUICK, Kirsten Pai. *Child of the Fire: Mary Edmonia Lewis and the Problem of Art History's Black and Indian Subject*. Durham, NC: Duke University Press, 2010.

BULL, Duncan et al. "Les Portraits de Jacopo et Ottavio Strada par Titien et Tintoret". In: DELIEUVIN, Vincent; HABERT, Jean (Orgs.). *Titien, Tintoret, Véronèse: Rivalités à Venise*. Paris: Hazan, 2009. pp. 200-13. Catálogo de exposição.

BURKE, Peter. "A Survey of the Popularity of Ancient Historians, 1450-1700". *History and Theory*, Middletown, CT, v. 5, n. 2, pp. 135-52, 1966.

_____. *The Fabrication of Louis XIV*. New Haven: Yale University Press, 1994. [Ed. bras.: *A fabricação do rei: A construção da imagem pública de Luís XIV*. Trad. de Maria Luiza X. de A. Borges. Rio de Janeiro: Zahar, 1994.]

BURNETT, Andrew. "Coin Faking in the Renaissance". In: JONES, Mark (Org.). *Why Fakes Matter: Essays on Problems of Authenticity*. Londres: British Museum, 1992. pp. 15-22.

_____. "The Augustan Revolution Seen from the Mints of the Provinces". *Journal of Roman Studies*, Londres, v. 101, pp. 1-30, 2011.

_____; SCHOFIELD, Richard. "The Medallions of the *Basamento* of the Certosa di Pavia: Sources and Influence". *Arte lombarda*, Milão, v. 120, pp. 5-28, 1997.

BURNS, Howard et al. *Valerio Belli Vicentino: 1468 c.-1546*. Vicenza: Pozza, 2000.

BUSCH, Renate von. *Studien zu deutschen Antikensammlungen des 16. Jahrhunderts*. Tübingen: Eberhard Karls Universität Tübingen, 1973. Tese (Doutorado em Filosofia).

CADARIO, Matteo. "Le statue di Cesare a Roma tra il 46 e il 44 a.C.". *Annali della Facoltà di lettere e filosofia dell'Università degli Studi di Milano*, Milão, v. 59, pp. 25-70, 2006.

CAGLIOTI, Francesco. "Mino da Fiesole, Mino del Reame, Mino da Montemignaio: Un caso chiarito di sdoppiamento d'identità artistica". *Bollettino d'arte*, Roma, v. 67, pp. 19-86, 1991.

_____. "Desiderio da Settignano: Profiles of Heroes and Heroines of the Ancient World". In: BORMAND, Marc et al. (Orgs.). *Desiderio da Settignano: Sculptor of Renaissance Florence*. Washington, DC: National Gallery of Art, 2007. pp. 87-101. Catálogo de exposição.

_____. "Fifteenth-Century Reliefs of Ancient Emperors and Empresses in Florence: Production and Collecting". In: PENNY, Nicholas; SCHMIDT, Eike D. (Orgs.). *Collecting Sculpture in Early Modern Europe*. New Haven: Yale University Press, 2008. pp. 67-109. (Studies in the History of Art 70.)

ÇAKMAK, Gülru. "The Salon of 1859 and Caesar: The Limits of Painting". In: ALLAN, Scott; MORTON, Mary (Orgs.). *Reconsidering Gérôme*. Los Angeles: J. Paul Getty Museum, 2010. pp. 65-80.

CALLATAY, François de. "La Controverse 'imitateurs/faussaires' ou les riches fantaisies monétaires de la Renaissance". In: MOUNIER, Pascale; NATIVEL, Colette (Orgs.). *Copier et Contrefaire à la Renaissance: Faux et usage de faux*. Paris: Honoré Champion, 2014. pp. 269-92.

CAMPBELL, Lorne et al. *Renaissance Faces: Van Eyck to Titian*. Londres: National Gallery, 2008. Catálogo de exposição.

CAMPBELL, Stephen J. "Mantegna's Triumph: The Cultural Politics of Imitation 'all'antica' at the Court of Mantua, 1490-1530". In: _____ (Org.). *Artists at Court: Image-Making and Identity, 1300-1550*. Boston, MA: Isabella Stewart Gardner Museum, 2004. pp. 91-105.

_____. *Andrea Mantegna: Humanist Aesthetics, Faith, and the Force of Images*. Londres: Harvey Miller, 2020.

CAMPBELL, Thomas [P.]. "New Light on a Set of *History of Julius Caesar* Tapestries in Henry VIII's Collection". *Studies in the Decorative Arts*, Nova York, v. 5, n. 2, pp. 2-39, 1998.

_____ (Org.). *Tapestry in the Renaissance: Art and Magnificence*. Nova York: The Metropolitan Museum of Art, 2002. Catálogo de exposição.

_____. *Henry VIII and the Art of Majesty: Tapestries at the Tudor Court*. New Haven: Yale University Press, 2007.

CANFORA, Davide (Org.). *La controversia di Poggio Bracciolini e Guarino Veronese su Cesare e Scipione*. Florença: Leo S. Olschki, 2001.

CANINA, Luigi. *Descrizione dell'antico Tusculo*. Roma: Canina, 1841.

CANNADINE, David. "The Context, Performance and Meaning of Ritual: The British Monarchy and the 'Invention of Tradition' c. 1820-1977". In: HOBSBAWM, Eric; RANGER, Terence (Orgs.). *The Invention of Tradition*. Cambridge: Cambridge University Press, 1983. pp. 101-64. [Ed. bras.: *A invenção das tradições*. Trad. de Celina Cardim Cavalcante. Rio de Janeiro: Paz e Terra, 1984.]

_____; PRICE, Simon. *Rituals of Royalty: Power and Ceremonial in Traditional Societies*. Cambridge: Cambridge University Press, 1993.

CAPODURO, Luisa. "Effigi di imperatori romani nel manoscritto Chig. J VII 259 della Biblioteca Vaticana: Origini e diffusione di un'iconografia". *Storia dell'arte*, Roma, v. 79, pp. 286-325, 1993.

CAROTTA, Francesco. "Il Cesare incognito: Sulla postura del ritratto tusculano di Giulio Cesare". *Numismatica e antichità classiche*, Milão, v. 45, pp. 129-79, 2016.

CARRADORI, Francesco. *Elementary Instructions for Students of Sculpture*. Trad. de Matti Kalevi Auvinen. Los Angeles: J. Paul Getty Museum, 2002. Ed. original: *Istruzione elementare per gli studiosi della scultura*. Florença: [s.n.], 1802.

CASINI, Tommaso. "Cristo e i manigoldi nell'*Incoronazione di spine* di Tiziano". *Venezia Cinquecento*, Roma, v. 3, pp. 97-118, 1993.

CAVACEPPI, Bartolomeo. *Raccolta d'antiche statue* [1768-72]. In: MEYER, Susanne Adina; PIVA, Chiara (Orgs.). *L'arte di ben restaurare: La "Raccolta d'antiche statue" (1768-1772) di Bartolomeo Cavaceppi*. Florença: Nardini, 2011.

CAVENDISH, William G. S. (Sexto Duque de Devonshire). *Handbook of Chatsworth and Hardwick*. Londres: ed. do autor, 1845.

CHAMBERS, David; MARTINEAU, Jane (Orgs.). *Splendours of the Gonzaga*. Londres: Victoria and Albert Museum, 1981. Catálogo de exposição.

CHAMBERS, Robert W. *Man's Unconquerable Mind: Studies of English Writers, from Bede to A. E. Housman and W. P. Ker* [1939]. Londres: Jonathan Cape, 1964.

CHAMPLIN, Edward. *Nero*. Cambridge, MA: Harvard University Press, 2003.

CHARLES I: King and Collector. Londres: Royal Academy of Arts, 2018. Catálogo de exposição.

CHOLMONDELEY, David; MOORE, Andrew. *Houghton Hall: Portrait of an English Country House*. Nova York: Skira Rizzoli, 2014.

CHRISTIAN, Kathleen Wren. "Caesars, Twelve". In: GRAFTON, Anthony et al. (Orgs.). *Harvard Encyclopedia of the Classical Tradition*. Cambridge, MA: Harvard University Press, 2010. pp. 155-6.

_____. *Empire without End: Antiquities Collections in Renaissance Rome, c. 1350-1527*. New Haven: Yale University Press, 2010.

CHRISTIANSEN, Keith. *The Genius of Andrea Mantegna*. New Haven: Yale University Press, 2009.

_____; WEPPELMANN, Stefan (Orgs.). *The Renaissance Portrait: From Donatello to Bellini*. Nova York: The Metropolitan Museum of Art, 2011. Catálogo de exposição.

"CHRONICLE". *Journal of the Royal Institute of British Architects*, Londres, pp. 444-5, 1906.

CLARK, Anna. *Scandal: The Sexual Politics of the British Constitution*. Princeton: Princeton University Press, 2003.

CLARK, H. Nichols B. "An Icon Preserved: Continuity in the Sculptural Images of Washington". In: MITNICK, Barbara J. et al. *George Washington: American Symbol*. Nova York: Hudson Hills, 1999. pp. 39-53.

CLELAND, Elizabeth (Org.). *Grand Design: Pieter Coecke van Aelst and Renaissance Tapestry*. Nova York: The Metropolitan Museum of Art, 2014. Catálogo de exposição.

CLIFFORD, Timothy et al. *The Three Graces: Antonio Canova*. Edimburgo: National Gallery of Scotland, 1995. Catálogo de exposição.

COARELLI, Filippo (Org.). *Divus Vespasianus: Il bimillenario dei Flavi*. Roma: Quasar, 2009. Catálogo de exposição.

_____; GHINI, Giuseppina (Orgs.). *Caligola: La trasgressione al potere*. Roma: Gangemi, 2013. Catálogo de exposição.

COHN, Marjorie B. "Introduction". In: CONDON, Patricia et al. (Orgs.). *Ingres. In Pursuit of Perfection: The Art of J.-A.-D. Ingres*. Louisville, KY: J. B. Speed Art Museum, 1983. pp. 10-33.

COLE, Emily. "Theobalds, Hertfordshire: The Plan and Interiors of an Elizabethan Country House". *Architectural History*, Nova York, v. 60, pp. 71-116, 2017.

COLE, Nicholas. "Republicanism, Caesarism, and Political Change". In: GRIFFIN, Miriam (Org.). *A Companion to Julius Caesar*. Chichester: Wiley-Blackwell, 2009. pp. 418-30.

COLLINS, Jeffrey. "A Nation of Statues: Museums and Identity in Eighteenth-Century Rome". In: BAXTER, Denise Amy; MARTIN, Meredith (Orgs.). *Architectural Space in Eighteenth-Century Europe: Constructing Identities and Interiors*. Londres: Routledge, 2010. pp. 187-214.

COMBE, Taylor et al. *A Description of the Collection of Ancient Marbles in the British Museum*. Parte II. Londres: Nicol, 1861.

CONDON, Patricia et al. (Orgs.). *Ingres. In Pursuit of Perfection: The Art of J.-A.-D. Ingres*. Louisville, KY: J. B. Speed Art Museum, 1983.

CONTE, Gian Biagio. *Latin Literature: A History*. Trad. de Joseph B. Solodow. Baltimore: Johns Hopkins University Press, 1994.

COSTELLO, Donald P. *Fellini's Road*. Notre Dame: University of Notre Dame, 1983.

COTTAFAVI, Clinio. "Cronaca delle Belle Arti". *Bollettino d'arte*, Roma, pp. 616-23, jun. 1928.

COTTRELL, Philip. "Art Treasures of the United Kingdom and the United States: The George Scharf Papers". *Art Bulletin*, Londres, v. 94, n. 4, pp. 618-40, 2012.

COULTER, Frances. "Drawing Titian's 'Caesars': A Rediscovered Album by Bernardino Campi". *Burlington Magazine*, Londres, v. 161, n. 1396, pp. 562-71, 2019.

_____. "Supporting Titian's Emperors: Giulio Romano's Narrative Framework in the *Gabinetto dei Cesari*". No prelo.

CRASKE, Matthew. *The Silent Rhetoric of the Body*. New Haven: Yale University Press, 2007.

CRAWFORD, Michael H. "Hamlet without the Prince". *Journal of Roman Studies*, Londres, v. 66, pp. 214-7, 1976.

CROPP, Glynnis M. "Nero, Emperor and Tyrant, in the Medieval French Tradition". *Florilegium*, Ottawa, v. 24, n. 1, pp. 21-36, 2007.

CROWE, Joseph Archer; CAVALCASELLE, Giovanni Battista. *Titian: His Life and Times*. Londres: Murray, 1877. v. 1.

CUNNALLY, John. *Images of the Illustrious: The Numismatic Presence in the Renaissance*. Princeton: Princeton University Press, 1999.

_____. "Of Mauss and (Renaissance) Men: Numismatics, Prestation and the Genesis of Visual Literacy". In: STAHL, Alan M. (Org.). *The Rebirth of Antiquity: Numismatics, Archaeology and Classical Studies in the Culture of the Renaissance*. Princeton: Princeton University Press, 2009. pp. 27-47.

CUTLER, Anthony. "Octavian and the Sibyl in Christian Hands". *Vergilius*, Chapel Hill, v. 11, pp. 22-32, 1965.

D'ALESSI, Fabio (Org.). *Hieronymi Bononii tarvisini antiquarii libri duo*. Veneza: Istituto veneto di scienze, lettere ed arti, 1995.

D'AMICO, Daniela. *Sullo Pseudo-Vitellio*. Veneza: Università Ca' Foscari, 2012-3. Tese (Doutorado em Ciência da Antiguidade).

DANDELET, Thomas James. *The Renaissance of Empire in Early Modern Europe*. Cambridge: Cambridge University Press, 2014.

D'APRÈS l'antique. Paris: [s.n.], 2000. Catálogo de exposição.

DARCEL, Alfred (Org.). *La Collection Spitzer: Antiquité, Moyen Age, Renaissance*. Paris: [s.n.], 1891. v. 3.

DARLEY, Gillian. *John Soane: An Accidental Romantic*. New Haven: Yale University Press, 1999.

DAUNT, Catherine. *Portrait Sets in Tudor and Jacobean England*. Brighton: University of Sussex, 2015. Tese (Doutorado em História da Arte).

DAVIES, Glenys. "Portrait Statues as Models for Gender Roles in Roman Society". *Memoirs of the American Academy at Rome*, Nova York, v. supl. 7: *Role Models in the Roman World. Identity and Assimilation*, pp. 207-20, 2008.

_____. "Honorific vs Funerary Statues of Women: Essentially the Same or Fundamentally Different?". In: HEMELRIJK, Emily; WOOLF, Greg (Orgs.). *Women and the Roman City in the Latin West*. Leiden: Brill, 2013. pp. 171-99. (Mnemosyne, 360).

DE BELLAIGUE, Geoffrey. *French Porcelain in the Collection of Her Majesty the Queen*. Londres: Royal Collection, 2009. 3 v.

DE GRUMMOND, Nancy Thomson. *Rubens and Antique Coins and Gems*. Chapel Hill: University of North Carolina, 1968. Tese (Doutorado em História da Arte).

_____. "The Real Gonzaga Cameo". *American Journal of Archaeology*, Boston, v. 78, n. 4, pp. 427-9, 1974.

_____ (Org.). *Encyclopaedia of the History of Classical Archaeology*. Londres: Fitzroy Dearbom, 1996.

DEKESEL, Christian. "Hubert Goltzius in Douai (5.11.1560-14.11.1560)". *Revue belge de numismatique*, Bruxelas, v. 127, pp. 117-25, 1981.

DELAFORCE, Angela. "The Collection of Antonio Pérez, Secretary of State to Philip II". *Burlington Magazine*, Londres, v. 124, n. 957, pp. 742-53, 1982.

DELLA PORTA, Giambattista. *De humana physiognomonia, libri IIII*. Nápoles: Vico Equense, 1586.

DEMPSEY, Charles. "The Carracci *Postille* to Vasari's *Lives*". *Art Bulletin*, Londres, v. 68, n. 1, pp. 72-6, 1986.

_____. "Nicolas Poussin between Italy and France: Poussin's *Death of Germanicus* and the Invention of the Tableau". In: SEIDEL, Max (Org.). *L'Europa e l'arte italiana: Per cento anni dalla fondazione del Kunsthistorisches Institut in Florenz*. Veneza: Marsilio, 2000. pp. 321-35.

DE' MUSI, Giulio. *Speculum Romanae Magnificentiae*. Veneza: [s.n.], 1554.

DE SANTI, Pier Marco. *La dolce vita: Scandalo a Roma, Palma d'oro a Cannes*. Pisa: ETS, 2004.

DESMAS, Anne-Lise; FREDDOLINI, Francesco. "Sculpture in the Palace: Narratives of Comparison, Legacy and Unity". In: FEIGENBAUM, Gail (Org.). *Display of Art in the Roman Palace, 1550-1750*. Los Angeles: The Getty Research Institute, 2014. pp. 267-82.

DESSEN, Cynthia S. "An Eighteenth-Century Imitation of Persius, Satire I". *Texas Studies in Literature and Language*, Austin, v. 20, n. 3, pp. 433-56, 1978.

DEVONSHIRE, Duquesa de. *Treasures of Chatsworth: A Private View*. Londres: Constable, 1991.

DIDEROT, Denis. *Oeuvres complètes*. Org. de Jules Assézat. Paris: Garnier, 1876. v. 10.

DIEMER, Dorothea et al. (Orgs.). *Die Münchner Kunstkammer*. Munique: Beck, 2008. 3 v.

_____; DIEMER, Peter. "Mantua in Bayern? Eine Planungsepisode der Münchner Kunstkammer". In: DIEMER, Dorothea et al. (Orgs.). *Die Münchner Kunsthammer*. Munique: Beck, 2008. v. 3, pp. 321-9.

DIEMER, Peter (Org.). *Das Inventar der Münchner herzoglichen Kunstkammer von 1598*. Munique: Beck, 2004.

DILLON, Sheila. *Ancient Greek Portrait Sculpture: Contexts, Subjects and Styles*. Cambridge: Cambridge University Press, 2006.

_____. *The Female Portrait Statue in the Greek World*. Cambridge: Cambridge University Press, 2010.

DÖHL, Hartmut; ZANKER, Paul. "La scultura". In: ZEVI, Fausto (Org.). *Pompei 79*. Nápoles: Macchiaroli, 1979. pp. 177-210.

DOLCE, Lodovico. *Dialogo della pittura*. Veneza: [s.n.], 1557.

DOLMAN, Brett. "Antonio Verrio and the Royal Image at Hampton Court". *British Art Journal*, Londres, v. 10, n. 3, pp. 18-28, 2009-10.

DRAPER, James David; SCHERF, Guilhem (Orgs.). *Playing with Fire: European Terracotta Models, 1740-1840*. Nova York: The Metropolitan Museum of Art, 2003. Catálogo de exposição.

DUINDAM, Jeroen. *Dynasties: A Global History of Power, 1300-1800*. Cambridge: Cambridge University Press, 2016.

DUNNETT, Jane. "The Rhetoric of Romanità: Representations of Caesar in Fascist Theatre". In: WYKE, Maria (Org.). *Julius Caesar in Western Culture*. Malden, MA: Blackwell, 2006. pp. 244-65.

DUTTON COOK, Edward. *Art in England: Notes and Studies*. Londres: Sampson Low, Son & Marston, 1869.

EDMONDSON, Jonathan (Org.). *Augustus*. Edimburgo: Edinburgh University Press, 2009.

EDWARDS, Catharine. *Writing Rome: Textual Approaches to the City*. Cambridge: Cambridge University Press, 1996.

EIDELBERG, Martin; ROWLANDS, Eliot W. "The Dispersal of the Last Duke of Mantua's Paintings", *Gazette des Beaux-Arts*, Nova York, série 6, v. 123, pp. 207-87, 1994.

EKSERDJIAN, David. *Parmigianino*. New Haven: Yale University Press, 2006.

ELKINS, James. "From Original to Copy and Back Again". *British Journal of Aesthetics*, Londres, v. 33, n. 2, pp. 113-20, 1993.

ELLIOTT, Jesse D. *Address of Com. Jesse D. Elliott, U.S.N., Delivered in Washington County, Maryland, to His Early Companions at Their Request, on November 24, 1843*. Filadélfia: [s.n.], 1844.

ERASMUS, Desiderio. *De puritate tabernaculi sive ecclesiae christianae*. Basileia: Officina Frobeniana, 1536.

_____. *The Correspondence of Erasmus, 1252-1355*. Trad. de R. A. B. Mynors. Toronto: University of Toronto Press, 1989. (Collected Works of Erasmus, 9).

EREDITÀ del Magnifico. Florença: SPES, 1992. Catálogo de exposição.

ERIZZO, Sebastiano. *Discorso sopra le medaglie antiche*. Veneza: Nella bottega Valgrisiana, 1559.

ESCH, Arnold. "On the Reuse of Antiquity: The Perspectives of the Archaeologist and of the Historian". In: BRILLIANT, Richard; KINNEY, Dale (Orgs.). *Reuse Value: Spolia and Appropriation in Art and Architecture from Constantine to Sherrie Levine*. Farnham: Ashgate, 2011. pp. 13-31.

FABBRICOTTI, Emanuela. *Galba*. Roma: L'Erma di Bretschneider, 1976.

FEHL, Philipp. "Veronese and the Inquisition: A Study of the Subject Matter of the So-called 'Feast in the House of Levi'". *Gazette des Beaux-Arts*, Nova York, v. 103, pp. 325-54, 1961.

FEJFER, Jane. *Roman Portraits in Context*. Berlim: De Gruyter, 2008.

_____. "Statues of Roman Women and Cultural Transmission: Understanding the So-called Ceres Statue as a Roman Portrait Carrier". In: _____; MOLTESEN, Mette; RATHJE, Annette (Orgs.). *Tradition: Transmission of Culture in the Ancient World*. Copenhague: Museum Tusculanum Press, 2015. pp. 85-116. (Acta Hyperborea, 14).

FERGUSON, J. Wilson. "The Iconography of the Kane Suetonius". *The Princeton University Library Chronicle*, Princeton, v. 19, n. 1, pp. 34-45, 1957.

FERRARI, Daniela (Org.). *Le collezioni Gonzaga: L'inventario dei beni del 1540-1542*. Milão: Silvana, 2003.

FIEDROWICZ, Michael. "Die Christenverfolgung nach dem Brand Roms in Jahr 64". In: RHEINISCHES LANDESMUSEUM TRIER; MUSEUM AM DOM TRIER; STÄDTISCHES MUSEUM TRIER. *Nero: Kaiser, Künstler und Tyrann*. Stuttgart: Theiss, 2016. pp. 250-6.

FILARETE (Antonio di Piero Averlino). *Filarete's Treatise on Architecture*. Trad. de John R. Spencer. New Haven: Yale University Press, 1965. v. 1 (com fac-símile do manuscrito *Codex Magliabechiano, c. 1465*, v. 2).

FISHWICK, Duncan. "The Temple of Caesar at Alexandria". *American Journal of Ancient History*, New Brunswick, v. 9, n. 2, pp. 131-4, 1984.

_____. *The Imperial Cult in the Latin West: Studies in the Ruler Cult of the Western Provinces of the Roman Empire*. Parte 2, 1. Leiden: Brill, 1991.

FITTSCHEN, Klaus. "Sul ruolo del ritratto antico nell'arte italiana". In: SETTIS, Salvatore (Org.). *Memoria dell'antico nell'arte italiana*. Turim: Einaudi, 1985. pp. 383-412. v. 2.

_____. *Die Bildnisgalerie in Herrenhausen bei Hannover: Zur Rezeptions- und Sammlungsgeschichte antiker Porträts*. Göttingen: Vandenhoeck & Ruprecht, 2006 (Abhandlungen der Akademie der Wissenschaften zu Göttingen. Philologisch-Historische Klasse, 275).

_____. "The Portraits of Roman Emperors and Their Families: Controversial Positions and Unsolved Problems". In: EWALD, Björn C.; NOREÑA, Carlos F. (Orgs.). *The Emperor and Rome: Space, Representation, and Ritual*. Cambridge: Cambridge University Press, 2010. pp. 221-46.

FITTSCHEN, Klaus; ZANKER, Paul. *Katalog der römischen Porträts in den Capitolinischen Museen und den anderen kommunalen Sammlungen der Stadt Rom. 1. Kaiser- und Prinzenbildnisse*. Mainz: P. von Zabern, 1985.

FITZPATRICK, John C. *The Writings of George Washington, 1745-1799*. Washington, DC: United States Government Printing Office, 1938. v. 28: *December 5 1784-August 30 1785*.

FLANAGAN, Laurence. *Ireland's Armada Legacy*. Gloucester: Sutton, 1988.

FLORY, Marleen B. "Livia and the History of Public Honorific Statues for Women in Rome". *Transactions of the American Philological Association*, Nova York, v. 123, pp. 287-308, 1993.

FLOWER, Harriet. *Ancestor Masks and Aristocratic Power in Roman Culture*. Oxford: Clarendon, 1996.

FONTANA, Federica Missere. "La controversia 'monete o medaglie': Nuovi documenti su Enea Vico e Sebastiano Erizzo". *Atti dell'Istituto veneto di scienze, lettere ed arti*, Veneza, v. 153, pp. 61-103, 1994-5.

FONTANE, Theodor. *Effi Briest* [1894-5]. Oxford: Oxford University Press, 2015.

FORTI GRAZZINI, Nello. "Catalogo". In: BERTINI, Giuseppe; GRAZZINI, Forti (Orgs.). *Gli arazzi dei Farnese e dei Borbone: Le collezioni dei secoli XVI-XVIII*. Milão: Electa, 1998. pp. 93-216. Catálogo de exposição.

FRANCESCHINI, Michele; VERNESI, Valerio (Orgs.). *Statue di Campidoglio: Diario di Alessandro Gregorio Capponi (1733-1746)*. Roma: Edimond, 2005.

FRAZER, Richard M. "Nero, the Singing Animal". *Arethusa*, Buffalo, v. 4, pp. 215-9, 1971.

FREEDMAN, Luba. "Titian's *Jacopo da Strada*: A Portrait of an 'antiquario'". *Renaissance Studies*, Oxford, v. 13, n. 1, pp. 15-39, 1999.

FRIED, Michael. "Thomas Couture and the Theatricalization of Action in 19th-Century French Painting". *Art Forum*, Nova York, v. 8, 1970. Não paginado.

_____. *Manet's Modernism, or, The Face of Painting in the 1860s*. Chicago: University of Chicago Press, 1996.

FULVIO, Andrea. *Illustrium imagines*. Roma: Iacobum Mazochium, 1517.

FURLOTTI, Barbara. *Antiquities in Motion: From Excavation Sites to Renaissance Collections*. Los Angeles: The Getty Research Institute, 2019.

_____; REBECCHINI, Guido. *The Art of Mantua: Power and Patronage in the Renaissance*. Los Angeles: J. Paul Getty Museum, 2008.

_____. "'Rare and Unique in this World': Mantegna's Triumph and the Gonzaga Collection". In: *Charles I: King and Collector*. Londres: Royal Academy of Arts, 2018. pp. 54-9. Catálogo de exposição.

FURTWÄNGLER, Adolf. *Neuere Fälschungen von Antiken*. Berlim: Giesecke & Devrient, 1899.

FUSCO, Laurie; CORTI, Gino. *Lorenzo de' Medici: Collector and Antiquarian*. Cambridge: Cambridge University Press, 2006.

GADDI, Giambattista. *Roma nobilitata*. Roma: De Rossi, 1736.

GALLO, Daniela. "Ulisse Aldrovandi: Le statue di Roma e i marmi romani". *Mélanges de l'Ecole française de Rome: Italie et Méditerranée*, Roma, v. 104, n. 2, pp. 479-90, 1992.

GALT, John. *The Life, Studies and Works of Benjamin West, Esq.* Londres: T. Cadell & W. Davies, 1820.

GAUTIER, Théophile. *Salon de 1847.* Paris: J. Hetzel, Warnod, 1847.

_____. *Les Beaux-Arts en Europe, 1855.* Paris: Michel Lévy, 1855.

GAYLARD, Susan. *Hollow Men: Writing, Objects and Public Image in Renaissance Italy.* Nova York: Fordham University Press, 2013.

GÉRÔME. Paris: [s.n.], 2010. Catálogo de exposição.

GESCHE, Inga. "Bemerkungen zum Problem der Antikenergänzungen und seiner Bedeutung bei J. J. Winckelmann". In: BECK, Herbert; BOL, Peter C. (Orgs.). *Forschungen zur Villa Albani.* Berlim: Mann, 1982. pp. 439-60.

GHINI, Giuseppina et al. (Orgs.). *Sulle tracce di Caligola: Storie di grandi recuperi della Guardia di Finanza al lago di Nemi.* Roma: Gangemi, 2014.

GIANNATTASIO, Bianca Maria. "Una testa di Vitellio in Genova". *Xenia*, Roma, v. 12, pp. 63-70, 1985.

GINSBURG, Judith. *Representing Agrippina: Constructions of Female Power in the Early Roman Empire.* Oxford: Oxford University Press, 2006.

GIULIANI, Luca; SCHMIDT, Gerhard. *Ein Geschenk für den Kaiser: Das Geheimnis des Grossen Kameo.* Munique: Beck, 2010.

GIULIO Romano. Milão: Electa, 1989. Catálogo de exposição.

GLASS, Robert. "Filarete's Renovation of the Porta Argentea at Old Saint Peter's". In: MCKITTERICK, Rosamond et al. (Orgs.). *Old Saint Peter's, Rome.* Cambridge: Cambridge University Press, 2013. pp. 348-70.

_____. "Filarete and the Invention of the Renaissance Medal". *The Medal*, Londres, v. 66, pp. 26-37, 2015.

GOLD, Susanna W. "The Death of Cleopatra/The Birth of Freedom: Edmonia Lewis at the New World's Fair". *Biography*, Honolulu, v. 35, n. 2, pp. 318-41, 2012.

GOLTZIUS, Hubert. *Vivae omnium fere imperatorum imagines.* Antuérpia: Goltzius, 1557.

_____. *C. Iulius Caesar.* Bruges: Goltzius, 1563.

GOTTFRIED, Johann Ludwig. *Historische Chronica oder Beschreibung der fürnehmsten Geschichten.* Frankfurt: Durch Merianum [c. 1620].

GOYDER, David George. *My Battle for Life: The Autobiography of a Phrenologist.* Londres: Simpkin, Marshall, 1857.

GRANBOULAN, Anne. "Longing for the Heavens: Romanesque Stained Glass in the Plantagenet Domain". In: PASTAN, Elizabeth Carson; KURMANN-SCHWARZ, Brigitte (Orgs.). *Investigations in Medieval Stained Glass: Materials, Methods, and Expressions.* Leiden: Brill, 2019. pp. 36-48.

GREEN, David; SEDDON, Peter (Orgs.). *History Painting Reassessed: The Representation of History in Contemporary Art.* Manchester: Manchester University Press, 2000.

GREENBLATT, Stephen. *Renaissance Self-Fashioning: From More to Shakespeare.* Ed. rev. Chicago: University of Chicago Press, 2012.

GRIFFIN, Francis (Org.). *Remains of the Rev. Edmund D. Griffin.* Nova York: G. & C. & H. Carvill, 1831. v. 1.

GRIFFIN, Jasper; GRIFFIN, Miriam. "Show Us You Care, Ma'am". *New York Review of Books*, Nova York, p. 29, 9 out. 1997.

GRIFFIN, Miriam (Org.). *A Companion to Julius Caesar.* Chichester: Wiley-Blackwell, 2009.

GRIFFITHS, Antony. *The Print in Stuart Britain: 1603-1689*. Londres: British Museum, 1998.

GROOS, G. W. (Org.). *The Diary of Baron Waldstein: A Traveller in Elizabethan England*. Londres: Thames & Hudson, 1981.

GRUNCHEC, Philippe. *Le Grand Prix de Peinture: Les concours des Prix de Rome de 1797 à 1863*. Paris: École nationale supérieure des beaux arts, 1983.

_____. *The Grand Prix de Rome: Paintings from the École des Beaux-Arts 1797-1863*. Washington, DC: International Exhibitions Foundation, 1984. Catálogo de exposição.

GUALANDI, Maria Letizia; PINELLI, Antonio. "Un trionfo per due. La matrice di Olbia: un *unicum* iconographico 'fuori contesto'". In: DONATO, Maria Monica; FERRETTI, Massimo (Orgs.). *"Conosco un ottimo storico dell'arte…". Per Enrico Castelnuovo: Scritti di allievi e amici pisani*. Pisa: Edizione della Normale, 2012. pp. 11-20.

GUIDA del visitatore alla esposizione industriale italiana del 1881 in Milano. Milão: E. Sonzogno, 1881.

HAAG, Sabine (Org.). *All'Antica: Götter und Helden auf Schloss Ambras*. Viena: Wien Kunsthistorisches Museum, 2011. Catálogo de exposição.

HALL, Edith; STEAD, Henry. *A People's History of Classics: Class and Greco-Roman Antiquity in Britain 1689-1939*. Nova York: Routledge, Taylor & Francis, 2020.

HALSEMA-KUBES, Willy. "Bartholomeus Eggers' keizers- en keizerinnenbusten voor keurvorst Friedrich Wilhelm van Brandenburg". *Bulletin van het Rijksmuseum*, Amsterdam, v. 36, pp. 44-53, 1988. Com sumário em inglês, pp. 73-4.

HANDBOOK to the New York Public Library: Astor, Lenox and Tilden Foundations. Nova York: New York Public Library, 1900.

HANFORD, James Holly. "'Ut Spargam': Thomas Hollis Books at Princeton". *The Princeton University Library Chronicle*, Princeton, v. 20, pp. 165-74, 1959.

HARCOURT, Jane; HARCOURT, Tony. "The Loggia Roundels". In: *The Development of Horton Court: An Architectural Survey*. Swindon: National Trust Report, 2009. Apêndice 9, pp. 87-90.

HARDIE, Philip. "Lucan in the English Renaissance". In: ASSO, Paolo (Org.). *Brill's Companion to Lucan*. Leiden: Brill, 2011. pp. 491-506.

HARPRATH, Richard. "Ippolito Andreasi as a Draughtsman". *Master Drawings*, Nova York, v. 22, n. 1, pp. 3-28, 89-114, 1984.

HARRIS, Ann Sutherland. *Seventeenth-Century Art and Architecture*. Londres: King, 2005.

HARTT, Frederick. *Giulio Romano*. New Haven: Yale University Press, 1958. 2 v.

HARVEY, Tracene. *Julia Augusta: Images of Rome's First Empress on Coins of the Roman Empire*. Nova York: Routledge, 2020.

HARWOOD, Andrew A. "Some Account of the Sarcophagus in the National Museum Now in Charge of the Smithsonian Institution". *Annual Report of the Board of Regents of the Smithsonian Institution*. Washington, DC: Smithsonian Institution, 1870. pp. 384-5.

HASKELL, Francis. *History and Its Images: Art and the Interpretation of the Past*. New Haven: Yale University Press, 1993.

_____. *The King's Pictures*. New Haven: Yale University Press, 2013.

HASKELL, Francis; PENNY, Nicholas. *Taste and the Antique*. New Haven: Yale University Press, 1981.

HAYDON, Benjamin Robert. *Lectures on Painting and Design*. Londres: Longman, Brown, Green & Longmans, 1844.

HEKSTER, Olivier. "Emperors and Empire, Marcus Aurelius and Commodus". In: WINTERLING, Aloys (Org.). *Zwischen Strukturgeschichte und Biographie*. Munique: De Gruyter, 2011. pp. 317-28.

_____. *Emperors and Ancestors: Roman Rulers and the Constraints of Tradition*. Oxford: Oxford University Press, 2015.

HENDERSON, George. "The Damnation of Nero and Related Themes". In: BORG, Alan; MARTINDALE, Andrew (Orgs.). *The Vanishing Past: Studies of Medieval Art, Liturgy and Metrology Presented to Christopher Hohler*. Oxford: British Archaeological Reports, 1981. pp. 39-51.

HENNEN, Insa Christiane. *"Karl zu Pferde": Ikonologische Studien zu Anton van Dycks Reiterporträts Karls I. von England*. Frankfurt: Lang, 1995.

HENTZNER, Paul. *Paul Hentzner's Travels in England, during the Reign of Queen Elizabeth, Translated by Horace, Late Earl of Orford*. Londres: E. Jeffrey, 1797.

HICKS, Philip. "The Roman Matron in Britain: Female Political Influence and Republican Response, 1750-1800". *Journal of Modern History*, Chicago, v. 77, n. 1, pp. 35-69, 2005.

HOBSON, Anthony. *Humanists and Bookbinders: The Origins and Diffusion of Humanistic Bookbinding, 1459-1559*. Cambridge: Cambridge University Press, 1989.

HÖLSCHER, Tonio. *Visual Power in Ancient Greece and Rome: Between Art and Social Reality*. Berkeley: University of California Press, 2018.

HOPKINS, Lisa. *The Cultural Uses of the Caesars on the English Renaissance Stage*. Farnham: Ashgate, 2008.

HOREJSI, Nicole. *Novel Cleopatras: Romance Historiography and the Dido Tradition in English Fiction, 1688-1785*. Toronto: University of Toronto Press, 2019.

HOUSE, John. "History without Values? Gérôme's History Paintings". *Journal of the Warburg and Courtauld Institutes*, Londres, v. 71, pp. 261-76, 2008.

HOWARTH, David. *Images of Rule: Art and Politics in the English Renaissance, 1485-1649*. Basingstoke: Macmillan, 1997.

HOWLEY, Joseph A. "Book-Burning and the Uses of Writing in Ancient Rome: Destructive Practice between Literature and Document". *Journal of Roman Studies*, Londres, v. 107, pp. 213-36, 2017.

HUB, Berthold. "Founding an Ideal City in Filarete's *Libro architettonico*". In: DELBEKE, Maarten; SCHRAVEN, Minou (Orgs.). *Foundation, Dedication and Consecration in Early Modern Europe*. Leiden: Brill, 2012. pp. 17-57.

HÜLSEN, Christian. *Das Skizzenbuch des Giovannantonio Dosio*. Berlim: O. Schloss, 1933.

I BORGHESE e l'antico. Milão: Skira, 2011. Catálogo de exposição.

I CAMPI e la cultura artistica cremonese del Cinquecento. Milão: Electa, 1985. Catálogo de exposição.

IOELE, Giovanna. *Prima di Bernini: Giovanni Battista Della Porta, scultore (1542-1597)*. Roma: Edizioni di Storia e Letteratura, 2016.

I TESORI dei d'Avalos: Committenza e collezionismo di una grande famiglia napoletana. Nápoles: Fausto Fiorentino, 1994. Catálogo de exposição.

JACOBUS DE VORAGINE. *The Golden Legend: Readings on the Saints* [1845]. Trad. de William Granger Ryan. Intr. de Eamon Duffy. Ed. rev. Princeton: Princeton University Press, 2012. Baseado no texto em latim de Theodor Graesse.

JACOPO Tintoretto. Milão: Electa, 1994. Catálogo de exposição.

JAFFÉ, David (Org.). *Titian*. Londres: National Gallery, 2003. Catálogo de exposição.

JAFFÉ, Michael. "Rubens's Roman Emperors". *Burlington Magazine*, Londres, v. 113, pp. 297-8, 300-1, 303, 1971.

JANSEN, Dirk Jacob. *Jacopo Strada and Cultural Patronage at the Imperial Court*. Leiden: Brill, 2019. 2 v.

JEAN-PAUL Laurens 1838-1921: Peintre d'histoire. Paris: Réunion des musées nationaux, 1997. Catálogo de exposição.

JECMEN, Gregory; SPIRA, Freyda. *Imperial Augsburg: Renaissance Prints and Drawings, 1475-1540*. Washington, DC: National Gallery of Art, 2012. Catálogo de exposição.

JENKINS, Gilbert Kenneth. "Recent Acquisitions of Greek Coins by the British Museum". *Numismatic Chronicle*, Londres, v. 19, pp. 23-45, 1959.

JESTAZ, Bertrand. *L'Inventaire du palais et des propriétés Farnèse à Rome en 1644*. Roma: École française de Rome, 1994.

JOHANSEN, Flemming S. "Antichi ritratti di Gaio Giulio Cesare nella scultura". *Analecta Romana Instituti Danici*, Roma, v. 4, pp. 7-68, 1967.

_____. "The Portraits in Marble of Gaius Julius Caesar: A Review". *Ancient Portraits in the J. Paul Getty Museum*. Malibu: J. Paul Getty Museum, 1987. pp. 17-40. v. I. (Occasional Papers on Antiquities, 4).

_____. "Les Portraits de César". In: LONG, Luc; PICARD, Pascale (Orgs.). *César. Le Rhône pour mémoire: Vingt ans de fouilles dans le fleuve à Arles*. Arles: Musée départemental Arles antique, 2009. pp. 78-83. Catálogo de exposição.

JOHNS, Christopher M. S. "Subversion through Historical Association: Canova's *Madame Mère* and the Politics of Napoleonic Portraiture". *Word & Image*, Londres, v. 13, n. 1, pp. 43-57, 1997.

_____. *Antonio Canova and the Politics of Patronage in Revolutionary and Napoleonic Europe*. Berkeley: University of California Press, 1998.

JOHNS, Richard. "'Those Wilder Sorts of Painting': The Painted Interior in the Age of Antonio Verrio". In: ARNOLD, Dana; CORBETT, David Peters (Orgs.). *A Companion to British Art: 1600 to the Present*. Chichester: Wiley-Blackwell, 2013. pp. 77-104.

JONCKHEERE, Koenraad. *Portraits after Existing Prototypes*. Londres: Harvey Miller, 2016. (Corpus Rubenianum Ludwig Burchard, 19).

JONES, Mark (Org.). *Fake? The Art of Deception*. Londres: British Museum, 1990. Catálogo de exposição.

_____. *Why Fakes Matter: Essays on Problems of Authenticity*. Londres: British Museum, 1992.

JOSHEL, Sandra et al. (Orgs.). *Imperial Projections: Ancient Rome in Popular Culture*. Baltimore: Johns Hopkins University Press, 2001.

KARAFEL, Lorraine. "The Story of Julius Caesar". In: CLELAND, Elizabeth (Org.). *Grand Design: Pieter Coecke van Aelst and Renaissance Tapestry*. Nova York: The Metropolitan Museum of Art, 2014. pp. 254-61. Catálogo de exposição.

KEAVENEY, Arthur. *Sulla: The Last Republican*. 2. ed. Londres: Routledge, 2005.

KELLEN, Sean. "Exemplary Metals: Classical Numismatics and the Commerce of Humanism". *Word & Image*, Londres, v. 18, pp. 282-94, 2002.

KEYSLER, John George. *Travels through Germany, Hungary, Bohemia, Switzerland, Italy and Lorrain* [1741]. Londres: A. Linde, 1758. v. 4.

KING, Elliott. "*Ten Recipes for Immortality*: A Study in Dalínian Science and Paranoiac Fictions". In: PARKINSON, Gavin (Org.). *Surrealism, Science Fiction and Comics*. Liverpool: Liverpool University Press, 2015. pp. 213-32.

KINNEY, Dale. "The Horse, the King and the Cuckoo: Medieval Narrations of the Statue of Marcus Aurelius". *Word & Image*, Londres, v. 18, pp. 372-98, 2002.

_____. "Ancient Gems in the Middle Ages: Riches and Ready-Mades". In: BRILLIANT, Richard; KINNEY, Dale (Orgs.). *Reuse Value: Spolia and Appropriation in Art and Architecture from Constantine to Sherrie Levine*. Farnham: Ashgate, 2011. pp. 97-120.

KLEINER, Diana E. E. *Roman Sculpture*. New Haven: Yale University Press, 1992.

_____. *Cleopatra and Rome*. Cambridge, MA: Harvard University Press, 2005.

KNAAP, Anna C.; PUTNAM, Michael C. J. (Orgs.). *Art, Music, and Spectacle in the Age of Rubens: The Pompa Introitus Ferdinandi*. Turnhout: Brepols, 2013.

KNOX, Tim. "The Long Gallery at Powis Castle". *Country Life*, Londres, v. 203, n. 22, pp. 86-9, 2009.

KOEPPE, Wolfram (Org.). *Art of the Royal Court: Treasures in Pietre Dure from the Palaces of Europe*. New Haven: Yale University Press, 2008. Catálogo de exposição.

KOERING, Jérémie. "Le Prince et ses modèles: Le Gabinetto dei Cesari au palais ducal de Mantoue". In: MOREL, Philippe (Org.). *Le Miroir et l'espace du prince dans l'art italien de la Renaissance*. Tours: Presses universitaires François-Rabelais, 2012. pp. 165-94.

_____. *Le Prince en representation: Histoire des décors du palais ducal de Mantoue au XVIe siècle*. Arles: Actes Sud, 2013.

KOORTBOJIAN, Michael. *The Divinization of Caesar and Augustus: Precedents, Consequences, Implications*. Cambridge: Cambridge University Press, 2013.

KROLL, Maria (Org.). *Letters from Liselotte: Elisabeth Charlotte, Princess Palatine and Duchess of Orléans, "Madame", 1652-1722*. Londres: Gollancz, 1970.

KUHNS, Matt. *Cotton's Library: The Many Perils of Preserving History*. Lakewood, OH: Lyon Hall, 2014.

KULIKOWSKI, Michael. *The Triumph of Empire: The Roman World from Hadrian to Constantine*. Cambridge, MA: Harvard University Press, 2016; *Imperial Triumph*. Londres: Profile, 2016.

KÜNZEL, Carl (Org.). *Die Briefe der Liselotte von der Pfalz, Herzogin von Orleans* [1914]. Reimpr. Hamburgo: Severus, 2013.

LADENDORF, Heinz. *Antikenstudium und Antikenkopie*. Berlin: Akademie, 1953.

LAFRERY, Antonio. *Effigies viginti quatuor Romanorum imperatorum*. Roma: [s.n.], [c. 1570].

LAMO, Alessandro. *Discorso… intorno alla scoltura e pittura… dall'Eccell. & Nobile M. Bernardino Campo*. Cremona: Christoforo Draconi, 1581.

LANDAU, Diana (Org.). *Gladiator: The Making of the Ridley Scott Epic*. Nova York: Newmarket, 2000.

LANE, Barbara. *Hans Memling: Master Painter in Fifteenth-Century Bruges*. Turnhout: Harvey Miller, 2009.

LAPENTA, Stefania; MORSELLI, Raffaella (Orgs.). *Le collezioni Gonzaga: La quadreria nell'elenco dei beni del 1626-1627*. Milão: Silvana, 2006.

LA ROCCA, Eugenio et al. (Orgs.). *Augusto*. Milão: Electa, 2013. Catálogo de exposição.

LATTUADA, Riccardo (Org.). *Alessandro Farnese: A Miniature Portrait of the Great General*. Milão: Biffi Arte, 2016.

LAURENCE, Ray. "Tourism, Town Planning and *Romanitas*: Rimini's Roman Heritage". In: BIDDISS, Michael; WYKE, Maria (Orgs.). *The Uses and Abuses of Antiquity*. Berna: Peter Land, 1999. pp. 187-205.

LE BARS-TOSI, Florence. "James Millingen (1774-1845), le 'Nestor de l'archéologie moderne'". In: ROYO, Manuel et al. (Orgs.). *Du Voyage savant aux territoires de l'archéologie: Voyageurs, amateurs et savants à l'origine de l'archéologie moderne*. Paris: Boccard, 2011. pp. 171-86.

LESSMANN, Johanna; KÖNIG-LEIN, Susanne. *Wachsarbeiten des 16. bis 20. Jahrhunderts*. Braunschweig: Herzog Anton Ulrich-Museum, 2002.

LEUSCHNER, Eckhard. *Antonio Tempesta: Ein Bahnbrecher des römischen Barock und seine europäische Wirkung*. Petersberg: M. Imhof, 2005.

_____. "Roman Virtue, Dynastic Succession and the Re-Use of Images: Constructing Authority in Sixteenth- and Seventeenth-Century Portraiture". *Studia Rudolphina*, Praga, v. 6, pp. 5-25, 2006.

LEVICK, Barbara. *Vespasian*. Londres: Routledge, 1999.

LIGHTBOWN, Ronald. *Sandro Botticelli*. Londres: Paul Elek, 1978. v. 1: *Life and Work*.

LIMOUZE, Dorothy. "Aegidius Sadeler, Imperial Printmaker". *Philadelphia Museum of Art Bulletin*, Londres, v. 85, n. 1, pp. 3-24, 1989.

_____. *Aegidius Sadeler (c. 1570-1629): Drawings, Prints and Art Theory*. Princeton: Princeton University, 1990. Tese (Doutorado em Arte e Arqueologia).

LINTOTT, Andrew. *The Constitution of the Roman Republic*. Oxford: Oxford University Press, 1999.

LIVERANI, Paolo. "La collezione di antichità classiche e gli scavi di Tusculum e Musignano". In: NATOLI, Marina (Org.). *Luciano Bonaparte: Le sue collezioni d'arte, le sue residenze a Roma, nel Lazio, in Italia (1804-1840)*. Roma: Istituto Poligrafico e Zecca dello Stato, 1995. pp. 49-79.

LIVERSIDGE, Michael. "Representing Rome". In: LIVERSIDGE, Michael; EDWARDS, Catharine (Orgs.). *Imagining Rome: British Artists and Rome in the Nineteenth Century*. Londres: Merrell Holberton, 1996. pp. 70-124. Catálogo de exposição.

_____; EDWARDS, Catharine (Orgs.). *Imagining Rome: British Artists and Rome in the Nineteenth Century*. Londres: Merrell Holberton, 1996. Catálogo de exposição.

LOBELLE-CALUWÉ, Hilde. "Portrait d'un homme avec une monnaie". In: MARTENS, Maximilian P. J. (Org.). *Bruges et la Renaissance: De Memling à Pourbus. Notices*. Bruges: Ludion, 1998. p. 17. Catálogo de exposição.

LOCATELLI, Giampetro. *Museo Capitolino, osia descrizione delle statue...* Roma: [s.n.], 1750.

L'OCCASO, Stefano. *Museo di Palazzo Ducale di Mantova. Catalogo generale delle collezioni inventariate: Dipinti fino al XIX secolo*. Mântua: Paolini, 2011.

LOH, Maria H. *Still Lives: Death, Desire, and the Portrait of the Old Master*. Princeton: Princeton University Press, 2015.

LOMAZZO, Giovanni Paolo. *Trattato dell'arte della pittura, scoltura et architettura*. Milão: Paolo Gottardo Pontio, 1584.

LONG, Luc. "Le Regard de César: Le Rhône restitue un portrait du fondateur de la colonie d'Arles". In: LONG, Luc; PICARD, Pascale (Orgs.). *César: Le Rhône pour mémoire: Vingt ans de fouilles dans le fleuve à Arles*. Arles: Musée départemental Arles antique, 2009. pp. 58-77. Catálogo de exposição.

_____; PICARD, Pascale (Orgs.). *César. Le Rhône pour mémoire: Vingt ans de fouilles dans le fleuve à Arles*. Arles: Musée départemental Arles antique, 2009. Catálogo de exposição.

LORENZ, Katharina. "Die römische Porträtforschung und der Fall des sogennanten Ottaviano Giovinetto im Vatikan: Die Authentizitätsdiskussion als Spiegel des Methodenwandels". In: KANSTEINER, Sascha (Org.). *Pseudoantike Skulptur I: Fallstudien zu antiken Skulpturen und ihren Imitationen*. Berlim: De Gruyter, 2016. pp. 73-90.

LÜBBREN, Nina. "Crime, Time, and the Death of Caesar". In: ALLAN, Scott; MORTON, Mary (Orgs.). *Reconsidering Gérôme*. Los Angeles: J. Paul Getty Museum, 2010. pp. 81-91.

LUZIO, Alessandro. *La galleria dei Gonzaga, venduta all'Inghilterra nel 1627-28*. Milão: Cogliati, 1913.

LYONS, John D. *Exemplum: The Rhetoric of Example in Early Modern France and Italy*. Princeton: Princeton University Press, 1990.

MCCUAIG, William. *Carlo Sigonio: The Changing World of the Late Renaissance*. Princeton: Princeton University Press, 2014.

MCFADDEN, David. "An Aldobrandini Tazza: A Preliminary Study". *Minneapolis Institute of Arts Bulletin*, Minneapolis, v. 63, pp. 43-56, 1976-7.

MCGRATH, Elizabeth. "Rubens's Infant-Cornucopia". *Journal of the Warburg and Courtauld Institutes*, Londres, v. 40, pp. 315-8, 1977.

_____. "'Not Even a Fly': Rubens and the Mad Emperors". *Burlington Magazine*, Londres, v. 133, pp. 699-703, 1991.

MCKENDRICK, Neil. "Josiah Wedgwood: An Eighteenth-Century Entrepreneur in Salesmanship and Marketing Techniques". *Economic History Review*, Londres, v. 12, pp. 408-43, 1960.

_____. "Josiah Wedgwood and the Commercialization of the Potteries". In: _____ et al. *The Birth of Consumer Society: The Commercialization of Eighteenth-Century England*. Londres: Europa, 1982. pp. 100-45.

MCLAUGHLIN, Martin. "Empire, Eloquence, and Military Genius: Renaissance Italy". In: GRIFFIN, Miriam (Org.). *A Companion to Julius Caesar*. Chichester: Wiley-Blackwell, 2009. pp. 335-55.

MCNAIRN, Alan. *Behold the Hero: General Wolfe and the Arts in the Eighteenth Century*. Montreal: McGill-Queen's University Press, 1997.

MACSOTAY, Tomas. "Struggle and the Memorial Relief: John Deare's Caesar Invading Britain". In: _____ (Org.). *Rome, Travel and the Sculpture Capital, c. 1770-1825*. Nova York: Routledge, 2017. pp. 197-224.

MAINARDI, Patricia. *Art and Politics of the Second Empire: The Universal Expositions of 1855 and 1867*. New Haven: Yale University Press, 1987.

MALAMUD, Margaret. *Ancient Rome and Modern America*. Malden, MA: Wiley-Blackwell, 2009.

MALGOUYRES, Philippe (Org.). *Porphyre: La Pierre Poupre des Ptolémées aux Bonaparte*. Paris: Réunion des musées nationaux, 2003. Catálogo de exposição.

MAMONTOVA, N. N. "Vasily Sergeevich Smirnov, Pensioner of the Academy of Arts". In: *Russian Art of Modern Times: Research and Materials*. Moscou: [s.n.], 2006. v. 10: *Imperial Academy of Arts: Cases and People*, pp. 238-48 (em russo).

MARAL, Alexandre. "Vraies et fausses antiques". In: _____; MILOVANOVIC, Nicolas (Orgs.). *Versailles et l'Antique*. Paris: Artlys, 2012. pp. 104-11. Catálogo de exposição.

MARCOS, Dieter. "Vom Monster zur Marke: Neros Karriere in der Kunst". In: RHEINISCHES LANDESMUSEUM TRIER; MUSEUM AM DOM TRIER; STÄDTISCHES MUSEUM TRIER. *Nero: Kaiser, Künstler und Tyrann*. Stuttgart: Theiss, 2016. pp. 355-68.

MARSDEN, Jonathan (Org.). *Victoria and Albert: Art and Love*. Londres: Royal Collection Enterprises, 2010. Catálogo de exposição.

MARLOWE, Elizabeth. *Shaky Ground: Context, Connoisseurship and the History of Roman Art*. Londres: Bloomsbury Academic, 2013.

MARTIN, John Rupert. *The Decorations for the Pompa Introitus Ferdinandi*. Londres: Phaidon, 1972. (Corpus Rubenianum Ludwig Burchard, 16).

MARTINDALE, Andrew. *The "Triumphs of Caesar" by Andrea Mantegna, in the Collection of Her Majesty the Queen at Hampton Court*. Londres: H. Miller, 1979.

MARX, Barbara. "Wandering Objects, Migrating Artists: The Appropriation of Italian Renaissance Art by German Courts in the Sixteenth Century". In: ROODENBURG, Herman (Org.). *Forging European Identities, 1400-1700*. Cambridge: Cambridge University Press, 2007. pp. 178-226. (Cultural Exchange in Early Modern Europe, 4).

MATHEWS, Thomas F.; MULLER, Norman E. *The Dawn of Christian Art in Panel Paintings and Icons*. Los Angeles: J. Paul Getty Museum, 2016.

MATTUSCH, Carol C. *The Villa dei Papyri at Herculaneum: Life and Afterlife of a Sculpture Collection*. Los Angeles: J. Paul Getty Museum, 2005.

MAURER, Maria F. *Gender, Space and Experience at the Renaissance Court: Performance and Practice at the Palazzo Te*. Amsterdam: Amsterdam University Press, 2019.

MEGANCK, Tine. "Rubens on the Human Figure: Theory, Practice and Metaphysics". In: BALIS, Arnout; AUWERA, Joost van der (Orgs.). *Rubens, a Genius at Work: The Works of Peter Paul Rubens in the Royal Museums of Fine Arts of Belgium Reconsidered*. Tielt: Lannoo, 2007. pp. 52-64. Catálogo de exposição.

MEMENTOES, Historical and Classical, of a Tour through Part of France, Switzerland, and Italy, in the Years 1821 and 1822. Londres: Baldwin, Cradock & Joy, 1824. v. 2.

MENEGALDO, Silvère. "César 'd'ire enflamaz et espris' (v. 1696) dans le Roman de Jules César de Jean de Thuin". *Cahiers de recherches médiévales*, Paris, v. 13, pp. 59-76, 2006.

MEULEN, Marjon van der. *Rubens Copies after the Antique*. Londres: H. Miller, 1994. v. 1. (Corpus Rubenianum Ludwig Burchard, 23).

MEYER, Susanne Adina; PIVA, Chiara (Orgs.). *L'arte di ben restaurare: La "Raccolta d'antiche statue" (1768-1772) di Bartolomeo Cavaceppi*. Florença: Nardini, 2011.

MICHEL, Patrick. *Mazarin, prince des collectionneurs: Les collections et l'ameublement du Cardinal Mazarin (1602-1661). Histoire et analyse*. Paris: Réunion des musées nationaux, 1999. (Notes et Documents des Musées de France, 34).

MIDDELDORF, Ulrich. "Die zwölf Caesaren von Desiderio da Settignano". *Mitteilungen des Kunsthistorischen Institutes in Florenz*, Munique, v. 23, n. 3, pp. 297-312, 1979.

MILLAR, Oliver (Org.). *Abraham van der Doort's Catalogue of the Collections of Charles I*. [s.l.]: [s.n.], 1958-60. (Walpole Society, 37).

_____. *The Inventories and Valuations of the King's Goods, 1649-1651*. Glasgow: R. Maclehose, 1970-2. (Walpole Society, 43).

MILLER, Peter Benson. "Gérôme and Ethnographic Realism at the Salon of 1857". In: ALLAN, Scott; MORTON, Mary (Orgs.). *Reconsidering Gérôme*. Los Angeles: J. Paul Getty Museum, 2010. pp. 106-18.

MILLER, Stephen. *Three Deaths and Enlightenment Thought: Hume, Johnson, Marat*. Lewisburg, PA: Bucknell University Press, 2001.

MINER, Carolyn; DAEHNER, Jens. "The Emperor in the Arena". *Apollo*, Londres, v. 171, n. 573, pp. 36-41, fev. 2010.

MINGAZZINI, Paolino. "La datazione del ritratto di Augusto Giovinetto al Vaticano". *Bullettino della Commissione archeologica comunale di Roma*, Roma, v. 73, pp. 255-9, 1949-50.

MINOR, Heather Hyde. *The Culture of Architecture in Enlightenment Rome*. State College, PA: The Pennsylvania State University Press, 2010.

MITCHELL, Eleanor Drake. "The Tête-à-Têtes in the 'Town and Country Magazine' (1769-1793)". *Interpretations*, West Lafayette, v. 9, n. 1, pp. 12-21, 1977.

MORBIO, Carlo. "Notizie intorno a Bernardino Campi ed a Gaudenzio Ferraro". *Il Saggiatore: Giornale romano di storia, belle arti e letteratura*, Roma, v. 2, pp. 314-9, 1845.

MORENO, Paolo; STEFANI, Chiara. *The Borghese Gallery*. Milão: Touring Club Italiano, 2000.

MORGAN, Gwyn. *69 AD: The Year of Four Emperors*. Oxford: Oxford University Press, 2005.

MORSCHECK, Charles R. "The Certosa Medallions in Perspective". *Arte lombarda*, Milão, v. 123, n. 2, pp. 5-10, 1998.

MORSELLI, Raffaella (Org.). *Le collezioni Gonzaga: L'elenco dei beni del 1626-1627*. Milão: Silvana, 2000.

_____. *Gonzaga. La Celeste Galeria: L'esercizio del collezionismo*. Milão: Skira, 2002.

_____. *Gonzaga. La Celeste Galeria: Le raccolte*. Milão: Skira, 2002. Catálogo de exposição.

MORTIMER, Nigel. *Medieval and Early Modern Portrayals of Julius Caesar*. Oxford: Oxford University Press, 2020.

MOUNIER, Pascale; NATIVEL, Colette (Orgs.). *Copier et Contrefaire à la Renaissance: Faux et usage de faux*. Paris: Honoré Champion, 2014.

MULRYNE, James R. et al. (Orgs.). *Europa Triumphans: Court and Civic Festivals in Early Modern Europe*. Farnham: MHRA, 2004.

MUNK HØJTE, Jakob. *Roman Imperial Statue Bases: From Augustus to Commodus*. Aarhus: Aarhus Universitet Press, 2005. (Acta Jutlandica, 80, 2).

MURRAY, John (Org.). *Handbook for Travellers in Central Italy: Including the Papal States, Rome, and the Cities of Etruria*. Londres: J. Murray, 1843.

_____. *Handbook for Travellers in Central Italy: Part II, Rome and its Environs*. Londres: J. Murray, 1853.

_____. *Handbook of Rome and the Campagna*. Londres: J. Murray, 1904.

NALEZYTY, Susan. *Pietro Bembo and the Intellectual Pleasures of a Renaissance Writer and Art Collector*. New Haven: Yale University Press, 2017.

NAPIONE, Ettore. "I sottarchi di Altichiero e la numismatica: Il ruolo delle imperatrici". *Arte veneta: Rivista di storia dell'arte*, Milão, v. 69, pp. 23-39, 2012.

_____. "Tornare a Julius von Schlosser: I palazzi scaligeri, la 'sala grande dipinta' e il primo umanesimo". In: ROMANO, Serena; ZARU, Denise (Orgs.). *Arte di corte in Italia del nord: Programmi, modelli, artisti (1330-1402 ca.)*. Roma: Viella, 2013. pp. 171-94.

NEALE, John Preston. *Views of the Seats of Noblemen and Gentlemen, in England, Wales, Scotland, and Ireland*. Londres: Sherwood, Jones, 1825. v. 2.

NELIS, Jan. "Constructing Fascist Identity: Benito Mussolini and the Myth of *Romanità*". *Classical World*, Baltimore, v. 100, n. 4, pp. 391-415, 2007.

NELSON, Charmaine A. *The Color of Stone: Sculpting the Black Female Subject in Nineteenth-Century America*. Minneapolis: University of Minnesota Press, 2007.

NEMEROV, Alexander. "The Ashes of Germanicus and the Skin of Painting: Sublimation and Money in Benjamin West's *Agrippina*". *The Yale Journal of Criticism*, Baltimore, v. 11, n. 1, pp. 11-27, 1998.

NERO: Kaiser, Künstler und Tyrann. Stuttgart: Theiss, 2016. (Schriftenreihe des Rheinischen Landesmuseums Trier, 40). Catálogo de exposição.

NESI, Antonella (Org.). *Ritratti di Imperatori e profili all'antica: Scultura del Quattrocento nel Museo Stefano Bardini*. Florença: Centro Di, 2012.

NICOLAS Poussin, 1594-1665. Paris: Réunion des musées nationaux, 1994. Catálogo de exposição.

NILGEN, Ursula. "Der Streit über den Ort der Kreuzigung Petri: Filarete und die zeitgenössische Kontroverse". In: HUBACH, Hannes et al. (Orgs.). *Reibungspunkte: Ordnung und Umbruch in Architektur und Kunst*. Petersberg: [s.n.], 2008. pp. 199-208.

NOCHLIN, Linda. *The Body in Pieces: The Fragment as a Metaphor of Modernity*. Londres: Thames & Hudson, 1994.

NOGARA, Bartolemeo (Org.). *Scritti inediti e rari di Biondo Flavio*. Roma: Tipografia Poliglotta Vaticana, 1927.

NOREÑA, Carlos F. *Imperial Ideals in the Roman West: Representation, Circulation, Power*. Cambridge: Cambridge University Press, 2011.

NORTHCOTE, James. *The Life of Titian: With Anecdotes of the Distinguished Persons of His Time*. Londres: H. Colburn & R. Bentley, 1830. v. 2.

NUTTALL, Paula. "Memling and the European Renaissance Portrait". In: BORCHERT, Till-Holger (Org.). *Memling's Portraits*. Madri: Ludion, 2005. pp. 69-91. Catálogo de exposição.

OLDENBOURG, Rudolf. "Die niederländischen Imperatorenbilder im Königlichen Schlosse zu Berlin". *Jahrbuch der Königlich Preussischen Kunstsammlungen*, Berlim, v. 38, pp. 203-12, 1917.

ORGEL, Stephen. *Spectacular Performances: Essays on Theatre, Imagery, Books and Selves in Early Modern England*. Manchester: Manchester University Press, 2011.

ORSO, Steven N. *Philip IV and the Decoration of the Alcázar of Madrid*. Princeton: Princeton University Press, 1986.

OTTER, William. *The Life and Remains of Edward Daniel Clarke*. Londres: J. F. Dove, 1824.

PAINTER, Kenneth; WHITEHOUSE, David. "The Discovery of the Vase". *Journal of Glass Studies*, Corning, v. 32, *The Portland Vase*, pp. 85-102, 1990.

PALEIT, Edward. *War, Liberty, and Caesar: Responses to Lucan's* Bellum Ciuile, *ca. 1580-1650*. Oxford: Oxford University Press, 2013.

PALEY, Morton D. "George Romney's *Death of General Wolfe*". *Journal for the Study of Romanticisms*, Aarhus, v. 6, n. 1, pp. 51-62, 2017.

PANAZZA, Pierfabio. "Profili all'antica: da Foppa alle architetture bresciane del primo rinascimento". *Commentari dell'Ateneo di Brescia*, Bréscia, v. 215, pp. 211-85, 2018.

PANVINIO, Onofrio. *Fasti et triumphi Rom(ani) a Romulo rege usque ad Carolum V Caes(arem) Aug(ustum)*. Veneza: Jacobi Stradæ, 1557.

PANZANELLI, Roberta (Org.). *Ephemeral Bodies: Wax Sculpture and the Human Figure*. Los Angeles: The Getty Research Institute, 2008.

PARISI PRESICCE, Claudio. "Nascita e fortuna del Museo Capitolino". In: BROOK, Carolina; CURZI, Valter (Orgs.). *Roma e l'Antico: Realtà e visione nel '700*. Milão: Skira, 2010. pp. 91-8. Catálogo de exposição.

PARSHALL, Peter. "Antonio Lafreri's *Speculum Romanae Magnificentiae*". *Print Quarterly*, Londres, v. 23, n. 1, pp. 3-28, 2006.

PASQUALINI, Anna. "Gli scavi di Luciano Bonaparte alla Rufinella e la scoperta dell'antica Tusculum". *Xenia Antiqua*, Roma, v. 1, pp. 161-86, 1992.

PASQUINELLI, Chiara. *La galleria in esilio: Il trasferimento delle opere d'arte da Firenze a Palermo a cura del Cavalier Tommaso Puccini (1800-1803)*. Pisa: ETS, 2008.

PAUL, Carole. *The Borghese Collections and the Display of Art in the Age of the Grand Tour*. Aldershot: Ashgate, 2008.

_____. "Capitoline Museum, Rome: Civic Identity and Personal Cultivation". In: _____ (Org.). *The First Modern Museums of Art: The Birth of an Institution in 18ᵗʰ- and Early 19ᵗʰ-Century Europe*. Los Angeles: J. Paul Getty Museum, 2012. pp. 21-45.

PEACOCK, John. *The Stage Designs of Inigo Jones: The European Context*. Cambridge: Cambridge University Press, 1995.

_____. "The Image of Charles I as a Roman Emperor". In: ATHERTON, Ian; SANDERS, Julie (Orgs.). *The 1630s: Interdisciplinary Essays on Culture and Politics in the Caroline Era*. Manchester: Manchester University Press, 2006. pp. 50-73.

PEINTURES italiennes du Musée des Beaux-Arts de Marseille. Marselha: Palais Longchamp, 1984. Catálogo de exposição.

PENNY, Nicholas; SCHMIDT, Eike D. (Orgs.). *Collecting Sculpture in Early Modern Europe*. New Haven: Yale University Press, 2008. (Studies in the History of Art, 70).

PERINI, Giovanna (Org.). *Gli scritti dei Carracci: Ludovico, Annibale, Agostino, Antonio, Giovanni Antonio*. Bolonha: Nuova Alfa, 1990.

PERKINSON, Stephen. "From an '*Art de Memoire*' to the Art of Portraiture: Printed Effigy Books of the Sixteenth Century". *Sixteenth Century Journal*, Kirksville, v. 33, n. 3, pp. 687-723, 2002.

PERRY, Marilyn. "Cardinal Domenico Grimani's Legacy of Ancient Art to Venice". *Journal of the Warburg and Courtauld Institutes*, Londres, v. 41, pp. 215-44, 1978.

PETRARCH, Francesco. *Letters on Familiar Matters* [1975-85]. Trad. de Aldo S. Bernardo. Reimpr. Nova York: Italica, 2005.

PFANNER, Michael. "Über das Herstellen von Porträts: Ein Beitrag zu Rationalisierungs-massnahmen und Produktionsmechanismen von Massenware im späten Hellenismus und in der Römischen Kaiserzeit". *Jahrbuch des Deutschen Archäologischen Instituts*, Berlim, v. 104, pp. 157-257, 1989.

PIEPER, Susanne. "The Artist's Contribution to the Rediscovery of the Caesar Iconography". In: FEJFER, Jane et al. (Orgs.). *The Rediscovery of Antiquity: The Role of the Artist.* Copenhague: Museum Tusculanum Press, 2003. pp. 123-45. (Acta Hyperborea, 10).

PILASKI KALIARDOS, Katharina. *The Munich Kunstkammer: Art, Nature and the Representation of Knowledge in Courtly Contexts.* Tübingen: Mohr Siebeck, 2013.

POCOCK, John G. A. *Barbarism and Religion.* Cambridge: Cambridge University Press, 2003. v. 3: *The First Decline and Fall.*

POINTON, Marcia. "The Importance of Gems in the Work of Peter Paul Rubens, 1577-1640". In: BERCKEN, Ben J. L. van den; BAAN, Vivian C. P. (Orgs.). *Engraved Gems: From Antiquity to the Present.* Leiden: Sidestone, 2017. pp. 99-111. (Papers on Archaeology of the Leiden Museum of Antiquities, 14).

POLLARD, John Graham. *Renaissance Medals.* Washington, DC: National Gallery of Art, 2007. v. 1: *Italy*; v. 2: *France, Germany, The Netherlands and England.*

POLLINI, John. *The Portraiture of Gaius and Lucius Caesar.* Nova York: Fordham University Press, 1987.

_____. *From Republic to Empire: Rhetoric, Religion, and Power in the Visual Culture of Ancient Rome.* Norman: University of Oklahoma Press, 2012.

PONS, Nicoletta. "Portrait of a Man with the Medal of Cosimo the Elder, *c.* 1475". In: ARASSE, Daniel et al. (Orgs.). *Botticelli: From Lorenzo the Magnificent to Savonarola.* Milão: Skira, 2003. pp. 102-5. Catálogo de exposição.

PORTER, Martin. *Windows of the Soul: Physiognomy in European Culture, 1470-1780.* Oxford: Oxford University Press, 2005.

POSKETT, James. *Materials of the Mind: Phrenology, Race and the Global History of Science, 1815-1920.* Chicago: The University of Chicago Press, 2019.

POSTNIKOVA, Olga. "Historismus in Russland". In: FILLITZ, Hermann (Org.). *Der Traum vom Glück: Die Kunst des Historismus in Europa.* Viena: Künstlerhaus, 1996. pp. 103-11.

POUGETOUX, Alain. *Georges Rouget (1783-1869): Élève de Louis David.* Paris: Paris musées, 1995. Catálogo de exposição.

POWER, Tristan; GIBSON, Roy K. (Orgs.). *Suetonius the Biographer: Studies in Roman Lives.* Oxford: Oxford University Press, 2014.

PRETTEJOHN, Elizabeth. "Recreating Rome in Victorian Painting: From History to Genre". In: LIVERSIDGE, Michael; EDWARDS, Catharine (Orgs.). *Imagining Rome: British Artists and Rome in the Nineteenth Century.* Londres: Merrell Holberton, 1996. pp. 54-69. Catálogo de exposição.

_____ et al. (Orgs.). *Sir Lawrence Alma-Tadema.* Amsterdam: Amsterdam Van Gogh Museum, 1996. Catálogo de exposição.

PRINCIPI, Lorenzo. "Filippo Parodi's *Vitellius*: Style, Iconography and Date". In: GAMBINO, Davide; _____ (Orgs.). *Filippo Parodi 1630-1702, Genoa's Bernini: A Bust of Vitellius.* Gênova: Bacarelli & Botticelli, 2016. pp. 31-68. Catálogo de exposição.

PROWN, Jules David. "Benjamin West and the Use of Antiquity". *American Art*, Chicago, v. 10, n. 2, pp. 28-49, 1996.

PUGET DE LA SERRE, Jean. *Histoire de l'Entrée de la Reyne-Mère... dans la Grande-Bretaigne.* Londres: G. Thomason & O. Pullen, 1639.

PURCELL, Nicholas. "Livia and the Womanhood of Rome". *Proceedings of the Cambridge Philological Society*, Cambridge, n. 32, pp. 78-105, 1986.

QUATREMÈRE DE QUINCY, Antoine C. *Canova et ses ouvrages, ou, Mémoires historiques sur la vie et les travaux de ce célèbre artiste.* 2. ed. Paris: Adrien le Clere, 1836.

RAATSCHEN, Gudrun. "Van Dyck's *Charles I on Horseback with M. de St Antoine*". In: VLIEGHE, Hans (Org.). *Van Dyck 1599-1999: Conjectures and Refutations.* Turnhout: Brepols, 2001. pp. 139-50.

RAES, Daphné Cassandra. *De Brusselse Julius Caesar wandtapijtreeksen (ca. 1550-1700): Een stilistiche en iconografische studie.* Leuven: KU Leuven, 2016. Dissertação (Mestrado em Ciências da Arte).

RAIMONDI, Gianmario. "Lectio Boethiana: L'example' di Nerone e Seneca nel *Roman de la Rose*". *Romania*, Paris, v. 120, n. 477, pp. 63-98, 2002.

RAUBITSCHEK, Antony E. "Epigraphical Notes on Julius Caesar". *Journal of Roman Studies*, Londres, v. 44, pp. 65-75, 1954.

RAUSA, Federico. "'Li disegni delle statue et busti sono rotolate drento le stampe': L'arredo di sculture antiche delle residenze dei Gonzaga nei disegni seicenteschi della Royal Library a Windsor Castle". In: MORSELLI, Raffaella (Org.). *Gonzaga. La Celeste Galeria: L'esercizio del collezionismo.* Milão: Skira, 2002. pp. 67-91.

RAYBOULD, Robin. *The Sibyl Series of the Fifteenth Century.* Leiden: Brill, 2016.

REBECCHINI, Guido. *Private Collectors in Mantua, 1500-1630.* Roma: Edizioni di Storia e Letteratura, 2002.

REDFORD, Bruce. "'Seria Ludo': George Knapton's Portraits of the Society of Dilettanti". *British Art Journal*, Londres, v. 3, n. 1, pp. 56-68, 2001.

_____. *Dilettanti: The Antic and the Antique in Eighteenth-Century England.* Los Angeles: J. Paul Getty Museum, 2008.

REED, Christopher (Org.). *A Roger Fry Reader.* Chicago: University of Chicago Press, 1996.

REEVE, Michael D. "Suetonius". In: REYNOLDS, Leighton D.; WILSON, Nigel G. (Orgs.). *Texts and Transmission: A Survey of the Latin Classics.* Oxford: Clarendon Press, 1983. pp. 399-406.

REILLY, Robin; SAVAGE, George. *Wedgwood: The Portrait Medallions.* Londres: Barrie & Jenkins, 1973.

RELIHAN, Joel. "Late Arrivals: Julian and Boethius". In: FREUDENBURG, Kirk (Org.). *The Cambridge Companion to Roman Satire.* Cambridge: Cambridge University Press, 2005. pp. 109-22.

RICE HOLMES, Thomas. *Caesar's Conquest of Gaul: An Historical Narrative* [1899]. 2. ed. emend. Londres: Macmillan, 1903.

RICHARDS, John. *Altichiero: An Artist and His Patrons in the Italian Trecento.* Cambridge: Cambridge University Press, 2000.

RICHTER, Jean Paul (Org.). *Lives of the Most Eminent Painters, Sculptors, and Architects: Translated from the Italian of Giorgio Vasari.* Londres: G. Bell, 1859. v. 4.

RICKERT, Yvonne. *Herrscherbild im Widerstreit: Die Place Louis XV in Paris: Ein Königsplatz im Zeitalter der Aufklärung.* Hildersheim: Georg Olms, 2018.

RIEBESELL, Christina. "Guglielmo della Porta". In: BURANELLI, Francesco (Org.). *Palazzo Farnèse: Dalle collezioni rinascimentali ad Ambasciata di Francia*. Roma: Giunti, 2010. pp. 255-61. Catálogo de exposição.

RIPA, Cesare. *Iconologia*. Ed. sem il. Roma: Giovanni Gigliotti, 1593; ed. rev. Siena: Matteo Florimi, 1613.

RIPLEY, John. *Julius Caesar on Stage in England and America, 1599-1973*. Cambridge: Cambridge University Press, 1980.

ROBERTS, Sydney Castle. *Zuleika in Cambridge*. Cambridge: Heffer, 1941.

ROBERTSON, Clare. "The Artistic Patronage of Cardinal Odoardo Farnese". In: CHASTEL, André. *Les Carrache et les décors profanes*. Roma: École française de Rome, 1988. pp. 359-72.

ROME, Romains et romanité dans la peinture historique des XVIIIe et XIXe siècles. Narbonne: Musée de Narbonne, 2002. Catálogo de exposição.

RONCHINI, Amadio. "Bernardino Campi in Guastalla". *Atti e memorie delle RR Deputazioni di storia patria per le provincie dell'Emilia*, Módena, n. 3, pp. 67-91, 1878.

ROSE, C. Brian. *Dynastic Commemoration and Imperial Portraiture in the Julio-Claudian Period*. Cambridge: Cambridge University Press, 1997.

ROSENBLUM, Robert. *Transformations in Late Eighteenth Century Art*. 2. ed. Princeton: Princeton University Press, 1969.

ROSENTHAL, Mark. *Anselm Kiefer*. Chicago: The Art Institute of Chicago, 1987.

ROSSI, Toto Bergamo. *Domus Grimani: The Collection of Classical Sculptures Reassembled in Its Original Setting after 400 Years*. Veneza: Marsilio, 2019. Catálogo de exposição.

ROUILLÉ, Guillaume. *Promptuaire des Medalles des plus renommées personnes qui ont esté depuis le commencement du monde*. Lyon: Roville, 1553; 2. ed. Lyon: Roville, 1577 (citação).

ROWAN, Clare. *Under Divine Auspices: Divine Ideology and the Visualisation of Imperial Power in the Severan Period*. Cambridge: Cambridge University Press, 2012.

ROWLANDSON, Jane (Org.). *Women and Society in Greek and Roman Egypt: A Sourcebook*. Cambridge: Cambridge University Press, 2009.

ROWORTH, Wendy Wassyng. "Angelica Kauffman's Place in Rome". In: FINDLEN, Paula; ROWORTH, Wendy Wassyng ; SAMA, Catherine M. (Orgs.). *Italy's Eighteenth Century: Gender and Culture in the Age of the Grand Tour*. Redwood City: Stanford University Press, 2009. pp. 151-72.

RUBIN, Patricia Lee. "Understanding Renaissance Portraiture". In: CHRISTIANSEN, Keith; WEPPELMANN, Stefan (Orgs.). *The Renaissance Portrait: From Donatello to Bellini*. Nova York: The Metropolitan Museum of Art, 2011. pp. 2-25. Catálogo de exposição.

RUCKSTALL, Frederick Wellington (Petronius Arbiter). "A Great Ethical Work of Art: *The Romans of the Decadence*". *The Art World*, Nova York, v. 2, n. 6, pp. 533-5, 1917.

RUSKIN, John. "Notes on Some of the Principal Pictures Exhibited in the Rooms of the Royal Academy: 1875". In: COOK, Edward Tyas; WEDDERBURN, Alexander (Orgs.). *The Works of John Ruskin*. Londres: George Allen, 1904. pp. 271-3. v. 14.

"S..." [Charles Bruno]. *Iconoclaste: Souvenir du Salon de 1847*. Paris: P. Baudouin, 1847.

SAAVEDRO FAJARDO, Diego de. *Idea de un príncipe político christiano*. Munique: Nicolao Enrico, 1640; *The Royal Politician Represented in One Hundred Emblems*. Trad. de J. Astry. Londres: Matt. Gylliflower, 1700.

SADLEIR, Thomas U. (Org.). *An Irish Peer on the Continent (1801-1803): Being a Narrative of the Tour of Stephen, 2nd Earl Mount Cashell, through France, Italy etc., as Related by Catherine Wilmot*. Londres: Williams and Norgate, 1920.

SAFARIK, Eduard A. (Org.). *Domenico Fetti: 1588/9-1623*. Milão: Electra, 1996. Catálogo de exposição.

SALOMON, Xavier F. *Veronese*. Londres: National Gallery Company, 2014. Catálogo de exposição.

_____. "The *Dodici Tazzoni Grandi* in the Aldobrandini Collection". In: SIEMON, Julia (Org.). *Silver Caesars: A Renaissance Mystery*. Nova York: The Metropolitan Museum of Art. pp. 140-47.

SALTZMAN, Lisa. *Anselm Kiefer and Art after Auschwitz*. Cambridge: Cambridge University Press, 1999.

SANTOLINI GIORDANI, Rita. *Antichità Casali: La collezione di Villa Casali a Roma*. Roma: L'Erma di Bretschneider, 1989. (Studi Miscellanei, 27).

SAPELLI RAGNI, Marina (Org.). *Anzio e Nerone: Tesori dal British Museum e dai Musei Capitolini*. Roma: Gangemi, 2009. Catálogo de exposição.

SARTORI, Giovanni. "La copia dei Cesari di Tiziano per Sabbioneta". In: BOCCHI, Gianluca; SARTORI, Giovanni (Orgs.). *La Sala degli Imperatori di Palazzo Ducale a Sabbioneta*. Sabbioneta: Rotary Casalmaggiore Viadana Sabbioneta, 2015. pp. 15-28.

SARTWELL, Crispin. "Aesthetics of the Spurious". *British Journal of Aesthetics*, Londres, v. 28, n. 4, pp. 360-2, 1988.

SAVAGE, Kirk. *Monument Wars: Washington, D.C., the National Mall, and the Transformation of the Memorial Landscape*. Berkeley: University of California Press, 2009.

SCALAMONTI, Francesco. *Vita viri clarissimi et famosissimi Kyriaci Anconitani* [1464]. Org. e trad. de Charles Mitchell e Edward W. Bodnar. Filadélfia: American Philosophical Society, 1996.

SCHÄFER, Thomas. "Drei Porträts aus Pantelleria: Caesar, Antonia Minor und Titus". In: WEISS, Rainer-Maria; SCHÄFER, Thomas ; OSANNA, Massimo (Orgs.). *Caesar ist in der Stadt: Die neu entdeckten Marmorbildnisse aus Pantelleria*. Hamburgo: Helms-Museum, 2004. pp. 18-38. Catálogo de exposição.

SCHAMA, Simon. *Dead Certainties (Unwarranted Speculations)*. Londres: Granta, 1991.

SCHATZKAMMER der Residenz München. 3. ed. Munique: Bayer, Verwaltung d. Staatl, Schlösser, Gärten u. Seen, 1970.

SCHER, Stephen K. (Org.). *The Currency of Fame: Portrait Medals of the Renaissance*. Nova York: H. N. Abrams, 1994. Catálogo de exposição.

SCHMITT, Annegrit. "Zur Wiederbelebung der Antike im Trecento. Petrarcas Rom-Idee in ihrer Wirkung auf die Paduaner Malerei: Die methodische Einbeziehung des römischen Münzbildnisses in die Ikonographie 'Berühmter Männer'", *Mitteilungen des Kunsthistorischen Institutes in Florenz*, Zurique, v. 18, n. 2, pp. 167-218, 1974.

SCHRAVEN, Minou. *Festive Funerals in Early Modern Italy: The Art and Culture of Conspicuous Commemoration*. Farnham: Ashgate, 2014.

SCOTT, Frank J. *Portraitures of Julius Caesar*. Nova York: Longmans, Green, 1903.

SÉRIÉ, Pierre. "Theatricality versus Anti-Theatricality: Narrative Techniques in French History Painting (1850-1900)". In: COOKE, Peter; LÜBBREN, Nina (Orgs.). *Painting and Narrative in France, from Poussin to Gauguin*. Londres: Routledge, 2016. pp. 160-75.

SERVOLINI, Luigi. "Ugo da Carpi: Illustratore del libro". *Gutenberg-Jahrbuch*, Mainz, pp. 196-202, 1950.

SETTIS, Salvatore. "Collecting Ancient Sculpture: The Beginnings". In: PENNY, Nicholas; SCHMIDT, Eike D. (Orgs.). *Collecting Sculpture in Early Modern Europe*. New Haven: Yale University Press, 2008. pp. 13-31. (Studies in the History of Art, 70).

SEZNEC, Jean. "Diderot and 'The Justice of Trajan'". *Journal of the Warburg and Courtauld Institutes*, Londres, v. 20, pp. 106-11, 1957.

SHAKESPEARE, William. *2 Henry IV*; *Julius Caesar*; *Love's Labours Lost*; *The Winter's Tale*. In: *The Oxford Shakespeare: The Complete Works*. Org. de Stanley Wells e Gary Taylor. Oxford: Oxford University Press, 1988 (citações).

SHARPE, Kevin. *Sir Robert Cotton, 1586-1631: History and Politics in Early Modern England*. Oxford: Oxford University Press, 1979.

SHEARMAN, John. *The Early Italian Pictures (The Pictures in the Collection of Her Majesty the Queen)*. Cambridge: Cambridge University Press, 1983.

SHOTTER, David C. A. "Agrippina the Elder: A Woman in a Man's World". *Historia: Zeitschrift für Alte Geschichte*, Stuttgart, v. 49, n. 3, pp. 341-57, 2000.

SIEBERT, Gérard. "Un Portrait de Jules César sur une coupe à médaillon de Délos". *Bulletin de correspondance hellénique*, Paris, v. 104, n. 1, pp. 189-96, 1980.

SIEGFRIED, Susan L. "Ingres' Reading: The Undoing of Narrative". *Art History*, Londres, v. 23, n. 5, pp. 654-80, 2000.

_____. *Ingres: Painting Reimagined*. New Haven: Yale University Press, 2009.

SIEMON, Julia. "Renaissance Intellectual Culture, Antiquarianism, and Visual Sources". In: _____ (Org.). *The Silver Caesars: A Renaissance Mystery*. Nova York: The Metropolitan Museum of Art, 2017. pp. 46-77.

_____ (Org.). *The Silver Caesars: A Renaissance Mystery*. Nova York: The Metropolitan Museum of Art, 2017.

_____. "Tracing the Origin of the Aldobrandini Tazze". In: _____ (Org.). *Silver Caesars: A Renaissance Mystery*. Nova York: The Metropolitan Museum of Art, 2017. pp. 78-105.

SILVER, Larry. *Marketing Maximilian: The Visual Ideology of a Holy Roman Emperor*. Princeton: Princeton University Press, 2008.

SIMON, Erika. "Das Caesarporträt im Castello di Aglie". *Archäologischer Anzeiger*, Berlim, v. 67, pp. 123-38, 1952.

SMALL, Alastair. "The Shrine of the Imperial Family in the Macellum at Pompeii". In: _____ (Org.). *Subject and Ruler: The Cult of the Ruling Power in Classical Antiquity*. *Journal of Roman Archaeology*, Ann Arbor, supl. 17, pp. 115-36, 1996.

SMITH, Amy C. *Polis and Personification in Classical Athenian Art*. Leiden: Brill, 2011.

SMITH, Anthony D. *The Nation Made Real: Art and National Identity in Western Europe, 1600-1850*. Oxford: Oxford University Press, 2013.

SMITH, Roland R. R. "Roman Portraits: Honours, Empresses and Late Emperors". *Journal of Roman Studies*, Londres, v. 75, pp. 209-21, 1985.

_____. "The Imperial Reliefs from the Sebasteion at Aphrodisias". *Journal of Roman Studies*, Londres, v. 77, pp. 88-138, 1987.

_____. "Typology and Diversity in the Portraits of Augustus". *Journal of Roman Archaeology*, Ann Arbor, v. 9, pp. 30-47, 1996.

_____. *The Marble Reliefs from the Julio-Claudian Sebasteion*. Mainz: Von Zaber, 2013. (Aphrodisias, 6).

SPARAVIGNA, Amelia Carolina. "The Profiles of Caesar's Heads Given by Tusculum and Pantelleria Marbles". Turim, 18 jul. 2018. Disponível em: <DOI: 10.5281/zenodo.1314696>.

SPIEGEL, Gabrielle M. *Romancing the Past: The Rise of Vernacular Prose Historiography in Thirteenth-Century France*. Berkeley: University of California Press, 1993.

SPIER, Jeffery. "Julius Caesar". In: SPIER, Timothy Potts; COLE, Sara E. (Orgs.). *Beyond the Nile: Egypt and the Classical World*. Los Angeles: J. Paul Getty Museum, 2018. pp. 198-9. Catálogo de exposição.

SPLENDOR of Dresden: Five Centuries of Art Collecting. Nova York: The Metropolitan Museum of Art, 1978. Catálogo de exposição.

STALEY, Allen. "The Landing of Agrippina at Brundisium with the Ashes of Germanicus". *Philadelphia Museum of Art Bulletin*, Filadélfia, v. 61, pp. 10-9, 1965-6.

STARKEY, David (Org.). *The Inventory of King Henry VIII*. Londres: H. Miller, 1998. v. 1: *The Transcript*.

STEFANI, Grete. "Le statue del *Macellum* di Pompei". *Ostraka*, Perúgia, v. 15, n. 1, pp. 195-230, 2006.

STÉNUIT, Robert. *Treasures of the Armada*. Londres: David & Charles, 1972.

STEVENSON, Mrs. Cornelius. "An Ancient Sarcophagus". *Bulletin of the Pennsylvania Museum*, Filadélfia, v. 12, pp. 1-5, 1914.

STEWART, Alison. "Woodcuts as Wallpaper: Sebald Beham and Large Prints from Nuremberg". In: SILVER, Larry; WYCKOFF, Elizabeth (Orgs.). *Grand Scale: Monumental Prints in the Age of Dürer and Titian*. New Haven: Yale University Press, 2008. pp. 73-84. Catálogo de exposição.

STEWART, Jules. *Madrid: The History*. Londres: I. B. Tauris, 2012.

STEWART, Peter. *The Social History of Roman Art*. Cambridge: Cambridge University Press, 2008.

_____. "The Equestrian Statue of Marcus Aurelius". In: ACKEREN, Marcel van (Org.). *A Companion to Marcus Aurelius*. Chichester: Wiley-Blackwell, 2012. pp. 264-77.

STIRNEMANN, Patricia. "Inquiries Prompted by the Kane Suetonius (Kane MS 44)". In: HOURIHANE, Colum (Org.). *Manuscripta Illuminata: Approaches to Understanding Medieval and Renaissance Manuscripts*. Princeton: Princeton University Press, 2014. pp. 145-60.

STRADA, Jacopo. *Imperatorum Romanorum omnium orientalium et occidentalium verissimae imagines ex antiquis numismatis quam fidelissime delineatae*. Zurique: Andreae Gesneri, 1559.

STUART JONES, Henry. "The British School at Rome". *The Athenaeum*, New Haven, n. 4244, p. 265, 27 fev. 1909.

_____ (Org.). *A Catalogue of the Ancient Sculptures Preserved in the Municipal Collections of Rome: The Sculptures of the Museo Capitolino*. Oxford: Clarendon, 1912.

_____ (Org.). *A Catalogue of the Ancient Sculptures Preserved in the Municipal Collections of Rome: The Sculptures of the Palazzo dei Conservatori*. Oxford: Clarendon, 1926.

STUPPERICH, Reinhard. "Die zwölf Caesaren Suetons: Zur Verwendung von Kaiserporträt--Galerien in der Neuzeit". In: _____ (Org.). *Lebendige Anike. Rezeptionen der Antike in Politik, Kunst und Wissenschaft der Neuzeit*. Mannheim: Llux, 1995. pp. 39-58.

SYNOPSIS of the Contents of the British Museum. 48. ed. Londres: G. Woodfall & Son, 1845.

SYNOPSIS of the Contents of the British Museum. 49. ed. Londres: G. Woodfall & Son, 1846.

SYNOPSIS of the Contents of the British Museum. 62. ed. Londres: Woodfall & Kinder, 1855.

SYSON, Luke. "Witnessing Faces, Remembering Souls". In: CAMPBELL, Lorne et al. *Renaissance Faces: Van Eyck to Titian*. Londres: National Gallery, 2008. pp. 14-31. Catálogo de exposição.

SYSON, Luke; THORNTON, Dora. *Objects of Virtue: Art in Renaissance Italy*. Londres: British Museum, 2001.

TATUM, W. Jeffrey. *The Patrician Tribune: Publius Clodius Pulcher*. Chapel Hill: University of North Carolina Press, 1999.

TESORI gotici dalla Slovacchia: L'arte del Tardo Medioevo in Slovacchia. Roma: [s.n.], 2016. Catálogo de exposição.

THACKERAY, William Makepeace. *The Paris Sketch Book* [1840]. Londres: Smith, Elder, 1870.

THE VISITOR'S Hand-Book to Richmond, Kew Gardens, and Hampton Court; ... Londres: Cradock, 1848.

426

THOMAS, Christine M. *The Acts of Peter, Gospel Literature and the Ancient Novel: Rewriting the Past.* Oxford: Oxford University Press, 2003.

THONEMANN, Peter. *The Hellenistic World: Using Coins as Sources.* Cambridge: Cambridge University Press, 2015.

THORÉ, Théophile. *Salons de T. Thoré 1844, 1845, 1846, 1847, 1848.* 2. ed. Paris: Librairie internationale, 1870.

TITE, Colin G. C. *The Manuscript Library of Sir Robert Cotton.* Londres: British Library, 1994. (The Panizzi Lectures, 1993).

TOMEI, Maria Antonietta; REA, Rossella (Orgs.). *Nerone.* Milão: Electa, 2011. Catálogo de exposição.

TOSETTI GRANDI, Paola. *I trionfi di Cesare di Andrea Mantegna: Fonti umanistiche e cultura antiquaria alla corte dei Gonzaga.* Mântua: Sometti, 2008.

TRIMBLE, Jennifer. "Corpore enormi: The Rhetoric of Physical Appearance in Suetonius and Imperial Portrait Statuary". In: ELSNER, Jaś; MEYER, Michel (Orgs.). *Art and Rhetoric in Roman Culture.* Cambridge: Cambridge University Press, 2014. pp. 115-54.

TYTLER, Alexander Fraser. *Elements of General History, Ancient and Modern.* Ed. rev. Londres: A. Scott, 1846.

USHER, Phillip John. *Epic Arts in Renaissance France.* Oxford: Oxford University Press, 2014.

VACCARI, Maria Grazia. "Desiderio's Reliefs". In: BORMAND, Marc et al. (Orgs.). *Desiderio da Settignano: Sculptor of Renaissance Florence.* Washington, DC: National Gallery of Art, 2007. pp. 176-95. Catálogo de exposição.

VARNER, Eric R. *Mutilation and Transformation:* Damnatio Memoriae *and Roman Imperial Portraiture.* Leiden: Brill, 2004.

VASARI, Giorgio. *Le vite de' più eccellenti pittori, scultori ed architetti* [1550, ed. rev. 1568]. Org. de Luciano Bellosi e Aldo Rossi. Turim: Einaudi, 1986 (citação).

VÁZQUEZ-MANASSERO, Margarita-Ana. "Twelve Caesars' Representations from Titian to the End of 17th Century: Military Triumph Images of the Spanish Monarchy". In: MALTSEVA, Svetlana V. et al. (Orgs.). *Actual Problems of Theory and History of Art.* São Petersburgo: [s.n.], 2015. pp. 655-63. v. 5.

VENTURINI, Elena. *Le collezioni Gonzaga: Il carteggio tra la corte Cesarea e Mantova (1559-1636).* Milão: Silvana, 2002.

VERHEYEN, Egon. "Jacopo Strada's Mantuan Drawings of 1567-1568". *Art Bulletin,* Londres, v. 49, pp. 62-70, 1967.

VERTUE, George. *Vertue's Note Book, A.g. (British Museum Add. MS 23,070).* Londres: Dawson, 1931-2. (Walpole Society, 20; Vertue Note Books, 2).

VICKERS, Michael. "The Intended Setting of Mantegna's 'Triumph of Cæsar', 'Battle of the Sea Gods' and 'Bacchanals'". *Burlington Magazine,* Londres, v. 120, n. 903, pp. 360, 365-71, 1978.

VICO, Enea. *Discorsi sopra le medaglie de gli antichi.* Veneza: Giolito De Ferrari, 1555.

VILJOEN, Madeleine. "Paper Value: Marcantonio Raimondi's 'Medaglie Contraffatte'". *Memoirs of the American Academy in Rome,* Ann Arbor, v. 48, pp. 203-26, 2003.

VISCONTI, Ennio Quirino. *Il Museo Pio-Clementino* [1792]. Milão: Bettoni, 1821. v. 6.

VOLLENWEIDER, Marie-Louise. "Die Gemmenbildnisse Cäsars". *Antike Kunst,* Basileia, v. 3, n. 2, pp. 81-8, 1960.

_____; AVISSEAU-BROUSTET, Mathilde. *Camées et intailles.* Paris: Bibliothèque nationale, 2003. v. 2: *Les Portraits romains du Cabinet de médailles.*

VOLTAIRE. *Letters Concerning the English Nation.* Londres: C. Davis & A. Lyon, 1733.

VOLTELINI, Hans von. "Urkunden und Regesten aus dem k. u. k. Haus-, Hof- und Staats--Archiv in Wien". *Jahrbuch der Kunsthistorischen Sammlungen des Allerhöchsten Kaiserhauses*, Viena, v. 13, pp. 26-174, 1892.

VOUT, Caroline. "Antinous, Archaeology and History". *Journal of Roman Studies*, Londres, v. 95, pp. 80-96, 2005.

_____. *Classical Art: A Life History from Antiquity to the Present*. Princeton: Princeton University Press, 2018.

WADDINGTON, Raymond B. "Aretino, Titian, and *La Humanità di Cristo*". In: BRUNDIN, Abigail; TREHERNE, Matthew. *Forms of Faith in Sixteenth-Century Italy*. Aldershot: Ashgate, 2009. pp. 171-98.

WAGENBERG-TER HOEVEN, Anke A. van. "A Matter of Mistaken Identity: In Search of a New Title for Rubens's 'Tiberius and Agrippina'". *Artibus et Historiae*, Cracóvia, v. 26, n. 52, pp. 113-27, 2005.

WALKER, Susan. "Clytie: A False Woman?". In: JONES, Mark (Org.). *Why Fakes Matter: Essays on Problems of Authenticity*. Londres: British Museum, 1992. pp. 32-40.

_____; BIERBRIER, Morris. *Ancient Faces: Mummy Portraits from Roman Egypt*. Londres: British Museum, 1997.

WALLACE-HADRILL, Andrew. "Civilis princeps: Between Citizen and King". *Journal of Roman Studies*, Londres, v. 72, pp. 32-48, 1982.

_____. *Suetonius: The Scholar and His Caesars*. Londres: Duckworth, 1983.

WARD-JACKSON, Philip. *Public Sculpture of Historic Westminster*. Liverpool: Liverpool University Press, 2011. v. 1.

WARD-PERKINS, John B. "Four Roman Garland Sarcophagi in America". *Archaeology*, Nova York, v. 11, n. 2, pp. 98-104, 1958.

WARDROPPER, Ian (com DAY, Julia). *Limoges Enamels at the Frick Collection*. Nova York: The Frick Collection, 2015.

WARREN, Charles. "More Odd Byways in American History". *Proceedings of the Massachusetts Historical Society*, Boston, terceira série, v. 69, pp. 252-61, 1947-50.

WARREN, Richard. *Art Nouveau and the Classical Tradition*. Londres: Bloomsbury, 2017.

WASHBURN, Wilcomb E. "A Roman Sarcophagus in a Museum of American History". *The Curator*, Tulsa, v. 7, pp. 296-9, 1964.

WEGNER, Max. "Macrinus bis Balbinus". In: WIGGERS, Heinz B.; WEGNER, Max. *Das römische Herrscherbild*. Berlim: Mann, 1971. parte 3, v. 1, pp. 131-249.

_____. "Bildnisreihen der Zwölf Caesaren Suetons". In: DREXHAGE, Hans-Joachim; SÜNSKES, Julia (Orgs.). *Migratio et commutatio: Studien zur alten Geschichte und deren Nachleben*. St Katharinen: Scripta Mercaturae, 1989. pp. 280-5.

WEIGERT, Laura. *French Visual Culture and the Making of Medieval Theater*. Cambridge: Cambridge University Press, 2015.

WEIR, David. *Decadence: A Very Short Introduction*. Oxford: Oxford University Press, 2018.

WEISS, Roberto. *The Renaissance Discovery of Classical Antiquity*. Oxford: Blackwell, 1969.

WEST, Shearer. *Portraiture*. Oxford: Oxford University Press, 2004.

WETHEY, Harold E. *The Paintings of Titian: Complete Edition*. Londres: Phaidon, 1975. v. 3: *The Mythological and Historical Portraits*.

WHEELOCK, Arthur K. *Flemish Paintings of the Seventeenth Century*. Washington, DC: National Gallery of Art, 2005.(Collections of the National Gallery of Art, Systematic Catalogue).

_____ et al. *Anthony van Dyck*. Washington, DC: National Gallery of Art, 1990. Catálogo de exposição.

WHITAKER, Lucy; CLAYTON, Martin. *The Art of Italy in the Royal Collection: Renaissance and Baroque*. Londres: Royal Collection, 2007.

WHITE, Cynthia. "The Vision of Augustus: Pilgrims' Guide or Papal Pulpit?". *Classica et Mediaevalia*, Copenhague, v. 55, pp. 247-77, 2005.

WIBIRAL, Norbert. "Augustus patrem figurat: Zu den Betrachtungsweisen des Zentralsteines am Lotharkreuz im Domschatz zu Aachen". *Aachener Kunstblätter*, Heidelberg, v. 60, pp. 105-30, 1994.

WIELANDT, Manuel. "Die verschollenen Imperatoren-Bilder Tizians in der Königlichen Residenz zu München". *Zeitschrift für bildende Kunst*, Leipzig, v. 19, pp. 101-8, 1908.

WILKS, Timothy. "'Paying Special Attention to the Adorning of a Most Beautiful Gallery': The Pictures in St. James's Palace, 1609-49". *The Court Historian*, Londres, v. 10, n. 2, pp. 149-72, 2005.

WILLIAMS, Clare (Org.). *Thomas Platter's Travels in England, 1599*. Londres: J. Cape, 1937.

WILLIAMS, Gareth D. *Pietro Bembo on Etna: The Ascent of a Venetian Humanist*. Oxford: Oxford University Press, 2017.

WILLIAMS, Richard L. "Collecting and Religion in Late Sixteenth-Century England". In: CHANEY, Edward (Org.). *The Evolution of English Collecting: The Reception of Italian Art in the Tudor and Stuart Period*. New Haven: Yale University Press, 2003. pp. 159-200.

WILLIS, Robert. *The Architectural History of the University of Cambridge and of the Colleges of Cambridge and Eton*. Org. de John Willis Clark. Cambridge: Cambridge University Press, 1886. v. 3.

WILLS, Garry. *Cincinnatus: George Washington and the Enlightenment*. Garden City: Doubleday, 1984.

_____. "Washington's Citizen Virtue: Greenough and Houdon". *Critical Inquiry*, Chicago, v. 10, n. 3, pp. 420-41, 1984.

WILSON, James. *A Journal of Two Successive Tours upon the Continent in the Years 1816, 1817 and 1818*. Londres: T. Cadell & W. Davies, 1820. v. 2.

WILSON, Michael I. *Nicholas Lanier: Master of the King's Musick*. Farnham: Ashgate, 1994.

WINCKELMANN, Johann Joachim. *Geschichte der Kunst des Alterthums*. Dresden: Walthersche Hofbuchhandlung, 1764; *History of the Art of Antiquity*. Trad. de H. F. Mallgrave. Los Angeles: The Getty Research Institute, 2006.

_____. *Anmerkungen über die Geschichte der Kunst des Alterthums*. Dresden: Walther, 1767; ed. coment. de Adolf. H. Borbein e Max Kunze. Mainz: P. von Zabern, 2008 (citação).

WIND, Edgar. "Julian the Apostate at Hampton Court". *Journal of the Warburg and Courtauld Institutes*, Londres, v. 3, pp. 127-37, 1939-40.

WINKES, Rolf. *Livia, Octavia, Iulia: Porträts und Darstellungen*. Providence: Brown University, 1995.

WINKLER, Martin M. (Org.). *Gladiator: Film and History*. Malden, MA: Blackwell, 2004.

WOOD, Christopher S. *Forgery, Replica, Fiction: Temporalities of German Renaissance Art*. Chicago: University of Chicago Press, 2008.

WOOD, Jeremy. "Van Dyck's 'Cabinet de Titien': The Contents and Dispersal of His Collection". *Burlington Magazine*, Londres, v. 132, pp. 680-95, 1990.

WOOD, Susan E. "Subject and Artist: Studies in Roman Portraiture of the Third Century". *American Journal of Archaeology*, Boston, v. 85, pp. 59-68, 1981.

_____. *Roman Portrait Sculpture 217-260 AD: The Transformation of an Artistic Tradition*. Leiden: Brill, 1986.

WOOD, Susan E. "Messalina Wife of Claudius: Propaganda Successes and Failures of his Reign". *Journal of Roman Archaeology*, Ann Arbor, v. 5, pp. 219-34, 1992.

_____. *Imperial Women: A Study in Public Images, 40 BC-AD 68*. Ed. rev. Leiden; Brill, 2001.

WOODALL, Joanna (Org.). *Portraiture: Facing the Subject*. Manchester: Manchester University Press, 1997.

WOODS, Naurice Frank. "An African Queen at the Philadelphia Centennial Exposition 1876: Edmonia Lewis's 'The Death of Cleopatra'. *Meridians*, Durham, v. 9, n. 1, pp. 62-82, 2009.

WORSLEY, Lucy. "The 'Artisan Mannerist' Style in British Sculpture: A Bawdy Fountain at Bolsover Castle". *Renaissance Studies*, Oxford, v. 19, n. 1, pp. 83-109, 2005.

WYKE, Maria. *Projecting the Past: Ancient Rome, Cinema and History*. Nova York: Routledge, 1997.

_____ (Org.). *Julius Caesar in Western Culture*. Malden, MA: Blackwell, 2006.

_____. *Caesar: A Life in Western Culture*. Londres: Granta, 2007.

_____. *Caesar in the USA*. Berkeley: University of California Press, 2012.

YARRINGTON, Alison. "'Under Italian Skies', the 6th Duke of Devonshire, Canova and the Formation of the Sculpture Gallery at Chatsworth House". *Journal of Anglo-Italian Studies*, Msida, v. 10, pp. 41-62, 2009.

ZADOKS-JOSEPHUS JITTA, Annie Nicolette. "A Creative Misunderstanding". *Netherlands Yearbook for History of Art*, Leiden, v. 23, pp. 3-12, 1972.

ZANKER, Paul. *The Power of Images in the Age of Augustus*. Ann Arbor: University of Michigan Press, 1988.

_____. "Da Vespasiano a Domiziano: Immagini di sovrani e moda". In: COARELLI, Filippo (Org.). *Divus Vespasianus: Il bimillenario dei Flavi*. Roma: Quasar, 2009. pp. 62-7. Catálogo de exposição.

_____. "The Irritating Statues and Contradictory Portraits of Julius Caesar". In: GRIFFIN, Miriam (Org.). *A Companion to Julius Caesar*. Chichester: Wiley-Blackwell, 2009. pp. 288-314.

ZEITZ, Lisa. *Tizian, Teurer Freund: Tizian und Federico Gonzaga, Kunstpatronage in Mantua im 16. Jahrhundert*. Petersberg: M. Imhof, 2000.

ZIMMER, Jürgen. "Aus den Sammlungen Rudolfs II: 'Die Zwölff Heidnischen Kayser sambt Iren Weibern' mit einem Exkurs: Giovanni de Monte". *Studia Rudolphina*, Praga, v. 10, pp. 7-47, 2010.

ZIMMERN, Helen. *Sir Lawrence Alma Tadema R. A.* Londres: George Bell & Sons, 1902.

ZWIERLEIN-DIEHL, Erika. *Antike Gemmen und ihr Nachleben*. Berlim: De Gruyter, 2007.

Créditos das imagens

p. 16: [Figura 1.1] Visitantes veem o "Túmulo em que Andrew Jackson se RECUSOU a ser enterrado", em frente ao Prédio de Artes e Ofícios do Smithsonian Institution, Smithsonian Institution Archives, imagem nº OPA-965-08-S-1.

p. 17: [Figura 1.2] Estátua-retrato de Alexandre Severo, *c.* 222-4 d.C., mármore, 76 cm de altura, Musei Capitolini, Roma, Palazzo Nuovo, "Sala dos Imperadores", inv. 480.

p. 19: [Figura 1.3] Giovanni Battista Piranesi e Jean Barbault, *Grande caixão de mármore, atribuído a Alexandre Severo e sua mãe, Júlia Mameia*, gravura, 45,7 × 55,7 cm, em *Le antichità romane de' tempi della prima Repubblica e de' primi imperatori*, v. 2 (placa 33) (Roma: Dall'auttore, 1756). The Picture Art Collection/ Alamy Stock Photo.

p. 23: [Figura 1.4] Papel de parede com imperadores, alemão, *c.* 1555, xilogravura em cores, de dois blocos, em marrom-escuro e ocre e impressão tipográfica, 30 × 41,6 cm (com margem), British Museum, inv. 1895,0122.126. © The Trustees of the British Museum.

p. 26: [Figura 1.5] Tondo: painel da família de Septímio Severo, egípcio-romano, *c.* 200 d.C., têmpera sobre madeira, 30,5 cm de diâmetro, Staatliche Museen zu Berlin, Altes Museum, Antikensammlung, inv. 31329/ Bridgeman Images.

p. 27: [Figura 1.6] "Nero de Poitiers", detalhe de um vitral da catedral Saint-Pierre, Poitiers, Nouvelle-Aquitaine, França. Jorge Tutor/ Alamy Stock Photo.

p. 28: [Figura 1.7] "Cruz de Lotário", *c.* 1000 d.C., carvalho banhado a ouro e prata, com pedras preciosas incrustadas, 50 cm de altura (sem contar a base do século XIV), Aachen Cathedral Treasury Museum. Tarker/ Bridgeman Images.

p. 29: [Figura 1.8] Bustos de Versalhes: imperadores Augusto e Domiciano, século XVII. Augusto: mármore, ônix e pórfiro, 97 cm de altura; Domiciano: pórfiro (cabeça), mármore Levanto (torso), bronze folheado a ouro, 86 cm, Palácio de Versalhes, inv. MV 7102 e MV 8496. Foto: Coyau/ Wikimedia.

p. 30: [Figura 1.9] Transporte dos imperadores do Castelo de Powis. Reproduzido com a gentil permissão de Cliveden Conservation e National Trust.

p. 31: [Figura 1.10] Michael Sweerts, *Menino desenhando diante do busto de um imperador romano, c.* 1661, óleo sobre tela, 49,5 × 40,6 cm, Minneapolis Institute of Art, inv. 72.65. The Walter H. and Valborg P. Ude Memorial Fund.

p. 32: [Figura 1.11] Tinteiro em forma de Marco Aurélio a cavalo, italiano (Pádua), século XVI, bronze, 23,5 cm de altura. A foto é cortesia de Sotheby's New York.

p. 33: [Figura 1.12] Giovanni Maria Nosseni, peça de um jogo de doze cadeiras imperiais, feitas para o eleitor Augusto da Saxônia, *c.* 1580, Kunstgewerbemuseum, Staatliche Kunstsammlungen Dresden, inv. 47720. Foto: Jürgen Lösel.

p. 34: [Figura 1.13] Camafeu de colar ou gola, recuperado em Lacada Point, County Antrim, ouro com lápis-lazúli e pérola, 4,1 cm de altura, Museu Nacional da Irlanda do Norte, inv. BELUM.BGR.5. © National Museums Northern Ireland, Collection Ulster Museum.

p. 35: [Figura 1.14] Angelo Minghetti, *Tibério*, meados do século XIX, pós-1849, terracota esmaltada, 82 cm de altura (sem contar a base), Victoria and Albert Museum, Londres, inv. 172-1885. © Victoria and Albert Museum, Londres.

p. 36: [Figura 1.15] William Hogarth, *O progresso do libertino* (Londres, 1735), placa 3: *A taverna*, gravura, 35,6 × 40,8 cm (placa), Princeton University Art Museum, Princeton, NJ, inv. X1988-32. Presente da sra. William H. Walker II.

p. 36: [Figura 1.16] (Oficina de) Altichiero da Zevio, esboço a carvão em parede, de uma caricatura de imperador, encontrada sob um afresco, Palazzo degli Scaligeri, Verona, século XIV/ Museo degli Affreschi "G. B. Cavalcaselle", Verona, inv. 36370-1B3868.

p. 38: [Figura 1.17] Paris Bordone, *Aparição da Sibila para César Augusto*, 1535, óleo sobre tela, 165 × 230 cm, Pushkin State Museum of Fine Arts, Moscou, inv. 4354. Álbum/ Alamy Stock Photo.

p. 40: [Figura 1.18 a] Cena de Federico Fellini (dir.), *A doce vida* (1960). Reporters Associati & Archivi SRL, S. U. Roma.

p. 40: [Figura 1.18 b] Chris Riddell, *Blues da reeleição*, de *The Guardian*, 22 de março de 2009. © Guardian News & Media Ltd e Chris Riddell, 2021.

p. 40: [Figura 1.18 c] "The Emperor", letreiro de bar, Hills Road, Cambridge, Inglaterra. Foto: Alistair Laming/ Alamy Stock Photo.

p. 40: [Figura 1.18 d] Cerveja "Augustus", da Milton Brewery, Cambridge, Inglaterra. A imagem é cortesia da Milton Brewery.

p. 40: [Figura 1.18 e] Cueca de "Nero", por Munsingwear. A imagem é cortesia de The Advertising Archives.

p. 40: [Figura 1.18 f] Fósforos de "Nero". Foto: Robin Cormack.

p. 40: [Figura 1.18 g] Moeda de chocolate com busto imperial. Foto: Robin Cormack.

p. 40: [Figura 1.18 h] Kenneth Williams como Júlio César no filme *Os apuros de Cleópatra* (1964). Studiocanal Ltd, Reino Unido.

p. 40: [Figura 1.18 i] César, da série *Asterix*, de R. Goscinny e A. Uderzo. ASTERIX®– OBELIX® – IDEFIX®/ © LES EDITIONS ALBERT RENE/ GOSCINNY – UDERZO, 2021.

p. 41: [Figura 1.19] Busto do imperador Cômodo, [?] 180-5 d.C., mármore, 69,9 cm de altura, John Paul Getty Museum, inv. 92.SA.48.

p. 44: [Figura 1.20] Giovanni da Cavino, *Antonia*, 36 a.C.-*c.* 38 d.C., *Filha de Marco Antônio e Otávia* (anverso) e *Cláudio César* (reverso), bronze, 3,18 cm de diâmetro, Samuel H. Kress Collection/ National Gallery of Art, Washington, DC, inv. 1957.14.995.a-b. Cortesia da National Gallery of Art, Washington.

p. 45: [Figura 1.21] Estátua de Alexandre Farnésio, século I/cabeça do século XVI, mármore, 172 cm de altura (sem contar a cabeça), Musei Capitolini, Roma, Palazzo dei Conservatori, "Salão dos Capitães", inv. Scu 1190. Archivio Fotografico dei Musei Capitolini. Foto: Antonio Idini. © Roma, Sovrintendenza Capitolina ai Beni Culturali.

p. 48: [Figura 1.22 a] Estátua de Helena (denominada "Agripina"), *c.* 320 a.C.-5 d.C., mármore, 123 cm de altura, Musei Capitolini, Roma, Palazzo Nuovo, "Sala dos Imperadores", inv. Scu 496. Archivio Fotografico dei Musei Capitolini. Foto: Barbara Malter. © Roma, Sovrintendenza Capitolina ai Beni Culturali.

p. 48: [Figura 1.22 b] *Madame Mère*, Antonio Canova, 1804-7, mármore, 145 cm de altura, Galeria de Esculturas, Chatsworth House, Derbyshire, Inglaterra. Wikimedia.

p. 51: [Figura 1.23] Paolo Veronese, *O banquete na casa de Levi*, 1573, óleo sobre tela, 1309 × 560 cm, Gallerie dell'Accademia, Veneza, inv. 203. Bridgeman Images.

p. 53: [Figura 1.24] Busto de homem, denominado o *"Vitélio* de Grimani", primeira metade do século II, mármore, 48 cm de altura, Museo Archeologico Nazionale di Venezia, Veneza, inv. 20.

p. 57: [Figura 1.25] Henry Fuseli, *O desespero do artista diante da grandiosidade de ruínas antigas*, 1778-80, giz vermelho e lavagem sépia sobre papel, 35 × 42 cm, Kunsthaus, Zurique, inv. Z.1940/0144. Bridgeman Images.

p. 60: [Figura 2.1] *"César* de Arles", meados do século I a.C., mármore de Docimium (Frígia), 39,5 cm de altura, Musée Départemental Arles Antique, inv. RHO.2007.05.1939. © Rémi Bénali.

p. 61: [Figura 2.2] *Grande camafeu da França* (*Grand Camée de France*), 50-4 d.C., sárdonix, 31 × 26,5 cm, Bibliothèque Nationale de France, Paris/ Cabinet des Médailles, inv. Camée.264.

p. 62: [Figura 2.3] Moeda (denário) com a cabeça de César coroada (anverso), Roma, 44 a.C., prata, ANS Roman Collection, inv. 1944.100.3628. © American Numismatic Society.

p. 71: [Figura 2.4 a] *César* do rio Hudson, mármore, 23 cm de altura, Carl Milles Collection, Millesgården Museum, Estocolmo, inv. A 38. Foto: Per Myrehed, 2019. © Millesgården Museum.

p. 71: [Figura 2.4 b] *César* da Pantelleria, meados do século I, mármore grego, 42 cm de altura, Dipartimento dei Beni Culturali e dell'Identità Siciliana, inv. IG 7509.

p. 71: [Figura 2.4 c] *César verde*, egípcio-romano, [?] século I, de Uádi Hamamate (deserto oriental do Egito), grauvaque, 41 cm de altura, Staatliche Museen zu Berlin, Altes Museum, Antikensammlung, inv. Sk 342. Foto: Johannes Laurentius.

p. 71: [Figura 2.4 d]*Caesar* de Casali, do século I a.C. ou posterior, mármore, 77 cm de altura, Palazzo Casali, Roma. Foto: Deutsches Archaeologisches Institut, Roma, D-DAI-ROM-70.2015.

p. 71: [Figura 2.4 e] Vincenzo Camuccini, *A morte de César* (detalhe), 1804-5, óleo sobre tela, 112 × 195 cm, Galleria Nazionale d'Arte Moderna e Contemporanea, Roma, inv. 10159. © Adam Eastland/ agefotostock.com.

p. 71: [Figura 2.4 f] Desiderio da Settignano, perfil de homem com coroa de louros, frequentemente identificado como Júlio César, *c.* 1460, mármore, 43 × 29 × 10 cm, Museu do Louvre, Paris, inv. RF 572. Foto: René-Gabriel Ojéda. © RMN-Grand Palais/ Art Resource, NY.

p. 72: [Figura 2.5] Benito Mussolini anuncia a abolição da Câmara dos Deputados e a formação da Câmara do Fáscio e da Corporação em Roma, 25 de março de 1936. Foto: Keystone-France/ Gamma-Keystone via Getty Images.

p. 74: [Figura 2.6] Cabeça de Júlio César, Roma, provavelmente *c.* 1800, mármore, 35 cm de altura, British Museum, inv. 1818,0110.3. © The Trustees of the British Museum.

p. 77: [Figura 2.7] Busto de Júlio César encontrado em Túsculo, [?] *c.* 45 a.C., mármore Luna, 33 cm de altura, Museo di Antichità, Castello di Aglié, Turim, inv. 2098. © MiBACT-Musei Reali di Torino.

p. 78: [Figura 2.8] Detalhe do busto de Júlio César no British Museum, 2.6. Foto: Mary Beard.

p. 83: [Figura 2.9] "Cabeça de Meroé"/cabeça de Augusto (encontrada em Meroé, Núbia, atual Sudão), 27-25 a.C., gesso, vidro, calcita e bronze, 46,2 cm de altura, British Museum, inv. 1911,0901.1. © The Trustees of the British Museum.

p. 84: [Figura 2.10 a] Detalhe da estátua de Augusto, Roma (encontrada nas ruínas da vila de Lívia, esposa de Augusto, em Prima Porta, na via Flaminia), início do século I, mármore, 208 cm de altura, Musei Vaticani, Cidade do Vaticano, Museo Chiaramonti, Braccio Nuovo, inv. 2290. Adam Eastland/ Alamy Stock Photo.

p. 84: [Figura 2.10 b] Diagrama do design das madeixas, de Dietrich Boschung, *Die Bildnisse des Augustus* (Berlim: Mann, 1993), parte I, v. 2, Figura 83. Foto: Robin Cormack.

p. 84: [Figura 2.10 c] Cabeça de estátua de Tibério César, *c.* 4-14 d.C., colocada em um busto moderno, mármore, altura total 48,3 cm, British Museum, inv. 1812,0615.2. © The Trustees of the British Museum.

p. 84: [Figura 2.10 d] Retrato em busto do imperador Calígula (Caio), 37-41 d.C., mármore, 50,8 cm de altura, Metropolitan Museum, Nova York, inv. 14.37. Rogers Fund, 1914.

p. 84: [Figura 2.10 e] Retrato em busto, mármore, 35,6 cm de altura, British Museum, inv. 1870,0705.1. © The Trustees of the British Museum.

p. 84: [Figura 2.10 f] Retrato em busto com identificações variadas, [?] do jovem Nero (retrabalhado a partir de uma cabeça de Caio César ou Otaviano) em busto moderno, final do século I a.C.-início do século I d.C., mármore branco, 52 cm de altura, Musei Vaticani, Cidade do Vaticano, Museo Pio-Clementino, Sala dei Busti, inv. 591. Foto: © Governatorato SCV-Direzione dei Musei e dei Beni Culturali. Todos os direitos reservados.

p. 85: [Figura 2.11] Detalhe do Templo de Dendur, Egito, finalizado em 15 a.C., arenito eólico, comprimento total 24,6 m, Metropolitan Museum of Art, Nova York, inv. 68.154.

p. 86: [Figura 2.12] Cabeça do imperador Vespasiano, *c.* 70 d.C., mármore, 40 cm de altura, Ny Carlsberg Glyptotek, Copenhague, inv. 2585. Foto: Ny Carlsberg Glyptotek, Copenhague.

p. 92: [Figura 2.13] Busto (supostamente) do imperador Otão, final do século I, mármore, 81 cm de altura, Musei Capitolini, Roma, Palazzo Nuovo, "Sala dos Imperadores", inv. Scu 430. Archivio Fotografico dei Musei Capitolini. Foto: Barbara Malter. © Roma, Sovrintendenza Capitolina ai Beni Culturali.

p. 94: [Figura 2.14] Nicolò Traverso, *O gênio da escultura*, início do século XIX, mármore e gesso, 140 cm de altura, Palazzo Reale, Gênova, Galleria degli Specchi. Foto: Chiara Scabini. Com a permissão do Ministero per i Beni e le Attività Culturali e per il Turismo, Palazzo Reale di Genova.

p. 95: [Figura 2.15] Giambattista della Porta, ilustração de *De humana physiognomonia, libri IIII* (Nápoles: Vico Equense, 1586). Wellcome Trust, Londres.

p. 98: [Figura 3.1] Hans Memling, *Retrato de homem com moeda romana* [possivelmente Bernardo Bembo], década de 1470, óleo sobre painel de carvalho, 31 × 23,2 cm, Collection KMSKA (Royal Museum of Fine Arts) — Flemish Community (CC0), Antuérpia, inv. 5. Foto: Dominique Provost.

p. 99: [Figura 3.2] Sandro Botticelli, *Retrato de homem com medalha de Cosimo, o Velho*, 1474-5, têmpera sobre madeira, 57,5 × 44 cm, Galleria degli Uffizi, Florença, inv. 1890.1488. © Fine Art Images/ agefotostock.com.

p. 101: [Figura 3.3] Ticiano, *Retrato de Jacopo Strada*, 1567-8, óleo sobre tela, 125 × 95 cm, Kunsthistorisches Museum, Viena, inv. GG 81. © DEA/ G. Nimatallah/ agefotostock.com.

p. 102: [Figura 3.4] Jacopo Tintoretto, *Retrato de Ottavio Strada*, 1567, óleo sobre tela, 128 × 101 cm, Rijksmuseum, Amsterdam, inv. SK-A-3902. Adquirido com o apoio de J. W. Edwin Vom Rath Fonds/Rijksmuseum Fonds.

p. 106: [Figura 3.5] Porta-joias, alemão [Nuremberg?], final do século XVI, banhado a prata e ouro, 40 × 23 × 15,8 cm, Kunsthistorisches Museum, Viena, inv. KK 1178 (à mostra em Schloss Ambras, Innsbruck, Kunstkammer).

p. 107: [Figura 3.6] Cálice de Udalric de Buda (Cânone de Alba Júlia), início do século XVI, moedas de ouro e moedas de prata, revestidas de ouro, 21 cm de altura, Museu Diocesano de Nitra. Com a gentil permissão da Diocese Católica Romana de Nitra, República da Eslováquia.

p. 110: [Figura 3.7 a] Imperador Galba, de um manuscrito de meados do século XIV, Fermo, Biblioteca Comunale, MS 81, fol. 40v (ilustrado em Annegrit Schmidt, "Zur Wiederbelebung der Antike im Trecento", *Mitteilungen des Kunsthistorischen Institutes in Florenz* 18 [1974], placa 61). Foto: Kunsthistorisches Institut in Florenz-Max-Planck-Institut.

p. 110: [Figura 3.7 b] Moeda (sestércio) com busto do imperador Galba, com coroa de louros, vestido com drapejado (anverso), Roma, 68 d.C., liga de cobre, British Museum, inv. R.10162. © The Trustees of the British Museum.

p. 110: [Figura 3.7 c] Moeda (denário) com busto de Maximino Trácio, com coroa de louros, vestido com drapejado e couraça (anverso), Roma, 236-8 d.C., prata, ANS Roman Collection, inv. 1935.117.73. © American Numismatic Society.

p. 110: [Figura 3.7 d] Rosto de Maximino Trácio, de Giovanni de Matociis (m. 1337), *Historia imperialis* (iniciado em torno de 1310), Biblioteca Apostolica Vaticana, Cidade do Vaticano, MS Chig.I.VII.259, fol. 11r. © Biblioteca Apostolica Vaticana.

p. 110: [Figura 3.7 e] Rosto de Caracala, de Giovanni de Matociis, *Historia imperialis* [ver 3.7 c], Biblioteca Apostolica Vaticana, Cidade do Vaticano, MS Chig. I.VII.259, fol. 4r. © Biblioteca Apostolica Vaticana.

p. 110: [Figura 3.7 f] Moeda (denário) com busto de Marco Aurélio, com coroa de louros (anverso), Roma, 176-7[?], prata, British Museum, inv. 1995,0406.3. © The Trustees of the British Museum.

p. 110: [Figura 3.7 g] Altichiero da Zevio, *Busto de Marco Antonio Bassiano* [= o imperador "Caracala"] *e decorazioni*, século XIV, pintura em parede (afresco, removido em 1967 do Palazzo dei Scaligeri, Verona), Museo degli Affreschi "G. B. Cavalcaselle", Verona, inv. 36358-1B3856.

p. 111: [Figura 3.7 h] Imagem de Nero de Andrea Fulvio, *Illustrium imagines* (Roma: Iacobum Mazochium, 1517), Bibliothèque Nationale de France, RES-J-3269-fol. XLVIIr.

p. 111: [Figura 3.7 i] Imagem de Catão, de Fulvio, *Illustrium imagines* (Roma: Iacobum Mazochium, 1517), Bibliothèque Nationale de France, RES-J-3269-fol. XLVIIr.

p. 111: [Figura 3.7 j] Retrato de Eva, de Guillaume Rouillé, *Promptuaire des medalles des plus renommees personnes qui ont esté depuis le commencement du monde* (Lyon: Roville, 1577; 2 v.), v. 1, p. 5, "Adão e Eva", Bibliothèque Nationale de France, J-4730.

p. 111: [Figura 3.7 k] Medalhão de Nero na fachada de La Certosa, Pavia, Itália, fim do século XV. Fototeca Gilardi.

p. 111: [Figura 3.7 l] Medalhão de Átila, o Huno, na fachada de La Certosa, Pavia, Itália, fim do século XV. Fototeca Gilardi.

p. 111: [Figura 3.7 m] Medalhão de Júlio César em uma lógia, em Horton Court, Gloucestershire, Inglaterra, início do século XVI. National Trust Images.

p. 111: [Figura 3.7 n] Marcantonio Raimondi, "Vespasiano" da série de Doze Césares, *c.* 1500-34 (placa 91, do v. 3 do álbum do início do século XVI *Speculum romanae magnificentiae*), gravura, 17 × 15 cm (folha), The Metropolitan Museum of Art, Nova York, inv. 41.72(3.91). Rogers Fund, transferido da biblioteca.

p. 112: [Figura 3.8] "Nero" (página de abertura) de uma cópia manuscrita de *Vidas*, de Suetônio (*C. Suetonii Tranquilli duodecim Caesares*), encomendada por Bernardo Bembo, *c.* 1474, iluminura em pergaminho, Bibliothèque Nationale de France, MS lat. 5814, fol. 109r.

p. 114: [Figura 3.9] Teto da "Camera Picta" no Palácio Ducal em Mântua, pintado *c.* 1470. Com a permissão do Ministero per i Beni e le Attività Culturali e per il Turismo, Palazzo Reale di Genova.

p. 116: [Figura 3.10] Vincenzo Foppa, *Crucificação*, 1456, têmpera sobre madeira, 68,5 × 38,8 cm, Accademia Carrara, Bérgamo, inv. 58AC00040. The Picture Art Collection/ Alamy Stock Photo.

p. 117: [Figura 3.11] Ticiano, *Cristo e a adúltera, c.* 1510, óleo sobre tela, 139,3 × 181,7 cm, Cultura e Sporte, Glasgow, Kelvingrove Art Gallery and Museum, inv. 181. © Fine Art Images/ agefotostock.com.

p. 121: [Figura 3.12] Michael Rysbrack, *Jorge I*, 1739, mármore, 187 cm de altura (esquerda) e Joseph Wilton, *Jorge II*, 1766, mármore, 187 cm de altura (direita). © The Fitzwilliam Museum, Cambridge. Reproduzido com a gentil permissão da University of Cambridge.

p. 123: [Figura 3.13] George Knapton, *Charles Sackville, segundo duque de Dorset*, 1741, óleo sobre tela, 91,4 × 71,1 cm. Reproduzido com a gentil permissão da Society of Dilettanti, Londres.

p. 124: [Figura 3.14] Discípulo de Sir Anthony van Dyck, *Retrato do rei Carlos I*, século XVIII, óleo sobre tela, 137 × 109,4 cm, coleção particular. © The National Trust.

p. 126: [Figura 3.15] Crianças afro-americanas diante da estátua de George Washington, obra de Horatio Greenough, no Capitólio, em Washington, DC 1899. Foto: The Library of Congress, Washington, DC.

p. 127: [Figura 3.16] Joseph Wilton, *Thomas Hollis, c.* 1762, mármore, 66 cm de altura, National Portrait Gallery, Londres, inv. 6946. Foto: © Stefano Baldini/ Bridgeman Images.

p. 128: [Figura 3.17] Emil Wolff, *Príncipe Alberto*, 1844 (à esquerda), mármore, 188,3 cm de altura, Osborne House, e *Príncipe Alberto*, 1846-9 (à direita), mármore, 191,1 cm de altura, Palácio de Buckingham, Royal Collection Trust, inv. RCIN 42028 e inv. RCIN 2070, respectivamente. © Her Majesty Queen Elizabeth II, 2021.

p. 129: [Figura 3.18] Benjamin West, *A morte do general Wolfe*, 1770, óleo sobre tela, 151 × 213 cm, National Gallery of Canada, inv. 8007. Wikimedia.

p. 132: [Figura 3.19] "Mestre do Vitae Imperatorum", imagem de Augusto e a Sibila, da edição manuscrita de *Vidas de Césares*, de Suetônio (*De vita Caesarum*, Milão, 1433), iluminura sobre pergaminho, Princeton University Library, MS Kane 44, fol. 27r.

p. 136: [Figura 3.20] Mino da Fiesole, bustos de Piero de' Medici, *c.* 1453, mármore, 54 cm de altura [à esquerda] Masterpics/ Alamy Stock Photo e Giovanni de' Medici, *c.* 1455, mármore, 52 cm de altura [à direita] Bridgeman Images, Museo Nazionale del Bargello, Florença, inv. 75 e 117.

p. 137: [Figura 3.21] Pisanello (Antonio Pisano), *Leonello d'Este, 1407-1450, marquês de Ferrara* (anverso) e *Leão aprendendo a cantar com Cupido* (reverso), 1441-4, bronze, 10,1 cm de diâmetro, National Gallery of Art, Washington, DC, Samuel H. Kress Collection, inv. 1957.14.602.a/b. Cortesia da National Gallery of Art, Washington.

p. 140: [Figura 4.1] Tazza de Cláudio (Tazze Aldobrandini), final do século XVI, prata folheada a ouro, 40,6 cm de altura, 38,1 cm de diâmetro, coleção particular, emprestada para The Metropolitan Museum of Art, Nova York, inv. L1999.62.1. © The Metropolitan Museum of Art, Nova York/ Art Resource NY.

p. 142: [Figura 4.2 a] Cena da Tazza com a figura de Tibério e prato com cenas da vida de Nero (Tazze Aldobrandini: para mais detalhes, ver 4.1), coleção particular, emprestada para The Metropolitan Museum of Art, Nova York, inv. L1999.62.2. © The Metropolitan Museum of Art, Nova York/ Art Resource NY.

p. 142: [Figura 4.2 b] Cena da Tazza de Galba (Tazze Aldobrandini: para mais detalhes, ver 4.1), Coleção de Bruno Schroder.

p. 142: [Figura 4.2 c] Cena da Tazza de Júlio César (Tazze Aldobrandini: para mais detalhes, ver 4.1), Museo Lázaro Galdiano, Madri, inv. 01453. © Museo Lázaro Galdiano, Madri.

p. 142: [Figura 4.2 d] Cena da Tazza de Otão (Tazze Aldobrandini: para mais detalhes, ver 4.1), Royal Ontario Museum, Toronto. Da coleção do visconde e da viscondessa Lee de Fareham, cedidas em confiança pela Massey Foundation. Cortesia do Royal Ontario Museum. © ROM.

p. 142: [Figura 4.2 e] Cena da Tazza de Cláudio (Tazze Aldobrandini: para mais detalhes, ver 4.1), The Metropolitan Museum of Art, Nova York, inv. L1999.62.1. © The Metropolitan Museum of Art, Nova York/ Art Resource NY.

p. 142: [Figura 4.2 f] Detalhe da cena da Tazza com a figura de Tibério e prato com cenas da vida de Nero (Tazze Aldobrandini: para mais detalhes, ver 4.1), coleção particular, emprestada para The Metropolitan Museum of Art, Nova York, inv. L.1999.62.2. © The Metropolitan Museum of Art, Nova York/ Art Resource NY.

p. 145: [Figura 4.3] Giovanni Battista Della Porta, bustos dos Doze Césares no saguão de entrada (Salone d'ingresso) da Villa Borghese, Galleria Borghese, Roma. Foto: Luciano Romano.

p. 146: [Figura 4.4] Hieronymus Francken II e Jan Brueghel, o Velho, *Os arquiduques Alberto e Isabel em visita à Coleção de Pierre Roose*, c. 1621-3, óleo sobre painel, 94 × 123,2 cm, Walters Art Museum, Baltimore, inv. 37.2010.

p. 148: [Figura 4.5] Porta-joias imperial, atribuído a Colin Nouailher, francês, c. 1545, esmalte sobre cobre com moldura de metal dourado, 10,6 × 17,1 × 11,3 cm, The Frick Collection, inv. 1916.4.15. Henry Clay Frick Bequest.

p. 148: [Figura 4.6] Retrato em medalhão de Calígula, século XIX, bronze, 10 cm de diâmetro, coleção particular. Foto: Robin Cormack.

p. 150: [Figura 4.7] Christian Benjamin Rauschner, quatro bustos imperiais (Júlio César, Augusto, Tibério, Cláudio), século XVIII, cera, 14 cm de altura (painel). Herzog Anton Ulrich-Museum Braunschweig, Kunstmuseum des Landes Niedersachsen, inv. Wac 63, 64, 65, 66. Foto: Museu.

p. 154: [Figura 4.8] Marcantonio Raimondi, "Trajano" (identificado erroneamente como Nerva), gravura da série de Doze Césares (placa 94, do v. 3 de *Speculum romanae magnificentiae*; detalhes conforme 3.7 n), The Metropolitan Museum of Art, Nova York, inv. 41.72(3.94). Rogers Fund, transferido da biblioteca.

p. 156: [Figura 4.9] Hendrick Goltzius, *Vitélio*, início do século XVII, óleo sobre tela, 68,1 × 52,2 cm. Stiftung Preußische Schlösser und Gärten Berlin-Brandenburg, inv. GK I 980. Foto: Stiftung Preußische Schlösser und Gärten Berlin-Brandenburg.

p. 157: [Figura 4.10] Johann Bernhard Schwarzenburger, *Tito*, de pouco antes de 1730, pedras semipreciosas, ouro, esmalte preto e pedras preciosas, 26,6 cm de altura (com pedestal), Grünes Gewölbe, Staatliche Kunstsammlungen Dresden, inv. V151. Foto: Jürgen Karpinski.

p. 158: [Figura 4.11] Joost van Sasse (de um desenho de Johann Jacob Müller), *Vista interior da grande galeria real em Herrenhausen* (Hannover), c. 1725, gravura em cobre, c. 19,5 × 15 cm (imagem). The Picture Art Collection/ Alamy Stock Photo.

p. 160: [Figura 4.12] Fotografia de um panorama da "Sala dos Imperadores" nos Museus Capitolinos, em Roma, na década de 1890. Granger Historical Picture Archive.

p. 163: [Figura 4.13 a] Estátua de *Hércules bebê*, século III, basalto, 207 cm de altura, Musei Capitolini, Roma, Palazzo Nuovo, inv. Scu 1016. Colaimages/ Alamy Stock Photo.

p. 163: [Figura 4.13 b] Estátua de rapaz com o pé apoiado em uma pedra, 117-38 d.C., mármore, 184,5 cm de altura, Musei Capitolini, Roma, Palazzo Nuovo, inv. Scu 639. Archivio Fotografico dei Musei Capitolini. Foto: Stefano Castellani. © Roma Sovrintendenza Capitolina ai Beni Culturali.

p. 163: [Figura 4.13 c] *Vênus capitolina*, século II, mármore, 193 cm de altura, Musei Capitolini, Roma, inv. Scu 409. Archivio Fotografico dei Musei Capitolini. Foto: Araldo De Luca. © Roma, Sovrintendenza Capitolina ai Beni Culturali.

p. 164: [Figura 4.14] Fotografia da neve na cabeça dos imperadores, em frente ao Sheldonian Theatre, Oxford. Ian Fraser/ Alamy Stock Photo.

p. 170: [Figuras 4.15 a e 4.15 b] Cenas da Tazza de Tibério (previamente identificada como a peça de Domiciano; Tazze Aldobrandini: para mais detalhes, ver 4.1): *O triunfo de Tibério sob Augusto* [a] e *A fuga de Tibério e Lívia* [b], Victoria and Albert Museum, Londres, inv. M.247-1956. © Victoria and Albert Museum, Londres.

p. 171: [Figura 4.15 c] Cena da Tazza de Calígula (previamente identificada como a peça de Tibério; Tazze Aldobrandini: para mais detalhes, ver 4.1), *Calígula sobre sua ponte de barcos*, Casa-Museu Medeiros e Almeida, Lisboa, inv. FMA 1183. Cortesia do Museu Medeiros e Almeida.

p. 176: [Figura 5.1] Baseada em *Tibério*, de Ticiano, cópia que outrora pertencia a Abraham Darby IV, em 1857, óleo sobre tela, 130,2 × 97,2 cm, coleção particular. A foto é cortesia de Christie's London.

p. 177: [Figuras 5.2 a-k] Aegidius Sadeler (baseado em Ticiano), gravuras dos *Onze Césares*, de Ticiano, década de 1620, gravura em linhas, de cerca de 35 × 24 cm (folhas), British Museum, inv. 1878,0713.2644-54. © The Trustees of the British Museum. Todos os direitos reservados.

p. 179: [Figura 5.3] Xícara de porcelana francesa mostrando Augusto, adquirida (junto com o pires do conjunto, mostrando a esposa de Augusto, Lívia Drusa: ver 7.8) em 1800, porcelana de pasta dura, casco de tartaruga e ornamentos folheados a ouro, 8,8 cm de altura, Royal Collection Trust, inv. RCIN 5675. © Her Majesty Queen Elizabeth II, 2021.

p. 181: [Figura 5.4] O "Camerino dei Cesari" do Palácio Ducal, em Mântua, como é hoje. Com a permissão do Ministero per i Beni e le Attività Culturali e per il Turismo, Palazzo Reale di Genova.

p. 185: [Figura 5.5 a] Oficina de Giulio Romano, *O presságio dos poderes imperiais de Cláudio c.* 1536-9, óleo sobre painel, 121,4 × 93,5 cm, Palácio de Hampton Court, Royal Collection Trust, inv. RCIN 402806. © Her Majesty Queen Elizabeth II, 2021.

p. 186: [Figura 5.5 b] Oficina de Giulio Romano, *Nero tocando lira enquanto Roma queima, c.* 1536-9, óleo sobre painel, 121,5 × 106,7 cm, Palácio de Hampton Court, Royal Collection Trust, inv. RCIN 402576. © Her Majesty Queen Elizabeth II, 2021.

p. 187: [Figura 5.6] Giulio Romano, *Um imperador romano* [?] *a cavalo*, óleo sobre painel, 86 × 55,5 cm, Christ Church Picture Gallery, Oxford, inv. JBS 132.

p. 188: [Figura 5.7] Reconstrução composta da parede oeste do Camerino dei Cesari, com base em desenhos de Ippolito Andreasi, *c.* 1570, pena, tinta marrom e lavagem cinza sobre giz preto, Museum Kunstpalast, Düsseldorf. Patamar superior: retratos de Nero (20,5 × 15,9 cm), Galba (20,5 × 15,8 cm) e Otão (20,5 × 16 cm) (inv. F.P. 10910, 10911,

438

10931); figuras de nicho (*c.* 23,5 × 8,5 cm) (inv. F.P. 10885, 10886, 10881, 10883). Patamar inferior: com "histórias" (o incêndio de Roma, o sonho de Galba e o suicídio de Otão) e cavaleiros (35,8 × 97,9 cm) (inv. F.P. 10940). © Kunstpalast-Horst Kollberg-ARTOTHEK.

p. 189: [Figura 5.8] Giulio Romano. *A modéstia de Tibério*, *c.* 1536-7, tinta marrom e lavagem marrom sobre giz preto, 51 × 42 cm, Museu do Louvre, Paris, inv. 3548-recto. Foto: Thierry Le Mage. © RMN-Grand Palais/ Art Resource, NY.

p. 190: [Figura 5.9] Ippolito Andreasi, *c.* 1570, *Metade inferior direita da parede norte* [sic; na verdade é a *parede leste*] do Camerino dei Cesari, pena, tinta marrom e lavagem cinza sobre giz preto, 31,8 × 47,7 cm, Museum Kunstpalast, Düsseldorf, inv. F.P. 10878. © Kunstpalast-Horst Kolberg-ARTOTHEK.

p. 193: [Figura 5.10 a] Bernardino Campi, *O imperador Domiciano*, após 1561, óleo sobre tela, 138 × 110 cm, Museo e Real Bosco di Capodimonte, Nápoles, inv. Q1152. Com a permissão do Ministero per i Beni e le Attività Culturali e per il Turismo, Museo e Real Bosco di Capodimonte-Fototeca della Direzione Regionale Campania.

p. 193: [Figura 5.10 b] Domenico Fetti, *O imperador Domiciano*, *c.* 1616-7, óleo sobre tela, 151 × 112 cm, Museu do Louvre, Paris, inv. 279. Foto: © Josse/ Bridgeman Images.

p. 193: [Figura 5.10 c] Domenico Fetti, *O imperador Domiciano*, 1614-22, óleo sobre tela, 133 × 102 cm, Schloss Weissenstein, Pommersfelden, Baviera, inv. 177. Foto: Robin Cormack.

p. 193: [Figura 5.10 d] Artista desconhecido, *Domiciano* (equivocadamente rotulado como *Tito*), antes de 1628, óleo sobre tela, 126 × 88 cm, coleção particular.

p. 193: [Figura 5.10 e] E003354 Supraporte "Imperatorenbildnis" (Domitianus), Umkr. Tizian. Residenz München, Reiche Zimmer, Antichambre (R.55), inv. ResMü. Gw 0156. © Bayerische Schlösserverwaltung, Schaller, Munique.

p. 193: [Figura 5.10 f] Figura Aegidius Sadeler, *O imperador Domiciano*, gravura em linhas, cerca de 35 × 24 cm, British Museum, inv. 1878,0713.2655. © The Trustees of the British Museum. Todos os direitos reservados.

p. 193: [Figura 5.10 g] *Domiciano* do conjunto adquirido pelo Palácio Ducal em Mântua, na década de 1920. Com a permissão do Ministero per i Beni e le Attività Culturali e per il Turismo, Palazzo Reale di Genova.

p. 200: [Figura 5.11 a] Anthony van Dyck, *Carlos I com M. de St. Antoine*, 1633, óleo sobre tela, 370 × 270 cm, Windsor Castle, Royal Collection Trust, inv. RCIN 405322. © Her Majesty Queen Elizabeth II, 2021.

p. 201: [Figura 5.11 b] Guido Reni, *Hércules na pira funerária*, 1617, óleo sobre tela, 260 × 192 cm, Museu do Louvre, Paris, França, inv. 538. Foto: Franck Raux. © RMN-Grand Palais/ Art Resource.

p. 204: [Figura 5.12] Giovanni di Stefano Lanfranco, *Sacrifício para um imperador romano*, *c.* 1635, óleo sobre tela, 181 × 362 cm, Museo Nacional del Prado, Madri, inv. P000236. Foto: © Museo Nacional del Prado.

p. 207: [Figura 5.13 a] Bernardino Campi, baseado em Ticiano, *O imperador Augusto*, 1561, óleo sobre tela, 138 × 110 cm. Museo e Real Bosco di Capodimonte, Nápoles, inv. Q1158. Com a permissão do Ministero per i Beni e le Attività Culturali e per il Turismo-Fototeca della Direzione Regionale Campania.

p. 207: [Figura 5.13 b] Artista desconhecido, *Otaviano César Augusto*, anterior a 1628, óleo sobre tela, 126 × 88 cm, coleção particular, Mântua.

p. 210: [Figura 5.14] Edição de *Doze Césares*, de Suetônio, impressa em Roma, 1470; encadernação *c.* 1800, com ilustração baseada nos Doze Césares

439

de Sadeler na contracapa, retratos esmaltados de Augsburgo, *c.* 1690. Coleção
de William Zachs, Edimburgo. A foto é cortesia de Sotheby's London.

p. 211: [Figura 5.15] Bartholomeus Eggers, *Marco Sálvio Otão*, final
do século XVII, chumbo, 89 cm de altura, Rijksmuseum, Amsterdam,
inv. BK-B-68-C. Peter Horree/ Alamy Stock Photo.

p. 216: [Figura 6.1] "Escadaria do Rei", Palácio de Hampton Court, com o mural
de Antonio Verrio, com um design baseado na sátira *Os Césares*, de Juliano, o
Apóstata, escrita em meados do século IV. © Historic Royal Palaces.

p. 217: [Figura 6.2 a] Detalhe da "Escadaria do Rei", Palácio de Hampton Court,
mostrando Júlio César, Augusto (e Zenão). © Historic Royal Palaces.

p. 217: [Figura 6.2 b] Detalhe da "Escadaria do Rei", Palácio de
Hampton Court, mostrando Nero. © Historic Royal Palaces.

p. 217: [Figura 6.2 c] "Escadaria do Rei", Palácio de Hampton Court: elevação sul,
mostrando Hermes e Juliano, o Apóstata (sentado). © Historic Royal Palaces.

p. 220: [Figura 6.3] "Mesa dos Grandes Comandantes da Antiguidade" (tampo
completo e detalhe de César), francesa (fábrica de porcelana de Sèvres), 1806-12,
porcelana de pasta dura, suportes de bronze folheados a ouro, estrutura
interna de madeira, 104 cm de diâmetro, Buckingham Palace, Royal Collection
Trust, inv. RCIN 2634. © Her Majesty Queen Elizabeth II, 2021.

p. 221: [Figura 6.4] John Deare, *Júlio César invadindo a Britânia*,
1796, mármore, 87,5 × 164 cm, Victoria and Albert Museum, Londres,
inv. A.10:1-2011. © Victoria and Albert Museum, Londres.

p. 223: [Figura 6.5] Decoração do teto, 1530-1, da "Câmera dos Imperadores",
no Palazzo Te, Mântua. © Mauro Flamini/ agefotostock.com.

pp. 224-5: [Figura 6.6] Andrea Mantegna, *Os triunfos de César*, *c.* 1484-92: 1. *Portadores
de quadros* [p. 224]; 2. *Portadores de estandartes e instrumentos de cerco* [p. 225],
têmpera sobre tela, *c.* 270 × 281 cm, Palácio de Hampton Court, Royal Collection
Trust, inv. RCIN 403958 and 403959. © Her Majesty Queen Elizabeth II, 2021.

p. 226: [Figura 6.7] Andrea Mantegna, *Os triunfos de César*, *c.* 1484-92: 9. *César em sua
carruagem*, têmpera sobre tela, 270,4 × 280,7 cm, Palácio de Hampton Court, Royal
Collection Trust, inv. RCIN 403966. © Her Majesty Queen Elizabeth II, 2021.

p. 229: [Figura 6.8] *O assassinato de César* (tapeçaria), Bruxelas,
1549, lã e seda, 495 × 710 cm, Musei Vaticani, Vatican City, Galleria
degli Arazzi, inv. 43788. Foto: © Governatorato SCV-Direzione dei
Musei e dei Beni Culturali. Todos os direitos reservados.

p. 230: [Figura 6.9] Tapeçaria com a legenda "*Abripit absconsos thesaurus
Caesar* [...]", Bruxelas, *c.* 1560-70, lã e seda, 430 × 585 cm, atual paradeiro
desconhecido (leiloada por Graupe, Berlim, 26-27 de abril de 1935, lote 685).

p. 232: [Figura 6.10] Ilario Mercanti ("lo Spolverini") (artista), Francesco Domenica
Maria Francia (gravurista), *Fachada da catedral de Parma ricamente decorada para o
casamento de Isabel Farnésio, rainha da Espanha* (16 de setembro de 1714), gravura
aquarelada, *c.* 1717, 43,7 × 50,2 cm, Biblioteca Palatina, Parma, inv. S* II 18434.

p. 233: [Figura 6.11] Tapeçaria com a legenda "*Iacta alea est transit Rubicone* [...]", Bruxelas,
século XVI, lã e seda, 420 × 457 cm, na Persian Gallery New York (sala de vendas), inv. 27065.

p. 234: [Figura 6.12] Tapeçaria com a legenda "*Iulius hic furiam Caesar fugitat furietem*
[...]", Bruxelas, *c.* 1560-70, lã e seda, 415 × 407 cm, Palácio Nacional de Sintra/National
Palace of Sintra, Sintra, Portugal. © Parques de Sintra-Monte da Lua, S.A./ EMIGUS.

p. 238: [Figura 6.13] Tapeçaria com a legenda *"Iulius Caesar impetum facit"*, Bruxelas, *c.* 1655-70, lã e seda, 335,5 × 467 cm, Salão Azul, Castelo de Powis, Powys, País de Gales, inv. NT 1181080.1. © National Trust Images/ John Hammond.

p. 241: [Figura 6.14 a] Adriaen Collaert (gravurista), baseado em Jan van der Straet (Stradanus), *Augusto*, holandês, *c.* 1587-9, gravura, 32,3 × 21,7 cm (folha), The Metropolitan Museum of Art, Nova York, inv. 49.95.1002(2), The Elisha Whittelsey Collection/ The Elisha Whittelsey Fund, 1949.

p. 241: [Figura 6.14 b] Adriaen Collaert (gravurista), baseado em Jan van der Straet (Stradanus), *Domiciano*, *c.* 1587-9, gravura, 32,4 × 21,6 cm (folha), The Metropolitan Museum of Art, Nova York, inv. 49.95.1002(12). The Elisha Whittelsey Collection/ The Elisha Whittelsey Fund, 1949.

p. 243: [Figura 6.15] Peter Paul Rubens, esboço de imperadores romanos, início do século XVII, pena e tinta marrom sobre papel, 23,6 × 41,9 cm, Kupferstichkabinett, Staatliche Museen zu Berlin, Germany, inv. KdZ 5783 (verso). Foto: Dietmar Katz © bpk Bildagentur/ Staatliche Museen zu Berlin/ Dietmar Katz/ Art Resource, NY.

p. 245: [Figura 6.16] Jean-Léon Gérôme, *A era de Augusto: O nascimento de Jesus Cristo* (*c.* 1852-4; exposto em 1855), óleo sobre tela, 620 × 1015 cm, Collection du Musée d'Orsay, Paris, dépôt au Musée de Picardie, Amiens, inv. RF 1983 92. Foto: Marc Jeanneteau/ Musée de Picardie.

p. 246: [Figura 6.17] Carle (ou Charles-André) van Loo, *Augusto fechando os portões do Templo de Jano*, (exposto) 1765, óleo sobre tela, 300 × 301 cm, Collection du Musée de Picardie, Amiens, inv. M.P.2004.17.29. Foto: Marc Jeanneteau/ Musée de Picardie.

pp. 248-9: [Figura 6.18] Thomas Couture, *Os romanos da decadência*, 1847, óleo sobre tela, 472 × 772 cm, Musée d'Orsay, Paris, inv. 3451. Wikimedia.

p. 253: [Figura 6.19] Georges Rouget, *Vitélio, imperador romano, e cristãos jogados aos leões*, exibido em 1847, óleo sobre tela, 116 × 90 cm, Musée du Berry, Bourges, inv. 949.I.2. Foto: Robin Cormack.

p. 254: [Figura 6.20 a] Jules-Eugène Lenepveu, *A morte de Vitélio*, 1847, óleo sobre tela, 32,5 × 24 cm, Musée d'Orsay, Paris, inv. RF MO P 2015 27. © Beaux-Arts de Paris, Dist. RMN-Grand Palais/ Art Resource, NY.

p. 255: [Figura 6.20 b] Paul Baudry, *A morte de Vitélio*, 1847, óleo sobre tela, 114 × 146 cm, Musée Municipal de La Roche-sur-Yon, inv. 857.1.1. © Musée de La Roche-sur-Yon/ Jacques Boulissière.

p. 258: [Figura 6.21] Jean-Léon Gérôme, *A morte de César*, 1859-67, óleo sobre tela, 85,5 × 145,5 cm, The Walters Art Museum, Baltimore, inv. 37.884.

p. 259: [Figura 6.22] Jean-Paul Laurens, *A morte de Tibério*, 1864, óleo sobre tela, 176,5 × 222 cm, Musée Paul-Dupuy, Toulouse, inv. 49 3 23. Foto: M. Daniel Molinier.

p. 260: [Figura 6.23] Sir Lawrence Alma-Tadema, *Rosas de Heliogábalo*, 1888, óleo sobre tela, 133,5 × 214,5 cm, Pérez Simón Collection, México. ActiveMuseum/ Alamy Stock Photo.

p. 261: [Figura 6.24] Sir Lawrence Alma-Tadema, *Um imperador romano: 41 d.C.*, 1871, óleo sobre tela, 86 × 174,3 cm, The Walters Art Museum, Baltimore, inv. 37.165.

pp. 262-3: [Figura 6.25] Vasiliy Smirnov, *A morte de Nero*, 1887-8, óleo sobre tela, 177,5 × 400 cm, The Russian Museum, São Petersburgo, inv. Ж-5592. The Picture Art Collection/ Alamy Stock Photo.

p. 264: [Figura 6.26] *O menino e o ganso*, século I (cópia de original grego, [?] século II a.C.), 92,7 cm de altura, Museu do Louvre, Paris, inv. Ma 40 (MR 168). Wikimedia.

p. 266: [Figura 7.1] Sir Lawrence Alma-Tadema, *Agripina visitando as cinzas de Germânico*, 1866, óleo sobre painel, 23,3 × 37,5 cm, coleção particular. Artepics/ Alamy Stock Photo.

p. 269: [Figura 7.2] Busto identificado como Faustina, romano, *c.* 125-59 d.C., mármore grego, 76 cm de altura, Palazzo Ducale, Mântua, inv. 6749. Com a permissão do Ministero per i Beni e le Attività Culturali e per il Turismo, Palazzo Reale di Genova.

p. 273: [Figuras 7.3 a-c] Estátuas de Veleia, Emília-Romanha (Veleia Romana), 37-41 d.C.: Lívia [a], mármore, 224,5 cm de altura; Agripina, a Velha [b], mármore, 209 cm de altura; Agripina, a Jovem [c], mármore, 203 cm de altura, Museo Nazionale Archeologico di Parma, Parma, inv. 828, 829 e 830 respectivamente. Com a permissão do Ministero per i Beni e le Attività Culturali e per il Turismo, Complesso Monumentale della Pilotta.

p. 275: [Figura 7.4] Camafeu com busto frequentemente identificado como Messalina, com coroa de louros, com seus filhos Britânico e Otávia, romano, meados do século I, sárdonix, moldura de ouro esmaltado do século XVII, 6,7 × 5,3 cm, Paris, Bibliothèque Nationale de France, Paris, Cabinet des Medailles, inv. Camée.277.

p. 278: [Figura 7.5 a] Estátua de Messalina com Britânico, romana, *c.* 50 d.C. (sujeita a uma restauração profunda no século XVIII), mármore, 195 cm de altura, Museu do Louvre, Paris, inv. Ma 1224 (MR 280). © Peter Horree/ agefotostock.com.

p. 278: [Figura 7.5 b] *Irene e Pluto*, de Kephisodotos, *c.* 375-360 a.C., cópia romana posterior, mármore, 201 cm, Munich Glypothek, inv. 219. Munich Glypothek/Art Resource, NY.

p. 279: [Figura 7.6] Baixo-relevo de Agripina, a Jovem, e Nero, do complexo arquitetônico de Afrodísias, romano, meados do século I, mármore, 172 × 142,5 cm, Museu Arqueológico, Aphrodisias, Caria, Turquia, inv. 82-250. © Funkystock/ agefotostock.com.

p. 282: [Figuras 7.7 a-l] Aegidius Sadeler, impressões de doze imperatrizes, da série "Os imperadores e imperatrizes de Roma", publicada por Thomas Bakewell (Londres, "Perto da Horn Tavern, na Fleet Street", em operação *c.* 1730[?]), gravuras em linhas, cerca de 35 × 24 cm, British Museum, inv. 1878,0713.2656-67. © The Trustees of the British Museum. Todos os direitos reservados.

p. 284: [Figura 7.8] Pires de porcelana mostrando Lívia Drusa, francês, adquirido (junto com a xícara do conjunto, mostrando Augusto: ver 5.3) em 1800, porcelana de pasta dura, casco de tartaruga e ornamentos folheados a ouro, 13,5 cm de diâmetro, Royal Collection Trust, inv. RCIN 5675. © Her Majesty Queen Elizabeth II, 2021.

p. 286: [Figura 7.9] Aubrey Beardsley, *Messalina e sua companheira*, 1895, grafite, tinta e aquarela sobre papel, 27,9 × 17,8 cm, Tate, Londres, inv. N04423. Imagem Digital: Tate Images.

p. 287: [Figura 7.10] James Gillray, *Dido, em Desespero!*, 1801, gravura colorida à mão, 25,2 × 36 cm, pic. ID 161499. Cortesia de Warden and Scholars of New College. Oxford/ Bridgeman Images.

p. 288: [Figura 7.11] Georges Antoine Rochegrosse, *A morte de Messalina*, 1916, óleo sobre tela, 125,8 × 180 cm, coleção particular. The History Collection/ Alamy Stock Photo.

p. 289: [Figura 7.12] Angelica Kauffman, *Virgílio lendo a Eneida para Augusto e Otávia*, 1788, óleo sobre tela, 123 × 159 cm, The State Hermitage Museum, São Petersburgo, inv. ГЭ-4177. Foto: Vladimir Terebenin © The State Hermitage Museum.

p. 292: [Figura 7.13 a] Jean-Auguste Dominique Ingres, *Virgílio lendo o sexto livro da Eneida para Augusto, Otávia e Lívia*, *c.* 1812, óleo sobre tela, 304 × 303 cm, Musée des Augustins, Toulouse, inv. RO 124. Álbum/ Alamy Stock Photo.

p. 293: [Figura 7.13 b] Jean-Auguste Dominique Ingres, *Augusto escutando a leitura da "Eneida"*, *c.* 1819, óleo sobre tela, 138 × 142 cm, Musées Royaux des Beaux-Arts de Belgique, Bruxelas, inv. 1836. Bridgeman Images.

p. 293: [Figura 7.13 c] Jean-Auguste Dominique Ingres, *Virgílio lendo a Eneida [para Augusto, Otávia e Lívia]*, 1864, óleo sobre papel sobre painel, 61 × 49,8 cm, coleção particular. A foto é cortesia de Christie's New York.

p. 294: [Figura 7.14] Benjamin West, *Agripina chegando a Brindisi com as cinzas de Germânico*, 1768, óleo sobre tela, 168 × 240 cm, Yale University Art Gallery, inv. 1947.16. Yale University Art Gallery. Presente de Louis M. Rabinowitz. Foto: Yale University Art Gallery.

p. 295: [Figura 7.15] *Agripina, a Velha, e Tibério*, da tradução alemã de um incunábulo de *De mulieribus claris*, de Boccaccio, por Heinrich Steinhöwel, *c.* 1474 (impressa em Ulm por Johannes Zainer), ilustração em xilogravura, colorizada à mão, 8 × 11 cm, Penn Libraries, Kislak Center for Special Collections, Rare Books, and Manuscripts, Inc B-720 (leaf [n]7r, f. cxvij).

p. 296: [Figura 7.16] *Nero e Agripina*, do "Barão d'Hancarville" [Pierre-François Hugues], *Monumens de la vie privée des XII Césars*, Bibliothèque Nationale de France, Paris, RESERVE 4-H-9392, vista 212.

p. 297: [Figura 7.17] William Waterhouse, *O remorso de Nero após o assassinato da mãe*, 1878, óleo sobre tela, 94 × 168 cm, coleção particular. Painters/ Alamy Stock Photo.

pp. 298-9: [Figura 7.18] Arturo Montero y Calvo, *Nero diante do corpo da mãe*, 1887, óleo sobre tela, 331 × 500 cm, Museo del Prado, Madri, inv. P006371. Wikimedia.

p. 300: [Figura 7.19] *Nero e Agripina*, ilustrando o poema *Roman de la rose*, holandês, 1490-1500, detalhe de um manuscrito iluminado, em pergaminho, 39,5 × 29 cm, cópia (o texto apenas) de uma edição impressa em Lyon, *c.* 1487, British Library, Londres, Harley MS 4425, fol. 59r. © British Library Board. Todos os direitos reservados/ Bridgeman Image.

p. 302: [Figura 7.20 a] Peter Paul Rubens, *Germânico e Agripina*, *c.* 1614, óleo sobre painel, 66,4 × 57 cm, National Gallery of Art, Washington, DC, inv. 1963.8.1. Andrew W. Mellon Fund. Cortesia da National Gallery of Art, Washington.

p. 302: [Figura 7.20 b] Peter Paul Rubens, *Germânico e Agripina*, *c.* 1615, óleo transferido para um painel de masonita, 70,3 × 57,5 cm, Ackland Art Museum, Chapel Hill, NC, inv. 59.8.3. Ackland Fund.

p. 303: [Figura 7.21] O "Camafeu Gonzaga" (retratos com identificações variadas), século III a.C. ou mais tardio (engaste: trabalho posterior), sárdonix, prata e cobre, 15,7 × 11,8 cm, The State Hermitage Museum, São Petersburgo, inv. ГР-12678. Foto: Vladimir Terebenin © The State Hermitage Museum.

p. 311: [Figura 8.1 a] Edmonia Lewis, *Jovem Otaviano*, *c.* 1873, mármore, altura de 42,5 cm, Smithsonian American Art Museum, Washington, DC, inv. 1983.95.180. Presente do sr. e da sra. Norman Robbins.

p. 311: [Figura 8.1 b] Cabeça do "Jovem Otaviano", século I a.C./d.C. (em um busto moderno), mármore branco, 52 cm de altura, Musei Vaticani, Cidade do Vaticano, Museo Pio-Clementino, Galleria dei Busti, inv. 714. Foto: © Governatorato SCV- Direzione dei Musei e dei Beni Culturali. Todos os direitos reservados.

p. 312: [Figura 8.2] Edmonia Lewis, *A morte de Cleópatra*, 1876, mármore, 160 × 79,4 × 116,8 cm, Smithsonian American Art Museum, Washington, DC, inv. 1994.17. Presente da Historical Society of Forest Park, Illinois.

p. 313: [Figura 8.3] Festa de toga, comemoração do aniversário do presidente Franklin D. Roosevelt, Washington, DC, 1934. © Franklin D. Roosevelt Presidential Library and Museum.

p. 314: [Figura 8.4 a] James Welling, *Júlia Mameia*, 2018, impressão em dicromato gelatinoso com corante de anilina e tinta nanquim, 35,6 × 27,9 cm. © James Welling.

p. 314: [Figura 8.4 b] Barbara Friedman, *Júlia Mameia, mãe do futuro imperador, Alexandre Severo*, 2012, óleo sobre linho, 76,2 × 55,8 cm. © Barbara Friedman.

p. 314: [Figura 8.4 c] Genco Gülan, *Imperador de chocolate*, 2014, chocolate, gesso, mármore e acrílico, 60 cm de altura, EKA Foundation Collection. © Estate Genco Gülan.

p. 314: [Figura 8.4 d] Medardo Rosso, *O imperador Vitélio*, c. 1895, bronze dourado, 34 cm de altura, Victoria and Albert Museum, Londres, inv. 210-1896. © Victoria and Albert Museum, Londres.

p. 314: [Figura 8.4 e] Jim Dine, *Cabeça de Vitélio*, 2000, goma-laca, carvão e tinta sobre feltro, 115,3 × 77,8 cm, Fine Arts Museums of San Francisco, inv. 2013.75.14. © Jim Dine/ Artists Rights Society (ARS), Nova York, 2021.

p. 316: [Figura 8.5] Alison Wilding, *Rômulo Augusto*, 2017, nanquins e colagem sobre papel, 37 × 37 cm, coleção particular. Foto: Robin Cormack © Alison Wilding, 2017.

p. 317: [Figura 8.6] Anselm Kiefer, *Nero pinta*, 1974, óleo sobre tela, 221,5 × 300,6 cm, Staatsgalerie Moderner Kunst, Munique, WAF PF 51. Foto: Atelier Anselm Kiefer © Anselm Kiefer.

p. 318: [Figura 8.7 a] Jean-Léon Gérôme, *Pollice Verso*, 1872, óleo sobre tela, 149,2 × 96,5 cm, Phoenix Art Museum, Phoenix, AZ, inv. 1968.52. Aquisição do museu.

p. 319: [Figura 8.7 b] Cena de Ridley Scott, *Gladiator* (2000). United Archives GmbH/ Alamy Stock Photo.

p. 320: [Figura 8.8] O sarcófago (ver 1.1) em seu paradeiro atual, em Suitland, MD. Foto: Robin Cormack.

Índice remissivo

447

cadeiras imperiais de um eleitor da
Saxônia, *33*; figuras modernas baseadas
em imagens de césares, 134; porta-
joias alemão do séc. XVI com réplicas
de moedas dos, *106*, 107; relação de
Alexandre Severo com, 15; retratos
em bustos no Palácio de Versalhes, *29*;
Tazze Aldobrandini (jogo de taças de
prata), 56, 139, *140*, *142*, 143, 146, 149,
167-8, 191, 194, 239, 310; *Vidas dos Doze
Césares* (Suetônio), 21, 52-4, 58, 64,
88, 107, 139-44, 151, 153, 155, 158, 162,
167-8, 172, 183, 187, 194, 209, *210*, 234,
239, 273-4, 281, 283, 323; *ver também*
imperadores romanos
Druso, 89, 189-90

E

Eggers, Bartholomeus: bustos imperiais
por, 209-11
Egito, 25-6, 71, 83, 88, 151, 162, 222, 237, 303
Élia Pecina, *282*, 331
Elliott, Jesse D., 15, 18-21, 80, 319-20
"Escadaria do Rei" (Palácio de Hampton
Court, Londres), 215-9, *216-7*, 223,
240, 261
Exposição de Tesouros de Arte
(Manchester, 1857), 175-6
Exposição Universal (Filadélfia, 1876),
308
Exposição Universal (Paris, 1855), 244

F

Fairhaven, Lord, 147
falsificações e forjas, 13, 42, 76, 79-80, 135,
160; busto de Júlio César no British
Museum, 73-5, *74*, 79; definição de, 42;
"moedas paduanas" de Cavino, 43, *44*, 135
Farnésio, Alexandre (duque de Parma), 45,
46, 231
Farnésio, família, 206, 228, 232, 233
Faustina (esposa de Antonino Pio), 151, 152,
267, *269*
Faustina (esposa de Marco Aurélio), 54

Fellini, Federico: *A doce vida*, 37, *40*
Fernando de Habsburgo, príncipe, 144
Fernando I, sacro imperador romano, 206-7
Fernando II, sacro imperador romano, 144,
208, 213
Ferrara, marquês de, 136, 137
Fetti, Domenico: pinturas de Domiciano, 193
Filarete: medalhões imperiais de, 136;
portas de bronze com imagem Nero
como Anticristo (Basílica de São Pedro,
Vaticano), 37, 104
Filipe II, rei da Espanha, 206
Filipe IV, rei da Espanha, 202, 206
Filipe V, rei da Espanha, 231
fisiognomonia, 93, *95*, 247
Flandres, 97; mestres de tapeçaria de, 56
flaviana, dinastia, 89, 92, 157, 251, 274
Floro (historiador romano), 229
Fontane, Theodor: *Effi Briest* (romance), 209
Foppa, Vincenzo: *Crucificação*, 114, *116*
forja *ver* falsificações e forjas
fôrmas de confeitaria (fragmentos
arqueológicos romanos), 24
fósforos dos Museus Capitolinos
("Fósforos de Nerone"), 37, *40*
Francken, Hieronymus: painel de Francken
e Jan Brueghel, o Velho, comemorando
a visita dos arquiduques Alberto e
Isabel de Habsburgo a Bruxelas, *146*
Frederico II da Prússia, rei, 70
frenologia, 94
Friedman, Barbara: *Júlia Mameia*, *314*
Frontão (tutor de Marco Aurélio), 26, 85
Fry, Roger, 223-4, 257-8, 260
Fugger, família, 100, 155
Fulvio, Andrea: *Illustrium imagines* (*Imagens
dos Grandes*), 109, 111, 156, 188, 284
Furtwängler, Adolf, 75-6
Fuseli, Johann Heinrich: *O desespero do
artista diante da grandiosidade de ruínas
antigas*, 57

G

Galba, 93, 106-7, 110, 119, 126, 141, 153, 169,
172, 175, 181-2, 187-8, 326, 332; aparência
física de, 95; breve reinado de, 89, 92;

da coleção do Castelo de Herrenhausen (Hannover, Alemanha), 159; das Tazze Aldobrandini, *142*; desenho no tratado de Della Porta sobre fisiognomonia, 95; em Vidas (Suetônio), 52, 92; gravura de Sadeler de, 177; imagens em moedas de, *110*; retratos de, 187-8

Galileu Galilei, 95

Gaulês moribundo (estátua romana), 108

Gautier, Théophile, 244-5

Germânico (pai de Calígula), 47, 89, 162, 171, 250, 260, 265-6, 291, 294, 301-4

Gérôme, Jean-Léon: *A era de Augusto*, 244, *245*; *Ave Caesar!*, 93; *Morte de César*, 256, *258*; *Pollice Verso (Polegar virado)*, *318*

Geta (irmão de Caracala), *26*

Getty Museum (Los Angeles, Califórnia): busto do imperador Cômodo, 39, *41*, *42*, 44

Ghisi, Theodore, 281

Gillray, James: caricatura de Emma Hamilton vendo a frota de Nelson partir, 287

Giovanni de Matociis ("Il Mansionario"): compêndio de biografias imperiais, 108, *110*, 118

Girard College (Filadélfia), 20

Girard, Stephen, 19, 20

Girona (galeaça espanhola), 33, *34*

Gladiador (filme), 39, 318

Goltzius, Hendrick: *Vitélio*, *156*

Goltzius, Hubert, 105

Gonzaga, família, 176

Gonzaga, Federico (duque de Mântua), 30, 175, 181, 194, 196, 222-3

Goscinny, R., 41

Goyder, David George, 94, 95

Grande camafeu da França, *61*, *63*

Graves, Robert, 318

Greenaway, Peter: *A última tempestade* (filme), 210

Greenough, Horatio: *George Washington*, *126*

Grimani, Domenico: *Vitélio de Grimani*, 50, *51*, 93-5, 248, 251, 313, 315

Grynder, Ralph, 202

Guarda Pretoriana, 189, 258

Guilherme III, rei da Inglaterra, 219

Gülan, Genco: *Imperador de chocolate*, 313, *314*

H

Habsburgo, dinastia, 100, 106, 144, 146, 155, 194, 203-4

Hamilton, Emma, 287

Hamilton, William, 287

Hancarville, Baron d': *Monumens de la vie privée des XII Césars (Evidências da vida privada dos Doze Césares)*, 296

Händel, Georg Friedrich: *Alessandro Severo* (ópera), 15; *Giulio Cesare in Egitto* (ópera), 239

Hartt, Frederick, 192

Haydon, Benjamin, 94

Helena (mãe de Constantino), 159

Heliogábalo, 15, 54, 260, 311

Henrique II, rei da França, 118

Henrique VIII, rei da Inglaterra, 11, 113, 225, 227, 229-30, 233, 237-8, 264, 318

Hércules bebê (antiga escultura de basalto), 163, 164

História augusta (coleção de biografias de imperadores), 54

Hogarth, William: *Cena na taverna* ou *Orgia* (em *O progresso do libertino*), 34, *36*

Hollis, Thomas, 127, 128

Horton Court (Gloucestershire, Inglaterra): Júlio César de, *III*; medalhões de calcário de, 113, 119

Houghton Hall (Norfolk, Inglaterra), 38, 125

Hudson, rio (Nova York): cabeça de Júlio César içada do, 69, *71*

I

I, Claudius (seriado de TV), 267

identificação/datação de imagens: Alexandre Severo, *19*, 20; Augusto, 25, 39, 42, 70, 81-2, 84; busto de Cômodo, 42; Calígula, 21, 81, 84; *César verde* (escultura), 70; de figuras em tapeçarias, 228-9, *232*, 235, 237, 239-40; estátutuas de Pompeia (Itália), 82, 90; Germânico e Agripina (Rubens), 303-4; Júlio César, 68, 70, 82, 103; mulheres imperiais, 273,

Palestras A. W. Mellon de Belas-Artes 1952-2021

1952 Jacques Maritain, *Creative Intuition in Art and Poetry* [Intuição criativa em arte e poesia].

1953 Sir Kenneth Clark, *The Nude: A Study of Ideal Art* [O nu: Um estudo da arte ideal]. Publicada como *The Nude: A Study in Ideal Form*, em 1956.

1954 Sir Herbert Read, *The Art of Sculpture* [A arte da escultura]. Publicada em 1956.

1955 Etienne Gilson, *Art and Reality* [Arte e realidade]. Publicada como *Painting and Reality*, em 1957.

1956 E. H. Gombrich, *The Visible World and the Language of Art* [O mundo visível e a linguagem da arte]. Publicada no Brasil como *Arte e ilusão: Um estudo da psicologia da representação pictórica*, em 1986.

1957 Sigfried Giedion, *Constancy and Change in Art and Architecture* [Constância e mudança em arte e arquitetura]. Publicada como *The Eternal Present: A Contribution on Constancy and Change*, em 1962-4.

1958 Sir Anthony Blunt, *Nicolas Poussin and French Classicism* [Nicolas Poussin e classicismo francês]. Publicada como *Nicolas Poussin*, em 1967.

1959 Naum Gabo, *A Sculptor's View of the Fine Arts* [A visão de um escultor sobre as belas-artes]. Publicada como *Of Divers Arts*, em 1962.

1960 Wilmarth Sheldon Lewis, *Horace Walpole*. Publicada em 1960.

1961 André Grabar, *Christian Iconography and the Christian Religion in Antiquity* [Iconografia cristã e a religião cristã na Antiguidade]. Publicada como *Christian Iconography: A Study of Its Origins*, em 1968.

1962 Kathleen Raine, *William Blake and Traditional Mythology* [William Blake e mitologia tradicional]. Publicada como *Blake and Tradition*, em 1968.

1963 Sir John Pope-Hennessy, *Artist and Individual: Some Aspects of the Renaissance Portrait* [Artista e indivíduo: Alguns aspectos dos retratos renascentistas]. Publicada como *The Portrait in the Renaissance*, em 1966.

1964 Jakob Rosenberg, *On Quality in Art: Criteria of Excellence, Past and Present* [Sobre qualidade na arte: Critérios de excelência, passado e presente]. Publicada em 1967.

1965 Sir Isaiah Berlin, *Sources of Romantic Thought* [Fontes do pensamento romântico]. Publicada como *The Roots of Romanticism*, em 1999.

1966 Lord David Cecil, *Dreamer or Visionary: A Study of English Romantic Painting* [Sonhadora ou visionária: Um estudo da pintura romântica inglesa]. Publicada como *Visionary and Dreamer: Two Poetic Painters, Samuel Palmer and Edward Burne-Jones*, em 1969.

1967 Mario Praz, *On the Parallel of Literature and the Visual Arts* [Sobre o paralelo entre literatura e as artes visuais]. Publicada como *Mnemosyne: The Parallel between Literature and the Visual Arts*, em 1970.

1968 Stephen Spender, *Imaginative Literature and Painting* [Literatura e pintura imaginativas].

1969 Jacob Bronowski, *Art as a Mode of Knowledge* [Arte como forma de conhecimento]. Publicada como *The Visionary Eye: Essays in the Arts, Literature, and Science*, em 1978.

1970 Sir Nikolaus Pevsner, *Some Aspects of Nineteenth-Century Architecture* [Alguns aspectos da arquitetura do século XIX]. Publicada como *A History of Building Types*, em 1976.

1971 T. S. R. Boase, *Vasari: The Man and the Book* [Vasari: O homem e o livro]. Publicada como *Giorgio Vasari: The Man and the Book*, em 1979.

1972 Ludwig H. Heydenreich, *Leonardo da Vinci*.

1973 Jacques Barzun, *The Use and Abuse of Art* [O uso e abuso da arte]. Publicada em 1974.

1974 H. W. Janson, *Nineteenth-Century Sculpture Reconsidered* [A escultura do século XIX revisitada]. Publicada como *The Rise and Fall of the Public Monument*, em 1976.

1975 H. C. Robbins Landon, *Music in Europe in the Year 1776* [Música na Europa no ano de 1776].

1976 Peter von Blanckenhagen, *Aspects of Classical Art* [Aspectos da arte clássica].

1977 André Chastel, *The Sack of Rome: 1527* [O saque de Roma: 1527]. Publicada em 1982.

1978 Joseph W. Alsop, *The History of Art Collecting* [A história do colecionismo de arte]. Publicada como *The Rare Art Traditions: The History of Art Collecting and Its Linked Phenomena Wherever These Have Appeared*, em 1982.

1979 John Rewald, *Cézanne and America* [Cézanne e os Estados Unidos]. Publicada como *Cézanne and America: Dealers, Collectors, Artists, and Critics, 1891-1921*, em 1989.

1980 Peter Kidson, *Principles of Design in Ancient and Medieval Architecture* [Princípios do design na arquitetura antiga e medieval].

1981 John Harris, *Palladian Architecture in England, 1615-1760* [Arquitetura palladiana na Inglaterra, 1615-1760].

1982 Leo Steinberg, *The Burden of Michelangelo's Painting* [O fardo da pintura de Michelangelo].

1983 Vincent Scully, *The Shape of France* [O formato da França]. Publicada como *Architecture: The Natural and the Manmade*, em 1991.

1984 Richard Wollheim, *Painting as an Art* [Pintura enquanto arte]. Publicada em 1987.

1985 James S. Ackerman, *The Villa in History* [A *villa* na história]. Publicada como *The Villa: Form and Ideology of Country Houses*, em 1990.

1986 Lukas Foss, *Confessions of a Twentieth-Century Composer* [Confissões de um compositor do século XX].

1987 Jaroslav Pelikan, *Imago Dei: The Byzantine Apologia for Icons* [*Imago Dei*: A apologia bizantina a ícones]. Publicada em 1990.

1988 John Shearman, *Art and the Spectator in the Italian Renaissance* [Arte e espectador na Renascença italiana]. Publicada como *Only Connect: Art and the Spectator in the Italian Renaissance*, em 1992.

1989 Oleg Grabar, *Intermediary Demons: Toward a Theory of Ornament* [Demônios intermediários: Rumo a uma teoria do ornamento]. Publicada como *The Mediation of Ornament*, em 1992.

1990 Jennifer Montagu, *Gold, Silver, and Bronze: Metal Sculpture of the Roman Baroque* [Ouro, prata e bronze: Esculturas de metal do Barroco romano]. Publicada em 1996.

1991 Willibald Sauerländer, *Changing Faces: Art and Physiognomy through the Ages* [Rostos mutáveis: Arte e fisionomia ao longo da história].

1992 Anthony Hecht, *The Laws of the Poetic Art* [As leis da arte poética]. Publicada como *On the Laws of the Poetic Art*, em 1995.

1993 John Boardman, *The Diffusion of Classical Art in Antiquity* [A difusão da arte clássica na Antiguidade]. Publicada em 1994.

1994 Jonathan Brown, *Kings and Connoisseurs: Collecting Art in Seventeenth-Century Europe* [Reis e connoisseurs: Coleções de arte na Europa do século XVII]. Publicada em 1995.

1995 Arthur C. Danto, *Contemporary Art and the Pale of History* [Arte contemporânea e os limites da história]. Publicada no Brasil como *Após o fim da arte: A arte contemporânea e os limites da história*, em 2006.

1996 Pierre M. Rosenberg, *From Drawing to Painting: Poussin, Watteau, Fragonard, David, Ingres* [Do desenho à pintura: Poussin, Watteau, Fragonard, David, Ingres]. Publicada como *From Drawing to Painting: Poussin, Watteau, Fragonard, David, and Ingres*, em 2000.

1997 John Golding, *Paths to the Absolute* [Caminhos para o Absoluto]. Publicada como *Paths to the Absolute: Mondrian, Malevich, Kandinsky, Pollock, Newman, Rothko, and Still*, em 2000.

1998 Lothar Ledderose, *Ten Thousand Things: Module and Mass Production in Chinese Art* [Dez mil coisas: Módulos e produção em massa na arte chinesa]. Publicada em 2000.

1999 Carlo Bertelli, *Transitions* [Transições].

2000 Marc Fumaroli, *The Quarrel between the Ancients and the Moderns in the Arts, 1600-1715* [A contenda entre os antigos e os modernos nas artes, 1600-1715].

2001 Salvatore Settis, *Giorgione and Caravaggio: Art as Revolution* [Giorgione e Caravaggio: Arte como revolução].

2002 Michael Fried, *The Moment of Caravaggio* [O momento de Caravaggio]. Publicada em 2010.

2003 Kirk Varnedoe, *Pictures of Nothing: Abstract Art since Pollock* [Imagens de nada: Arte abstrata desde Pollock]. Publicada em 2006.

2004 Irving Lavin, *More than Meets the Eye* [Para além do que se vê].

2005 Irene J. Winter, *"Great Work": Terms of Aesthetic Experience in Ancient Mesopotamia* ["Grande trabalho": Os termos da experiência estética na antiga Mesopotâmia].

2006 Simon Schama, *Really Old Masters: Age, Infirmity, and Reinvention* [Mestres anciões: Idade, enfermidade e reinvenção].

2007 Helen Vendler, *Last Looks, Last Books: The Binocular Poetry of Death* [Últimos olhares, últimos livros: A poesia binocular da morte]. Publicada como *Last Looks, Last Books: Stevens, Plath, Lowell, Bishop, Merrill*, em 2010.

2008 Joseph Leo Koerner, *Bosch and Bruegel: Parallel Worlds* [Bosch e Bruegel: Mundos paralelos]. Publicada como *Bosch and Bruegel: From Enemy Painting to Everyday Life*, em 2016.

2009 T. J. Clark, *Picasso and Truth* [Picasso e verdade]. Publicada como *Picasso and Truth: From Cubism to Guernica*, em 2013.

2010   Mary Miller, *Art and Representation in the Ancient New World* [Arte e representação no Novo Mundo antigo].

2011   Mary Beard, *The Twelve Caesars: Images of Power from Ancient Rome to Salvador Dalí* [Os Doze Césares: Imagens de poder da Roma Antiga a Salvador Dalí]. Publicada no Brasil como *Doze Césares: Imagens de poder do mundo antigo ao moderno*, em 2022.

2012   Craig Clunas, *Chinese Painting and Its Audiences* [Pintura chinesa e seus públicos]. Publicada em 2017.

2013   Barry Bergdoll, *Out of Site in Plain View: A History of Exhibiting Architecture since 1750* [Fora de lugar, à vista: Uma história de exibições arquitetônicas desde 1750].

2014   Anthony Grafton, *Past Belief: Visions of Early Christianity in Renaissance and Reformation Europe* [Crença do passado: Visões sobre os primórdios da cristandade na Europa do Renascimento e da Reforma protestante].

2015   Thomas Crow, *Restoration as Event and Idea: Art in Europe, 1814-1820* [Restauro enquanto evento e ideia: Arte na Europa, 1814-1820]. Publicada como *Restoration: The Fall of Napoleon in the Course of European Art, 1812-1820*, em 2018.

2016   Vidya Dehejia, *The Thief Who Stole My Heart: The Material Life of Chola Bronzes in South India, c. 855-1280* [O ladrão que roubou meu coração: A vida material dos bronzes Chola no Sul da Índia, em torno de 855 a 1280]. Publicada como *The Thief Who Stole My Heart: The Material Life of Sacred Bronzes from Chola India, 855-1280*, em 2021.

2017   Alexander Nemerov, *The Forest: America in the 1830s* [A floresta: Os Estados Unidos na década de 1830].

2018   Hal Foster, *Positive Barbarism: Brutal Aesthetics in the Postwar Period* [Barbárie positiva: Estética brutal no período pós-guerra]. Publicada como *Brutal Aesthetics: Dubuffet, Bataille, Jorn, Paolozzi, Oldenburg*, em 2020.

2019   Wu Hung, *End as Beginning: Chinese Art and Dynastic Time* [Fim enquanto começo: Arte chinesa e tempos dinásticos].

2021   Jennifer L. Roberts, *Contact: Art and the Pull of Print* [Contato: Arte e a tração da impressão].

Grafia atualizada segundo o Acordo Ortográfico da Língua Portuguesa de 1990, que entrou em vigor no Brasil em 2009.

capa
Alex Merto
imagem de capa
Imperadores romanos Cláudio, Nero, Galba e Otão/
Anônimo, 1646. Rijksmuseum, Amsterdam
tratamento de imagens
Carlos Mesquita
preparação
Cacilda Guerra
revisão
Erika Nogueira Vieira
Ana Maria Barbosa
índice remissivo
Luciano Marchiori

Dados Internacionais de Catalogação na Publicação (CIP)

Beard, Mary (1955-)
    Doze Césares : Imagens de poder do mundo antigo ao moderno / Mary Beard ; tradução Stephanie Fernandes. — 1. ed. — São Paulo : Todavia, 2022.

    Título original: Twelve Caesars: Images of Power from the Ancient World to the Modern
    ISBN 978-65-5692-311-6

    1. Roma — História antiga. I. Fernandes, Stephanie. II. Título.

CDD 937

Índice para catálogo sistemático:
1. História antiga de Roma 937

Bruna Heller — Bibliotecária — CRB 10/2348

todavia
Rua Luís Anhaia, 44
05433.020 São Paulo SP
T. 55 11. 3094 0500
www.todavialivros.com.br

fonte
Register*
papel
Pólen soft 80 g/m²
impressão
Ipsis